新潮文庫

ゴールデンスランバー

伊坂幸太郎著

新潮社版

9075

目次

ゴールデンスランバー

第一部　事件のはじまり

樋口晴子

樋口晴子《ひぐちはるこ》は、平野晶《ひらのあきら》と蕎麦《そば》屋にいた。「四年ぶり」と、遅れてきた平野晶は遅刻を詫《わ》びることもなく言い、「変わらないねえ」と椅子《いす》に座った。「日替わりランチを二人とも」白い上っぱりを着た店員に即座に注文する。仙台駅近くの生命保険会社のビル、その地下にある飲食店の並び、突き当たりに位置した店だった。平野晶が勤めている家電メーカーの事務所に近く、樋口晴子が同じ会社に勤めていた時には二人でよく、そこの蕎麦屋を訪れた。四年ぶりに再会する待ち合わせ場所としては相応《ふさわ》しく思えた。

「変わらないねえ」平野晶がもう一度言う。

「ほんと。メニュー同じだよね。でもさ、ざる蕎麦についてくるわさびが、自分で擂《す》るやつじゃなくて、練りわさびになったよね」

「じゃなくてさー、晴子ちゃんがだよ。本当に子持ちなわけ」

「四歳と九ヶ月」

「わたしは、三歳と三三九ヶ月」平野晶は真面目《まじめ》な顔で言う。

「暗算？」

「合コンでよく使うからね、これ」

合コンいいなあ、と樋口晴子は目を細め、四年ぶりの平野晶をしみじみと眺める。小柄で細身の体型、茶色にした髪にパーマをかけている。くっきりとした二重瞼《ふたえまぶた》、唇は少し厚みがある。化粧は薄い。十一月下旬の仙台はすでに肌寒く、街を行く人々の多くもコートを羽織りはじめていたが、平野晶は黒い長袖《ながそで》のニットを重ねているだけだった。

「あのさ、前から聞きたかったんだけど、晴子ちゃんて、わたしのこと職場でどう思ってた？　いっつも隣の席で、男の話題ばっかりだし、馬鹿《ばか》にしてた？　見下してた？なんかわたしのこと、『晶さん』って、さん付けだったし、距離を置いてた？」

「見上げてた」

「何それ」

自分と同い年ではあったが、どこそこの得意先の男が恰好《かっこう》いいだとか、今付き合っている男の性癖はこうだとか、女の自分が見てもエロい下着を見つけただとか、そういった話題を溌剌《はつらつ》と口にする彼女が、樋口晴子には羨《うらや》ましかった。「生命力に溢《あふ》れてたし」

「溢れる生命力って、ゴキブリに使う表現だよね」平野晶が片眉《かたまゆ》を下げ、苦々しそうにした。

「でも、仕事中でも、彼氏から電話がかかってくると、『課長！　有給休暇これから取っていいですかー』って大声で言って、それでも社内で嫌がられないのって、凄《すご》いと思う」

「そんなにしょっちゅうじゃなかったでしょうに」

「結構、あったよ」樋口晴子は笑う。

「それはね、一応、状況も見てはいるんだよ。今日は早退しても平気だろうな、とかさ」

「ちゃんとバランスを」

「まあ、仕事どころじゃない興味深い話とか持ちかけられたら、どんな時だろうと早退するけど」

「じゃあ、今度わたしが電話して、『離婚する』って言ったら」

「即座に、『課長！　有給休暇取っていいですか』って叫ぶね」

本当にそうしそうだな、と樋口晴子は頰を緩めた。

店内はそれなりに賑《にぎ》わっていたものの、平日の十二時台にこの程度の混雑では、経営が厳しいのではないか、と心配になるが、西側の壁の、高い位置に取り付けられたテレビが薄型の新しいものであったから、あれを買う程度には経営も順調なのかもしれないな、と安心する。テレビからは、昼のニュースが流れている。全国放送の民放番組で、見知った仙台駅前の光景が映っていた。地元の映像には、奇妙な新鮮さと気恥ずかしさがあった。垢抜《あかぬ》けない自宅が、テレビで披露される恥ずかしさだ。「金田《かねだ》首相パレードまであとわずか」とテロップが流れる。

「今日の仙台は、金田フィーバーだねえ」片肘《かたひじ》をついた平野晶が歌うように言った。

「うちの会社の人もさ、昼休みになったら観《み》に行ってたよ、パレード」

「厳戒態勢だよね。あちこち通行止めだし」樋口晴子は街に出てくる最中に見かけた、警備の様子を思い出した。野球の捕手がつけるような、プロテクターを身体《からだ》につけた警察官たちの胸には、「宮城県警」の文字があった。

「今話題の新首相がやってきて、何かトラブルでもあったら、警察の偉い人たちは相当やばいだろうからね。必死だよ必死」平野晶は首を傾け、テレビを見やった後で、ちょうど運ばれてきた日替わりランチの盆を受け取った。

　蕎麦を食べながら、平野晶の恋人の話になった。合コンで知り合ったという三歳年下の彼は、勤勉な会社員で童顔の男、平野晶の願いであればどんなことでも叶《かな》えようと一生懸命になる、という。

「あれはね、きっとランプの中にいたね、昔は。ランプこすられると出てきて、言いなりになる癖がついちゃってるんだよ」

「ランプの精かあ」

「で、名前がさ、将門《まさかど》なんだよね。偉そうでしょ。わたしが平野だから、くっつければ、たいらのまさかど、と読めなくもない」

「会社員って何の会社なの」

「それが面白いんだけど」平野晶が声を少し高くした。自分のボーイフレンドに、ようやく言及する価値を見出《みいだ》した、と言わんばかりだった。「セキュリティポッドって知ってる?」

「街中に置かれてる、あれ?」

「あちこちにあるよね。『スター・ウォーズ』のR2-D2みたいなやつ」

「あれって、本当に情報取れてるのかなあ」樋口晴子は首を捻《ひね》る。住民の安全を守るために、と導入されたものの、その機械がどれほどの情報を得て、警戒に役立っているのか、ぴんと来なかった。

「将門君が言うには、そんなに凄くないらしいけど」どうせならば、しっかりとした衛星を飛ばして、上空から監視したほうがよほど正確で効率が良い、ということのようだった。

「ただまあ、ポッドの周辺写真は撮れるみたいだし、携帯電話の通話情報をあそこでキャッチしてるらしいからね。監視社会だよ、ザッツ、監視社会」

「将門君の仕事は、その、ザッツ監視社会?」

「の掃除」

「監視社会の掃除?」

「セキュリティポッドのカメラのレンズとか、そういうのを拭《ふ》いて、掃除するんだって。

定期的に、ワゴンで回って。壊れてないか、チェックして。興味深いでしょ」

「その将門君とは結婚しないわけ」

「結婚ってどう？」

「どうと言われても」

「子供って可愛《かわい》い？　男だっけ、女だっけ」

「娘。可愛い」樋口晴子は顔を強張《こわば》らせ、端的に答えた。気を緩めると、頬が垂れ、ずるずると我が子の可愛らしさについて喋《しゃべ》り出してしまいそうな気がした。「で、将門君とは結婚しないわけ？」と質問を繰り返す。

平野晶は二重瞼をぱっちりと開け、口に啜《すす》りかけの蕎麦を箸《はし》で支えながら、動きを止めた。じっと樋口晴子を見詰める。ほどなく、口だけを動かし、蕎麦を飲み込む。「トランプを一枚ずつ配られるとするでしょ」

「何の話？」

「たとえば。たとえばスペードの10とかを手にした時にさ、このままストップするか、さらに交換すべきか、悩むよね。10って微妙じゃない。もっといいカード来るかもしれないし。これがエースとか、4とかだったら、分かりやすいけど」

「将門君は、スペードの10かあ」樋口晴子は、不在の将門青年の無念を想像する。「実は、絵札かもよ」

「ないない」と平野晶は強く否定した。「まあ、11みたいな顔してるけどね。Jのあの絵の男みたいな」と微笑《ほほえ》む。その笑みには、将門青年への慈《いつく》しみが含まれているようでもあった。「その点、晴子ちゃんはさ、最初に絵札を引いちゃったわけだ。で、交換不要で、はい、勝負」

「最初のカードってわけじゃないけど」と樋口晴子は苦笑する。「まあ、早めには来たね」

晴子ちゃんののろけで蕎麦が美味《うま》くなった、と平野晶は音を立てて、そばを啜る。飲み込んだ後で、「あ、そういえば」と指を鳴らした。「そういえば、一緒に働いてた頃、話してたよね。大学時代の彼氏の話。二枚目なんだけど、頼りない」

樋口晴子は、「そうそう」と顎《あご》を引き、青柳雅春《あおやぎまさはる》の顔を思い出す。そして、樽《たる》が頭に浮かんだ。

横倒しになり、壁一面に積まれた樽だ。その樽には、小さな栓があり、突起状のそれを引き抜くと、中からワインが流れ出る。まさにその時の樋口晴子も、平野晶の言葉をきっかけに、頭の中の樽の栓が抜かれ、そこから、青柳雅春と過ごした時間の記憶がどっと溢れ出るような感覚に襲われた。樋口晴子は、慌《あわ》てて栓を探し、ワイン塗《まみ》れならぬ思い出塗れとなった手で、樽に挿し込む。ぴたりと記憶が止まるが、すでに零《こぼ》れ出していた記憶の断片は、いくつかの切り取られた場面として、ひらひらと頭の中を舞っている。現像された写真のようだ。揺れ、落ち、時折、翻《ひるがえ》る。大学入学時、はじめて会った時の幼さが残る青柳雅春がそこには映り、また、別れ話を切り出した際のきょとんとした青柳雅春がいた。

「あのさ、二年くらい前に、地元の宅配便のドライバーが話題になったこと、覚えてる？」樋口晴子は言った。

蕎麦を啜っていた平野晶は眉根を寄せ、目をきょろきょろとさせた後で、また指を鳴らした。「覚えてる。というか、今、思い出した。配達中に、泥棒捕まえて、有名になった奴《やつ》だよね。男前だったから、覚えてる。あれもフィーバーだったね。わたしも惚《ほ》れちゃったし」と平野晶が言う。「恰好いいのにどこか朴訥《ぼくとつ》としてて。でもさ、あれ、何であんなに大騒ぎだったんだろ」

「助けた相手が、アイドルだったからね」

「あのアイドルの名前、何だったっけ？」

「忘れた」

「だよね」平野晶は口を動かしつつ、蕎麦湯をつゆに注いでいく。

「何でも消えていくよね、ほんと」樋口晴子は強く、首を振った。「アイドルも、宅配便の運転手も、元の彼氏も」

「消えたと言っても、どこかにはいるだろうけどねえ。あ、今日、可愛い娘は？」

「幼稚園」

　すると平野晶はじっと、樋口晴子を見つめ、「ほんとお母さんなんだなあ」と言った。

　視線がテレビへと向いた。見知った建物が見える。仙台市街地、南を走る国道から、県庁や市役所の通りへと続く大通りだ。バスの停留所の密集した場所だった。十一月の寒い沿道に人がぎっしりと並んでいる。いったい仙台のどこにそんなに大勢が隠れていたのか、と思う一方で、これだけの人数が見物にかまけていても、世の中は通常通りに動くのか、とも感じた。働き蟻《あり》の三十パーセントは働いていない、という有名な話を思い出し、今パレードに駆けつけているのはその三十パーセントなのではないか、とぼんやり考える。

「そんなに首相が観たいかねえ、みんな？」

「宮城出身だから、仲間意識があるのかな」

「最初、首相の予備選に出た時はほとんど関心なかったくせにねえ。身勝手だよ。県知事なんてさ、金田が最初、挨拶《あいさつ》に来た時なんて、『まあ、若いから、チャンスはこれからもありますよ』とか笑っていたらしいよ。それが首相になった途端、手のひら返しだよ。地元でぜひ、パレードをしてください、なんてお願いして」

「オリンピック選手じゃないんだからね」

「でも、首相になってから半年も地元に来なかったのは、金田の意地じゃない？」と平野晶は穿《うが》った見方をしてみせた。「最初は応援してくれなかったくせに、っていうさ」

「お、金田、映るかな」樋口晴子の背後にいる客がぼそっと言うのが、聞こえた。

横長のテレビ画面の左手から、右へ向かい、ゆっくりと車が流れてきた。雪でも降っているのか、と樋口晴子は一瞬、思ったが、紙吹雪のようなものが投げられているのだった。優雅に降ってくる光る紙やテープはどこか、田舎のパレードじみていたが、華やかに盛り上がる、燥《はしゃ》いだ思いは伝わる。先導するパトカーがカメラの前をゆっくり横切っていく。次に、車体の長いオープンカーが姿を見せた。

「来た、来た、金田」後ろの男の声がまた、聞こえた。テレビの位置が高いため音声はよく聞き取れなかったが、アナウンサーが興奮気味に、「金田首相です」と連呼しているのは把握できる。

オープンカーの後部座席に座り、手を振る金田首相が映る。カメラがズームになり、その横顔を大きくする。五十歳という若さで首相となっただけあり、その貫禄《かんろく》や霊気は人並み外れて感じられた。太い眉と高い鼻、炯々《けいけい》と光る大きな眼、落ち着き払った仕草は、味のある二枚目中年俳優にも見える。洗練された清潔感としたたかな狡猾《こうかつ》さ、どちらも垣間《かいま》見《み》られた。金田の所属する自由党の議員たちが、「苦労してないから白髪がない」と揶揄《やゆ》していた通り、金田の無造作な髪は黒々としていた。口は真一文字に閉じている。笑っているのか、気を引き締めているのか、判然としない。その隣には、ほっそりとした体型の金田夫人が腰を下ろしている。穏やかな静かさを湛《たた》えるたたずまいは、近寄りがたい育ちの良さを感じさせた。

平野晶が、テレビの中の金田を指差した。「わたし、結構、期待してるよ」

樋口晴子の脳裏を、テレビ番組の映像が過《よ》ぎった。重厚かつ老練な対立候補である鮎《あゆ》川真《かわまこと》とテレビ討論で対峙《たいじ》した際の、金田の姿だ。金田は、学生時代にラグビーで鳴らしたというものの、背広姿はスマートで、どちらかといえば華奢《きゃしゃ》な体つきに見えた。絶えず物腰は柔らかかったが、相手を射抜く視線は鋭かった。「金田君は、まだ若いから、理想論を口にしすぎる」とたしなめられた際、「私は理想を叶えるために、政治家になったんですよ」と静かに言い切った。

「そういえば、うちの旦那《だんな》が言ってたんだけど」樋口晴子は言う。

「こんな美人を嫁にして、幸せだなあ、って？」

違う違う、と樋口晴子は苦笑する。「国のためには自分の人生がどうなっても構わない。そう本気で思ってる政治家は稀《ま》れだ、って」

「だろうねえ。政治家が死ぬのは、病気とか、汚職がばれて、はずかしくて自殺する、とかだけ」

「金田はその稀れなほうっぽい、って旦那が言うには」

「同感だねえ」

最初、テレビに映るそれが何であるのか、樋口晴子には分からなかった。カタツムリの歩みさながらに進む金田を乗せたオープンカーの上から、白い物が落ちてきたのだ。あたかも、ビルの看板に止まっていた鳥が、パレードを物珍しがり、羽ばたきつつ降下してきたかのようだった。ただ、鳥にしてはその尾が長く、見えた。紙吹雪や紙テープ同様の趣向のひとつなのだろう、と樋口晴子はぼんやりと感じ、黙って画面を見つめていた。

テレビの音声も聞き取れない。

斜めに降りてきたそれは、オープンカーに近づく。

「ラジコン？」

そう呟《つぶや》いたのは、平野晶だったのか、背後の客だったのか樋口晴子には判断がつかなかった。自分自身の内心の声だったかもしれない。

ゆっくりとプロペラを回転させ、ふわふわと空中を漂いつつ高度を落としてくるのは、ヘリコプター型のラジコンだった。テレビから音が鳴った。短い破裂音だった。画面の中心に白い煙が広がる。直後、画像が歪《ゆが》んだ。

蕎麦屋のテレビが故障したのかと思ったが、そうではなかった。映像が戻る。大通りには煙が充満し、その煙の隙間《すきま》に、逃げ惑う人々の姿が見えた。炎が揺れている。

蕎麦屋は静まり返っていた。テレビからは、アナウンサーの、「爆弾です爆弾です」と無闇《むやみ》に繰り返す声だけが聞こえた。

第二部　事件の視聴者

一日目

枕《まくら》に頭をつけ、吊《つ》られた左脚を眺めた田中徹《たなかとおる》は、巻かれた包帯の中が痒《かゆ》いな、と思った。体勢を起こし、包帯と皮膚の隙間《すきま》に入れるべき耳掻《みみか》きを捜したが、見つからない。「田中君」と隣のベッドから呼ばれた。病院の大部屋だ。カーテンの間仕切りは開いたままで、顔を向けると、両脚を上げた仰向《あおむ》けの姿勢で、白髪の男が口元を緩めていた。丸顔で、両目の間が少し離れている。「耳掻き、捜してる？」

図星を突かれたのが癪《しゃく》で、否定した。

保土ヶ谷康志《ほどがややすし》と名乗るその男は、田中徹が入院する前からそのベッドで横になり、その時から両脚にギプスをはめていた。今年で三十五歳の田中徹からすれば、還暦過ぎのその男は、父親というほうがしっくり来るが、保土ヶ谷康志は、「骨折同盟だな」と妙な仲間意識を向けてくる。おまけに事あるたびに、「俺のほうは、田中君と違って、両方だろ。両脚。だから、つらいんだよね」であるとか、「片脚が自由なだけでもずいぶん違うよなあ」であるとか、あからさまに、両脚骨折の優越感を強調してくるので、煩《わずら》わしかった。

さらには、テレビの将棋番組を見ては、「ああ、詰んでるな、これは」と小馬鹿《こばか》にした言い方をするのも耳障《みみざわ》りだった。正直なところ田中徹は、将棋については無知だったので、彼がどれほど正しいことを喋《しゃべ》っているのかも分からない。

彼は、ひょいひょいとベッドから起き、松葉杖《まつばづえ》を突いて出かけると、長時間、部屋に戻ってこない。松葉杖なしで、飄々《ひょうひょう》と歩いている瞬間もある。「とっくに治ってるんじゃないですか」と訊《たず》ねたくなることが頻繁にあった。

「田中君、今、俺のところに来てた見舞い客、どんな奴《やつ》か知ってるかい？」保土ヶ谷康志が言う。

「そんなの、知らないですよ」

「田中君、聞いたら、驚くぜ」

「それなら聞きたくないです」

会社勤めであれば定年の年代なのだろうが、あまり自慢できない仕事を生業《なりわい》としていたらしく、何かと言うと、その怪しげな仕事について喋ろうとしてくる。眉唾物《まゆつばもの》の武勇伝を話し、あの犯人とは飲み友達であった、あの親分からよく仕事をもらった、と言う。実際、物騒な人相の見舞い客は多く、「えらい見舞い客が来たよ」と嬉《うれ》しそうに言うので、田中徹はうんざりしていた。

大部屋の入り口に人影が見えたのは、その時だ。松葉杖をついた少年が立ち、戸をノックした。隣の個室に入院中の少年だ。

「おお、どうした」と返事をしたのは田中徹ではなく、横の保土ヶ谷康志だ。

「田中君」と少年は言う。中学生の少年から、君づけで呼ばれることに抵抗はあったが、親しみの現われだろう、と解釈し、我慢している。「テレビ観《み》た？」

「テレビ？」田中徹は視線を左へ、小さなサイドボードに載ったテレビへと向ける。リモコンに手を伸ばし、電源を入れる。プリペイドカードで自由に観るシステムで、イアフォンで音声も聞けた。

「どうしたわけ」

「事件だよ事件」と少年は言い、「これでしばらく入院の退屈が凌《しの》げる」と笑うと、あっという間に姿を消した。何が事件だよ、と思う田中徹の目に、深刻な表情の男が映った。マイクを持ち、額に包帯を巻いている。知った場所だな、と思った後で、仙台市の街が背景にあると気づいた。南北に走る、東二番丁通りだ。

横の保土ヶ谷康志が、「そうか、今日、パレードか」と言う。「金田が来るんだろ。金田首相」

「ああ」と答えた時には、目に、「金田首相暗殺。ラジコン爆弾」の文字が飛び込んでくる。え、と訝《いぶか》り、反射的にイアフォンをつかんで、耳に詰めた。

「ようやく、混乱が収まってきましたが、それでも通りは依然として渋滞し、大混雑です」負傷したと思《おぼ》しき、テレビの中のアナウンサーが興奮の声を発している。

田中徹はじっとテレビを見つめるほかない。気づけば、保土ヶ谷康志も自分のテレビに向き直り、イアフォンをはめていた。

混雑と興奮、クラクションと警察官の怒声に塗《まみ》れたその放送は、決して整理された報道とは思えなかったが、十分ほど眺めていると状況が把握できた。

半年前に野党から初めて首相に選ばれた金田のパレードが、仙台市街地で行われた。順調に進行していると思われた時、突然、ラジコンヘリコプターが出現した。

教科書倉庫ビルの上空から降下してきたラジコンは、金田首相の乗るオープンカーに近づき、爆発を起こした。

テレビ番組は、爆発の瞬間の映像を、自らの手柄を強調せんばかりに、何度も何度も流す。オープンカーは原形を留めないほどに壊れた。道に植えられた欅《けやき》の太い枝が折れた。沿道までは距離があったため、直接、爆弾により死亡した人間はいなかったが、パニックの中、転倒し、怪我《けが》を負った者が十数名、意識不明の者もいる。金田首相と夫人の遺体はまだ確認されていません、とアナウンサーは言った。遺体、と言い切ったことが、すべてを表しているようにも感じられる。

「こりゃ大変だ」と田中徹は呟《つぶや》いてしまう。「しばらくは目が離せないぞ」

入院中で良かった、と思う。事件の経過の一部始終を満喫するには、これほど好都合な状況もない。ありがとう、骨折。

田中徹の予測、あるいは希望通り、その日の夕方から、テレビ局は特別番組を組み、首相殺害事件についての放送を始めた。

大掛かりな検問がすぐに実行に移された。国道の二八六号、四号をはじめ、東西南北へ向かう主要な道路に、これでもかというほどに警察官が配置された。迅速な対応だ、とテレビ番組に登場した、コメンテーターが褒めた。「五年前の、女弁護士逃亡事件の時は、検問の遅さが事態を悪化させたのですよ」と彼は訳知り顔で言ったが、別の女性コメンテーターから、「弁護士にわざわざ、女、とつけるのは感心しないですね」と突かれた。

警察の会見がはじまるまでは、ひたすら、爆発の映像と、アナウンサーたちが現場で見つけた目撃者たちの談話ばかりが流れた。正式発表がない間は、なけなしの素材を使い回すほかないのだろう。

パレードの沿道には、渋滞と混乱のために行き場を失った者たちが漂っていたので、目撃証言は容易に手に入った。彼らはいちように興奮し、爆発の瞬間の音や煙について熱っぽく語り、自分がその後で取った行動を、それはたいがい、走って逃げ出すだけだったのだが、話した。何人かの若者たちはその時の模様を、携帯電話で撮影したと誇らしげに主張したが、実際に見ると、いずれもぼやけて全体の把握できない映像だった。

副首相である海老《えび》沢克男《さわかつお》は官邸で一度だけ、テレビカメラの前に現われた。七十歳間近ではあるが、現役ラグビー選手のような体格で、若々しい金田の脇《わき》に並ぶと、大柄なボディガードに見えたものだった。牛若丸に付き添う弁慶だ、とことあるごとに形容された。

牛若丸を爆弾で失った弁慶は動揺を押し隠し、「現在、情報収集中。あとは警察に聞いてくれ」と短く言い放つだけで、姿を消した。

十四時に警察が会見を行った。報道関係者や他の視聴者、テレビの前の田中徹にとっては、最初のハイライトだ。

カメラの前に姿を現わしたのは、宮城県警ではなく、警察庁の男だった。肩書きは、警備局の総合情報課、課長補佐で、佐々木《ささき》一太郎《いちたろう》と名乗った。

「ワープロソフトみてえな名前だなあ」隣の保土ケ谷康志がイアフォンを耳にしつつ、独り言を洩《も》らしている。「ポールみてえな男だな」とも言った。

「トーテムです?」

「マッカートニー」

佐々木一太郎の、緩くパーマのかかったような髪と垂れた大きな目、幼く見える顔立ちから連想したのだろう。確かに言われてみれば、ビートルズのポール・マッカートニーに似ている。ポールに捜査ができるのかよ、と保土ヶ谷康志は苦々しく言った。「詰ますことできるのかよ、こいつに」

新聞記者たちは次々と質問を投げる。佐々木一太郎は相槌《あいづち》をなかなか打たず、時折、時計を見た。そういった小さな仕草が、記者たちに圧迫感を与えているようだった。彼は、憶測を口にせず、必要最低限の回答を、有無を言わせぬ力強さで話す。

「ラジコンヘリはどこから飛んできたのですか」

「爆発の起きた道沿い、教科書倉庫ビルのどこからか、と考えられています」

「どこからか、とは」

「ビルの中からか、屋上からか。いずれにせよ、捜査中です」

「国道の検問、さらに新幹線、在来線のストップ、これは検問というよりも、仙台封鎖ですよ。流通業はもとより、市民生活にも影響が大きいのではないでしょうか」

佐々木一太郎は動じない。「犯人が何人であるのか、現在のところ断定はできませんが、犯人たちが現場から離れることを防ぐ必要があります。差し当たり、数時間。各企業、各交通機関を含め、あらゆる方面に協力を要請し、承諾を得ています。その後は、検問、監視を強化した上で、新幹線の運行についても再開する予定です。一国の首相が計画的に殺害され、その犯人は依然として逃亡中。これは緊急事態です。少々の無理は仕方がない。永遠に封鎖するわけではない。それよりも、あちらこちらの企業や業者の顔色を窺《うかが》い、犯人を自由に移動させろ、と言いますか？」と質問した記者を睨《にら》み、「あなたがそう進言するなら、私たちももう一度検討しますよ」と続けた。

「宮城県警との捜査協力はうまくいっていますか」という質問もあった。「今回、警察庁が出てくるのがずいぶん、早かったですよね」

「それが？」と佐々木一太郎は答えた。「早いことに何か問題がありますか？」

質問者が一瞬、黙った。

「県警には最大限の協力をしてもらっている。不謹慎な言い方になるかもしれませんが」佐々木一太郎は会見の終盤に言った。「仙台で事件が起きたのは、不幸中の幸いと言えるかもしれません。昨年に導入された、セキュリティポッドをはじめ、情報取得がスムーズです。犯人の特定、逮捕もそう遠くない、と私は確信しています」

そしてさらに、「今回のような緊急事態には、マスコミの皆さんの協力も求めています。仙台市内に住む方々の情報を集め、それを私たちにフィードバックしていただきたい。市民へ警戒を促す結果にも繋《つな》がると思っています」と言った。

これで、テレビ局は、「捜査に協力する」大義名分を得た。

テレビ番組のスタジオでは、会見内容の確認がすぐに行われる。現在の状況について、繰り返し、アナウンサーが述べる。

田中徹はベッドから起き、松葉杖を突き、トイレに向かった。小便を済ますと、喫煙所に立ち寄ったが、当然のことながら、そこも爆弾事件の話題で持ち切りだった。

「ネーミングっていうのは、大事なんだよ。名前をつけるとイメージができるし、イメージで、人間は左右されるからさ」とベンチに座り、とうとうと喋っているのは、田中徹を、「田中君」と呼ぶ例の中学生だった。中学生が喫煙所にいるなよ、とも思うが、煙草《たばこ》を吸っているわけではない。

「何の話？」田中徹は隣に座る。

「警察庁の総合情報課って、いつの間にできたんだ、って山田君が言うからね」と彼が指を向けた先には、仙人じみた風貌《ふうぼう》の皺《しわ》だらけの老人がいて、「俺の知ってるのは、公安とか捜査一課とかだからねえ」と言っている。この老人相手にも君づけなのか、と田中徹は少し、感心した。

「いつできたんだっけ？」

「三年前。警備局を再編成した時だよ」

「おまえ、何でそんなに詳しいんだ？」

「入院患者は暇だからだよ、田中君」と彼は真顔で答える。「でね、公安とかって、すでにいろんなイメージがついちゃってるでしょ。治安維持って言葉も、安全保障とかも、きな臭いイメージがあるし。そもそも、国家、って言葉が怖いくらいだ」

「おまえさ、もっと中学生らしい話し方をしろよ」イメージというのならば、この中学生には、若者のイメージが似合わなかった。

「だからさ、そういう時は抽象的で、何てことない名前をつけるに限るんだ。たとえば、総合情報課。何やってる課なのか分かんないけど、情報は大事だな、って一般の人は感じるじゃない。何か、悪くない部署だろうな、っていうイメージができるでしょ。公安課よりもずっといい」

「そういうものか?」田中徹は煙草に火をつける。

「思いやり予算ってのも、あるでしょ」

「ないよ」知らなかったので田中徹は否定した。

「あるって、田中君。在日米軍の駐在経費のうちさ、日本が出してあげてるお金のことだよ。思いやり予算、なんて言われると、慈善事業に使っているような気分になるけどさ、結局は、米軍のために払ってるだけなんだよ。アメリカに対しての思いやり、ってよく分からないでしょ。これもきっと、ネーミングの技術だよ。聞こえがいい名前はたいがい怪しい。思いやりとか、ふるさととか、青少年とか、ホワイトカラーとか」

「偉そうだなあ、青少年」と田中徹はからかうように言った。

ふん、と中学生は鼻に皺を寄せた。「あのさ、政治家とか偉い人ってさ、一般人には大事なことを説明しないで、水面下で着々といろいろ進めるんだから、気をつけたほうがいいよ、田中君」と言った後で、「山田君もさ」と老人を見た。田中君と山田君、と並べられると、田中徹も、その老人が自分の同級生か友人のように思えた。

「例のセキュリティポッドにしたって、いつの間にか導入されてたでしょ。プライバシーの監視を堂々とやってるのに、誰も怒らないし、そのほうが怖いって」

「まあ、そうかもな」と田中徹はのんびり答え、口から煙を細く吐き出した。「けどまあ、物騒な犯罪が増えるよりはマシじゃね？　もともと、そこからはじまったんだし」

「でも、例の連続殺人犯だって、結局、捕まってないし」

仙台市がセキュリティポッドを導入し、全国ではじめて、情報監視区域のモデル都市と定められたのは、二年前に起きた連続殺人事件が契機だった。

仙台駅付近で、決まって金曜日の夜に、刃物で刺され殺害される事件が続いたのだ。被害者は老若《ろうにゃく》男女問わず、死後、頬を切り刻まれた中年男性もいれば、首を半分程度まで鋸《のこぎり》で切られた女性もいた。刃物で目立った傷を作ることから、市内では、「切る男」すなわち、「キルオ」と安直に呼ばれ、その安易な名前が不気味な親密さを生み、全国的に話題になった。

幸い、命に別状はなかった被害者も数人いたが、「切りつけてきた後で、『びっくりしたか?』と訊《たず》ねてきた」などと証言をするものだから、その奇妙さがさらに恐怖を煽《あお》り、好奇心を刺激した。

警察は躍起になり犯人、キルオを捜したが、無差別殺人の上に手がかりが少なく、一年強の間に二十人の被害者を出しても、犯人は見つからなかった。

キルオを逮捕するための特殊部隊が配備された、という話もまことしやかに囁《ささや》かれた。法律の枠を超え、武器の携帯や使用が認められた、と噂《うわさ》され、その時点で信憑性《しんぴょうせい》はなかったがとにかく真偽の程は定かではなく、キルオが捕まったという報道もなかった。

一度だけ、アングラ写真月刊誌が、「キルオと警察官の対決」なる見出しで煽ったことがある。冴《さ》えない中年サラリーマンのような男が、手動のショットガンを持った大男から逃げる、アメリカンコミックじみた写真が掲載されただけだった。「銃弾を食らったキルオは、かろうじて逃げたが、ショットガン男への復讐《ふくしゅう》を誓い、今も仙台市内で息を潜めているに違いない」という文章の結びも陳腐で、「びっくりした?」と漫画風の吹き出しに描かれていたのもふざけていた。おまけに写真がピンボケもいいところだったので、ほとんど話題にならなかった。

また、ある全国ネットのテレビ局が、犯人の独占インタビューを敢行しようとし、大騒ぎになったこともあった。

犯人だと名乗る男からテレビ局に内密に、「真実を語るから」と連絡があったらしい。

テレビ局もはじめは疑ったものの、何回かのやり取りで確信を深めると、その自称犯人を、警察へは通報しないことを前提に、スタジオに招こうとした。結果的に、局内のある社員が社会通念上、そのようなことはよろしくないだろう、と判断し、事前に警察に通報した。そして放送直前、自称犯人は逮捕されたのだがその後の調査で、キルオとはまるで無関係の男だと判明した。目先の視聴率や他局を出し抜くことに目が眩《くら》んだテレビ局は、ひどく批判を受け、上層部の解任にまで発展した。

とにかく、正体不明の通り魔に市民は怯《おび》え、不気味さに戸惑い、その結果、夜の人出が激減し、飲食店の経営を直撃した。

そしてついには、地元企業の社長令嬢が被害者になるに至り、「機械の導入による治安改善を目的とする法案」が国会に提出された。性急とも思えるその法案提出は、娘を殺害された地元企業の社長が、労働党の古株議員の義父であることも多分に影響していただろうが、表立った反対は起きなかった。

「罪のない人間がこれ以上、惨殺《ざんさつ》されて良いのか」と問われれば、誰もが口を噤《つぐ》むほかない。

個人情報、プライバシーに関する大胆な侵害であるため、通常であれば、強い反発が当然起こるはずが、一年以上にわたるキルオに対する恐怖が、仙台市民はもとより、国民全体を覆《おお》っていたせいか、法案は国会をスムーズに通った。

　ほどなく仙台市街地に、情報収集用の端末、つまりはセキュリティポッドが配置された。犯罪の抑止、捜査情報の質や量の向上が目的だった。昼夜問わず、街の通行人の映像は、圧縮画像としてポッド内に保存され、使用された携帯電話、ＰＨＳの発信者情報も記録されることになった。

「アメリカで例の自爆テロがあって、すぐに愛国者法ってのができたでしょ」中学生は雄弁だった。

「良さそうな法律だな」

「これもさっきのネーミングの技術だよ。愛国って言えば、良さそうだけど、中身は何てことない、政府が国民の通話記録やＥメールの送受信記録、何でもかんでもデータを覗《のぞ》けるって話だ」

「何だよそれ」

「前はね、誰か怪しい人間がいれば、捜査令状を取って、そいつの情報を手に入れれば良かったけど、いまやどこにどんなテロリストが紛れ込んでるのか分からない。だから、もう、全員の情報を全部押さえて、怪しい奴《やつ》を捜すってやり方に変わったんだよ、世の中は」

「アメリカは自由を重んじるんじゃねえのかよ」と田中徹は嫌味まじりに言ってみた。

「テロを防止できるなら、政府の監視もしょうがないって割り切る人が多いんじゃないの？　現に、日本だって、仙台で監視をはじめますって言ってもあっさりだったし」

「そこまで監視されてるとは思ってねえんだろ。殺人犯が捕まるならしょうがねえなあ、ってくらいの感覚だよ」

「まあねえ。でもさ、僕が思うには、あのキルオの事件もね、作り出されたものだよ」

「作り出されたもの？」

「国民を怖がらせて、監視システムを導入しようとしたんだよ。そうに決まってる。怖がらせれば、たいがいのことは受け入れられるんだ、この国の人間は」

田中徹は笑った。中学生のおまえが考えるほど、物事は単純ではない、と言う。「簡単に国民が騙《だま》されるかっての」

「現に、導入されたじゃないか」


病室に戻ると田中徹は、ただちにイアフォンをつけ、テレビに向かい合った。画面には、早速とばかりに、テレビ局の電話番号、ＦＡＸ番号、メールアドレスが表示され、情報を求めている旨《むね》が書かれている。メールアドレスのはじまりが、「kaneda_tokudane@」となっているのは、いくら何でも品がなかった。

テレビ局のスタジオは、集まりはじめた目撃情報で、盛り上がっていく。

パレード開始前、混雑した人の群れの中で、頭ひとつ高い、大柄な男がマスクをしたまま、携帯電話を不自然に操作していた。

駅前ビルの最上階展望台で、背広を着た複数の男たちが地図を広げていた。

現場から数十メートル離れた裏通りで、白い車の中で二人の男が口論している様子だった。

男が二人、歩道橋の上で痴漢のことについて話をしていたが、一人は明らかに変装をしているように見えた。

爆発の直前、人ごみの中で、若い女が急に手を振ったが、それは何らかの合図のようだった。

様々な目撃談が、それらはお互いに矛盾し合うものでもあったが、テレビ局に寄せられた。

「ほんとか嘘《うそ》かはっきり分からないうちにいろんな情報を流しちゃうと、余計に混乱しちゃうんじゃないですかー？」番組アシスタントの女性タレントが言うと、司会者は言葉に詰まり、不愉快さを顔に出したが、すぐにコメンテーターの一人が、「事件発生から間もない時は、あまり遠慮することなく、あらゆる可能性を全部、テーブルに広げて、視界を広げることが大事なんですよ。慎重になるがあまり、後手後手に回ることもありますからね」と助け舟を出した。本心を言えば、「番組が盛り上がるなら、真偽なんて、別にいいじゃないか」というところだろう。

労働党の鮎川真が会見を開いたのは、その頃だった。首相選挙で金田にまさかの敗北を喫したとはいえ、議員数では依然、金田の自由党を圧倒する、戦後日本を与党として支えてきた党の党首だけあり、カメラの前では威風堂々たる趣で、落ち着き払っていた。「金田首相のご冥福《めいふく》をお祈りする」と神妙に言った後、「労働党だ、自由党だ、などと言っている場合ではない。一刻も早く、犯人を逮捕しなければならない」と言った。

「鮎川真が、金田を殺してたりして。な、な」と保土ヶ谷康志が笑った。テレビを一度消し、食事をとりはじめた時だ。

「首相選挙で負けた腹いせにですか？」磐石《ばんじゃく》の備えで首相三期目を目論《もくろ》んでいた鮎川真からすれば、若い金田に選挙で負けたことはかなりの屈辱だっただろう。「でも、そこまでするとは思えないですよ」

夕飯を食べた後でテレビをつけると、番組には、ラジコンヘリコプターに詳しい者たちが登場していた。仙台市在住の、ラジコンヘリのフライヤーたちだった。綺麗《きれい》な白髪の紳士的な男性、黒縁眼鏡の似合う営業社員のような男、冴えないデザインのTシャツを着た、学生と思《おぼ》しき男、と様々だ。

「これは90ですね」爆発の映像を観《み》ると、白髪の男性が言った。

ほぼ同時に他の二人がうなずく。「そうそう、90」

搭載されているエンジンの大きさらしかった。

「こういうのは、メーカーとか分かるものなんですか」「大岡のエアホバー」若い男が緊張のせいなのか、焦《あせ》りのせいなのか、上ずった声で言う。他の二人がすぐに同意する。それから彼らは、映像を何度も観ながら、「拡大した画像を見せてください」「違う角度の物を」と乱暴に依頼し、マフラーがどうの、ジャイロがどうの、と口々に言った。

「この教科書倉庫ビルのどこかから飛ばされたと言われていますけれど」司会者が、大きな目のパネルに貼《は》った静止画像を出し、ラジコンヘリの背後、煉瓦色《れんがいろ》のビルを指差した。

「リモコンで操縦するなら、どれくらい離れたところから可能なんですか?」

男たちは互いに顔を見合わせ、誰が喋《しゃべ》り出すのか牽制《けんせい》し合うような間がある。

「プロポの性能にもよるし、アンテナにもよるけど、まあ、二キロ圏内なら平気なはず」

「ただ」すぐに白髪の男性が付け加えた。「基本的にラジコンヘリは、機体を見ながらじゃないと飛ばせないからねえ、現場が見えるところで操作していたんでしょう。ヘリの姿勢によってバランスを取らないといけないですし、見えないところで遠隔、というのはちょっと、現実的じゃない」

「今日は風がなかったから良かったけど、これで風が強かったり、天気が崩れていたら、かなり大変だったろうね。爆弾も積んでいたんだし。相当、神経質にやらないと洒落《しゃれ》にならないよ」Tシャツの若者が口を尖《とが》らせた。

たしかにそうだ、と他の者たちが強く、うなずく。それから彼らは、パネルのラジコンヘリの影を指し、大岡のエアホバーのシルエットとは微妙に異なっているから、ここに何らかの爆弾が付けられていたのだ、と指摘した。肝心のラジコンヘリの機体が、爆発により粉微塵《こなみじん》となったことを心底、残念がった。機体があれば、もっと様々な真実が見抜けたに違いない、と。

「操縦というのは、素人《しろうと》では難しいものですかね」

「ホバリングができるようになるのにどれだけ時間がかかるのかにもよるけれど」

「毎週末練習して二、三ヶ月やればそれなりに飛ばせますよ」

「とは言っても」と白髪の男が眉間《みけん》に皺《しわ》を寄せた。「爆弾のような不安定な物を載せて、こんな大きな事件のために、一発勝負をしかけるとすれば、素人には無理でしょう。かなり、熟練したフライヤーだと思いますよ」

他の者たちも同意する。

「こういうラジコンヘリコプターを飛ばす人というのは多いものなのですか」司会者が訊ねると、彼らの一人は、「たくさんいますよ」と声を強くした。

「とは言っても」と白髪の男性がまた、穏やかに付け足す。「飛ばせる場所は限られてますし、もしあれを作って、飛ばしたのが仙台の人なら、意外に限られますよ。ショップも数えるほどですし、大岡のエアホバーを買った客、ということであれば、絞れるかもしれない」

「通販で買った可能性は？」「仙台以外から持ち込んだ可能性は？」

「そりゃ、もちろん、あると思いますよ」

「そうなると絞り込みも難しそうですね」

「でしょうね」

「だいたい、こんな事件を企てる人間なら、足がつかないように念を入れてるもんですよね」司会者は自分で納得するように、言った。

夜の十一時過ぎ、会見に現われた佐々木一太郎は、「すでに、いくつか有力な情報を得て、個別に調査を行っています」と発表した。「あと数日は、仙台市、特に爆発のあった東二番丁通りについては進入禁止となりそうですので、各方面の協力を引き続き、お願いいたします」

その言葉には力強さが漲《みなぎ》っていた。はじめは頼りないと思っていたポール・マッカートニー顔が、妙に、頼もしく見えた。

その佐々木一太郎の会見以降、さすがに騒ぎ疲れたのか、もしくは、馬鹿《ばか》の一つ覚えの爆発瞬間映像を何度も流すことにようやく罪悪感を覚えたのか、コメンテーターを呼んでの特別番組は終わった。そのかわりに、突貫で編集したと思しき、金田首相の生涯についての特集を放送しはじめた。生い立ちから、会社員時代、議員立候補の際の発言、はっきりとした物言いと勇敢なたたずまい、老獪《ろうかい》な議員たちとの討論、首相選の予備選挙の様子、仙台地域での劇的な勝利、本選挙時の、鮎川真との討論、首相就任時の勇ましい立ち姿、それらが、クライマックスの仙台でのパレード、ラジコンヘリ爆弾の場面へと向かって、構成される。観ずとも、想像できた。田中徹はテレビを消し、枕《まくら》に頭をつけ、目を閉じた。

二日目

起きて、時計を確認すると朝の七時だった。間仕切りのカーテンを開ける。隣のベッドの保土ヶ谷康志がすでにテレビを睨《にら》んでいた。身体《からだ》を捻《ひね》り、田中徹を見ると、イアフォンを片方だけ外し、「田中君、凄《すご》いことになってるよ」と言った。お祭りに乗り遅れた者に同情する色もあった。「二時間くらい前に、警察の緊急発表があったみたいなんだ。俺たちが寝てる間にだよ」

「何の発表？」

「容疑者が分かったらしい」

電源を入れる。確かに、容疑者が特定されていた。テレビに、青柳雅春、と顔写真入りの名前が出た。田中徹は、「へえ、こんな優男《やさおとこ》が」と思ったが、その直後、テレビ画面には、その青柳雅春の映像が流れ出し、驚いた。捕まったわけでもない容疑者の映像がなぜあるのだ、と疑問に思った。画面の右端には、二年前の日付がある。ドラマやバラエティではなく、ワイドショーの取材映像だ。二年前の青柳雅春は、マイクを向けられていた。彼の着ている白地に青い柄の入った制服は、有名な宅配業者のものだ。「とっさのことだったので」と痩《や》せ型で脚の長い彼は額を掻《か》き、眉《まゆ》を下げた。「夢中でした」

それが何の映像なのか、田中徹にもようやく分かる。

当時、人気絶頂だったアイドル歌手が、強盗に入られた事件があったのだ。彼女は、実家が仙台にあり、休暇になるとこっそり仙台へ帰省し、賃貸マンションで休息を取っていたのだが、ある時、部屋に一人でいたところを強盗に侵入され、襲われた。

その際、たまたま配達で訪れたのが、青柳雅春だった。

彼は部屋のインターフォンを押したものの返事がないため、荷物を持ち帰ることにし、不在連絡票の記入を行っていた。すると、ドアの向こうで、どんどん、と音がし、女性の悲鳴らしきものが聞こえた。空耳かと思ったが、胸騒ぎがし、もう一度インターフォンを鳴らした。返事はなかった。恐る恐る玄関ドアのノブを捻ると、鍵《かぎ》がかかっておらず、中を見ると、覆《おお》いかぶさられている女性の姿が目に入り、慌《あわ》てて、犯人を取り押さえた。

「そこのマンションに、アイドルの凜香《りんか》ちゃんがいるってことは以前から、知っていたんですか？」リポーターの男性が質問する。

「いえ、知りませんでした」青柳雅春は、怯《おび》えるように答える。

「いつ気づいたんですか？」

「あ、いえ」と彼は困り、口ごもり、「俺、そういうの詳しくないんですよ。テレビも観なくて」と恐縮した。

リポーターたちがどっと笑う。「凄く有名なアイドルですよ。テレビとか興味がないんですか」

青柳雅春は俯《うつむ》き気味になり、「配達が忙しいので」とささやき声になった。リポーターたちがまた、沸く。彼の無造作に伸びた髪と表情のない顔つきは、個性的な俳優然としていたが、取材慣れしていない朴訥《ぼくとつ》とした応対は新鮮だった。リポーターをはじめとするテレビ関係者はもとより、多くの視聴者の興味を集めた。そして、当たり前のように、時の人となった。

ワイドショーでは、日頃の青柳雅春の仕事ぶりが取材され、同僚や上司のコメントが流れた。仙台市で、彼が配達を行う経路が判明すると、一目会おうと待ち伏せをする者たちが、県外からもやってきて、そのことがまた、ニュースとして報道された。さすがに業務に支障が出るため、会社から、自制を求めるお願いがテレビ局へ寄せられたが、熱はなかなか冷めず、宅配業者はいっそのこと、と彼をコマーシャルに起用しようと目論んだが、青柳雅春が固辞したため、実現はしなかった。「配達に支障が出ますので」という弁解が、また、好感度を上げた。

「犯人は刃物を持っていたんですが、怖くなかったですか」過去の映像の中では、リポーターの質問がまだ続いている。

「とっさだったので」と彼はまた答える。

「あっという間に投げ飛ばしたそうですが。柔道とかやられていたんですか?」

「学生時代に、友人に教わった、唯一《ゆいいつ》の技で」青柳雅春は鼻の頭を搔く。困惑する彼を眺めていると、女ならずとも、庇護《ひご》しなければ、という思いに駆られた。「大外刈りです。大外刈りで相手を倒して、あとはがむしゃらに殴るしかない、って教わったんです」

そうかあれがもう二年前か、と田中徹は懐《なつ》かしく思う。結局、その宅配ドライバーの話題は半年を待たずに、終息した。時の人は、時が過ぎれば、ただの人となる。

そしてその、ただの人が二年経《た》って、首相殺しの容疑者となった。そういうことらしい。

「まさか、あの、彼がとは思いますが」過去の映像が終わり、司会のアナウンサーが神妙に嘆く。

「実はですね」芸能界のスキャンダル取材を得意とする女性リポーターが口を開いた。「当時、わたしも取材させていただいたのですが、ぱっと見は好青年で非常に爽《さわ》やかなんですけどね、時折、落ち着かない仕草を見せていたんですよ」

ほほお、なるほど、と司会者が相槌《あいづち》を打つ。すると先ほど流れた映像の一部が再生された。照れ臭さと緊張を見せ、マイクに向かって喋る青柳雅春の右手が拡大される。手持ち無沙汰《ぶさた》なのか、指が激しく動き、たびたび脚を組み替えている。さらに、最後にコメントした際の姿が、ゆっくりと再生された。彼の口元が小さく緩むのが分かった。唇の両端が吊《つ》りあがり、目元が強張《こわば》り、リポーターたちを見下すような表情に見えた。スローの再生だからこそ発見できる、一瞬の顔だ。

田中徹は、爽やかで、見栄《みば》えの良い宅配ドライバーにしか見えなかった青柳雅春の、陰湿で狡猾《こうかつ》な本性を垣間見《かいまみ》た気分だった。

テレビの司会者が言うには、青柳雅春はちょうど三ヶ月前に会社を辞めていたらしい。

宅配業者としては、不幸中の幸いだったに違いない。社員の犯行、というよりは、元社員の犯行のほうがまだ、救いがある。

「田中君、凄いことになったね。面白いね」喫煙所で顔を合わせると、中学生は椅子《いす》に座り、嬉《うれ》しそうに言った。「こんなに早く容疑者が分かるなんて、必死だね、警察も」

「首相が殺されたなんて、威信に関わるからな。そりゃ、必死だろ」と田中徹は答える。

「でも」と気になっていたことを口にした。「まだ、あの青柳が犯人かどうか決まったわけではないんじゃねえのか？ それなのに、あんなに名前とか出しちゃっていいのかよ」

「よっぽど警察に確証があるのか、もしくは今回ばっかりは緊急事態だから、人権を横にやってでも犯人を捕まえたいのか、どっちかかもね」

「確証なんてあるのか？」

「さあ。でも、セキュリティポッドで電話の通話情報もチェックしているらしいし、フルに機能を使えば、効果はあるんじゃないの」

「おまえはほんと、監視社会が好きだな」

「好きじゃないよ。それとも、ビッグブラザーがあなたを見守っています、みたいな世界のほうがいいってわけ？」

「誰だよ、ビッグブラザー」

「僕はさ、警鐘を鳴らしてるんだよ」

「勝手に鳴らせって。あの警鐘を鳴らすのはあなた、だよ」


午前八時の、佐々木一太郎の会見で新たな情報が分かる。

一日前の正午過ぎ、つまり、金田首相のパレードと教科書倉庫ビル前での爆破が起きた直後、すぐ近くの細い車道でも小さな爆発が起きていた、という事実だ。自動車が炎上し、近くのブロック塀が壊れた。はじめは、ラジコンヘリの爆発の影響と思われたが、調査の結果、車自体の爆発だと判明した。

運転席からは、男の死体が発見された。

「男性死体の頭部には、銃で撃たれたような跡が見つかっており、現在、身元を調査していますが、焼け残っていた免許証は、仙台市青葉区に住所を持つ、森田森吾《もりたしんご》さんのものでした。森田さんは、現在、逃亡中と思われる青柳雅春の大学時代の同級生だということが分かっています」

「青柳雅春を容疑者と断定した、その決め手は何だったのでしょうか」記者が質問した。

「昨日、爆発事件の後、教科書倉庫ビル周辺で、警察官が不審な男を発見。職務質問を行ったところ、男が逃亡を図りました。すぐに駆けつけた他の警察官とともに追跡を行いましたが、男はさらに逃亡」

「逃がしたわけですか」

「酒屋の店主が撃たれました」佐々木一太郎は無表情だったが、垂れた目は困惑しているようにも見える。

「それで？」

「数時間後、仙台市内のラジコンショップより、店内監視カメラ映像の提供がありました」

「例のラジコンですか」記者たちが身を乗り出す。

佐々木一太郎は神妙にうなずく。「本来は万引き防止のためのカメラだったようです。事件で使用されたのと同じ型の機体を購入した男の姿が映っていました。調べた結果、それが、現場から逃走した男によく似ていたわけです」

「青柳雅春だったんですか」

「店主に写真を見せたところ、間違いなく、青柳雅春だ、と断言いたしました」そして、さらに、「青柳雅春の経歴を調べてはいますが、学生時代、仙台市内にある、轟煙火《とどろきえんか》という工場でアルバイトをしていたことが分かっています」とも言った。

「轟煙火？」

「煙火とはつまり、花火のことです」佐々木一太郎の口調は淡々とし、目は記者を鋭く射抜くようだった。「つまり、花火に使われる黒色火薬にも詳しい可能性があります」

「それが爆弾に！」記者の数人が声を高くした。

「断言はできませんが、当時の雇い主にも協力を求め、詳細な調査を行っているところです」

「他に決め手は」

まだ満足いかないのか、と言うかのような、野良犬《のらいぬ》を哀れむのに似た表情を佐々木一太郎は一瞬、浮かべ、「実は、本人から電話がありました」と言った。

報道陣から、どよめきが起きる。

「詳細は言えませんが、青柳雅春が我々に電話をかけ、自分が犯人であることを告げています」

それから佐々木一太郎は、仙台市周辺の検問を緩め交通網は回復しつつある、と言ったが、取材者たちはさほど興味を惹《ひ》かれていない。交通網よりも、青柳雅春のことに夢中だった。

番組はコマーシャルに入った。フライパンを握った男が、「私が作った特製ホワイトソース、いかがですか」と髭面《ひげづら》のまま笑い、「ぜひ本場の味を」と言っている。仙台市内にもチェーン店を持つ、高級な店のシェフだった。こんな宣伝に出るようになったらおしまいだな、本業に専念しろよ、と田中徹はどうでもいいことを思った。

テレビ番組は活《い》き活《い》きとしている。それまでは、パレード時の爆発映像のみが頼みの綱だったのが、青柳雅春との二段構えになり、構成の幅も広がった。過去に登場した青柳雅春の映像を次々と流した。

青柳雅春が、配達中に駆け寄ってきた若い女性たちに対して、「仕事中なんで」と無愛想に手をひらひらと振り、犬をあしらうかのように追い払う場面がとりわけ多く、流された。そのまま眺めていると見過ごしてしまうが、スローで彼の表情を見ると、精神的な不安定さを滲《にじ》ませた険しさが漂っている。

見た目は恰好《かっこう》良いけど、危ない奴《やつ》だな、と田中徹は思った。

青柳雅春が勤めていた宅配業者の上層部が、慌てて会見を開いたのもその頃だ。会見ばっかりだなあ、と可笑《おか》しく感じた。そのうち、「会見に配置する記者の数が足りません」と説明するための会見をマスコミが行うのではないか、と想像する。

宅配業者の社長はまず、青柳雅春が三ヶ月前に会社を辞め、現在は社員ではない、ということを強調した上で、「もし、犯人であるのならば、非常に残念だ」と毒にも薬にもならない、コメントを発した。直属の上司だった、という男性は、「辞める前の青柳雅春に不審な点はなかったか」と問い質《ただ》された。すると上司は非常に言いづらそうではあったが、青柳雅春がトラブルに巻き込まれていたことを話した。

「どのような?」

「彼の配達区域に、送り主不明の荷物が出てくるようになりまして。受取人の方たちからも、身に覚えがない、と苦情も多かったんです。なぜか伝票には、彼の名前が書いてあったんですが」

その上司であった男の顔がアップになる。深刻な表情と、ネクタイの猫のイラスト柄の対比が滑稽《こっけい》でもあった。

「送り主の欄に、青柳雅春と?」

「ええ。ただ、彼が自分でやったとは思えないので、何らかの嫌がらせかと」

「青柳雅春が自分で送ってたんじゃないですか? そうは疑わなかったんですか?」

「まさか彼が」と上司は口ごもり、それが困った時の癖なのかネクタイの猫のイラストを指でさする。「そんなおかしなことを」

記者たちが急に騒ぎ出す。あんたの人を見る目はいかほどなのか、と罵《ののし》るような勢いがあった。

青柳雅春の住むマンション前も、たびたび映った。警察が捜査をしているため、部屋の中まで押し入ることはできなかったが、カメラが建物を囲んでいる。向かい側のオフィスビルから、望遠レンズで、青柳雅春の部屋を狙《ねら》ったカメラマンがいた。残念ながら、室内にいる鑑識や捜査官たちの姿が映っているだけだったが、人影の奥の壁に、小さな写真が貼《は》られているのは確認できた。それを拡大すると、粗いながらも、金田首相の顔に×印のついたものだと分かり、テレビ局ははしゃいだ。

「金田首相に何の恨みが？」と誰かが疑問を口にし、「おそらく、個人的な妄想ではないか」と誰かが応《こた》えた。

番組の中で、元警視庁捜査官という肩書きの男は、「一年ほど前、都市部での路上駐車による渋滞を緩和させるために、駐車禁止の取り締まり強化を訴える運動が活発になりました。金田首相は当時、それを積極的に推進していましたから、宅配ドライバーをしていた彼にとっては、自らの仕事を圧迫する敵に見えたのかもしれませんね」と発言し、他のコメンテーターたちに感心された。

警察が入手したものと同じものなのかどうかは不明、とした上で、ラジコンショップの監視カメラの映像も流れた。白黒の映像ではあるものの、レジに向かって箱を出す男の姿がしっかりと映っている。カメラに気づいたわけではないだろうが、顔を隠すかのようにしきりに横を向き、口元を手で隠す仕草を見せているその客は、「大岡のエアホバー」の機体にお金を払っていた。

「断言はできませんが、かなり似ていますよね」コメンテーターは半ば断言した。

田中徹の目からも、その顔は同一に見えた。

仙台市内、まさにパレードの行われた東二番丁通りから一本裏側に入った場所の、小さなトンカツ屋で、事件直前、青柳雅春が定食を食べていた、という通報もあった。

「正午前だったから、まだ、空《す》いてさ、そこの席でテレビ観《み》ながら、トンカツ定食食ってたんだよ」店の主人と思《おぼ》しき、白い服を着た、頭髪の薄い眼鏡の男は言った。縁起でもない、と不愉快そうに、その席を睨《にら》む。「パレードの前だったけど、テレビでは金田さんが何度か映ってたんだよ、そのたびに、舌打ちして、ちょっと気味悪かったんだよな。俺さ、最初から嫌な予感してたんだよ」

「本当に、青柳雅春だったんですか？」マイクを向けた女性が念を押す。

「信じねえのかよ。本当だよ。定食のライスはお代わり自由なんだけどよ、二回もお代わりしてたよ。茶碗《ちゃわん》に飯粒ひとつ残ってなくてな。やっぱり、ああいうおかしなことやる奴ってのは、普通じゃねえんだよな。人をこれから殺そうって時に、普通、何度もおかわりして、全部食べ切るような食欲出るか？　な、どうよ」

「本当に、青柳雅春だったんですか？」

「信じねえのかよ、失礼だな。いいか、これ見ろよ」店の主人は厨房《ちゅうぼう》に一度退くと、カードを持って、出てきた。「これ、見てみろよ。忘れていったんだよ、あいつが」

マイクを持った女性はそれを受け取る。カメラが慌《あわ》てて、寄る。クレジットカードだった。「MASAHARU AOYAGI」と書かれている。

「な」店主が偉そうに言った。

「最初にこれ見せてくださいよー」マイクを持つ彼女は、思わず本音を洩《も》らした。

「金田がどうこう、ってぶつぶつ言ってたぜ、あいつは。危ねえ奴だよな」

「というより、早くそれ警察に届けてくださいよー」

また、あるマンションの監視カメラの映像も流れた。盗難防止用に、駐車場を映しているカメラらしいが、前日の夕方、怪しい動きをする人が映っている、とのことだった。

「どこかの部屋でガラスが割れる音がして、窓から外を見たら、この駐車場で車のドアを開けてる男がいてさ」住人と思われる男が、モザイク模様の顔を見せ、答えていた。

監視カメラは薄暗い白黒で、細かい部分まで把握できる代物《しろもの》ではなかったが、駐車中の車の横を走りながら、何台かのドアを開けようとしている人影は見えた。

「逃走用の車を探していたんですね」コメンテーターが訳知り顔で言った。

「警察による捜索が行われている中、今、青柳雅春はどこで何をしているのか」深刻さに満ちたナレーションが流れ、青柳雅春の顔がアップで映され、コマーシャルに入る。

田中徹は息を吐く。思っている以上に、テレビ画面に見入っていたらしい。肩に力が入っていた。隣のベッドでも、ふう、と保土ヶ谷康志がため息をついた。

「いったい、何がどうして、こんな事件を起こしたのかねえ。二年前にはちょっとしたアイドルで、ちやほやされてたのに」

「マスコミが持ち上げて、それきりだったから、本人も寂しかったんじゃないですか。過去のあの注目をもう一度、って感じかも、ですよ」

「そんなんで殺されたんだとしたら、金田首相もかわいそうだな。な、田中君」

「ですね」まだ、政治闘争や国家の機密事項のために殺害されたほうが、首相としては名誉だろう。

「こんなのすぐ、詰んじゃうよ」保土ヶ谷康志がまた将棋の観戦でもするかのような声を出す。

コマーシャルが終わる。テレビには、スタジオではなく、首から下だけが映った男性の姿が現われた。録画の映像だ。声は加工されていない。

「そもそもね」と彼はむすっと言った。「あの空き巣だって、どこかおかしいような気がしたんだよなあ。そもそも」

画面の右脇《わき》に、その発言者の説明が入る。二年前、アイドルの凜香宅への強盗事件が発生した際、隣の部屋に住んでいた男性らしい。

「あのマンション、賃貸だったけど、結構、防音もしっかりしてて音なんて漏れなかったんだよな。だから、あの宅配便の兄ちゃんが、外から声を聞いて、助けに来たっててのはちょっと変だな、って思ってたわけよ。そもそも」

そもそも、が口癖らしい彼は、饒舌《じょうぜつ》に語る。インタビューはどこか住宅街の一画で行われたらしく、男性の背後には一戸建ての真新しい家が並んでいた。

「あれも、そもそも、やらせだったんじゃねえの、何かの理由でさ」

スタジオにカメラが戻る。司会者が、先ほど青柳雅春名義のクレジットカードの映像を流した際、そのカード番号が見えてしまったことを謝罪した。現在は、そのカードは失効されています、とも付け足す。

「たった今、視聴者の方から、貴重な記録をいただきました」

司会のアナウンサーが慌《あわただ》しく、言った。仙台市泉区に住む婦人から、メールによる情報提供があったのだという。数ヶ月前に撮影した、仙台北郊の川原でのビデオ動画らしかった。

河川敷で行われた、少年野球大会の模様を映したものだった。バックネット、ユニフォームを着た少年たちの背中、敵チームの投手を野次るあどけない声、それらを捉《とら》えている。

遠くの空が何とはなしに映った。

ラジコンのヘリコプターがある。雲のたなびく水色の空を背に、ゆっくりと上昇し、浮かんでいる。ああ、あれへリコプターだね、と撮影者と思しき女性の声が聞こえる。そのカメラが角度を変え、今度は、川原に立つ男の姿を映した。ズームで拡大される。その男は手に送信機を持ち、ラジコンへリを操縦していた。

不安げで、どこか頼りない恰好ではあったが、その操縦者は青柳雅春そっくりだった。

「飛ばす練習ですね」画面が切り替わりスタジオの映像に戻ると、コメンテーターの一人がぼそっと言った。「決定的じゃないですか」

ファミリーレストランの女性店員が映り、コメントしてもいる。

「昨日の夜、来たんですよ、うちの店に。そこに座って、パスタ頼んでました」と興奮気味に店内のテーブルを指差した。「わたしが話しかけたら、すごく無愛想で、感じ悪かったんですけど。しかも、その後で、警察の人とかが来て、大変なことになって」

「大変なこととは？」とマイクを向けた女性が訊《たず》ねた。

「椅子《いす》を放り投げたり、おかげでガラスが割れて」

「あ、これは！　酷《ひど》いですね」

カメラがそこで、すっかり窓のなくなった部分を映した。こんなに大きく割れているのに気づかないはずがないだろうに、いかにも今発見したかのように、「あ、これは！」と白々しく言うリポーターに、田中徹は苦笑する。

青柳雅春が、警察に電話をかけてきた、というその録音テープが公表されたのもその頃だった。

音声は捜査に関わる部分を切っているらしく、ぶつ切りだった。

「俺は青柳雅春ですよ」

「俺が犯人だ」

テープは確かにそう言っている。準備の良いテレビ局は、声紋の専門家に調査を依頼し、二年前、マスコミの取材を受ける青柳雅春の声とテープの声が同一人物のものであると声を上擦らせ、言った。

さらにテレビの特別番組は続く。自由党の弁慶、海老沢克男が官邸前で会見を開いた。法律にのっとり、副首相の自分が首相代理に就くことを明らかにし、現在も情報を収集している最中であると強調した。

「青柳雅春に関しては、我々、自由党も情報を提供し、警察の捜索に協力している」

「たとえば、どのような」と質問した記者は、おそらくは条件反射で訊ねたに過ぎず、回答が得られるとは期待していないようだった。だから、海老沢克男が、「それは」と答えはじめたので、驚いていた。え、言っちゃっていいの？　とたじろぐ空気が画面からも窺《うかが》えた。海老沢克男がうなずくと、顎《あご》から首にたくわえた贅肉《ぜいにく》がはみ出た。

「二ヶ月前から、我が党宛《あ》てに、金田首相を中傷する手紙が不定期に届いていた。金田首相の自宅にも投函《とうかん》されたらしいが、そこから青柳雅春の指紋が発見された」

記者たちが盛り上がる。

田中徹はさすがに耳が痛くなり、イアフォンを外した。伸びをし、松葉杖《まつばづえ》に手を伸ばし、立った。ふと見ると隣のベッドの保土ヶ谷康志はテレビを消し、マンガ本をめくっていた。「お、トイレ?」

「ええ」田中徹は答える。「テレビ観ないんですか」

「飽きた」

「まだこれからじゃないですか」実際、田中徹はまだまだこれからだと思っていた。

「どうせ、そろそろ捕まるよ。頑張って、逃げてるけどな。宅配便の兄ちゃんなんて、しょせん素人《しろうと》じゃねえか」彼は、自分が素人ではない、と言わんばかりの口調なので、そろそろ例によって胡散臭《うさんくさ》い自慢話がはじまるのではないか、と警戒した。案の定、「俺なら、地下使うね」などと知った口を利《き》いてきた。

「地下道ですか」そんなものがあれば苦労しない、と田中徹は笑いそうになる。

すると彼は鼻の穴を膨らませ、にやけた。「田中君、下水道ってのはどこの街でも走ってるんだよ。まあ、厳密に言うとこのへんは、雨水を側溝から集める雨水管ってのと、便所の水の汚水管の二種類があって」

「その話、長いです？　トイレ、我慢できないんで」面倒だったため、田中徹はその場を後にした。

小便の後、ついでだから、と一階まで降り、売店に立ち寄った。松葉杖での移動もずいぶん慣れてきた。売店で雑誌を眺める。週刊誌をめくるが、金田首相の爆破事件についてはさすがに載っていなかった。昨日の今日では、追いつけないのだろう。スポーツ新聞を何紙か眺めた。

隣に若い女性が二人、いた。見舞い客なのか、果物を持ったまま、雑誌を見ている。

「何かさ、ショックだよねえ」と一人が言った。「次々、ぼろぼろ、出てくるじゃん。わたし、結構好きだったんだよね。二年前はまだ、高校生だったけどさ、宅配便のお兄さんに憧《あこが》れてさ」

「わたしもファンだったんだけどなあ。宅配ドライバー流行《はや》ったしね」

青柳雅春のことだな、と田中徹は聞き耳を立てる。

「爆弾とかさ、わたしもよく分かんないけど、でも、痴漢はちょっと最悪でしょ、痴漢は」

「幻滅だなあ。爆破犯人っていうよりも、ショックかも。痴漢」

痴漢？　田中徹は知らない情報に眉《まゆ》をひそめた。別の局か？　別のテレビ局で流れている情報かもしれない。いても立ってもいられなくなり、松葉杖を必死に突き、病室へと戻った。

「二ヶ月くらい前だよ、二ヶ月くらい前。俺さ、バイトで仙台に向かってる時だったんだけど、仙石線《せんせき》で。夕方だったけど、そこそこ混んでてさ。そこで窓際《まどぎわ》の女が、やめてください、とか言ったんだよな」

チャンネルを変えると、サングラスをかけた短髪の若者が、マイクに喋《しゃべ》っている。

「痴漢じゃないか、ってみんな、じろじろ見てたんだけど、仙台駅の何駅か前で、その女が、男の腕を引っ張って、降りたんだよ。ホームで、言い合ってて。それがどっかで見たことあるなあ、って気づいたわけ。それがあれだよ、宅配便の」

目撃談は、それ以外にも届いているらしく、番組のアナウンサーは情報メールの内容を読み上げた。ほとんどの内容が、「二ヶ月前、青柳雅春と似た男が、痴漢として駅に降ろされたのを見た」というものだった。

さらに、別の情報提供者も現われていた。OLと思しき、小柄で色白の女性は、自分の携帯電話をカメラに向けながら、「二ヶ月前かな、ホームで、女の子と男の人が言い合いしてるから、面白いかと思って、写真撮ったんですよ」と言った。

映された画像は、あまり良い画質ではなかったが、ホームで向かい合う男女が確認できた。確かに、男は、青柳雅春と似ている。

「しばらく見てたら、もう一人別の男の人が助けに来て、逃げてったんですよ」とも言う。

コメンテーターの女優が、「男らしくなーい、最低」と顔をしかめた。「痴漢も許せないし、逃げるのも最低」

「許せないですねえ」あまり心がこもっているとは思えない、うわべの相槌《あいづち》を司会のアナウンサーは打った。そして、「あ」と言った。どこからか、ワイヤレスで指示が出たのか、耳に忍ばせてあるイアフォンを押さえるようにした。「今、新しいニュースが飛び込んできました」

田中徹は唾《つば》を飲み、目を見開き、耳のイアフォンを詰め直す。アナウンサーが読み上げたのは、次のようなことだった。

数十分前、青柳雅春に似た男が仙台市青葉区の柏原町付近で目撃された。

警察が駆けつけたが、男は車に乗り、逃走し、一方通行の道を逆走した。

走ってきた軽自動車とぶつかり、壁に激突したが、別の車ですぐ逃げた。

その際、脇を歩いていた老女が倒され、怪我《けが》を負い、救急車で運ばれた。

「まだ、仙台市内に潜伏してるということですね。セキュリティポッドもありますし、網にかかる確率は高いですよ」コメンテーターが言う。

「昨晩にも仙台市街地で、車の衝突事故がありまして、未確認ではあるのですが、事故車両の一方は警察車両だった、という話もあります。そちらももしかすると、青柳雅春が引き起こしたのかもしれません」

「可能性はありますね」

田中徹はふと、リモコンで別のチャンネルへとテレビを切り替えてみた。すると見たことのない女性アナウンサーが、「たった今、視聴者から、青柳雅春によく似た男が運転する車を目撃した、との情報が入りました。国道四号を南へ走らせていったようです」と言っていた。

全国ネットの放送ではあったが、仙台から中継しているのはローカル局のアナウンサーたちだった。突如としてはじまった学園祭さながらに、テレビ局も慌しく地方局と連動し、情報を発信している。

事件の起きる直前、青柳雅春と言葉を交わした、という中年男のインタビューも映った。無精ひげをたくわえたその男は、個人で細々と配送業を営んでいるらしく、「青柳さんとは昔、よく、配達中に会ってたから」と低い声で喋った。青柳雅春の年齢よりも二周りは年上に見えたが、彼は、「さん」付けで、青柳雅春を呼んだ。「昼前にね、声をかけられてさあ、久しぶりだったから嬉《うれ》しかったよ」と言った。「何か、誰か男と一緒だったけど」

「男？」

「だったね。まあ、彼も大変だね、いろいろ」

「青柳雅春に肩入れしている感じですね」とマイクを向けたリポーターは、意外そうに言った。

「そんなわけはない」と男は口をゆがめた。「俺の荷物、潰《つぶ》されたんだ。正直、困ってるよ」

それが何を意味しているのか判然としなかったが、彼が言葉ほどには怒っておらず、どちらかと言えば、にやついているように見えたのは確かだった。

別のチャンネルへ替える。

中年の女性が映っていた。体格が良い彼女は、「あっちへ逃げてったのよ、あっちへ」と指を右側へ向けた。婦人はしきりに、「なんかね、大きい人が、大きい銃を持って、あっちへ行ったんだってば」と饒舌に語っている。

「それ、青柳容疑者ではなかったんですか？」リポーターが当然、確認した。

「かもしれないけど、とにかく、怖くて出歩けないじゃない」

テレビの放送ですらこれほどの騒ぎなのだから、インターネットでは収拾のつかないことになっているのだろう、とは想像できた。病院で良かった、と安堵《あんど》する。もしパソコンが使えたら二十四時間へばりついていた。

夕方近く、「また、視聴者からの情報提供が！」とテレビ局のアナウンサーが大きな声を発した。

それまでも胡散臭い情報ばかりを垂れ流しているくせに、よくもまあ毎回、真面目《まじめ》な顔で発表できるものだ、と田中徹は呆《あき》れたが、そこで流れた映像は確かに、特別なものだった。

市の北部の住宅街に住む男性が、ベランダからホームビデオで撮影したというものだ。数時間前の映像らしかった。警察と思しき男たちが数人、制服の者も私服の者も入りまじっていたが、拳銃《けんじゅう》を構えて立っている。小さく半円を描くような陣形だった。その先には、男が二人立っている。前にいる男を、後ろの男が羽交い絞めにしている。刃物を首筋に当てていた。その背後には、配達トラックが映っている。

「これは明らかに、青柳雅春ですね」とアナウンサーが言う。興奮を抑えるのが苦しそうでもあった。「青柳は、人質を取って、警察を牽制《けんせい》し、走って逃げたようです！」

青柳雅春本人だということは、そのビデオでも把握できた。痩身《そうしん》の男の後ろに立ち、刃物を構えている。ホームビデオは若干、ぶれつつもその様子をしっかりと捉《とら》えていた。

そのうち、青柳雅春は人質を引き摺《ず》るようにして、住宅街の細道に消えた。

「人質となっていた男性はここから数十メートル離れた場所で、保護されたようですが、命に別状はなかったようです」

「まったく、青柳ってのは今、どこにいるのかねえ」隣のベッドの保土ヶ谷康志が大きい声で皮肉めいた言い方をした。

「どこかで自殺とかしていたりして」田中徹は思わず、返事をした。

「まったく、死んだらおしまいだな」

「でも、生きてておしまいですよ」

「まあな。その通りだ。おしまいだ」

保土ヶ谷康志はもともと飽きやすい性格なのか、その頃になるとテレビの報道に興味を失っているようで、もっぱら携帯電話をいじるのに忙しそうだった。電話がかかってくるたび、「ここ、病院ですよ」と田中徹はたしなめたが、気にする様子はなく、嬉しそうに廊下に出て、電話で喋っている。本当に煩《わずら》わしかった。

さらに数十分後、佐々木一太郎課長補佐がまた会見を開き、「事態は、解決に向けて進展しています」と言い、「が、深刻さと危険性を増してきてもいます」と矛盾するような言葉を足した。「青柳雅春はすでに、自暴自棄の状態となっています」と真剣な目で、カメラに向かった。「すでに、青柳雅春の逃亡につき、五人が負傷し、大変遺憾ながら、死亡者も二人出ています」

死亡したのは警察関係者ですか、と質問が飛ぶ。一般の方です、と佐々木一太郎は答えた。記者たちが身を乗り出す。一般人の死亡について、どこに責任の所在があるのか、と詰め寄る。責任を取らせるのは、マスコミの得意とすることだった。

「昨晩のことです。青柳雅春は軽自動車を奪い、逃走しました。警察車両と衝突し、そのまま、走って逃げました。軽自動車内からは、高校教師の加賀幸代《かがゆきよ》さんの遺体が発見されました」

「それは、衝突の際に死亡したんですか？」

「いえ」佐々木一太郎は首を横に振る。「胸を刺されていました。鋭利な刃物によるものでしょう」

取材陣から歓声に近い、混乱の声が上がる。

「それも受けまして」そのざわめきを眺め渡した佐々木一太郎は、相変わらずポール・マッカートニー似の、お人好《ひとよ》しの御曹司《おんぞうし》のような顔で、「追跡する警察官には、対人用の麻酔銃を所持することを指示しました」と発表した。

おお、と記者たちがのけぞるようだった。

田中徹も、おお、と言った。

対人用、という言葉が、人を標的として見做《みな》す、酷薄な印象を与えるからか、もしくは、麻酔銃、という言葉に、人を猛獣同然に扱う乱暴さを滲《にじ》ませるからか、聞いた瞬間、田中徹は、狩が行われるような興奮を覚えた。

凶悪犯罪が増加の一途を辿《たど》っているにもかかわらず、警察官の発砲に対する抵抗感も根強いため、苦肉の策として、強力で、精度の高い麻酔銃が研究されていることは、田中徹もニュースで見たことがあった。肉体の損傷を最小限に留め、殺さずに、眠らせるだけ、という方法は、一般感情として受け入れやすいためか、研究開発は積極的に進められていたらしい。

試験使用が終わり、量産が可能となったその銃を、青柳雅春逮捕のために使うとのことだった。記者たちはまた、目を輝かせた。

こりゃ今日の夜は、朝まで、銃の専門家が出ずっぱりだろうな、と田中徹は思った。日中、青柳雅春が逃げる際に、人質になったという男性が、その後のテレビに映った。以前の会社の先輩だったという彼は、「青柳の奴《やつ》、前に働いていた時とは別人だった」と顔をしかめ、「本気で俺を殺そうとしたんだ。あいつは頭がおかしい」としきりに首を捻《ひね》っていた。

夜の八時過ぎ、田中徹は隣のベッドの保土ヶ谷康志を見た。彼はテレビも消し、不貞《ふて》寝《ね》をするようだった。すっかり、事件に飽きてしまった様子で、「今日、誰が見舞いに来たか、知ってるか」と自慢げに言いはしたものの、覇気が感じられない。

「もう、テレビ観《み》ないんですか」

「つまんなくなっちゃったなあ」

「同じ放送ばかりですからねえ」

保土ヶ谷康志はその後も、テレビを積極的に観ようとはしなかった。携帯電話を抱え、病室を出て行ったきりしばらく帰ってこない。田中徹は、自分だけでも事件を見届けなくてはならない、と使命感に駆られた。

青柳雅春の父親が取材を受けている映像が流れた。どうやら録画映像だと分かる。いつの間にこんな中継があったのか、と自分の手落ちを嘆きたくなった。

さいたま市の古い住宅街にある一戸建ての前で、青柳雅春の父親がマイクを向けられている。詰め寄る記者やアナウンサーを身体《からだ》で押しのけるようにした父親は小柄だったが、贅肉《ぜいにく》がなく、引き締まった体型に見えた。肌は健康的に日焼けし、眉が太い。髪は刈り上げ、海兵隊のようでもあった。投げかけられる質問に対し、父親はぶっきらぼうに答えていた。息子の無実を信じる気持ちには、田中徹も感じ入るところがあったが、それにしても、無根拠に、「息子はやってない」と主張するのは、利口ではない。反感を買うだけだ。しかも、息子の逃走を唆《そそのか》し、応援するかのような発言もしたものだから、リポーターたちが色めき立った。

あの息子にしてこの親ありだな、と田中徹は呆れる。親子で国中を敵に回している。

その後はしばらく、テレビのニュース番組では、仙台市内での事故や事件の報道がいくつか流れた。車に幼児を乗せ、連れ回していた三十代の男が検問で捕まり、車上荒しの若者たちが目撃者の通報により逮捕され、さらには、数年前に東京でリンチ殺人を行い、指名手配となっていた詐欺《さぎ》グループの幹部が突如、仙台市のホテルで発見された。

いずれも、金田殺害事件とは関係がなかったが、仙台が厳戒態勢に置かれ、住民の危機感が増し、不審者の情報が次々と集まり、その結果、たまたま発覚したもののようだった。

「セキュリティポッドとかで、めちゃめちゃ詳細に、住人の情報を調べてるからだよ」夜に出向いた喫煙所には、やはり中学生がいて、例によって、監視社会を嘆いた。「メールとか電話とか全部、傍受してさ、で、副作用で、他の事件もぼろぼろ見つけてるんだよ」

中学生のくせに神経質な奴だ、と田中徹は呆れる。

また中学生はどこでネットの情報を見たのか、「青柳雅春を名乗る書き込みが大量に溢《あふ》れている」と笑っていた。「まあさ、どこかに隠れているテロリストを捜すのとは違って、特定の、青柳雅春を見つければいいんだから、監視と言ってもそんなに大変じゃないだろうね」

三日目

右の肩を強く叩《たた》かれ、田中徹は目を覚ました。小刻みに殴るような勢いだったため、寝惚《ねぼ》けているとはいえ、腹が立った。保土ヶ谷康志の皺《しわ》のある顔がすぐ間近にあった。還暦過ぎであるのに、いつも、悪戯《いたずら》小僧のように見える。

「いったい何なんですか」むっとした思いを隠す気にもなれない。「というより、何時ですか今」

気を抜くと、朦朧《もうろう》としてしまうくらい眠かった。

「四時なんだけどさ」

「四時って、朝の？」

「朝に決まってるよ」

「何があったんです」朝とはいえ、四時とは常識外の早朝とも言えた。納得がいかず、理解もしがたい。「まだ、暗いですよね」

保土ヶ谷康志は、田中の抗議も意に介さず、ベッド脇《わき》からリモコンを取ると、「テレビ、観てみろよ。見せ場だぞ」とボタンを押す。

「見せ場って」ギプスに指を入れ、掻《か》きながら、テレビに目をやる。枕元《まくらもと》に耳掻きを見つけたので、久しぶりにそれを使って、脚を掻こうと思ったが、画面から緊迫した様子が伝わってきたので、手が止まる。

映し出されているのは、仙台市役所前の中央公園だった。イベントやコンサートを開くのに利用される広い敷地だ。余計な遊具や壁がないため、見晴らしが良い。空は暗く、黒とも濃い灰色ともつかない色だ。おそらくは今現在の、朝四時のリアルタイムの映像なのだろう。

公園に照明が向けられ、そこだけがスポットライトを浴びる舞台さながらに煌々《こうこう》と輝いている。

カメラは周辺の建物をゆっくりと映した。公園を囲む建物の屋上に、制服を着た者たちがそろって銃を構えている。スコープのついた狙撃銃《そげきじゅう》で狙《ねら》いを定め、市役所から銀行のビルまで、四方の屋上に並んでいる。

「このように、麻酔銃を準備した専門の警察官たちが、待機しております」

公園の周辺は立ち入り禁止となっているのだろう。マイクを持ったリポーターは、公園から少し離れた路上に立っていた。ヘリコプターが飛んでいるのが分かる。映像はその機上から撮影されているらしい。

「青柳雅春は本当に、投降してくるのでしょうか」リポーターが興奮した声を発する。「人質を連れてくるらしく、我々は近づくことができません」

　いつの間に、そんな展開になったのだ。「これ、どうなってるんですか」

「数十分前に警察が発表したんだよ。青柳雅春から、投降するって連絡があったんだと。テレビ局にも連絡があった」

「何で急に、投降することに。ずいぶん大掛かりですよねえ。あんなライトたくさん、照らしちゃって」屋上から公園に向けられた巨大な照明の数がいくつなのか、見当もつかなかった。あれも税金なのか、と考えると、うんざりした。「しかも、物騒ですよねえ。銃を構えて。青柳雅春を狙ってるんですよね」

「まあ、そう簡単には撃てねえよ。公開処刑じゃねえか。生中継だし。な、田中君」

「確かに、テレビで流れちゃってますね」

「だろ。こんな中で撃ったら、大騒ぎだ」

「でも、騒ぎにならない方法を取るかも」

「できるのか？」

「あ、麻酔ですよ。麻酔銃。公開処刑じゃなくて、公開麻酔です」

「麻酔銃？」初耳だ、と言わんばかりに保土ヶ谷康志が聞き返してきた。

「昨日、テレビで言ってたんですよ。最近、開発された麻酔用の銃弾を使用するって」

「観なかったなあ」失敗したなあ、と彼が嘆く。

「もしかしたら、青柳雅春はこんな風に注目されている中なら、撃たれる心配はないって思ってるのかもしれないですけど、麻酔銃は予想外かもしれないですよね」

なるほどな、と保土ヶ谷康志はあっさりと言った。「惜しいな」と。

「惜しいですか」

「ほら、あそこにマンホールあるだろ」と彼はテレビ画面を人差し指で示した。公園の中央あたりに、確かに目を凝らせば、何か円形の輪郭が見える。

「あれ、マンホールですか？」

「下水管に通じてるやつだ。地下六メートルのところに、雨水管がな」

「何で知ってんですか？」

「前に仕事の時に、いろいろ調べたんだよ」

「何の仕事なんですか、いったい」

田中徹は、イアフォンを耳に戻した。ちょうど、テレビのリポーターの高い声が入ってきた。

来ました、来ました、と繰り返しているようでもあった。

急に、音が静かになった。イアフォンからの音声が消えたように感じた。

両手を挙げ、だだっ広い公園に姿を見せる男が映った。

どこから現われたのか、分からない。

瘦身《そうしん》で、ラフな恰好《かっこう》をしていた。黒いニットのセーターに、下はジーンズだろう。拍子抜けするほどの、ごく普通の外見だった。

「こりゃ本当に、詰んだかもな」と保土ヶ谷康志がぼそっと洩《も》らす。

青柳雅春は公園の真ん中にゆっくりと進んでくると、立ち止まり、自分を狙う銃口を確かめるように、ぐるりとまわりの建物を見上げた。疲労のせいかもしれないが、その鋭敏な顔つきは、獰猛《どうもう》な狂犬に見える。

ああ、これでこの騒ぎもおしまいか、と田中徹は思う。興奮しつつも、どこか寂しさを感じながら、耳搔きを包帯の下に滑らせる。痒《かゆ》いところがどこなのか、すっかり分からなくなっている。

第三部　事件から二十年後

二十年前、金田貞義《かねださだよし》首相の暗殺事件が仙台で起きた際、マスコミは当然ながら、大騒ぎだった。今、落ち着いた目から見れば、たがの外れた狂騒だった、と言うことはできる。テレビや新聞は警察庁の発表を垂れ流し、真偽不明の一般人からの情報を次々と放送し、視聴者の感情を煽《あお》った。青柳雅春を犯人とした根拠は状況証拠ばかりだったにもかかわらず、その実名が異常なほど初期の段階から、テレビで流れたのは驚くべきことだったが、それは今もしばしば起きていることだ。

この調査書を書くにあたり、当時の状況を調べたところ、一介のノンフィクションライターに過ぎない筆者にもその異常さが分かった。平穏な状態では、誰もが正論を吐ける。人権を主張し、正攻法を述べる。が、嵐《あらし》がはじまればみんな、浮き足立つ。正しいことを考える余裕もなく、騒ぎに巻き込まれる。そういうものなのだろう。

金田貞義暗殺事件の真相については、二十年が経過した今も明らかになっていない。事件の一ヶ月後、金田貞義首相の後任となった海老沢克男首相により設置された、鵜飼《うかい》最高裁判事を中心にした調査委員会による報告が公開されはしたものの、その、俗に言う鵜飼報告書の中身には抽象的な表現が多く、結局のところ、「なぜ、真相が分からないのか」についての理由を列挙するものに過ぎなかった。

さらに、海老沢克男首相が、鵜飼調査委員会や警察庁をはじめとする各種機関が収集した情報に関し、その後、百年は公開しないことを決定したため、真相追究への手がかりはほとんどない、と言ったほうが近い。そもそも、その百年非公開の根拠はどこにあるのかといえば、それも定かではなかったのだが、ようするにその時点で政府が出した唯一《ゆいいつ》の方針が、「忘れよう」ということだったのだろう。

現在、最も多くの国民がそれが真実であると信じているのは、事件当時副首相であった、海老沢克男による陰謀説に違いない。つい数年前にも、海老沢克男の顧問弁護士であった、山本実《やまもとみのる》が自伝を記すにあたり、海老沢克男の事件への関与を仄《ほの》めかし、話題になった。

金田貞義は牛若丸に例えられ、海老沢克男はそれを支える弁慶と呼ばれた。その弁慶、海老沢克男が、実はその暗殺を最も望んでいたとなれば、衝撃は大きく、人々の好奇心を刺激するものだが、海老沢克男の嫉妬《しっと》深い性格と政治家としての歩みを考えれば、あながち現実離れしているとも思いにくかった。

戦後、ほぼ一党独裁を貫いてきた労働党から離党し、自ら自由党を立ち上げた海老沢克男は、長い間、野党党首として気を張り、他の議員を牽引《けんいん》してきた。首相選挙のたびに自由党代表として立候補をし、そのたび、労働党首相候補に、時には大差で時には僅《きん》差《さ》で、負けてきた。

けれど、二十年前のその時、ようやく機会が訪れる。

無謀な税制改革により、労働党が自滅の道を歩み出したのだ。税制改革は必要なことではあったが、国民は怒った。国民を怒らさずに増税をするのは至難の業ではあるのだが、与党はそれを成し遂げようとし、案の定、失敗した。

政権交代の土壌ができた。海老沢克男としては、いよいよ自らが首相となる時が訪れた、と確信したに違いない。

けれどそこで、同じ党内から、伏兵とも呼べる若い政治家、金田貞義が現われた。まさかの予備選敗北を喫することになったのだ。その胸中、悔しさは察して余りある。

表面上は、「金田君のような若い者が新しい道を開くのだ」と鷹揚《おうよう》な態度を示し、労働党との一騎打ちとなる首相本選に際しては、自らが副首相として支えることを力強く発言したが、顧問弁護士の自伝によれば、この時、海老沢克男は、敵である労働党の幹部と内密に連絡を取り、選挙広報活動についての情報を流していたとのことだった。

当時、ある週刊誌で、金田貞義の母親がかつて水商売をしており、その常連客との諍《いさか》いで刺されて死亡した、という話が記事にされた。その情報の漏洩《ろうえい》も、海老沢克男による指示だった、という。ぽっと出の若造を、栄《は》えある首相にさせるくらいであれば、古くからの宿敵である、労働党の鮎川真を勝たせるほうが正しいと判断したということなのだろう。

正しいとは、何にとって正しいか。
日本のためであるのか。国民、もしくは党のためであるのか。

顧問弁護士は、否《いな》、と記している。海老沢克男自身のプライドにとって、正しい判断だったのだ、と。

本選で金田貞義が勝利する結果となると、海老沢克男はやはり、「正しい判断」を下し、金田貞義首相を殺害し、自らが後任として、首相の地位を得た。

そういう筋書きが、顧問弁護士の自伝には仄めかされていた。

二十年前の事件当日、仙台パレードのコースが急遽《きゅうきょ》変更された事実はあまり知られていないが、コース変更を決定した当時の市長、佐藤左千夫《さとうさちお》が、海老沢克男の大学時代の同級生であること、また、コース変更により通過することになった教科書倉庫ビルの所有者、佐藤祐子《ゆうこ》が、佐藤左千夫の姉である事実が、海老沢克男による陰謀説を補強している。

仙台への凱旋《がいせん》パレードを企画したのは、金田貞義の広報を担当していた事務官だと言うが、実際には、海老沢克男の提案だった、とも言われる。彼は、自らと親交のある者が市長を務める街に、金田貞義を連れ出したかったのかもしれない。

また、海老沢克男を首謀者とする説と同様に根強いものが、労働党による殺害とするものだ。その背後には、ある大きな力の存在が噂《うわさ》される。日本国内で不可解な事件が起きるたびに、「あいつが悪いのだ」と黒幕として指摘される、例の力、つまり、アメリカだ。

筆者は昔、若者たちが、「世の中の悪いこと全部が、自分たちのせいにされる。アメリカみたいだ」と嘆いていたのを聞いたことがあるが、まさにアメリカとはそういう宿命にあるのかもしれない。

二十年前の日本を悩ましていた大きな問題の一つが、核保有についてだった。金田貞義が首相選挙で勝利する一年前、当時の首相、労働党の鮎川真は、アメリカ大統領との会談後、突如、「日本における核保有による自衛についても、検討すべきではないか」と発言し、物議を醸《かも》した。当然のごとく、自由党やマスコミから批判や質問を受けたが、「検討すべきだと言ったに過ぎず、保有すべきだとは一言も言っていない」と繰り返し、「話し合いも検討もせずに、蓋《ふた》をしてやり過ごしていることが、政治か？　外交か？」と強気に持論を展開したため、さまざまな議論が起きた。

一方で、日本の核保有は、アメリカのシナリオに過ぎない、と批判する者もいた。対中国の戦略上、日本に核兵器を保有させたいだけなのだ、と。そう主張している者の一人が、金田貞義だった。

「アメリカ政府は、アジアに対する態度が一貫していない。彼ら自身も、アジアをどうすべきなのか理解していない。太平洋戦争の直後から、ずっとそうだ。そもそも、日本の憲法問題がどうして、こうも揉《も》めているのかといえば、やはり、アメリカの読み違いが原因に他ならないではないか」とごく当然の、誰もが感じている違和感を口にした。第二次世界大戦後、アメリカは、日本を無力化しようと憲法九条を用意し、軍隊を放棄させた。が、その後、冷戦に突入すると、日本が重要な軍事拠点になり、結果、九条を保持しつつも軍備をすることを促す。そしてさらには、改憲を推し進めようと動く。「日本人は、自ら考えているようでいて、実は考えているように思わされている」と鮎川真を批判した。

金田貞義は護憲派で、日本の軍事化に消極的であった印象が強いが、実際には、「アメリカ追随の政治は、アメリカはおろか、他国からも軽んじられるだけだ。そもそも、アメリカは、アジアをどうすべきかのビジョンを持っていないのだから、日本独自の軍備、方針を持つ必要がある」と言い、「その上で、核兵器を保有し、抑止力を持つことは必要なことである」と訴えていた。

さらに、核兵器を含む武装が難しいのであれば、情報偵察、監視の部門の技術開発を積極的に進めるべきだ、とも金田貞義は主張していた。つまり、外敵を攻撃するための武器ではなく、各国のミサイル攻撃の準備、もしくは軍事作戦を、迅速正確に把握するシステムを持つべきだ、と訴えた。それこそが憲法と共存できる方法である、ミサイル防衛の強化もさることながら、弾道ミサイル以外の情報取得にも力を注ぐべきだ、と。日本の技術力をもってすれば、不可能ではない。「腕力がなくとも、精度の高い情報を持っている者は、他人から頼られ、必要とされる」と彼は言った。

これも後に、海老沢克男の顧問弁護士の自伝で明らかになるのだが、首相に就任したばかりの金田貞義は、中国、朝鮮半島を訪れ、歴史認識及び領土の問題に関して、踏み込んだ会談を持つと決断していたという。とはいえ、「不必要な謝罪はしない。そもそも中国は、他の国との戦争も経験している。イギリスとのアヘン戦争もあった。が、なぜ、日本への憎しみがそこまで強調される必要があるのか。イギリスは謝ったのか？」と彼はよく主張していたから、一方的な譲歩をするつもりはなかっただろう。

「日本の政治家は内弁慶で、外交への興味もなければ、使命感もない。海外の政治家とコミュニケーションを取ろうとも思わない」と金田貞義は選挙の頃から主張していた。

「それは政治家ではない」

とにかく、そのような金田貞義のスタンスが、逆鱗《げきりん》に触れた。

誰の？

アメリカの。

だから、彼は殺害された。そういう説もある。

また一方では、金田貞義首相の殺害された場所、「仙台」に着目する向きもあった。

すなわち、金田貞義は、仙台地域における強い力によって、抹殺されることになったのだ、という意見だ。

知名度のない、年齢的にも若い金田貞義が、首相選で勝利することになったのには、いくつかの理由がある。先に述べた通り、税制改革が国民に不評を買い、有権者の思いが労働党から離れはじめていた、という時流もあるが、もっと実際的な理由としては、彼の出身地が仙台で、その仙台地域での予備選挙が、全国で最初に開票結果が分かるという、首相選挙制度上での幸運が挙げられる。

首相公選に関しては、アメリカの大統領選挙同様、大きく、二つの段階に分かれている。

労働党、自由党の党員たちが、それぞれの立候補者を決めるための予備選挙と、そこで選ばれた両者が国民投票によって選ばれる本選挙だ。

予備選挙に関しては、各地域に分かれた党員が投票を行い、最多投票数を得た者がその地域を制したことになる。全《すべ》ての地域で投票が終わり、その結果、より多くの地域で勝利した者が代表に選ばれる。だが、この予備選挙は、全国で同時に行われる仕組みにはなっていない。一番はじめに実施されるのが宮城県仙台の地域だった。

金田貞義の選挙運動は緻密《ちみつ》で、丁寧だった。地元仙台の各企業を回り、半年前からイベントを何度も開き、そのたびに講演をし、顔を売った。もともと、若く精悍《せいかん》な顔立ちであった上に、人を惹き込む話術があったため、自由党党員はもとより、労働党の支持者たちにも好感を持たれた。

また、同じ自由党の立候補者であった、海老沢克男が、先輩議員として横綱相撲で戦いに臨めば良かったものを、自信たっぷりに遊説《ゆうぜい》する金田貞義に危機感を抱いたのか、「若輩者に、未来を任せるべきなのか」とコピーを打った、中途半端《はんぱ》なネガティブキャンペーンを実施し、それが裏目に出たことも、金田貞義には幸いした。

予備選、本選を問わず、ライバル候補者へのネガティブキャンペーンは当然の如《ごと》く行われるが、テレビコマーシャルの中で、人を見下した表情の金田貞義と、ベッドの上で介護を受ける老人を重ねた映像を流したのは、観《み》た者を不快にさせた。

キャンペーンを行った海老沢克男陣営にとって予想外だったのは、その不快感が、コマーシャルを制作した海老沢克男側に向いたことだった。

蓋を開けてみれば、仙台地域では大差をつけ、金田貞義が勝利した。

もちろん、自由党の顔とも言うべき海老沢克男に、若く無名の金田貞義が勝ったことは興味深いニュースではあったが、全体の選挙からすれば、一箇所の選挙区で勝利したというにすぎない。仙台地域の票自体も、全国で占める割合が多いわけでもない。

けれど、この仙台での勝利が結果的には、金田貞義の予備選勝利、さらには本選挙での勝利を決定付けた。

何のおかげか。

マスコミだ。

その頃、犯罪、スポーツを問わず、大きな事件やニュースがなかったことも影響している。朝や昼のワイドショーで放送する素材に困っていたテレビ局が、こぞってこの、仙台での金田貞義の躍進を取り上げたのだ。テレビで取り上げられれば、知名度が上がり、結果、次の選挙でも票が集まり、勝利する。報道による雪崩《なだれ》現象が起きた。

勝利が続けばマスコミが、「新しい風」といっそう大きな扱いをするようになり、ますます有名になる。雪ダルマ式に、金田貞義は有名になった。アメリカで、ジミー・カーターが、カーター旋風を巻き起こした際と同じ現象が起きたわけだ。

そう考えれば、金田貞義が首相となることを後押ししたのは、最初の仙台での選挙結果とマスコミの力ということができる。

仙台地域での、自由党予備選において、金田貞義を支持した大きな基盤は、仙台の医師会と公営カジノの経営者たちであった。表立っては強調されなかったものの、医師会の幹部が大学時代の、公営カジノの幹部が中学時代の、金田貞義の友人であったのは周知の事実だった。公営カジノ幹部の一人は、金田貞義が首相選に出馬する直前に、写真週刊誌の取材を受け、「中学生の時、教師が見放した俺を、同級生の金田だけは見放さなかった」と語り、話題にもなった。行儀と育ちの良さそうな金田貞義と、不穏な空気を漂わせる公営カジノの取り合わせは、不愉快さよりも、新鮮さを感じさせた。

その二つの基盤、医師会と公営カジノを、金田貞義は首相就任後、敵に回してしまった。そのために、殺害された。これが三番目に多く、信じられている説である。

これについては、金田貞義が首相就任直後に、懇意にしていた自由党議員と医療改革について検討していたこと、また、公営カジノへの予算低減を海老沢克男に相談していたこと、などの情報が公《おおやけ》にされたあたりから、注目されるようになった。

金田貞義には背信の意識はなかったに違いない。彼はそれ以前より、産婦人科医の減少や救急病院での労働条件の過酷さに注目し、医師の開業地域及び待遇について、一定のコントロールを行う必要を感じていた。

さらに、公営カジノの集客が全国的に増加し、利益が大幅に出はじめたため、国からの予算をカットし、その分について、医療改革の予算へ回す考えを持っていた。

彼を予備選で支えた友人たちからすれば、裏切られた思いが強かったのだろう。飼い犬に手を嚙《か》まれたとまでは言わないまでも、恩を仇《あだ》で返され、利用された上に首を絞められたという理不尽な思いに駆られた可能性はある。

「金田は、分かっていなかったんだ」とは、金田貞義首相が殺害された半年後、ある事件ライターが、公営カジノの幹部に会った際に聞いた台詞《せりふ》だ。

他にも、様々な説が、金田貞義首相の事件については語られている。

愛人であったとされる小林ヒカル子が、愛人としての立場が一向に改善されないことに嫌気が差し、労働党の人間に殺害を依頼した、もしくは、金田貞義首相は、同性愛者へ理解がなく、そのことに反発を持ったグループによる犯行だった、という話も時折、強く主張される。けれど、小林ヒカル子が事件の後に自殺したこと、また、金田貞義首相に解雇された秘書の一人が同性愛者であったことは事実であるものの、それ以上の根拠がないのも確かだった。

二十年が経過しても、事件の真相が見えてこない理由の最大のものに、関係者の多くが死亡している、ということがある。自由党の海老沢克男や労働党の鮎川真、さらに医師会に属していた金田貞義の友人たちが、歳《とし》を重ね、癌《がん》や脳梗塞《のうこうそく》で亡《な》くなっているのは仕方がないとしても、それ以外にも多くの関係者が死んでいる。死にすぎていると言っても良い。

有名なところではまず、先ほども挙げた、愛人であった小林ヒカル子が自殺をしている。金田貞義が殺害された二ヶ月後、旅先の福岡のホテルで、首を吊《つ》った状態で発見されたが、遺書は見つからなかった。彼女が住んでいた、東京のマンションは何者かにより荒らされ、彼女の妹が後に発言するところによれば、机の中の日記が消えていた、とのことだった。

　金田貞義首相がラジコンヘリの爆弾により死亡した際、そのパレードを中継していた大倉秀雄《おおくらひでお》は、事件の翌年、繁華街を歩いているところを通り魔に刺され、死亡した。仙台ローカルテレビ局のリポーターであった彼は、事件の現場にいたこともあり、「教科書倉庫ビルの屋上に、人の影があった」と主張していた。鵜飼報告書によれば、事件の瞬間、犯人の青柳雅春が教科書倉庫ビルの屋上でラジコンの操縦を行っていたことになっているが、大倉秀雄は、「青柳雅春とは似ても似つかない男が屋上で、ラジコンのプロポをいじくっていた」と地元の雑誌の取材を受け、答えていた。

　ラジコンショップの店主も亡くなっている。仙台市南郊にある小さな店舗を経営する、五十代後半の男だった。事件で使われたとされているラジコンヘリ「大岡のエアホバー」を、青柳雅春に販売したとされ、監視カメラの映像はテレビ局に提供された。その店主、落合勇蔵《おちあいゆうぞう》は、事件から半年後、高速道路を走行中、中央分離帯に衝突し、死亡した。大量の酒を摂取していたことが判明するが、家族は、落合勇蔵はほとんど酒を飲む習慣がない、と首を捻《ひね》った。そもそも、そのような酩酊《めいてい》状態でどうやって高速道路に入ったのかも不明だった。

これは筆者が調べた中で分かったのだが、先述の大倉秀雄が目撃したとされる、ラジコンを操縦していた男は、その目撃談を元にすると、この落合勇蔵の外見とよく似ている。

仙台市にあったファミリーレストラン「ノッキン」のウェイトレス、楠見純子《くすみじゅんこ》も事件の後に死んだ一人だ。自宅近くのコンビニで買い物をしている際、たまたま強盗犯と遭遇し、頭を金槌《かなづち》で殴られ死亡したが、後に逮捕された強盗犯は、そのことを否定した。楠見純子は、事件の際、青柳雅春がガラスを割り、暴れていた、とテレビで証言を行っていた。彼女の友人によれば、楠見純子はそのことをひどく後悔していたらしく、時には、「警官が物騒な武器を使って、大暴れしていたのよ」と幻でも見たかのように主張していたという。

他に興味深い関係者を挙げれば、久保田《くぼ》毅《たつよし》がいる。三十五歳の会社員でありながら、仙台市内の住居で、窃盗を繰り返していた男だ。事件の起きる二年前、凜香というアイドル女性のマンションに侵入したが、偶然、配達に訪れた青柳雅春によって、取り押さえられた。余罪が多く、前科もあったため、実刑が下り、懲役七年が科せられたが、五年目に仮出所を果たした。特別話題にもならず、週刊誌が一誌、小さく取り上げただけであったが、その仮出所から半月もしないうちに、繁華街の喧嘩《けんか》に巻き込まれ、死亡した。獄内での久保田毅はいつも、宅配ドライバーの青柳雅春の話ばかり繰り返し、「あいつ、ぶっ殺してやる」と呟《つぶや》いていたらしかった。

また、倉田愛《くらたあい》という女性も、事件の二年後に亡くなっている。事件の際、青柳雅春が過去に痴漢をした、と騒がれたが、その痴漢の被害者と言われていたのが彼女だった。彼女は飲酒運転をし、牡鹿《おしか》半島の山道でハンドルを切り損ない、崖《がけ》から落下し、死亡した。その際、助手席に乗っていた、井ノ原小梅《いのはらこうめ》という女性も死亡したが、奇妙なことには倉田愛と井ノ原小梅の接点が見つからなかった。強いて言えば、彼女たちが事件当時、多額の借金を背負っていたことは共通するが、それ以外には関係がない。

さらに、金田貞義首相の大学時代の先輩にあたり、選挙を陰で支えていたと言われる大河内恒夫《おおこうちつねお》についても興味深い噂《うわさ》が絶えなかった。彼は事件当時、つまり二十年前、仙台病院センターの院長を務めており、警察庁と何らかのやり取りをしていたことが院内の内部告発により、後に分かった。そのやり取りの内容こそ明らかにならなかったが、当時、事件性のあると思われる死体を二体、通常の患者の遺体として処理したという噂もあり、彼が表沙汰《おもてざた》にはできない怪しい動きを見せていたのは間違いがなかった。その死体処理を手伝ったと言われていた医師二人が立て続けに、首吊り自殺をしたと週刊誌が書き立てたこともあった。大河内恒夫自身は医師会での地位を昇りつめ、つい先日、肝臓癌で亡くなった。

固定観念を持って物事を眺めれば、柳も幽霊に、自然現象も敵国の陰謀に見えるものだが、このように、金田貞義首相の殺害に関連する者たちが、事件から年月を空けず、死亡している事実はやはり、興味を惹く。

当時、青柳雅春を犯人として追った、警察庁の課長補佐、佐々木一太郎もすでにこの世を去っている。あの事件の後、ひっそりと退職した佐々木一太郎は、宮城県北部の小さな町に引きこもり、花屋を開いたという。当時から、ビートルズのポール・マッカートニーに似ていると言われていたその顔つきは、老いるにつれ、さらに酷似していった。佐々木一太郎が退職後、事件について口を噤《つぐ》んでいた理由にも、様々な憶測が飛び交っている。

青柳雅春を追っている間に、彼の一人息子が東京で交通事故に遭遇していた、という事実が後に明らかになったが、結果的に息子は一命を取り留めたものの、その経験が彼に、仕事と家族を天秤《てんびん》にかけるきっかけを与え、彼は、家族を取ることにした、と一般的には言われている。

もしくは、青柳雅春追跡の最中に、彼が、重要な秘密をつかんでしまったからだ、と言う者もいる。あの三日間、厳密に言うと事件は三日目の早朝に終わったので二日間と言うべきかもしれないが、仙台市内ではセキュリティポッドによる情報収集が行われた。その時の情報はいまもって公開されていないが、想像を絶する量の、電話通信の傍受、メール内容の検閲、公道の撮影がなされ、つまりはプライバシーの甚だしい侵害が黙認されていたのは間違いがない。

本来であれば、そのような個人情報の侵害については国民から強烈な拒否反応が起きても仕方がないものだったが、当時はさほど問題視されなかった。おそらくは標的が、「青柳雅春」に絞られていたため、青柳雅春とは無関係の一般の人間にとっては、「自分たちは除外されている」という安心感があったからかもしれない。

ただ、佐々木一太郎は、その膨大な情報の中から、国家的な機密事項を知ることになったのではないか、という噂もあった。そして彼は、自らが警察に属していることに危機感を覚え、機密事項の秘匿《ひとく》を条件に、円満な退職と余生を送るための退職金を得たというのだ。

また、青柳雅春を追うことに全神経を注いだため、疲弊した、という話もあれば、佐々木一太郎は整形手術を施し、まったく別の人間を装《よそお》い、今も、金田貞義暗殺事件の真相を追っている、という説もある。花屋を経営していたのは、佐々木一太郎そっくりに整形を施された別人であった、というわけだ。

個人的にはこれらはひどく荒唐無稽《こうとうむけい》な話だと思うのだが、調べたところ、ある美容整形外科医の存在がその推理を後押ししているのだと分かった。事件の十年後、つまり今から十年前に、仙台市でひっそりと亡くなった医師だ。彼は過去にアイドル歌手や有名俳優の整形を施したこともあるらしいが、東京から仙台へ移り、身を潜めていた。医師免許を持っていなかった、とも言われている。その彼が死ぬ間際《まぎわ》に、テレビに偶然映った佐々木一太郎の姿を観《み》て、おそらくは、金田貞義首相暗殺の十年目の特集番組だろうが、「自分もこの事件に関係していたのだ」と洩《も》らしていたらしく、そのため、「佐々木一太郎が整形手術を受けた」と主張されることになった。けれど、素直に考えるとすればこれは、青柳雅春が宅配ドライバー時代に救った、アイドルの凛香、その彼女の美容整形に関わっていた、と判断すべきだろう。

また、当時、佐々木一太郎と同様、事件の捜査にたずさわっていた刑事、近藤守《こんどうまもる》もその一年後、退職した一人だった。彼の死後、家族によりネット上に公開された日記の記述によれば、「青柳雅春の後輩男性」に違法捜査を行ったことに対し、口封じと証拠隠滅を命じられたことに近藤守は反発し、その後輩男性の身の安全を確保するために上層部とぶつかり、退職せざるを得なかった事情が垣間見《かいまみ》られる。結局、その日記にはなんら真実味がない、と一般的には解釈されたが、青柳雅春の後輩である男性が、口封じのために謎《なぞ》の死を遂げずに済んだのは、近藤守の主張が通ったからではないか、と憶測を巡らすことはできる。

また、十年ほど前に一度、ネット上で話題になったのが、宮城県警に勤務していた松本太郎刑事の事故死である。彼は非番の日を利用し、金田貞義首相暗殺事件の真相を独自に捜査していたらしかった。彼が事件に興味を持つきっかけとなったのが、事件当時にインターネットの掲示板に、「青柳雅春」という名で書き込まれた記事だ。事件発生時、ネット上には、数え切れないほどの自称青柳雅春が出現したが、松本太郎はそのうちのいくつかは、見過ごすことのできないものだと判断し、それに基づき、捜査をしていたのだという。そして、自らが警察に属する立場であるにもかかわらず、事件の真相を検証するサイトを作成した。

彼の捜査能力は優れ、さらには想像力も豊かだったからか、「金田首相を暗殺する際に、青柳雅春は犯人の濡《ぬ》れ衣《ぎぬ》を着せられた。が、実は当初、犯人に仕立てられる予定であったのは別の人間だった」と言い切り、事件当日に、仙台市の地下鉄で突然の心不全で亡くなった中年男性こそが最初の犯人候補であったと独自の説を展開していた。

つまり、金田貞義を殺害する計画はあまりに大規模であったため、幾人かの犯人候補を準備していた。その第一候補が不慮の心不全で死亡したため、繰り上げ当選さながらに犯人となったのが青柳雅春だったというわけだ。「真の犯人たちは、予防線に予防線を張り、主役の代役も複数用意していた」と。ネット上のその意見は多くの人間の興味を惹《ひ》いたが、結局、松本太郎もタクシーに轢《ひ》かれ、死亡した。

このように、さまざまな人間の口が閉ざされた今、真相については推測するほかなく、せいぜいが、「青柳家之《の》墓」と刻まれた墓石に手を合わせ、「何があったのですか」と訊《たず》ねることくらいしかできない。筆者は現実にこの調査原稿を書く前に、森の中にある霊園に足を運び、手を合わせてきた。もちろん、答えは得られず、そこでは森の声も聞こえなかった。

ただ、ひとつだけ確かなことがあるとすれば、それは、二十年前のあの時、マスコミが大騒ぎをし、日本中が追い続けた元宅配ドライバーの青柳雅春が、首相殺害の犯人であると信じている者は、今や一人もいないだろう、ということだ。

逃げ続けていた二日間、青柳雅春がいったい何を考えていたのか、誰にも分からない。

第四部　事件

青柳雅春

午前十一時、仙台市の東口に並ぶ中古パソコンショップの前を歩いていた青柳雅春は、前方の路肩に止まっているトラックを見つけ、表情を緩めた。

「何、笑ってるんだよ」と右隣を歩く森田森吾が訊《たず》ねてくる。学生の頃から寒がりだった彼は、橙色《だいだいいろ》のダウンジャケットを着込んでいた。確かに十一月末で風は冷たいが、今からそれを着ていたら来年の二月には何を着るのだとも思えた。

「あそこにいるおじさん、配達やってた頃の知り合いなんだよ」青柳雅春は目を前に向ける。荷台に段ボールを積んでいた男が、顔を上げ、「よお」と挨拶《あいさつ》をした。腕時計を見て、近づき、「前園《まえぞの》さん、相変わらず、ぴったりだ」と青柳雅春は声をかけた。「変わらないものなんだね」

「ようするに、配達先が昔から、変わってねえってわけだな」と口のまわりに皺《しわ》を刻んだ前園は、青柳雅春の記憶によれば、今年で五十代の半ばという年齢のはずだったが、背筋の伸びた立ち姿のせいか、十歳は若く見えた。地味な紺色の制服を着ている。「仕事が増えもせず、減りもせず」

「いいことじゃない」

「あんたがテレビに映って人気者だった時は、俺の仕事も全部、取られるかと思ったけどな」白髪まじりの短い髪を撫《な》でる。彫りが深く、目が、樹木のうろのようだ。彼のトラック、幌《ほろ》のついた荷台に、綺麗《きれい》に段ボールが積まれている。

「今日は、夜間指定の荷物もあるんだ」と小声で嘆いた。「夜の九時から観《み》なくちゃいけないテレビ番組があるんだけどな」

「テレビも時間通りなんだ？」

「そりゃそうだ」前園は言う。「まあ、北四番丁のマンションに配達だから、八時半くらいに早めに届けて、すぐに帰れば間に合うだろうけどな」

「仕事よりもテレビ優先かあ」と青柳雅春は苦笑いをする。隣の森田森吾が明らかに、焦《じ》れていたので、「じゃあ、これで」と後にした。

「あんまり、目立たないほうがいいぞ」歩き出してしばらくすると森田森吾が言った。

「何でだよ」

「今のおまえは目立たないほうがいいんだよ」

「森の声が、そう言っているのか」青柳雅春は笑う。

「そうだ。静かな湖畔の森の声だ」森田森吾が頷《うなず》く。

俺は何と言っても、名前に、「森」の字が二つも含まれているからな、森とは繋《つな》がりが強いんだよ、だから、森の声が時折、聞こえてくるわけだ、とは十年以上前、はじめて大学で顔を合わせた頃から、彼がたびたび口にした台詞《せりふ》だ。森の声が聞こえるとどうなるのだ、と同級生たちがからかうと彼は真面目《まじめ》な顔つきのまま、「先のことが分かる。おおよそのことは見通せるんだ」と嘯《うそぶ》いた。

「ってことは、森田君って予言者なんだね」と合コンの最中に、つまりは合コンのたびに彼はそういった怪しげな自慢をしていたのだが、相手の女性たちが気を遣って相槌《あいづち》を打つと、「まあな」と胸を張り、場を白けさせた。

「今日の用件は何なんだ」青柳雅春は訊ねる。一週間前に電話をかけてきた森田森吾は、「来週、一緒に昼飯を食わないか。大事な話がある」と言った。「おまえのことに関する、重要なことだ」と。大学卒業後、八年ぶりに交わす電話の内容にしてはあまりに唐突に思えた。

「あの痴漢の件も関係するのか?」と青柳雅春は確認した。二ヶ月前、仙石線の上りに乗車していたところ、身に覚えがないにもかかわらず、痴漢扱いをされた。その時に、森田森吾と、大学卒業以来となる再会を果したのだ。

「そうだ、関係ある」

依然として失業保険で生活をしている身の青柳雅春からすれば時間はいくらでもあり、友人と会うのは困ることでもなかったが、それにしても状況が見えなかった。

「今の店は駄目だったのか？」全国チェーンのファミリーレストランの前を通り過ぎたところで、青柳雅春は訊ねた。昼食の場所は決めていなかったが、そこに入る素振りを森田森吾はまったく見せなかった。

「あそこは満員だよ」

「店内を見もしないで分かったのかよ」

「俺は知ってるんだ」

「森の声だ？」

「そうだ」

青柳雅春は苦笑する。「変わらないなあ、森田は」

「人ってのは変わらないんだよ」

「変わらないといえば、さっき会った、ドライバーの前園さんがまさにその筆頭なんだ」

「どんな？」

「個人の配達屋なんだけど、お得意さんの仕事ばかりでさ。何時にどこそこで荷物を受け取って、何時にはどこそこへ配達。十二時半から十三時半までは、俺のマンション近くの歩道橋の下に路上駐車して、昼食と昼寝、十六時になると国道沿いの本屋で立ち読み、十八時には定食屋って具合に、いつも時間通りの行動なんだ。配達ドライバーの仲間内でも結構、有名だった。前園さんのトラックは、時計の代わりになったくらいで」

「決まりきった生活が楽しいのか？」

「前に、前園さん自身が言ってたよ。設計図どおりにプラモデルを作るのは達成感があるだろ。それと同じだって」

右手にファストフード店が現われ、森田森吾が、「ここにするか」と指差した。異論はなかった。彼と入るには相応《ふさわ》しい、とも思った。中に入るとカウンターで会計をしている客がいて、後ろに並んだ。注文を終え、二階席へ移動する。空《す》いていたので迷うことなく、一番奥のテーブルに座った。「今でも反射的に、店の様子を確認しちゃうものか？」と訊ねると、森田森吾は、「いいや」と口元をゆがめた。「さすがに、もうやらねえよ」

懐《なつ》かしげでもあり、自らの変化を恥じるようでもあった。

「今でもあるのかな、青少年食文化研究会」青柳雅春はふと、仙台の自らの母校、私立大学のことを思い出す。

「ファストフード友の会な」森田森吾の顔のゆがみは、いっそう強くなる。「たぶん、とっくになくなってんじゃねえの。俺たちの代だっていつも集まっていたのは、俺とおまえと樋口だけだし、後輩もカズだけだったんだぜ」森田森吾は、学生時代に同じサークルに属していた後輩の渾名《あだな》を口にした。小野《おの》一夫《かずお》だからカズ、とシンプルな命名だ。

「俺たちの卒業後、カズが必死に勧誘して、十人くらいのサークルになったって聞いたけど」

「長続きしなかったらしいぜ。いいか、市内、県内のファストフード店を回ってな、記録をつけて、新製品をチェックして、そんなサークルが人気あると思うか？」

「おまえが一番張り切っていたくせに」

「若気の至りだよ」森田森吾がフライドポテトを折って、その折れた部分から齧《かじ》った。

「変わらないな、食べ方」と指摘すると、「変わらねえよ」と彼はまた言った。「人間の最大の武器は何だか知ってるか」

「さあ」青柳雅春はハンバーガーに噛《か》み付き、聞き返した。

「習慣と信頼だ」

「ふうはんほひんはい」食べながら、復誦《ふくしょう》してみせる。

「おまえも変わらねえな」森田森吾が指差してきた。ハンバーガーの周縁部分をまず齧り、一周した後で、真ん中に残った固まりを口に入れる。青柳雅春は昔から、そうやって食べるのが好きだった。

「でも、この店はあんまり良くないね」青柳雅春は包みを畳んで、「店員がお年寄りなのは悪くないけど、客の顔を見ようともしないし、ほら、そこのカメラなんてさ、てんで意味のない方向を見てるし」と自分たちの真上にあるカメラを指した。

「ＣかＤだな」森田森吾が、大学時代のサークルで用いていたランク付けを持ち出す。「この新商品もいまいちだ。Ｃだな。『残りの人生で、気が向いたら、もう一回くらいは注文するかも』のレベルだ」

青柳雅春は、友人の顔をまじまじと眺める。卒業して八年が経《た》つ。パーマがかかった長髪は新鮮だったが、目の下の隈《くま》が気になった。

「それにしても、俺は、森田が仙台にいるとは思いもしなかった」

「言ってなかったか」

「年賀状が届かなくなって、引っ越したのは分かったけど。学生時代の俺たちは、まさか卒業後、こんなに音信不通になるとは思っていなかっただろうね」本音を言えばもっと責めたかったが、さすがに口調を軽くした。

「いろいろあったからな」森田森吾がストローをつまみ、カップの中を掻《か》き回した。

「いろいろって」

「青柳と樋口が別れちまったとか、青柳が、アイドル助けて、有名人になっちまったとか、青柳が」

「そんなに俺のせいにしたいのか」

「後はまあ、俺が東京で、営業をしゃかりきになって頑張ってたから、連絡が取れなかったというのもある。でもよ、樋口と別れて、おまえも泣きそうな時があっただろうに、そういう時くらいは、電話くれても良かったんじゃねえの？」

「したよ」青柳雅春はすぐに言った。「使われていない、って言われたんだ」

「そうか」森田森吾は少し下を向いた。「俺も忙しかったからな」

「本当に電話したんだ」

「しつこいな」

「おまえが出なかったんだ」青柳雅春は重々しくならぬように笑った。「森田は今も営業なのか」

「去年から仙台支社に来た」

「森田は営業に向いているのか、向いていないのか、さっぱり分からない」

芸術家風の髪型は明らかに、営業不適と見えるが、彼の口八丁手八丁の話術はそれなりに効果を上げるように思える。

「向いてねえよ」森田森吾はすぐに答えた。また、ポテトを半分に折った。

「どうして」

「いいか、俺はちょっと先のことなんて、すぐに分かっちまうんだ」

「森のおかげで？」

「だな。だから、相手がどういう対応をするのか分かっちまうだろ。相手が商品を買うかどうか、怒り出すのかどうか、一目瞭然《いちもくりょうぜん》なんだよ。効率はいいけど、やる気はしねえよな。惰性だよ、惰性。ただ、やることはきっちりやる。どうしてか、分かるか？」

どうしてなんだ、と聞き返そうとしたがそこで青柳雅春の頭にある台詞が閃《ひらめ》いた。

「それが、プロだからか」と笑う。

「それが、プロだからだ」と森田森吾が言った。「花火の轟社長、元気にやってるのかねえ」と続ける。「プロだから」とはその、学生時代のバイト先で、社長の轟がよく言った台詞だった。「社長の息子は帰ってきたのかなあ」

「どうだろうな」青柳雅春も、轟社長のクマにも似た風貌《ふうぼう》を思い出した。「でも、森田、おまえ、森の声が本当に聞こえるなら」

「聞こえるんだよ」

「ギャンブルでもやればいいじゃないか」

森田森吾はそれには応《こた》えず、ただ、悲しげな表情になるだけだった。とても、老《ふ》けて見えた。

「おまえは半信半疑だけどな、俺の直感のおかげで、おまえの痴漢のことも救ってやれたんだぜ」

「ああ」青柳雅春は二ヶ月前のことを思い出し、呻《うめ》く。「どうして、あの時、あそこにいたんだ？」

「直感だよ。森の声だ」森田森吾は真剣な言い方をする。「俺はたまたま、あの時、あの電車に乗っていた。別の車両にな。で、仙台駅のひとつ前のところで、ぴんと来たんだ。俺の知っている誰かが、トラブルに巻き込まれる、とな。だから、降りた。で、ホームで周囲を見たら、おまえの姿があった。露出度の高い、エロい服を着た女性と向き合ってるのを見て、さらに閃いた。これは痴漢の冤罪《えんざい》に巻き込まれるぞ、とな」

「痴漢の冤罪ってことまで分かったのか」

森田森吾は平然とうなずく。「直感だ。青柳、おまえこそどうして電車に乗ってたんだ」

「妙な電話があったんだ」青柳雅春は説明する。その日、突然、家に警察から電話がかかってきたのだ。何事かと思えば、「松島海岸で青柳さんの免許証が発見されました」と言う。驚いて、探してみるが確かに免許証がなかった。財布の中に入れてあると思い込み、その存在の確認などしばらくしていなかった。

「何で松島にあるんだよ」と森田森吾が笑う。

「分からないんだ」実際、分からなかった。松島などここ数年、訪れたことがない。

「とりあえず気になるから、電車で取りに行ったんだけど」あれは確かに、今もって意味の分からない出来事だった。

「その帰りに痴漢かよ」

「濡《ぬ》れ衣《ぎぬ》だ」

「痴漢ってのは、被害者に手をひっぱられた時点で、私人による逮捕が成立してるんだ。おまえはあの時点ですでに犯人なんだ。身の潔白を証明しようとして、あのまま警察に行ってみろよ。やった、と認めるまで帰してもらえねえぞ」

「まさか」

「嘘《うそ》ついてどうすんだよ。痴漢なんてのは、ほぼ確実に有罪だよ。そういう風になってんだ。だから、俺は、おまえを引っ張って逃げてやったんだ」

青柳雅春はあの時の、「何するんですか」と発せられた、電車内での女性の声を思い出す。まったくの他人事《ひとごと》だと思っていたのが、きっと睨《にら》まれ、腕をつかまれた瞬間、寒々としたものを腹に感じた。「さっきから、お尻《しり》を撫《な》で回して、エロいことしないでよ」とさらに言われ、何のことか分からないながらも、かっと顔が赤らみ、胃が痛み、動揺した。

「おまえはな、恰好《かっこう》いいけど、どこかのんびりしてるから、騙《だま》されやすいんだよ」

「あれは騙しだったのか」ホームの上で向き合った彼女は化粧が濃く、自らを華やかに見せる技巧に長《た》けているようだったが、とにかく、吊《つ》り上げた目に怒りを浮かべ、「痴漢、痴漢」となじってきた。興奮した面持ちではあった。「森田は、俺が痴漢をしたとは疑わなかったのか？」

「やったのか？」森田森吾がポテトで指してきた。

「いや、やってないけど。でも、卒業以来、会っていないじゃないか。見ない間に、立派な痴漢になったんだな、と想像しても」

「ねえよ」森田森吾は、青柳雅春が言い終える前に答えた。「学生時代のおまえが、一番毛嫌いしてたのが痴漢じゃねえか。見下した口調で喋《しゃべ》る教授は許しても、女を泣かす軽薄男は許しても、なかなか返却されないレンタル屋のアダルトビデオは許しても、駅裏で起きた通り魔殺人は許しても、痴漢だけは許さなかっただろうが」

「いや、通り魔を許した覚えはない」青柳雅春は戸惑い、苦笑する。それに、アダルトビデオの話はどこから飛び出したのだ、と呆《あき》れた。「まあ、俺の親父《おやじ》が、痴漢だけは許さないタイプだったから、その影響なんだろうけど」父親が痴漢を殴りつける場面を思い出し、顔がゆがむ。「でも、この八年で俺も変わったかもしれない」

「痴漢嫌いが一転、痴漢に、か？　まあ、ありえなくはないよな。そういうパターンのほうが、興奮しそうだしな」森田森吾はどこまで本気なのか、そんなことを言った。「もしくは、樋口と別れたショックであれだ、女性に対して怒りを感じて、復讐《ふくしゅう》のために痴漢に目覚めた、とかな」

「ありそうで嫌だなあ」

「そういえば、東京で働いていた時によ、地下鉄でカズにあったんだよ、カズ。で、あいつから、おまえたちが別れたって聞いたんだ。驚いたぜ」

「俺がたぶん一番驚いたよ」

「おまえがふられたんだろ」

「どうして、分かるんだ？」

「森の声だよ。当然だろが」森田森吾は眉《まゆ》をひそめる。「しかも、樋口はもう人妻で、子供までいるらしいじゃないか」

青柳雅春はそこで目を丸くした。「それも森の声か」

「いや、会ったんだよ。樋口に」森田森吾はあっけらかんと言う。「去年、仙台に戻ってきた頃だな。駅前の百貨店に行ったら、会ったんだ。向こうは旦那《だんな》と娘と一緒で」

「いまどき、百貨店ってあんまり言わないだろ」青柳雅春はあえて、そんなことにこだわった。

「おまえ、知ってるかもしれないけどな」

「たぶん、知らないよ」

「樋口は今も樋口なんだよ」

「何だよ、それ」

「旦那の苗字《みょうじ》も樋口だったんだと」

青柳雅春はこれには、へえ、と素直に声を上げてしまった。驚きつつも、そんなことがあるものなのだな、と感心した。

「樋口のほうが先に俺に気づいて、話しかけてきたんだ。らしいよな。さばさばしたもんでさ。旦那にも紹介してもらったよ。『学生時代の話、よく、彼女から聞きます』って爽《さわ》やかに言ってくれたよ。包容力があるんだな」

「俺は会ったことないんだよ、彼女の結婚した相手。苗字が樋口ってこともはじめて、知った」

「聞きたいか」

「聞きたい？」

「おまえと、樋口の旦那の比較だよ」

「いや、聞きたくないよ」

「引き分けってとこだな」森田森吾は目を細めた。「おまえにないものがあっちにはあって、あっちにないものがおまえにはある。外見は、少しぽっちゃりした、ださい雰囲気だったしな」

「板チョコを豪快に割るタイプだったか？」青柳雅春は眉をひそめ、訊《たず》ねる。

「板チョコ？　何だよそれ。まあ、おまえとまるで違う、ってタイプでもないな」

「今日は、俺の過去の失恋をもてあそぶために呼んだのか？」青柳雅春は大袈裟《おおげさ》に下唇を出した。「別れて、もう、七年になるんだから、過去のことだよ」

「というよりもよ」森田森吾が身を乗り出してきた。口調は軽やかだったが、目が強張《こわば》っていたので、青柳雅春はたじろいだ。「おまえさ、あのアイドルちゃんとやったのか」

「やったのかって」

「だって、おまえが配達に行って、襲われてたあの子を助けたんだろ。恩人じゃねえか。それから仲良くなる可能性は充分あっただろうが。な、やったんだろ？　な、な」

そうやって、女の話になるとすぐに、「やった」「やらない」とはしゃぐところは、学生時代の森田森吾も同じだった。口の割には実は晩熟《おくて》で、見知らぬ女性と二人きりになると途端に大人しくなり、手も握らず、そのまま別れた、というパターンをよく繰り返した。

「やったよ、数回」青柳雅春が下を向き、苦笑しつつ言うと、森田森吾が、「おお」と雄叫《おたけ》びに近い声を発した。「まじかよ。アイドルちゃんと。どうだった？」

「彼女、ああ見えて、結構、しつこいタイプだったんだ。夜通しだったよ。死んじゃう死んじゃう、って何回も言ってた」

森田森吾が目を丸くし、まばたきした。「おまえ、意外に凄《すご》いんだな」

青柳雅春は表情を崩した。「ゲームだよゲーム。やった、っていうのは、格闘ゲームのことだって。対戦型の。それで、ゲームのキャラクターがやられそうになるたびに、死んじゃうって騒いでたんだよ」

森田森吾は顔を引き攣《つ》らせた。「何だその最高につまんねえ、嘘は」

「本当に何もなかったんだ。お礼に、と言って食事に誘われはしたけど、テレビとか新聞とかそういうのも怖かったし。たまたま呼ばれて、ゲームをしたくらいだった」

「おまえは本当に生真面目《きまじめ》だよな」

「性格は直らないよ。配達の仕事も真面目にやってたし」

「でも、やめたのか」

「会社に迷惑をかけそうでさ」

「会社の広告塔みたいだったおまえが」

「嫌がらせがあって、大変だったんだ」青柳雅春はこめかみを掻《か》く。

青柳雅春

最初は、半年ほど前だった。青柳雅春が通常通りに配達ルートをトラックで走っていると、携帯電話が鳴った。制服の左ポケットで震え、光を発し、音を出す電話機は、小動物にも思えた。つい先ほど、不在票を置いてきた家からの連絡だろうかとまず、思った。

右手で携帯電話をつまみ、引っ張り上げた。細い一方通行の道を通り過ぎ、十字路を左折したところで停車した。素早く通話ボタンを押す。

「あんた、青柳さん？」と男の声が言う。

「え、はい。あの、どちらさまでしょうか」青柳雅春は答えると同時に、ワイドショーに注目されていた頃のことを思い出した。胃が締まる感覚がし、自然と顔に力が入る。時の人となってしまったあの騒動は、本当につらかった。会社がドライバー管理のシステム化をはじめた頃で、検索を行えば、ドライバーの配達担当エリアや出勤予定、使用携帯電話の番号が、閲覧できるようになっていた。社員や契約ドライバー以外は使えない仕組みではあったのだが、どこでどう流れ出たのか、何者かがそこから情報を得て、青柳雅春の配達経路が漏れていたこともあった。

配達途中での待ち伏せもあれば、携帯電話にもたびたび、仕事と無関係の電話がかかってきた。「応援しています」と好意的なメッセージもあれば、「おまえ、調子に乗ってるんじゃねえぞ」と脅すような内容もあった。どちらにせよ、青柳雅春はその応対だけで疲弊してしまった。テレビで取り上げられることが減るにつれ、そういった電話もなくなり、安心していたところだったから、また、そういう輩《やから》が現われてきたのだとすれば、うんざりだった。

「どちらさまでしょうか」と再度、訊ねる。

「あのさ、あんた、いつまで配達やってるの」

「時間指定もあるので、夜の九時、十時まではたいがい、配達しています」と素直に答えた。

電話の主の冷笑が伝わってくる。「そうじゃなくてさ、会社にいつまでいるのよ」

「いつまで？」

「早く辞めないと、俺、怒るよ」と電話は言った。「俺、怒ると、面倒臭いよ」と続く。そして切れた。青柳雅春は呆然《ぼうぜん》と、携帯電話を眺めることしかできなかった。

「何だよそれ、どういう脅しだよ」相変わらずフライドポテトをV字に折る森田森吾が言った。

「最初はもちろん、単なる悪戯《いたずら》電話かと思ったんだけど」

「違ったのか？」

「しつこかったんだ。俺宛《あ》ての脅し電話が続いて、会社にも、青柳を辞めさせろ、と電話があったり、まあ、それだけならまだ良かったんだけど、配達に関しても、変なことが起きて」

「変なこと？」

「俺の配達する荷物が急に増えたんだよ」

「繁盛《はんじょう》していいじゃないか」

青柳雅春はポテトの入っていた小さな箱を綺麗《きれい》に畳んだ。「俺の配達区域宛ての荷物が異様に増えたんだ。伝票は似た字で、東京で受け付けられているんだ。しかも、その送り主の名前がなぜか、俺なんだよ」

「同姓同名の別人」森田森吾が眉根を寄せる。「なんてことはねえよな。中身は何なんだ？」

「怪しげなものはなかったんだけど、たとえば、羊羹《ようかん》とか酒とか。でも、送られたほうは、その荷物に思い当たる節がないし、俺の名前が使われているのも気味が悪い。会社もその荷物をどうしたものか、悩んで」

「それ、悪戯にしてはお金がかかりすぎだぜ」

「怖いだろ」

「よく分かんねえな」森田森吾は肩をすくめた。パーマの髪を掻く。「でも、おまえが会社を辞めることはない」

「嫌がらせの電話の相手は、俺が辞めないともっと厄介なことが起きるぞ、と脅してきた。もちろん会社は、警察に届け出たけど」

「もう一度言うけどな、だからって、おまえが会社を辞めることはないだろ」

「まあ、そうだよな」青柳雅春は素直にうなずいた。言いがかりとしか言いようのない脅迫を受け、「はいはい、分かりました。俺が辞めればいいんですね」と納得する必要はどこにもなかった。

「辞めることはない」

「本音を言えば、俺自身、辞めるきっかけを捜していたんだろうな」

「真面目な奴《やつ》に多いパターンだな。一生懸命やってると、急に何もかも、辞めたくなるんだよ」

青柳雅春は、断定口調で、しかもどこか無責任に話しかけてくる学生時代の友人と向き合いながら、懐《なつ》かしいな、と嬉《うれ》しくなった。

「俺が配達する区域に、稲井さんという人がいてさ」

「何の話だ」

「まあまあ。とにかく、稲井さんが」

「いるのに、いないさん、か」

「その通りなんだ」青柳雅春は笑う。「いつも不在で、いったいいつマンションに帰ってきてるのかさっぱり分からなくて。しかも、通販とか好きみたいで、宅配の荷物が結構あるんだ。だから、大変で、ドアの隙間《すきま》に不在票がさ、こう、インデックスみたいにずらっと挟まってて」

「それがどうしたんだよ」

「ある時、稲井さんが本当にいなくなったんだ」

「いないさんがいない」

「部屋の前にね、『しばらく留守。配達荷物は管理人に。でかくなって戻ってくる』なんて貼《は》り紙があってさ。可笑《おか》しいよ」

「馬鹿《ばか》か、そいつは。でかくなって、って何だよ、巨人になって帰って来るのかよ」

「思えば、稲井さんのところへの荷物って、旅行用品とかアウトドアショップの通販が多くてさ、後になって、何人かのドライバーと、『あれは冒険の準備をしてたんだな』って話してたんだけど」

「冒険」と森田森吾がその単語の幼稚さに顔をしかめる。「ガキか」

「でも、そのあたりから、俺もこのままでいいのか、とか考えるようになったんだ」

「三十過ぎたいい大人が」

「三十過ぎたらもうぎりぎりだよ」

「巨人願望の変人の言葉に感化されちゃったのか、青柳さんは」森田森吾が茶化す。

「宅配のドライバーじゃあ、不満なのかよ」

「違うよ。漫然と生きて、何の準備もしてない自分に疑問を」

「準備って何のだよ」

「何かのだよ、何か」青柳雅春は照れ隠しに、語調を強めた。「とにかく、嫌がらせもあるし、これもいいきっかけかな、と思って、辞めたんだ」

「アイドルちゃんのファンかもな。おまえに嫌がらせしてきたのは」

「事件直後ならまだしも、今頃になって？」アイドルの凜香を助け、話題になった時には確かに、凜香のファンと思《おぼ》しき男たちから接触があった。けれどそれにしても大半が、「凜香ちゃんを助けてくれてありがとう」という保護者然とした感謝のことが多く、露骨な反発はさほどなかった。

「もしかすると、あれだぜ、痴漢のこともそいつが関係してたんじゃねえか？　おまえは真面目で、それなりに恰好《かっこう》いい。ファンとはそういう人種なのか、と感心したくらいだった。二年前には、人助けで一躍ヒーロー扱いされていたし。だろ。そいつが痴漢をやったとなれば、みんな喜んで、飛びついてくる。人気者が転ぶ場面ほど愉快なものはない」

ああ、と一瞬、納得しそうになる。松島で発見された免許証、という謎《なぞ》の現象もそういった策略の一環だったのだろうか。「それも、森の声の意見？」

「俺の意見」森田森吾はそこでふうっと息を吐き、店内の時計を見やり、「行くか」と言うので青柳雅春は当然、「どこへ」と訊ねた。ようやく、呼び出しの本題に入るのだな、と思った。

「今日、駅の西側は凄いぜ。交通規制もあるし、人も多くて」

「金田が来るんだよな。パレード」

「見たかったか？」

「いや、特に関心はないよ」青柳雅春は正直に応《こた》える。テレビで見かける金田という政治家に、それなりの興味はあったが、混雑の中、姿を拝みに行きたいほどではなかった。首相選の投票にも、投票日を忘れていて、行かなかったくらいだ。「宅配やってた時だったら、かなり嫌だったろうな。交通規制されると、配達が厄介だし。東二番丁通りが使えないと、大変だ」

「その東二番丁通りのほうに用があるんだよ」

「何の用なんだ？」

「俺の車、そっちに停めてあるから、そこで話すよ。悪いな」学生時代の同級生は呟《つぶや》くように、言った。立ち上がり先を行く彼の後頭部に白髪を発見し、青柳雅春は少し寂しさを感じ、自分でも戸惑う。

青柳雅春

数ヶ月前の青柳雅春は、トラックのエンジンを切った。助手席に置いた、リストを見る。下ろす荷物は頭に入っていたが、念のためだった。「大丈夫だと思い込んでいる時にこそ、ミスをするんだよ」とは、青柳雅春が入社した当時、配達を教えてくれた先輩社員の言葉だった。髪をオールバックに決めた彼は、青柳雅春よりも一歳上に過ぎなかったが、二十歳の時からすでに子供を持ち、家庭を築いていた。にもかかわらず、「俺

はいつか、ロックンロールで世界を揺らすんだよ」などと気恥ずかしいことを真顔で語り、自分の苗字《みょうじ》が岩崎であることを、「岩ってのは、英語で言えば、ロックだろ。運命的だよな」と悦に入っていた。

研修期間が終わり、一人で配達をするようになると、その先輩社員、ロック岩崎とも疎遠《そえん》になったが、飲み会の時に、カラオケだというのに、自前のギターを持ち込んで、ビートルズのリフを颯爽《さっそう》と弾いて、やはり悦に入っている姿は何度か目撃し、そのたびに嬉しい気分にはなった。

彼の口癖は、当然ながら、「ロック」で、理不尽な仕事やつまらない雑用を押し付けられると、「それはロックじゃねえだろ」と怒り、喜ばしい出来事があると、「ロックだな」とうなずいた。給料が増えた時も、「ロックだねえ」と満足げだったが、基本給の増加とロックが結びつく理屈が、青柳雅春には分からなかった。

とにかく、新人の際にそのロック岩崎から教わったことの多くが、青柳雅春の身体《からだ》に染《し》み付き、残っていた。それはたとえば、段ボールの持ち方や台車の使い方のような技術的なものであったり、「訪問した届け先では、絶対につらい顔をするなよ。重い荷物も軽々と、暑い夏にも涼しげにする。それがサービスだ」という心構えであったり、「居眠り運転で、人の人生を台無しにするようなことは最低だからな」という忠告であったりした。ダッシュボードにはなぜかバタフライナイフを入れていて、「あると何かと便利だろ」と言うが、リンゴを剝《む》くこともなかった。

また、運転中に突然、トラックを停車させ、運転席から飛び降りたと思ったら、歩道を歩く会社員に、煙草《たばこ》を消せ、と怒ることもあった。「おまえの持ってる煙草がな、子供の目に当たるんだよ。ロックじゃねえだろ?」と唾《つば》を飛ばし、危うく胸倉をつかみそうな気配もあった。「俺の娘、あれで煙草が目の端に当たって、危ないところだったんだよ。許せるか?」と後で彼は教えてくれた。

「許せないですね」と青柳雅春が答えると、彼はオールバックの乱れを整え、「おまえは、分かる奴だな」と言った。

また、「ヒップホップは聴くなよ」ともよく言った。

「何でですか」

「ロックっぽくないだろ」

青柳雅春はその偏見に首を傾《かし》げながらも、森田森吾も似たようなことを言っていたのを思い出した。「聴けば、意外にいいような気も」

「いいか」と彼は強く言い切った。「ヒップホップは聴くな」

そのめちゃくちゃな物言いも、今は懐かしかった。

運転席から降り、荷台から小さな段ボール箱を下ろす。伝票の住所を確認する。仙台市青葉区東上杉三丁目八番地二一号、ハサママンション三〇二号、と反射的に頭で読み上げている。

脇《わき》に、段ボール箱を抱え、マンションのエントランスに向かった。稲井さんは今日もいないさ、と口ずさみそうになっていた。

「お疲れさん」黄色の制服を着た男性がマンションの中から現われた。他社のドライバーであったが、配達エリアが似ているのか、よく顔を合わせる。四十代の後半で、確か、高校受験を控えた娘がいると言っていた。

「あ、お疲れさまです」

「稲井さんのところ?」

「今日もいないですか」

「いや、しばらくいないんだってさ」

「しばらくいない、って何ですか?」

「ドアに貼り紙があってさ。荷物は管理人に預けてくれって」

「貼り紙があったんですか。旅行か何かですかね。長期旅行」

「冒険に行くような勇ましい貼り紙だよ」

「稲井さんは冒険に行っちゃいましたか」

マンションに入り、エレベーターを使い、三階へと上がった。そして、稲井氏の部屋のドアについた紙を確認し、苦笑しつつもどこか愉快な気分になった。管理人室に荷物を持っていくと、「困るんだよね、ほんと」と青髭《あおひげ》の管理人は顔を曇らせていた。「荷物預かっても、いつ帰ってくるか分かんないしさ」

「分からないんですか？」

「一年分の家賃、前払いしていったから、下手すると一年くらいいないのかもよ」

「それはすごいですね」青柳雅春は、管理人の機嫌を損ねないように話を合わせ、ゆっくりと管理人室の中へと箱を置く。

「あのさ、稲井さんの部屋の前に消火器があるでしょ？」管理人は不愉快そうだった。

「はい？」思い出してみれば、確かに、置かれていたような気もした。

「その底に合鍵《あいかぎ》くっついてるみたいだから、それ使って部屋を開けて、荷物、中に入れちゃってよ」

「いいんですか、それで？」

「いいよ」管理人は投げ遣《や》りではあったが、言い切った。「あ、これも頼むよ。さっき、別の配達が置いていったやつ」と段ボールを寄越した。

　受け取ると案外に軽い。

「ダーツセットだってさ」管理人が指を向けてくる。「品名に書いてあるでしょ」

段ボールの伝票を見れば確かに、「ダーツセット」とある。

「ダーツってあれですかね、的《まと》に向かって、矢を投げる、あの？」

「それ以外に何があるわけ？　教えてよ」管理人は嫌味たらしく、言ってくる。そして、ダーツの矢を投げるふりなのか、右手をゆらゆらと振った。「旅行に行くならさ、そういう配達も全部、受け取ってから行けばいいのになあ。というよりも、普通はそうするよな」

「急に旅立ちたくなったんですかね」と言ってから青柳雅春はふと思い、「あの、稲井さんが出かける時、会いましたか？」と訊《たず》ねた。

「出かける時？　最後のこと？　ああ、会ったよ。でかいリュックを持ってさ」

「どんな顔してました？」

「ああ」管理人は少し頬を緩めた。「遠足行く子供みたいだったよ。活《い》き活《い》きして、目はもう、きらきらだよ。大人気ないってのは、ああいうことだな」

「そうでしたか」青柳雅春は返事をし、稲井氏の部屋へと荷物を運びに行く。

その後でトラックに戻り、エンジンをかけ、駐車場を出る時、もし俺が、と思った。もし俺が、稲井さんのように冒険心に溢《あふ》れていたなら、彼女は、俺と別れなかったのだろうか、と。

青柳雅春

　七年前の青柳雅春は配達の仕事を終え、家に帰らずに直接、樋口晴子のアパートに立ち寄った。そこに泊まり、翌日二人で、新作映画の初日、一回目の上映を観《み》に行こうという約束になっていたのだ。

「お疲れ」と玄関を開け、樋口晴子が顔を出す。学生時代から何度となく訪れたアパートは、自分の部屋のように馴染《なじ》み深く、沓脱《くつぬ》ぎで、自分の靴を置く場所も決まっていた。ピザを注文したところなんだよ、と言いながら樋口晴子は絨毯《じゅうたん》に腰を下ろした。横に、青柳雅春も座る。彼女が自分の職場での出来事を愚痴まじりに話す。

「わたしが企画したからって、上司が全然、協力的じゃないんだよ」

「別に、樋口の企画だからってことはないんじゃないの」

「だって、予算も少ないし、そのくせ、結果を出せっておかしくない？」

「まあ、おかしいかも」

「文句言うと、どうにかしろ、だって。そんな指示なら、誰でも出せるよ」

　電源の点《つ》いたテレビでは、お笑い芸人たちがはしゃいで、飛び跳ねていた。

「お風呂《ふろ》入れてこようっと」樋口晴子が立ち上がる。そこで不意に青柳雅春は、目の前の小さなテーブルに板型のチョコレートがあることに気づいた。

「これ、半分もらってもいい？」

「いいよいいよ。割っちゃって」と風呂場から声が聞こえる。

薄い箱から取り出した、銀紙つきのチョコレートを両手で持ち、慎重に半分に折る。

「それさ、会社でもらったんだ」樋口晴子が戻ってくる。

青柳雅春は折ったばかりの、二つの板チョコを眺めた。丁寧にやったつもりではあったが、それでも、斜めに切れていた。見比べた後で、左手に持ったほうを、彼女に差し出した。樋口晴子はしばらく、動きを止め、そして急に暗い顔になり、彼の差し出した板チョコを見下ろした。

「あれ、どうしたの」と訊ねても、すぐには返事がなかった。

「あのさ」とそこで樋口晴子が重々しく、口を開いた。そして、ふうっと短く息を吐いた。軽やかで、爽快感《そうかいかん》すら感じさせる声で、「あのさ、わたしたち、別れようか」と続けた。

「え」青柳雅春はたじろぎ、「え、これ、チョコ」ともう一度、手に持った板チョコを前に出す。

「前から思ってたんだよ」

「どういうこと？」

「青柳君、今さ、板チョコを割って、どっちが大きいかなって確かめて、それで、少しでも大きいほうをわたしに寄越してくれたんでしょ？」樋口晴子の表情はとても穏やかで、微笑《ほほえ》みもあった。

「あ、うん。だね」その通りであったから、うなずく。

「青柳君って、そういう細かなところに気を配ってくれて、優しいでしょ」

それが自分の長所を挙げているのではないとは分かった。樋口晴子は手にある半分の板チョコを両手で持ち直し、無造作に、さらに半分に折った。切り口が尖《とが》った不揃《ふぞろ》いの割れ方で、破片が飛んだ。右手に持ったほうを、「はい、これ」と前へ出した。

「はいこれ？」

「って感じでさ、大雑把でいいと思うんだ。細かいことなんて、どうでも良くてさ、あんまり気を遣わないで。少しくらい、チョコが小さくても、わたし、怒んないし。わたしと青柳君、もうずいぶん長いこと、付き合ってるんだよ。卒業してからは仕事であれだけど、だいたい一緒だったんだし、そこまで気を遣うことない。そう思わない？」

「親しき仲にも礼儀あり、という言葉が」

「あるけど、そういうんじゃないんだよ」

「板チョコを半分に割るのがそんなに？」

「青柳君は少しでも大きいほうをくれる」

「それが樋口の機嫌を損ねたってこと?」

「無茶を言ってるのは分かってるんだよ」

樋口晴子は顔をゆがめた。

「板チョコはきっかけに過ぎない?」と青柳雅春は言った。

「板チョコが真の原因だったら、驚きだよ。この間、青柳君言ってたでしょ。配達の仕事、ずっとやって、慣れてきたら、だんだん、昨日も今日も区別がつかなくなってくるって」

「ああ、その時はそうだった」

「わたしたちも慣れ過ぎたんだよ。一緒にいすぎて、一緒にいるのが普通になって、しかも、お互いのどうでもいいことが気になって」

「ちょっと待ってくれよ」

「何だかいつも、だらだら一緒にいるだけみたいでさ」

「ちょっと待ってって」青柳雅春は手に持った銀紙付きの板チョコを振った。「言ってることがむちゃくちゃだよ、樋口。筋が通ってるような、通ってないような」

「これじゃあ、倦怠期《けんたいき》の夫婦みたいだよ、すでに」樋口晴子が笑う。「つらくなってきた」

脳裏には、ついひと月ほど前、夏休みを利用し、出かけた横浜のことが過《よ》ぎった。ガイドブックで調べ、必死に探し出した飲茶《ヤムチャ》の店があまりに態度が悪く、二人で、「怒って帰るべきではないか」と言い合ったが、それはそれで悔しいので、かわりに、牛歩戦術さながらに、コースの点心を可能な限り時間をかけて食べ、席を独占することにした。あまり意味がない抗議だった、と後で笑った。あの時も彼女は、自分と一緒にいることがつらかったのだろうか。

いったい、つらくなかったのはいつまでだったのだろう。

「この間まで、わたし、ゲームやってたでしょ」樋口晴子は部屋の隅にある家庭用ゲーム機に目を向けた。ずいぶん旧式のものだったが、確かに最近の彼女は、それを押入れから引っ張り出し、懐《なつ》かしがりつつもよく遊んでいた。

「不気味な魚、育ててたよね」青柳雅春はうなずく。可愛《かわい》らしさが微塵《みじん》もない、喋《しゃべ》る魚を育てるだけの、奇妙なゲームだった。

「あの魚が、こないだ言ってたんだけど」

「魚に見えないけど」

「とにかく、その魚がさ、餌《えさ》を食べた後で、言ったんだよ」

「何て」

「『おまえ、小さくまとまるなよ』」

青柳雅春はそれを聞き、笑い声を立てるべきかどうか悩んだ。

「なんかさ、ぐさっと来たんだよね。わたしと青柳君のことを言ってるのかと思ってさ」

「小さくまとまって、何がいけないんだよ」

「子供のときによく、先生から判子をもらわなかった？　『たいへんよくできました』の花丸とか、『よくできました』とか」

「あった」

「わたしたちって、このまま一緒にいても絶対、『よくできました』止まりな気がしちゃうよね」

「無茶苦茶だよ」

沈黙が続き、樋口晴子と青柳雅春は俯《うつむ》き合った。どれくらい時間が経《た》ったのか定かではなかったが、ピザが届く前に、青柳雅春は自分のアパートへと帰った。その時は、悲しいとも寂しいとも思えず、ただ、混乱し、どちらかといえば、「言いがかりじゃないか」という怒りのほうが強かった。日を置けば、そのうちに向こうから、「あの時はどうかしてた。発作的だったよ」と連絡があるのだろう、と思っていた。

一週間、電話がかかってこなくとも、青柳雅春はさほど慌《あわ》てなかった。喧嘩《けんか》や言い合いがあった後、和解を申し入れるのは、たとえ非がないにしても、青柳の役割だったからで、そのうち自分から連絡を取れば良いのだ、と気楽に構えてもいた。毎日の仕事に追われていた、ということもある。

十日が過ぎ、電話をしたが、予想に反し、話をしても、彼女の態度は変わらなかった。「一回、別れよう」と頑《かたく》なに主張した。一回別れたら、二回も三回もないではないか、と思ったが、取りつく島もない。

樋口晴子と別れた後には、ぽかんと開いた空洞だけが残った。胸や頭に、見えぬ空洞がある。その空洞に自ら気づかぬふりをし、荷物を確認し、積み、抱え、走り、運んだ。身体《からだ》を動かす仕事で良かった、とつくづく思ったが、ただ、それでも配達中に、可笑《おか》しなことを発見すると、それはたとえば、大きなピレネー犬に引き摺《ず》られる婦人が綱を引っ張ることを諦《あきら》めて、水上スキーさながらに身を任せている光景であったり、高層ビルの窓を拭《ふ》く掃除人が大きなガラスをはさみ、室内の女子社員と顔が合い、気まずそうに会釈《えしゃく》をしている様子であったりしたのだが、それらを見つけると、このことを話して聞かせる樋口晴子がいないという事実を思い出し、しゃがみこみたくなった。鬱屈《うっくつ》した思いに耐えがたくなった時、森田森吾に電話をかけたが、すでに使われていないとの案内が聞こえただけだった。

ある日曜日、公園のベンチでぼんやりと座っていたところ、通りすがりの小学生が丸めた画用紙を落としたことがあった。

「あ、これ落としたよ」と拾って、手渡したところ、低学年と思《おぼ》しき少年は、「ねえ、おじさん、これ凄《すご》いでしょ」とその画用紙をこちらに向けた。クレヨンで描かれた絵があり、その脇《わき》に、「たいへんよくできました」のスタンプが押されていた。

ああ、と青柳雅春は苦笑いを浮かべずにはいられなかった。「羨《うらや》ましいなあ。俺は、『よくできました』止まりなんだよ」

「花丸もらったことないの？」少年は優越感を隠そうともしなかった。

いいなあ花丸、と青柳雅春は本心から言った。

半年ほど過ぎた頃、青柳雅春は中古ゲームショップで、ゲーム機とソフトを購入した。例の、不気味な魚を育てるゲームに着手したのだ。気紛《きまぐ》れに過ぎなかった。リハビリの、もしくは、胸の空洞の埋まり具合を確かめるつもりだったのかもしれない。

はじめは気乗りせず、半ば事務的に操作していたが、だんだんに、「実は今日さ」と仕事の最中の話を、魚相手にするようになり、自分でも呆《あき》れた。二週間ほどやっていると、ある晩、画面の中の魚がくるっと振り返り、言った。

『おまえ、小さくまとまるなよ』

舌打ちが出てしまう。苦笑せざるをえない。

「それ、前に、樋口に言っただろ」と青柳雅春は指差した。「おまえのせいだよ」

もちろん、画面の中の魚は悠々と泳いでいるだけだった。「でもさ」と呟《つぶや》きたくなった。「あの時、小さいほうのチョコを渡したら渡したで、絶対、怒ってたよな。どう思う？」

魚は我関せずの様子で、泳いでいた。やがて、はたと止まったかと思うと、画面のこちら側、青柳雅春を見て、偉そうに口を開く。

『え、おまえ、今、何か言った？』

青柳雅春

「何か言ったか？」

その声で、青柳雅春は目を覚ました。

「俺、寝てたのか。ごめん」重い頭を振るとわずかに痛みがあった。車の助手席の背もたれを倒し、そこで寝ていたのだと気づく。

「何か喋ってたぞ。夢でも見たのか」運転席に座っている森田森吾はハンドルをつかみ、フロントガラスを見ていた。エンジンはかかっておらず、車は動いていない。けれど彼は車の進路に神経を尖らせるような、真面目《まじめ》な横顔を見せていた。

寝起きでぼうっとしているせいなのか、身体が揺れている感覚がある。車体がゆらゆらと動いているようだった。

時計を見ると正午間近だった。つまり、仙台駅の東口から二人で歩き、細い通りを抜け、パレード前の交通規制の様子を横目に市街地へとやってきたのが、ほんの十分前ということだ。

街中では、交通規制を知らなかった車が行き場を失い、小さな渋滞を作り、パレードを観《み》に来た者たちの群れが横断歩道を渡り損ね、車道を塞《ふさ》いでいる場所もあった。ただ、それ以外には特別な混乱もなかった。話題の首相が見られるとはいえ、平日の昼間だということもあり、七夕祭りや花火大会の時期に比べれば、混雑は小さいものだ。東口から駅の連絡口を通過する途中、雑誌販売員が立っているのを見つけた。黒豹《くろひょう》をマークにしたスポーツブランドの、赤いジャージを着て、ゲームセンターの軒下を借りる形で立っていた。青柳雅春は近寄っていくと、一部を買った。赤ジャージの彼が丁寧に、お辞儀をしてくれる。月に二回発行され、路上でホームレスが手売りで販売する、という雑誌だった。

「それって面白いのかよ」薄い雑誌を持って歩く、青柳雅春の横で、森田森吾が言ってきた。

「三百円の割に、なかなか贅沢《ぜいたく》だよ」手に持った雑誌の表紙は、日本でも有名な、海外ロックバンドのギタリストだった。「このうち半分強が、販売員の収入になるんだってさ」

「募金みたいなものか?」という森田森吾の口調には、若干の皮肉めいたものが混ざっていたので、「というよりも」と青柳雅春は言い換えた。「労働の対価だ。俺は雑誌を買う。彼らは売る」

「なんだか、慈善っぽくないか?」

最初は、「偽善」と言ったのかと思ったが、どうやら違うらしく、森田森吾にとっては、「慈善」もマイナスの言葉のようだった。

「ああやって、雑誌名を大きな声で口にして、通り過ぎる人たちに売ろうとするのはなかなかできないよ。俺なら、つらくて、三日でやめる」

「あいつら、他に仕事がないんだって」

「あいつらって、どいつら?」

「ホームレス」

「一生懸命仕事をしてるホームレスと、怠けて漫画喫茶で遊んでるサラリーマンと、どっちがいいんだよ」

「どっちかになれるんだったら、漫画喫茶のサラリーマンだ」

「俺もだ」と青柳雅春は正直に答えた。

「ただ、まあ」森田森吾がそこで気を遣ったわけでもないだろうが、付け足した。「さっきの、ホームレス、雑誌名に節つけて、歌ってただろ。あれ、ビートルズの『ヘルプー』の替え歌だったよな。あれは上手《うま》かった。助けてくれ、とは選曲も気が利《き》いてる」

「そうかも」

「でも、あれ、JASRACとかが、文句言ってくるんじゃねえか？」

「怖いな」だが、ビートルズはさすがにJASRACとは無関係なのではないか、とも思った。

「怖いぞ、権利持ってる奴《やつ》は」

西口へ抜け、南町通りを歩き、さらに西へと進んだ。いつの間にか、東二番丁通りの裏手に出た。小さな公園の脇に中古の軽自動車があり、森田森吾はそれを指差すと、「これが俺の車」と言った。

車内に入るとすぐに、森田森吾がどこからかペットボトルを取り出した。「飲めよ」口をつけたところまでは覚えている。眠っていたとは知らなかった。

「何か入れただろ」青柳雅春は笑いながら、言った。

「何か？」森田森吾は相変わらず、前を向いている。

「いや、急に眠っちゃったからさ、森田がペットボトルに薬でも入れたんじゃないかってさ」青柳雅春は言いながらも、その下らない内容に自分で恥ずかしくなる。

「入れたよ」

「ん？」

「薬を入れた。ペットボトルの上のほうに、注射器差して、そこから、眠れる薬を」

「俺の知ってる森田森吾は、そんなつまらない冗談は口にしなかったぞ」

「何の夢、見てたんだよ」森田森吾がそこで顔を向けてきた。

青柳雅春は自分の顔が赤くなるのが分かった。「樋口に別れ話をされた時のこと」

「チョコが原因で別れたんだろ？」

「え」青柳雅春はたじろぐ。「どうして知ってるんだよ」

「どうしてだと思う？」

晴れた昼間だというのに、どういうわけか車内はとても暗く見えた。日陰に入っているせいかもしれない。運転席に座る森田森吾の、パーマがかかった髪の毛が空間を圧迫している。

「可能性からすれば、その一」森田森吾は無表情で、条項を読み上げるように、言った。指を立てる。「樋口晴子本人から、実は、別れた事情を聞いていた」

「百貨店で会った時に？　言うとは思えないけど」

「その二」と森田森吾は二本目の指を立てる。「後輩のカズから、事情を聞いていた」

「カズは、そんなことまで知らないよ」

「その三、今まさにおまえが寝言で、チョコのことを口走っていた」

「そうなのか？」

「その四」友人は右手の指を四つ、伸ばす。「森の声が、俺に真実を教えてくれた」

「それか」

森田森吾は息を吐いた。短いながらも、重みのある溜息《ためいき》で、反射的に青柳雅春は七年前、割った板チョコを渡した際に、樋口晴子が吐き出した息を思い出した。あの時と同じだ。つまり、あの時同様、これから何か大事なことが発表されるのではないか、という嫌な予感が過《よ》ぎった。

「森の声なんて、ねえよ、青柳」森田森吾は、泣き顔と笑顔の中間の面持ちで、頰を引き攣《つ》らせた。

「ねえよ？」

「おまえだって、信じてたわけじゃないだろ？　森の声が、俺に未来を教えてくれる、なんてよ」

「まったく信じていなかったわけでもない。森田はよく、いろんなことを言い当ててたじゃないか」

「たとえば？」

「大学一年目の後期試験で、確か、情報処理試験の問題を予想して、言い当てた」

「あの教授、だいたいいつも同じ問題を出すんだよ。三年サイクルでバリエーションを変えてるから、あんまり知られてなかったんだけどさ、過去問見て、俺は気づいたんだよ」

青柳雅春は、森田森吾がいったい何を告白しようとしているのか分からず、少し恐怖を感じた。「でも、俺が、樋口に交際を申し込もうとして相談したら、おまえは、大丈夫だと請け合った」と言ってみる。

「そんなのは、適当だよ。大丈夫って言うのが一番いいだろ？　それとも、難しいかもしれないぞ、って足を引っ張ったほうが良かったか？」

「それなら、あれだ、ファストフードの新商品で、おまえはいつも次に何が流行《はや》るか、当てたじゃないか。今年の夏は、マンゴーのデザートが来るだとか、秋には、ゴマ風味のバンズを使った商品が増えるとか。たいがい、当たった」

「ああいう業界は、世間の流行を半歩遅れて、ついていくんだよ。ゴマの時だって、少し前に健康番組で散々、もてはやされてた。俺なら、バンズに混ぜるな、と思ったから言っただけだ。情報があって、それの応用を口にしたら、たまたま当たった」

「夏、よく、海に行っただろ。みんなで。で、海岸近くの駐車場ってどこも混んでたじゃないか」

「何の話だよ、青柳」

「ああいう時、森田が、『こっちに行ってみろよ』って誘導してくれると空いていたじゃないか。空いているところを知っているのかと思った」

現にそういう時、森田森吾は、「森の声が教えてくれた」と嘯《うそぶ》いたものだった。

「あれは単に、車が行きづらい道に誘導しただけだ。駐車場なんてのは、不便な場所のほうが空いている。そうだろ？　確率とか、可能性の問題だ。実際、どこも混んでる時は駄目だったはずだ」

青柳雅春は口をいったん閉じ、友人を見やる。「何が言いたいんだ？」どうして今になって、森の声を否定してみせるんだ。

「いいか、さっき俺が、樋口の旦那《だんな》の話をした時、おまえは板チョコがどうのこうのって言っただろ。おまえは平静を装《よそお》っていたつもりかもしれねえけどな、こだわってるのがありありと見えたぜ。こりゃ何か、別れた原因と関係あるな、と思うだろ？　で、鎌《かま》をかけた」

「鎌を？」肩の力が抜けた。「でも、そうだ、俺が痴漢に間違えられて困っていたのを、おまえは救ってくれたじゃないか。あれこそ、森の声のおかげだろ？」実際、彼はそう言ったではないか。

森田森吾がそこで、ハンドルから手を離した。いじけた子供のような表情だった。

「おい、あれも違うっていうのかよ」

「いいか」森田森吾は自らの腕時計を見る。「時間がないから、要点だけ言うぞ」見開かれた目は充血している。

「要点って何だ？」

「あの時、おまえは痴漢に間違えられた。ただ、あれはたまたまだったんじゃない、おまえは狙《ねら》われていたんだ」

「それは、さっき俺が言った、ドライバー時代に嫌がらせをしてきた奴が？」

「そうか、そこから話さないとな」森田森吾が頭を掻《か》く。「その嫌がらせも、仕組まれているんだよ。たぶんな。おまえを会社にいづらくするか、もしくは、おまえの評判を悪くさせたかった。そのために、わざわざ嫌がらせをした。おまけに痴漢もやるような奴だと世間に思わせられれば好都合だから、痴漢に仕立てようとした」

「好都合？　誰にだ」

「俺は、おまえを誘導するように命令されているんだよ」森田森吾はだんだんと早口になる。

「命令？　誰から命令されてるんだ？　森かよ」青柳雅春は、友人の剣幕にただならぬものを感じ、落ち着かなくなる。手持ち無沙汰《ぶさた》を感じ、意味もなく、シートベルトを触る。

それを森田森吾が止めた。「ベルトはするな」

「え」

「いいか、よく聞けよ。おまえは、陥《おとしい》れられている。今も、その最中だ」

「何を言ってるんだ、森田」

「もう少し分かりやすいところから説明してやる。いいか、俺には、家族がいる。カミさんと息子だ」

「いつのまに」

「就職してすぐだよ。息子はもう小学生だぜ。信じられるか？」

「嘘《うそ》だろ」

「嘘じゃない。東京行ってすぐだ。子供ができて、結婚した。けどな、そのカミさんが大のパチンコ好きでな、中毒なんだよ中毒。子供を連れて毎日、店に通って、あの音楽に乗って、玉を弾《はじ》いてたら、いつの間にか借金作ってた」淀《よど》みなく、森田森吾はテンポ良く、話した。「おかしいだろ。パチンコ屋ってのは、パチンコしに行くところじゃねえのかよ。借金作って、どうすんだよ。カミさん、俺にはずっと黙っていたからな、気づいた時には、多重債務者だ。債務者なんて言葉、法律の勉強以外で使うなんてな、驚きだよ。さすがに俺も驚いた」

「森田、分かりやすくないぞ」青柳雅春は状況が飲み込めず、口ごもる。

「金を返すのに疲労困憊《こんぱい》の俺のところに、今年になって、妙な連絡があった。まあ、怪しい取引だな。ある仕事に協力すれば借金を帳消しにしよう、という誘いだ」森田森吾はたびたび、腕時計を確認した。

「おまえを、痴漢の現場から逃がしたり、もしくは、こうやって、ある場所におまえを連れてくる仕事だ」

「ある仕事」

「これが仕事？」青柳雅春は車内を見渡す。手に持ったペットボトルが目に入る。

「俺も細かいことは分からなかった。はじめは、仙石線に乗って、おまえを見つけて、ホームで痴漢に間違えられているようだったら、逃がせ、と言われた。妙な話だとは思ったが、おまえを助けるのだから、悪い話ではないと俺は思った。まあ、自分に言い聞かせた」

「実際、俺は助かった」

「そうじゃなかった」森田森吾はまた、泣き顔になる。らしくない、と青柳雅春は胸が痛む。「そいつらは、おまえを痴漢として捕まえたかったんじゃないんだ。あの現場を目撃させたかっただけだ」

「そいつら？　目撃？　誰に？」

「あそこにいた乗客だよ。おまえがこれから何かの罪を犯した時に、誰かが、『あいつは痴漢をしていたぞ』とでも言い出せば、説得力が増すだろ」

「俺が何をやるって言うんだよ」青柳雅春は、俺こそ泣きそうだ、と笑いたかった。「俺も全貌《ぜんぼう》は分からない。今日も、おまえをこの車に乗せて、十二時半まで寝かせておけ、と言われただけだった。大人しくさせるために、ペットボトルの水を飲ませろってな」

青柳雅春はペットボトル、時計の順に見る。十二時半まで三十分ほどある。「寝かせて、どうするんだ？」

「何か怪しいな、普通じゃねえな、とは思った。けど、あまり考えないことにしていたんだよ。借金のことでノイローゼみたいになって、とにかく何も考えずに、言われた通りに仕事をしようと思ってたんだ。そうすりゃ、借金はなくなるわけだし。ただ、さっきこの車に向かってくる間に、このままだと取り返しがつかないことが起きそうな気がしてな。久々に会ったおまえを見ていたら、あまりにも昔と変わってないしな」

「ちょっと待ってくれ、おまえが何を言い出すのかは分からないんだが、聞かないほうがよくないか？　そんな気がする」

「いいから」森田森吾がそこでひときわ大きな声を出した。助手席の青柳雅春をその圧力で、黙らせようとする迫り方だった。「聞け」

「聞けって、何をだよ？」

「俺が今、考えたことだ」

「いつになく真剣な顔だ」

「いいか、ここに来る最中、あの人の数を見ただろ。パレードの見物。金田が今日、仙台に来てる。で、青柳、おまえ、俺たちが学生時代にファストフード店で盛り上がった話題を覚えてるか？」

「そんなの、いくらでもあったじゃないか」

青少年食文化研究会とは、すなわちファストフード店に集まって、雑談をする集団を意味していたので、喋《しゃべ》った事柄など、有意義な話題と条件をつけなければ、いくらでもあった。主に活動していたのは、青柳雅春たち四人だったが話題は豊富だった。別の学部の女子学生の話であったり、新しい映画の評判であったり、宝くじが当たったら何を買うか、という下らない妄想から、憲法九条と集団的自衛権について、という学生らしい議論まで、様々な話題が交わされたはずだ。いつも、店の奥の席に集まり、だらだらと時間を費やし、それがとても意味のあることに感じられた。テーブルを囲む、樋口晴子やカズの顔が浮かぶ。

「俺がよく覚えているのは、あれだ」青柳雅春は甦《よみがえ》る記憶の場面を眺める。「カズが、自分の彼女が浮気をしているかもしれないから携帯電話をチェックしたいんだ、とか言ってさ」

「あったか、そんなこと？」

「あれは印象深いじゃないか。おまえも張り切ってたし、本当に忘れたのか?」

「ずいぶん昔だろ」森田森吾は心ここにあらずという様子でもある。

「本当に?」少し、むきになった。「みんなで協力して、彼女の携帯電話を」

「いや、覚えてない」森田森吾は会話をぶつんと切るかのようだった。

「本当に?」もう一度言ってしまう。

　森田森吾は静かにかぶりを振り、「そんなことよりも」と口を開いたかと思うと、「ケネディ暗殺とビートルズ」と明瞭《めいりょう》な声で言った。

「え?」

「ケネディ暗殺の話をカズがとうとうと喋っていた時があっただろ。あとは、俺たちはみんな、ビートルズが好きだった」

「ああ、そうだった」青柳雅春は思い出す。どこから仕入れてきたのかカズが、「ケネディを殺したのって、絶対、オズワルドじゃないのに、何か、そのままになっているのって怖いっすよね」と熱く語りはじめた時があった。はじめはただ聞いていただけだったが、全員が、ケネディの事件に関心を持ち、関連本を読み、いつの間にか、四人の中では小さな流行となった。カズはなぜか、オズワルドにひどく肩入れし、『オズワルドに押し付け、後はおしまいよ。逃げ切っちまえばどうにかなる』って思ったに決まってるんですよ」と怒った。

「誰が思ったんだよ」と青柳雅春たちが苦虫を噛《か》み潰《つぶ》すと、「誰か偉い奴《やつ》が」と答えた。

「ケネディ暗殺の時、犯人に仕立てられたオズワルドは、実はCIAの情報員だったと言うだろ」

「そういう話あったね」

「オズワルドは事件の前に、ある街で、共産党関連のビラ撒《ま》きをしている。命令されたからだ。あれも、オズワルドはそういう運動家だった、という印象を持たせたかったために、やらされた」

「そういう説だった」

「おまえの痴漢も似たようなものかもしれない。たぶん、おまえを逃がせ、って命令された時から、俺は感づいていたのかもしれないけどな、考えないことにしていた」

「森田、もっと落ち着いて喋れよ」

「これはおまえを、大きな事件に陥れる、準備作業じゃねえかと思うんだ」

「森田、何を言ってるんだ？」

「会社を辞めて、他に変わったことはなかったか？」

青柳雅春は、森田森吾の強い物言いに反論することができず、素直に首を捻《ひね》る。変わったことと言えば、あの、松島で免許証が見つかったことくらいだよな、と思いながら記憶を辿《たど》る。「失業保険をもらいに、ハローワークに通っていたけど、特に」と言いかけて、「ああ」と一つ思い出した。井ノ原小梅の姿がぱっと脳裏を過《よ》ぎる。

「何を照れてるんだ」森田森吾は相変わらず、察しが良かった。

「いや、照れてるわけじゃない」

「ハローワークで何があったんだよ」森田森吾の言い方は、友人の嫌がることを無理やり聞き出すような愉快げなものではなく、真剣さに溢《あふ》れていた。目の充血が痛々しいほどだ。「何か変わったことがあったなら言ってみろ。痴漢の件といい、俺の件といい、おまえの周辺はやばいんだよ。全部、疑ってかかれ」

「大したことじゃないんだ、本当に」

「言ってみろよ」

仕方がない、と青柳雅春は細く息を吐き、頭を掻く。学生の頃、合コンに行くたびに森田森吾がトイレの中で、「おい、おまえ、誰狙い？ 誰狙い？ 俺はさ」と興奮気味に顔を近づけてきたのを思い出した。あの頃と同じように、今、隣にいる森田森吾も興奮している。ただ、その興奮の種類が明らかに違っていた。

「ハローワークで、女と知り合ったんだよ」

「どんな奴だ」

てっきり、口笛でも鳴らし、「何だよ、そんな話かよ」と笑い出すかと予想していたのだが、森田森吾は顔を強張《こわば》らせていた。

「どんなって、普通だよ。俺より五つ年下で」

井ノ原小梅は背が低く、一五〇センチメートルほどで、体型だけを見ればローティーンの少女にも見えた。

「おまえに近づいてきたのか？」

「求人情報を調べる端末で、隣同士に座った時があったんだ」

「付き合ってんのか？」

「友達だ」と青柳雅春は肩をすくめる。実際、そうだった。

「怪しいな」

「いや、本当に友達だ」青柳雅春は少し、強く言った。もしかすると自分の中には、彼女との仲がより親しくなっていくことを期待している思いもあるのかもしれないが、現時点では友達としかいいようがなかった。

「別に、おまえたちの関係を怪しがっているんじゃない。その女が怪しいってことだ」

「おい」

「俺もそうだが、悪人に見えない奴に限って、おまえの敵なんだよ」

「おまえは悪人に見えるし、敵ではない。だろ」

そこで森田森吾は目を閉じた。鼻を手でこすり、呼吸を整えるような間を空けた。瞼《まぶた》を開けると、「考えすぎかもしれねえけどな」と認めた。「でも、警戒するに越したことはねえぞ。警戒して、疑え。じゃねえと、おまえ、オズワルドにされるぞ」

青柳雅春はすぐに反応できない。腕時計を見るだけだった。「あと十分だぞ。俺は寝てなくて良かったのか?」と冗談めかし、言う。

「たぶん、金田はパレード中に暗殺される」

「それは、どこで笑えばいいんだ」

「俺の行き着いた結論はそれだ。実はな、さっき、おまえが寝ている間にこの車の底を確かめたんだ。ペットボトルを飲んで、おまえがすぐに寝たのを見て、これはちょっと、相当やばい仕事じゃねえかってようやく思ったんだ」

「車の底がどうしたんだ」

「よく、映画であるだろ。車の下に爆弾が仕掛けられていて、重要な証人だとか関係者が乗っている時に、どかん、ってのが」

「よくあるパターンだ。新しさがないやつだな」

「その新しさがない状態になってた」森田森吾は笑った。彼の笑顔が久しぶりに戻ったことに、青柳雅春はほっとした。そして、発言内容に、はっとした。

「素人《しろうと》の俺でも、ああ、これは爆弾ですね、って分かるような爆弾だったぜ」森田森吾はどこまで本気なのかにやにやとした。「爆弾だと分かったところで、外し方が分からなければ一緒だ」

「逃げよう」青柳雅春はすぐに言う。「やばいじゃないか」

「おまえは逃げろ」

「森田も逃げろよ」

「どこに？」森田森吾はふざけている様子もないようで、真剣な目で言った。「昔、ビートルズの話をしている時、アビイ・ロードのメドレーについてみんなで語ったよな」

「何の話だ」

「アビイ・ロードのメドレーだよ」

ビートルズの十一番目のアルバムが、「アビイ・ロード」だ。実際にはその後に、「レット・イット・ビー」というアルバムが出て、それが最後の作品となるが、録音自体は、「アビイ・ロード」のほうが後で、つまり、ビートルズが最後に録《と》ったのが、「アビイ・ロード」となる。すでに分裂状態だったバンドを、ポール・マッカートニーがどうにか取りまとめたという。アルバムの後半の八曲はそれぞれ別々に録音された曲を、ポール・マッカートニーがつなげ、壮大なメドレーに仕上げている。メドレーの最後が、「ジ・エンド」という曲名であるのが潔《いさぎよ》い、と森田森吾はよく言った。

「あの中の曲、『ゴールデン・スランバー』をさ、さっきおまえが寝てる間、ずっと口ずさんでいたんだ」

「子守唄《こもりうた》だからか？」直訳すれば、黄金のまどろみ、となるのかもしれないが、歌詞の内容はほとんど子守唄だった。ポール・マッカートニーの搾《しぼ》り出す声で、高らかに歌われるその曲は、不思議な迫力に満ちている。

「出だし、覚えてるか？」と森田森吾は言った後で、冒頭部分を口ずさんだ。「Once there was a way to get back homeward」

「昔は故郷へ続く道があった、そういう意味合いだっけ？」

「学生の頃、おまえたちと遊んでいた時のことを反射的に、思い出したよ」

「学生時代？」

「帰るべき故郷、って言われるとさ、思い浮かぶのは、あの時の俺たちなんだよ」森田森吾は目を細めた。彼の視線の先をずっと辿っていけば、どういうわけか時間が歪《ゆが》み、学生時代のファストフード店で雑談に明け暮れる二十代の自分たちの姿に行き当たる、そういうようにも見えた。しばらく会話が止まる。今度は、青柳雅春も話題を探さなかった。

森田森吾は助手席のところに手を伸ばしてきた。どうするのかと眺めていると、ダッシュボードを開け、中から何かを取り出した。それが何か、最初は理解できなかった。大きめのトランシーバーか何かだと思った。「銃？」しばらくして青柳雅春は気づいた。「な、変だろ」森田森吾は手に持った拳銃《けんじゅう》を、苦笑まじりに眺めた。「こんなの普通、手に入らねえし、手に入ったとしても、ダッシュボードの中に置いてあるわけねえよな」

「そりゃそうだよ」青柳雅春は小さくうなずく。はじめて見る拳銃に、身を固くした。うかつに触れると、何かの拍子に暴発するのではないか、と怖くて仕方がない。

「だいたい、車検通らねえよ」

「そういう問題じゃないだろ」

「俺は今日、おまえをこの車に閉じ込めておくように言われた。ペットボトルの水を飲ませてもいいし、もし、うまくいかなければ、ダッシュボードの物を使え、とも言われていたんだ。ダッシュボードの物って何だ、とは思っていたけどな、さっき、ためしに開けてみたら、これが出てきた」

「何がどうなってるんだよ」

森田森吾の手の中の銃はくすんだ黒色だった。回転式ではなさそうだ。銃口を覗《のぞ》きながら森田森吾は、「ここに金属板がないから、モデルガンではないだろうな」とぶつぶつ言っている。「ようするに、俺に仕事を依頼してきた奴らは、こういう物も簡単に用意できちゃうってわけだ。車検も通しちゃうんだぜ」

その瞬間、車が揺れた。音ともつかない音が外で響いた。どこかで空気が破裂し、その振動が波となり車を揺する。

「何だ？」青柳雅春は慌《あわ》てる。

森田森吾は落ち着いていた。音の方向を探してはいたものの、興味はさほどなさそうで、「爆発かもな」と呟《つぶや》いた。

「爆発？」

「時間がねえよ。おまえ、逃げろ。たぶん、このままここにいると、まずいことになるぞ」

「森田もだろ」

「俺が逃げたら、家族が危ねえんだよ。言われた通りにやらないと、ぼくちゃん、お仕置きよ、って奴だ」森田森吾は不快感丸出しで言った。ただ、先ほどまでに比べるとどこか余裕を取り戻している様子で、青柳雅春は、大学時代に学生食堂ででたらめなことばかりを語り、幸せそうだった友人が帰ってきたようで、懐《なつ》かしさと心強さを覚えた。同時に、甦《よみがえ》った友人を手放してはならないという思いにも駆られる。外が騒がしい。明らかに、普通ではない。声にならない声があちらこちらで湧《わ》いている。地響きのような音が、地面を揺らす。

「本当なら、おまえは水飲んだら、一時間くらいは起きないと思ってたんだ。それなら、しょうがねえから、置いていくつもりだった。ただ、もし途中で起きるようなら、それはそれで、そういう運命なんだろうな、って俺は思ってたわけよ」

「ちょっと車を揺すってみた。おまえが起きねえかと思って、ここに座って、ぐらぐらやってたんだけどよ、本当に起きるとはな」

青柳雅春はそこで、自分が目を覚ました時、車内が、停泊する船さながらに揺れていた感覚だったのを思い出した。森田森吾がバックミラーに手を伸ばし、角度を変えた。

「そういう運命？」

「とりあえず、逃げろ、いいから」と拳銃を振った。「俺はここに残る。俺に仕事を依頼した奴らがどういう態度に出るか、分からねえけどな、こんなことくらいで、俺をそんなに危険な目には遭わせねえよ。おまえと一緒に逃げるよりは、素直に、失敗しました、ごめんなさい、と謝るほうがいい」

「何が何だか分からないって」

森田森吾はミラーにやっていた目を細めた。「制服姿の警官が二人、後ろから来る。出るなら今だ。行けよ。じゃねえと、撃つぜ。俺、せっかちなの、知ってるだろ」と笑う。かと思えば、「学生の時、市営プールの掃除のバイトやったの覚えてるか？」などとも言う。

「いったいどういうことなんだ」

「あの時、必死に掃除する俺たちの上に、監視カメラがあっただろ」

「覚えていない」

「あの時、俺が言ったの覚えてねえのかよ」

「森田、どうしたんだよ」

「おまえは逃げるしかねえってことだ。いいか、青柳、逃げろよ。無様な姿を晒《さら》してもいいから、とにかく逃げて、生きろ。人間、生きてなんぼだ」

青柳雅春は顔を引き攣《つ》らせ、言葉を探すが見つからず、開けた口をぱくぱくとやるしかなかった。

「そうだ、おまえ、例のアイドルちゃん、助けた時、テレビで言ってたよな。犯人を、大外刈りで投げたって」

「あれは」青柳雅春は口を動かす。「あれはおまえの教えてくれた、大外刈りだ」

「俺さ、ちょうど、ガキを抱えて、テレビ観《み》てたんだ。おまえがインタビューで答えてるのを見て、自慢しちまったよ」

「何だよそれ。大丈夫か、森田」

「大丈夫だ」そう答えた森田森吾の表情には、学生時代の余裕がわずかではあるが、重なった。「いい子はみんな天国に行ける」と唐突に言い、「だろ」と歯を見せた。

青柳雅春が黙っていると、森田森吾は、「ゴールデン・スランバー」を口ずさみはじめた。

「Once there was a way to get back homeward」と歌い、「Golden slumbers fill your eyes. Smiles awake you when you rise」と静かに続ける。英語の歌詞が何を歌い上げているのか、青柳雅春は正確には知らなかった。ただ、「微笑《ほほえ》みを浮かべ、君は起きる」という文章が反射的に頭の中に浮かぶ。

おい、森田、と青柳雅春は声をかけようとするが、そうしている間に森田森吾は運転席の背もたれを倒し、目を瞑《つむ》った。「おやすみ。泣かないで」と歌うように口にした。「ゴールデン・スランバー」の歌詞にも思えたが、そこだけが日本語で、もしかすると彼の口から飛び出した自分に言い聞かせる本音かもしれない、と青柳雅春は感じた。青柳雅春は、友人の閉じた目の端から小さく涙が滲《にじ》んでいるのを見た瞬間、助手席のドアを開け、外に飛び出した。

青柳雅春

車を飛び出し、ドアを閉め、背後を振り返る。制服姿の警察官が二人立っていた。この脇道《わきみち》に入ってきたばかりのようだった。警察官たちの背後にあるビル、そのさらに奥が東二番丁通りだった。そこで何かが起きている。建物が邪魔で、詳細は把握できないが、けれど多くの人間が右往左往し、声を上げ、騒いでいるのは伝わる。緊急車両のサイレンの音も近づいてくる。視線を上にやると、煙も見えた。火事だろうか、と思ったところで、森田森吾が、「爆発」と口にしたのを思い出した。

車に目を戻すと、森田森吾が運転席にいるのは見えた。目を瞑っている。やはり、一人でこの場を離れる場合ではない、と思い、助手席のドアに手をかけたがそこで、「動くな」と声をかけられた。警察官の一人が、青柳雅春に向かって、喚《わめ》いていた。中腰で、右手はベルトのあたりに添えられている。青柳雅春は考えるより先に、背筋を伸ばし、両手を挙げた。

「そのまま、動くな」警察官は銃を抜いた。そんなに簡単に銃を構えるものなのか、と疑問が過《よ》ぎる。よほど緊急の、大事件が起きているとしか思えない。

「オズワルド」森田森吾の声が、頭に響く。「おまえ、オズワルドにされるぞ」

ケネディ暗殺の後、逮捕され、移送途中に銃殺されたあのオズワルド。ケネディを銃殺したのは、ジャック・ルービーという男だった。ケネディを、「個人的に」殺害したオズワルドを、やはり、「個人的に」殺害したジャック・ルービー、どちらにも大きな組織や政治家のかかわりは存在しない、とされた。「そんな都合のいい話がありますか?」ファストフード店で唾《つば》を飛ばし、弁護人さながらに訴えていたのは誰だ。後輩のカズだ。

「しょうがねえだろ、歴史ってのは、みんな都合がいいように整えられたものなんだよ。たとえばよ、蘇我馬子《そがのうまこ》とか蘇我入鹿《そがのいるか》なんて悪役みてえなイメージがあるだろ? 中大兄《なかのおおえの》皇子《おうじ》なんて、いい奴《やつ》っぽいけど、それだって、誰かのでっち上げたでたらめかもしれねえじゃんか」とハンバーガーを齧《かじ》っていたのは誰だ。森田森吾だ。記憶が頭の中で、氾《はん》濫《らん》する。「じゃあ、俺が、蘇我氏のために歌を歌ってやるよ」と森田森吾が、頼まれてもいないのに言い、「聞いてください、『大化の改新バラード』」と気取った挨拶《あいさつ》をした後で、やはり誰一人了承していないにもかかわらず、「懐かしいよね、ほら、蘇我氏の繁栄」と即興のメロディで歌いはじめた場面まで、思い出された。

銃声があった。

音よりもまず先に、車の後部が壊れた。割れた部品が地面に散る。警察官が発砲したのだ。「動くな。地面にうつ伏せに」と叫び、ゆっくりと近づいてくる。

車内の森田森吾を見た。無闇《むやみ》に発砲する警察官と、テレビに映る自分のことを息子に自慢してくれる友人と、どちらを信じるのだ？

青柳雅春は地面を蹴《け》り、逃げた。

道を斜めに駆けた。拳銃を構えた者に背を向けるのには度胸が必要だったが、慎重になっている場合でもない。どう走ったところで、撃たれる時には撃たれる。近くの建物に逃げ込むか、もしくは別の脇道に逃げるか、と考えた。建物に入るのは危険だ。

「待て」「止まれ」警察官の声が背後から飛んでくる。射るような鋭さがあり、遠く離れた彼らの腕がぐんと伸び、自分の両脇をすり抜け、羽交い絞めにされるかのようだった。

角に酒屋が見えた。配達ドライバーをしていた頃に、担当区域ではなかったが、何度か通ったことのある道だった。頭の中に地図を広げる。左へ入って、すぐに右に細道がある。はずだ。

店内からゆったりと、前掛けで手を拭《ふ》きつつ、白髪の男が出てきた。「おい、騒がしいよな」と振り返り、中の誰かに声をかけた。走ってきた青柳雅春には気づかない様子だった。危うくぶつかりそうになり、身体《からだ》を捻《ひね》る。

音が響く。え、と思う。振り返ると、銃を構えた警察官が腰を落としていた。撃たれた、と感じたが、自分の身体に衝撃はない。すぐ横の酒屋の店主が身体を後ろに倒しているのが、見えた。ひどく、ゆっくりとした動きだった。彼は目を見開き、「おい、何だよこれ、なあ？」と青柳雅春に同意を求めるような表情をし、そのまま地面から身体を浮かせ、斜めに倒れる。左肩から血が出ている。店内から、驚きの声を発し、女性が飛び出してきた。青柳雅春はいったんは立ち止まり、店主の横にしゃがもうとしたが、警察官が目の端に映ると、再び走った。酒屋の店主の意識ははっきりとしているようだった。

「待て」と警察官がまた、怒鳴った。

おかしい。警察がこうも簡単に発砲し、しかも、まったく関係のない酒屋の店主が傷を負ったというのに、まるで気に留めず、青柳雅春を追うことをやめない。これはおかしい。普通じゃない。

細道に入った途端、すぐに右の道へ折れる。飛び出した十字路を左折する。そのまま走っていけば、東西を走る広い通りに出る。後ろから、警察が追ってきてはいるのだろうが、まだ、距離はある。肩からかけた鞄《かばん》を探る。携帯電話を取り出す。どこにかけるつもりだ？　息が切れる。配達をやめて三ヶ月ほどで、もう、こんなに体力がなくなっているのか、と愕然《がくぜん》とする。

道の左右に並ぶ建物から、ぽつぽつと人が出てくる。視線を上げれば、窓から外を眺めている顔も多い。一瞬、彼らは、自分のことを見て、眺め、睨《にら》み、もっと言えば監視し、さらには、追跡者に居場所を報《しら》せるためにそこにいるのではないか、と怖くなった。これはもう多勢に無勢であるから、自分ひとりがくねくね走ったところでとうてい逃げ切れない、とその場にへたり込み、参りました、と白旗を振りたくもなったが、よく確認してみれば、彼らは一様に東方向の、もっと遠くを窺《うかが》っていた。東二番丁通りのパレードでの騒ぎを気にかけているのだ。

何が起きているんだ？

「金田はパレード中に暗殺される」と森田森吾は断定した。「森の声？」「森の声なんて、ねえよ」

片側一車線の道に出る。現実の光景とは思えないほどに、騒然としていた。道を人々が右へ左へと駆けている。歩道ばかりか、停車している車の間を縫うように、縦横無尽に車道も横切っていた。慌《あわた》だしく周囲を見渡す。先ほど見えた白い煙は依然として、立ち昇っていた。

「あの」と青柳雅春は、右手から走ってきた背広の男性を呼び止める。

「何？」あからさまにむっとした顔で、彼は立ち止まった。

「どうなってるんですか？」

「パレードで爆発だってよ」

「で、今、みんなどこへ走ってるんですか？」

「現場に行くか、逃げるのか、どっちかだろ」

「どれくらいの被害なんですか」

「さすがに、金田は即死だろうな」男は、じゃあ俺は行かねえと、と野次馬の使命感を見せ、走り去った。パレードで爆発、金田は即死、と言われ、言葉では受け止められた。が、実感としては分からない。「オズワルド」と森田森吾が発音した響きがまた、甦る。

直後、自分の後方で、つまりは今まさに走ってきたあたりで、空気が風船のように広がり、飛び散る、そんな気配があった。音が破裂し、風が吹いた。誰かの悲鳴が伸びた。歩道を行き来している人々が立ち止まり、口を開け、視線を上げる。

「え、また、爆発？」と誰かが洩《も》らした。

「おい、何だよこれ」別の誰かが喚いた。

青柳雅春は混乱し、左へ足を踏み出すが、すぐに右へと向きを変える。爆発の音と震動に立ち止まる歩行者の隙間《すきま》から、停車しているタクシーが見えた。空車の灯りが点《つ》いている。迷うこともできなかった。ドアの開いた後部座席に滑り込んだ。

「お客さん、また爆発だよねえ」と運転手が言った。髪が長く、耳を覆《おお》っている。バックミラーを見ると、彼の額が目に入った。皺《しわ》がいくつも横に走っている。ミラー越しに、目が合った。

「やっぱり爆発ですか、あれ」

「どうなってるんだろうねえ」

「車、走ります？」

「どこまで行くの」

さあ、と答えるわけにもいかず、「駅の東口」と口に出していた。理由はない。ただ、今いる場所からまったく逆の場所へ行きたい、と思った時には、仙台駅を挟んで反対側、と短絡的に閃《ひらめ》いていたのだ。何より、森田森吾と先ほどまでいた、ファストフード店に戻りたい、という気持ちが強かった。あそこへ戻れば、この意味不明な出来事はすべて白紙に戻り、フライドポテトをVの字に折る、森田森吾に再会できるような気がした。

「東口かあ。行けるかなあ。実は俺、パレードのことすっかり忘れててねえ、交通規制だってのに、こんなところに来ちゃってたんだよ。で、どうやって、迂回《うかい》しようか考えてたところでさ」

「行けるところまで、行ってみましょう」

「だな、行けるところまで行くぞ、俺は」

ちょうどのタイミングで、前の車が動き出した。タクシーはそこでようやく、ドアを閉めた。発進すると同時に、右に回転する。「ここ、Uターンして、ぐるっと回って、駅を越えるけど、いいよな」と運転手は急に力強くなった。もう回った後じゃないか事後承諾にもほどがある、と思いつつ、「おねがいします」と答えた。

乱暴に走るタクシーに身体を揺すられながら、森田森吾のことを考える。「車の下に爆弾が仕掛けられていた。映画でよくあるパターンだよな」と彼は言った。つい先ほどの爆発は森田森吾の乗った、あの車に起きたものではないか、と今更ながらに思い至り、全身が粟立《あわだ》った。窓に顔を寄せるが、状況は分からない。

「お客さん、今、ミラーに警官が見えたんだけどね、俺、拳銃《けんじゅう》出してるところ、はじめて見たよ」

「え？」

「今、お客さんが出てきたあたりから、ちょうど、警官が出てきたよ。緊急事態なんだろうなあ。拳銃なんて見ると、ここは、本当に俺の知っている仙台なのか？　って思っちゃうな」

青柳雅春

「ここは、本当に俺の知っている仙台なんですかね？」

車のハンドルを握るカズが、助手席の青柳雅春に言った。

「仙台と言っても意外に広いよな」と青柳雅春は答える。大学二年生の青柳雅春だ。抱えたリュックの中を開け、つい先ほど、大学の書籍部で買ってきたばかりの文庫本を引っ張り出す。

「何ですか、それ」運転席のカズが目を向けた。

「本だよ本。毎日、ハンバーガーを食べながら、森田とかカズと馬《ば》鹿話《かばなし》をしているだけだと、頭が錆《さ》び付いちゃうだろ。たまには、本を読もうかな、って」

「どうせ、ドストエフスキーじゃないですか」

青柳雅春は、カズの言葉にたじろいだ。まじまじと彼の顔を見る。

「当たりました？」

「なぜ、それを」

「森田さんと昨日の夜、電話で喋《しゃべ》ってたら、そう言ってたんですよ。『青柳、近いうちに、ドストエフスキー、読み始めるぞ』って」

「なぜ、それを」

「三日前、みんなで飲んだじゃないですか。その時、樋口さんが、『ドストエフスキーを読んだことないの？』って言ってましたよねえ。『それくらい、読んでないと駄目だよ』とか。で、森田さんが言うには、それを横で聞いていた青柳さんは、こっそりと今のうちに、読んでおこうと心に決めたに違いない、って」カズはあまり、深い意味合いがあって、口にしているようでもなかった。「青柳さんって、意外に、可愛《かわい》いところありますよねえ」

「意外に、ってどういうことだよ。可愛いところ、って何だよ」

「でも、あれ実は、森田さんが、樋口さんに言わせたみたいですよ。青柳さんが影響受けるかどうか楽しむつもりで」

「何だよそれ」青柳雅春は一瞬、思考がついていかなかった。

「樋口さん自身はドストエフスキーなんて読んだことないって笑ってましたもん」

「え、嘘《うそ》だろ」

「昔、手塚治虫《てづかおさむ》の『罪と罰』は読んだみたいですけど」

「漫画かあ」

「俺なんて、ドストエフスキーのこと昔、刃物を持ったエスキモーだと思ってましたけどね。ドスとエスキモー」

青柳雅春はがっくりと肩を落とし、持っている文庫本を捨ててしまいたくなった。

「カズ、おまえ、これ、絶対に道、間違えてるぞ」

「やっぱりですか」ハンドルを握ったカズは弱々しく笑うが、あまり困った様子でもなかった。迷うこと自体を楽しんでいる様子でもある。「だいたい、森田さんの書いた地図が不親切なんですよ」

「どんな？」

カズは着ていたジャケットの胸ポケットから、紙を取り出し、手渡してきた。広げて、眺める。確かに、不親切この上なかった。東西南北の印と、仙台駅から国道四八号をくねくねと進む矢印があり、西方向へと向かった場所に、「ココ」と大きく書かれていた。途中で、複数の道が合流する複雑な交差点があったのだが、そこに至っては、丸印で囲み、「ここ、結構、ごちゃごちゃしてて、面倒臭い」とコメントが書かれているだけだった。そういう場所こそ、詳細に、明確に、指示を書き込むべきだろう。

「それにしても、森田さん、辺鄙《へんぴ》なところに引っ越したんですね」

「あいつ、大学入った時に、すげえいいマンション借りたんだよな。街中の、家賃が高いところ」

「知ってますよ。俺、飲み会の後、一度、泊まらせてもらいましたもん。あんなに繁華街に近くて便利だったところから、どうして引っ越したんでしょうね」

「便利さからは何も生まれない、とか急に思ったんじゃないのかな」

「例の、森の声が、ですか？」カズが乾いた笑い声を発する。「森田さんの、『俺には森の声が聞こえる』って、あれ、いつから言ってるんですか？」

「はじめて会った時から言ってたけどな」青柳雅春は、大学入学直後の新入生懇親会でのことを思い返しながら、言った。なぜか、当時、坊主頭《ぼうずあたま》だった森田森吾は、「俺の名前は森田森吾で、森の字ばっかりだから、静かで深遠な、森の声がいつだって、俺を導くんだよ」と喋り、「学生が調子に乗って、酒を飲むと、こんな風になってしまうんだな。酒って怖いな。気をつけないとな」と青柳雅春にしみじみと思わせた。

「森の声が聞こえる、ってあれ、青柳さん、どう思います？」

「馬鹿馬鹿しいよな」

「ですよねえ。俺はとりあえず、森の声なんかより、森田さんの新しいアパートに到着する道を教えてくれる、ナビの声が欲しいです」

そこで青柳雅春は携帯電話を使い、森田森吾のアパートに、道順を確認しよう、と電話を入れたが、なぜか出なかった。

「森田さん、何で、携帯電話持ってないんですかね」

「森の声があるからじゃないか？」

結局、カズの運転するセダンは誤った道を進み、行き止まりにぶつかった。「ここを右に曲がったら、意外に着くかも」と根拠不明の直感を信じた結果だ。道が次第に細くなり、上り坂になり、これは明らかに正しいルートではないぞとは思ったが、引き返そうと言う勇気が青柳雅春には、なかった。上り坂の終点は、山の登り口のようになっていた。いったん車を止め、二人で外に出た。

「ここ、どこです」

「俺に訊《き》くなって」

坂道から見下ろすと、上ってきた車道の両脇《りょうわき》がよく見渡せた。小さな平屋の建物がぽつぽつと並んでいた。その建物を、ブロック塀が取り巻いている。

とりあえずは車を切り返して戻るしかない。車に戻りかけ、「あ」と青柳雅春は気づいた。細道の右側、塀の隣に停車している黄色い軽自動車に見覚えがあったのだ。ナンバーも見知ったものだった。カズも気づいたようで、「あれ」と高い声で言った。「あれ、樋口さんの軽《けい》じゃないっすか」

「だよな」青柳雅春は軽自動車に近づき、凹《へこ》んだバンパーを指差す。

するとそこで、「おお、青柳君とカズ君じゃない」と声がしたので顔を上げると、坂の下に、樋口晴子が立って、右手を挙げていた。

青柳雅春は、カズと顔を見合わせ、眉《まゆ》をひそめながら坂を下りていく。樋口晴子はジーンズに黒のフード付きコートを着ていた。横に、髭《ひげ》を生やした小柄の男性がいる。髪から、もみ上げから、顎《あご》までぐるりと毛で覆われているような顔をした男だった。鼻が長く、目は垂れ、唇が厚い。人というよりは、愛らしい熊《くま》に近いな、と青柳雅春がぼんやりと思っていると、その熊の風貌《ふうぼう》の男が間延びした声で、「おいおい、うちは目立たないように、ひっそりとした場所に工場作ってるのに、何でこうも次々、知らない奴《やつ》が来るんだよ」と言った。五十歳前後と見えるが、白髪はほとんど見当たらない。首周りに白いマフラーをしていて、それがツキノワグマの印にも思えた。

「そうそう」と樋口晴子がうなずく。「軽々しく、ここに来ないでほしいんだけど」

「あんたもだろ」熊に似た男性がすぐに言う。

「あの」カズが恐る恐るという調子で、訊《たず》ねた。「どなたですか？　樋口さんのお父さんですか？」

それを聞いて、青柳雅春は無意識に姿勢を正し、着ていたシャツの襟元を直した。

「違うよ」と男は苦々しく、口元をゆがめた。「俺はここの、工場を経営してるんだ」

「轟さんだよ、轟さん。轟煙火《えんか》って、知らないわけ？　二人とも」

「あんただって、さっきまで知らなかっただろうが」

「とどろきえんか？」青柳雅春は耳にした単語をそのまま発音する。ぴんと来なかった。演歌、かと思った。

「花火、花火」樋口晴子が目を輝かせ、せっつくように言った。「仙台の花火大会とかでさ、どーん、とでかいのが打ち上がるでしょ。ああいうのとか、花火作ってる会社だよ。轟さんのところは」

仙台で毎年恒例の七夕祭りは、八月上旬の三日間に行われるが、その前夜祭として、広瀬川河川敷で花火大会が開催される。二時間近く、次々と空に向かって打ち上げられ、音とともに花を散らす光景はなかなかに圧巻だった。青柳雅春は二年連続で、森田森吾やクラスの仲間たちと、大学の校舎屋上から見物した。

「ここで、あれを」と呟《つぶや》き、左右に広がる建物を見やった。「作ってるんですか」

「火薬を扱ってるし、最近は物騒だろ。だから、こんな奥地の行き止まりの道を、知らねえ車が上がってくると、警戒しちまうんだよな」轟が眉をひそめ、額を掻《か》いた。

「だからさ、青柳君たちみたいなのは、迷惑なんだよ。勝手に敷地に入ってきて。どうせ、道に迷ったんでしょ」樋口晴子が人差し指を突き出した。

「あんたもだろうが」轟が顔をしかめる。

「煙の火って書いて、煙火って言うんだってさ、花火のこと。しかも、中に詰める火薬のことを何というか知ってる?」

「どうせ、それも轟さんに今、聞いたんだろ」

「星って呼ぶんだって。いいよねえ。星を詰めて、空に飛ばすなんてさ、面白いよね」

「花火って昔から、あるんですか?」青柳雅春は、轟に訊ねた。「よく、江戸時代とかの花火で、『玉屋!』とか、『鍵屋《かぎや》!』とかみんなが、叫んでるイメージがあるけど」

「昔は今みたいに、カラフルじゃなかったけどな。地味なもんだよ。ただ、全国から花火職人が呼ばれて、花火を見せたりすることもあったらしいぞ。仙台はほら、伊達者《だてしゃ》の伊達政宗《だてまさむね》がいたからな、意外に、熱心だったたって話だ」

「ねえ、轟さん、わたしたちも花火、手伝えないですか?」しばらくして、樋口晴子は言った。「何か、バイトとか」

「それ、いいっすね」カズがすぐに応じた。

轟は眉根を寄せ、首を横に振った。「火薬だし、簡単には手伝わせらんねえよ。さっきも言ったけどな、物騒なことも多いしな。無理だ無理。冗談言うな、って話だ」

「じゃあ、打ち上げの時、近くで見物させてくださいよ」カズはほとんど、相手の都合を考えずに欲求を口にする幼児そのものとなっていた。「俺、近くで、見たかったんですよね。打ち上げの筒に火をつけるところとか」

「何で、おまえたちに」轟は冷静に言い、やはり首を横に振ったが、そこで不意に、「雪掻きでもやるか？」と言った。

「はい？」樋口晴子が聞き返す。

「年明けとかに雪が降ると、このあたり、結構積もるんだよ。俺んところの社員も、みんな、作業の前に雪掻きしねえとならないし、大変なんだよな。あんたたち、雪掻きとかしてくれよ」

「そうしたら、近くで見物しても？」樋口晴子が表情を緩めた。

「考えないでもない」轟はもったいつけた言い方で、どちらかといえば、冗談を発している様子だった。

「俺たち、実は、雪掻き部なんですよね」青柳雅春は下らない嘘をわざとらしく、言う。

「雪を掻くために、生まれてきたんです」と樋口晴子がそう続けると、さらにカズが、「雪掻きができれば、何もいらないくらいなんですよ」と言う。

「じゃあ、花火はいらねえじゃねえか」轟が笑った。

少しすると青柳雅春の持つ携帯電話が鳴った。出ると森田森吾の、「おいおい、まだ来ねえのかよ。迷ってるのか？」という声が飛び込んでくる。

「とりあえず、目的地には到着したんだけど」

「嘘だろ。俺、家にいるぜ？　来てないだろ」

「おまえも早く来いよ」

「おまえが早く来いよ」

「早く来ないと、花火見られないぞ」

「おい、今、どこにいるんだって？」

「早く来ないと困るんだよな、部長」

「部長？　いつから？」

「雪掻き部の部長だろ」

青柳雅春

やっぱり難しいねえ、とタクシーの運転手に言われ、青柳雅春は目を開けた。知らぬ間に、目を瞑《つむ》っていた。

「難しいですか？」

「ぴくりとも動かなくなった。道にぎっしり、車だ」

運転手が前方に指を向けた。仙台駅の東口へ向かうため、新幹線の高架下をくぐるつもりだったようだが、その手前で停車している。数メートル先の信号は青だったが、動かない。前にも後ろにも車が連なっている。むしろ、ここまでよく来られたものだ。

「さすがに、首相が殺されたんだから大騒ぎだよな。もう、どこも封鎖らしい。国道もアウト」運転手は、ラジオのボリュームを触りながら言った。「さっき、会社から、いったん引き上げろって無線連絡があったんだけどよ、帰るに帰れねえよ」

「すみません」

「あんたのせいじゃないよ。これ、どう考えても動かねえし。それよりも、歩いたほうがいいかもしれねえぞ。東口まで出ちまえば、ずいぶん空《す》いてるって、無線では言ってたけどな。だから、歩いて、東側へ渡っちまったほうが正解かもな」

青柳雅春は料金を支払い、タクシーを降りた。するとたんに、街の騒がしさが生々しく、身体《からだ》を覆《おお》ってきた。緊急車両のサイレンや人のごった返す音や呼吸が空中に散らばっているような感覚だ。何もしていないというのに、慌《あわただ》しく、急《せ》き立てられる気分だ。歩道を行く人々は誰も深刻な面持ちで、足早だった。釣られて、青柳雅春も大股《おおまた》で進む。

家に戻ろう、と思った。まずはマンションに帰り、状況を整理すべきだ、と。テレビやインターネットを使うことで、何が起きているのか、その詳細を把握できるだろうし、森田森吾のことも気にかかった。

仙台駅の東口へ出る。タクシーの運転手の言葉とは裏腹に、車の渋滞の列はずっと続いていた。信号がほとんど意味をなさなくなり、歩行者が縦横無尽に動き回っている。家電量販店の脇を通り、北へと向かう。マンションまでは、徒歩で二十分というところだった。携帯電話を取り出した。意識するより先にかけたのは、森田森吾の携帯電話だった。彼が無事であることを、確かめたかった。

「森田、いつの間に携帯電話を持つようになったんだよ」

「さすがに営業やってて、携帯断固反対とは言えねえよ」

そんな会話をしたのがつい二時間ほど前だ。登録したばかりの電話番号にかける。コール音すらしなかった。電波の入らない場所におられるか、電源が入っていません、とアナウンスがある。電波の入らない場所ってどこだよ、と青柳雅春は顔をしかめる。永遠に電話が繫《つな》がらない場所に、友人が消えたような気がしてならない。

市街地の混乱は、青柳雅春のマンションのある場所までは及んでいなかった。マンション前の小さな公園では、ベビーカーに赤ん坊を乗せた女性が数人、立ち話をし、砂場で黙々と砂山を作る子供の姿もあった。来月のクリスマスを先取りしたかのような、緑色をした可愛《かわい》らしいコニファーが等間隔に並んでいる。

マンションのエントランスに向かう。車の中で森田森吾と交わした会話、警察官に追われたこと、それらが現実のものとは思えない。あれが現実だというのなら、この長閑《のどか》さはどうだ、とマンションのベランダにかかる洗濯物を指差したくなる。

エントランスの重いドアを押しあけ、一階の郵便ポストへ立ち寄る。その後で、エレベーターへと歩く。昇りのボタンを押す。

両脇に男が立ったことに気づくまで、少し時間がかかった。正確に言えば、男たちの姿は認識していたのだが、マンションの住人だろう、と特別な意識を払っていなかった。「青柳さん?」と言われたので、驚いた。

名前を呼んだのは、右側の男だった。見れば、眉が濃く、目の細い男が自分を見ていた。鼻が低い。「え」と答えた時に、今度は左側に立つ男が一歩、近づいてきた。

「何です」

「青柳雅春か?」左側の男は背が高く、眼鏡をかけていた。二人とも暗色の背広を着ている。胸元に、社章にも見えるバッジがあったが、それが何の印なのかは分からない。

「青柳雅春ですけど」と答える。身体が緊張で、動かなかった。「どちらさまですか」

右側の男が唐突に、青柳雅春の右腕を引っ張った。左脇で抱えるようにし、捻《ひね》ってきた。痛みが走り、青柳雅春は腰を折った。腰砕けの、情けない姿勢のまま、「何を」と声を上げた。

「静かにしろ」と男は言った。「動くな」

身体を振ると、それに引き摺《ず》られ、男の背広がずれた。ワイシャツが見える。サスペンダーのようなベルトがついていた。その腹部に、拳銃《けんじゅう》らしきものが挟まっている。ぎょっとする。

左の長身の男が、青柳雅春の腰をつかもうとした。

深い意図があったわけではない。頭にあったのはやはり、自動車の中で必死の形相で、「おまえは逃げろ」と言った森田森吾のことだけだった。

青柳雅春は足を踏んばり、体勢を戻す。大きく身体を振り、右側に立つ男の胸を、両手で突いた。男は後ろに勢い良く退き、そのまま、尻《しり》をついた。

長身の男がつかみかかってきたので、青柳雅春は真《ま》っ直《す》ぐに向き直り、肩からかけた鞄《かばん》を背中へ移動させると、両手で相手を押した。すぐに相手が押し返してくる。そのタイミングで相手の肩に両手を伸ばした。「相手が右足を前に出した瞬間に、その右足の横に、自分の左足を並べる感じだよ」と頭の中で声がする。森田森吾の声だ。学生時代の食堂で、カズを相手に、「足だけじゃあ絶対、無理だよ。上半身も使わないと」と偉そうに説明していた時の言葉だ。二年前、配達先で、不審者を投げた際とまるで同じで、無意識に身体が動く。相手の右足の隣に、自分の左足を踏み出す。同時に、右足を思い切り前に振り、胸をつかんだ左手を引っ張ると同時に、足で相手の右足を払う。「上半身を引き付けろ」と森田森吾の声が後頭部で響く。ずしん、とエントランスの床に、長身の男の背中がひっくり返った。上に乗った形の青柳雅春の身体にも振動があった。

青柳雅春は我に返る。横によけ、起き上がり、走った。やったぞ森田、と思う。いや、やっちまったよ、森田。

マンションを飛び出し、道を右へと走る。自転車を押す老人と目が合った。同じマンションの住人で、会えば挨拶《あいさつ》を交わすが、名前も知らない。「おお、こんにちは」と言ってくる。

「こんにちは」青柳雅春は走る速度を緩めず、慌しく、すれ違う。

道は真っ直ぐに続くばかりだった。息が上がる。しばらくして、背後で、がしゃん、と荒々しい音がした。走りながら首を捻ると、老人の自転車が倒れていた。倒したのは、先ほど、エレベーター前で青柳雅春を挟んだ男二人だった。彼らは、自転車を起こそうとする老人を邪魔そうに避《よ》け、走ってきた。

県道に出た。片側二車線で、車の往来は激しいが、東二番丁通り付近の渋滞の影響はあまりないのか、異常なほどではない。県道沿いに歩道を走る。息が切れ、空気を吸うたび、苦しかった。その苦しさに同調するかのように、脚がもつれる。

歩道橋が見えた瞬間、あれを渡ろうと考えた。向こう側へ、とにかく遠くへ行こう、とそれだけだった。階段を踏み、最初の数歩目で、バランスを崩し、転びかけた。ちょうど降りてきた若い女性が、脇《わき》に飛びのいた。昼間に現われた酔っ払いとでも思ったに違いない。小走りで下っていく。

手すりにつかまり、体勢を整え、再び階段を蹴《け》る。首を捻り、後ろを見る。追ってくる人影は見えなかった。上までたどり着くと、眼下を車が次々と走っていった。

脚の疲れと息苦しさで、座り込みたくなる。立ち止まるな、と自らを叱咤《しった》し、足を踏ん張ると今度は、立ち眩《くら》みに襲われた。ふわっと目の前が霞《かす》み、血の気が引いた。歩道橋の両脇にはフェンスがあった。寄りかかると、県道が見下ろせる。車道がどういうわけか、銀色に揺れる川に見えた。光を反射させつつ、ゆるゆると流れていく。そこを魚たちが、ホンダだマツダだ、とメーカーのエンブレムを付け、勢い良く泳いでいく。

身を屈《かが》め、半分あたりまで、歩道橋を渡った。

向かい側から、人の姿が現れた。制服を着た警察官が三人、階段を上ってきたのだ。素知らぬふりをして、すれ違えば、怪しまれないで済むのではないかとも思ったが、警察官の一人が、青柳雅春を見て、色めき立ったのは明らかで、踵《きびす》を返すほかなかった。警察官が何か言った。威嚇《いかく》射撃にも似た、大声だ。聞き取れなかったが、ためになる言葉ではないのは確かだ。

足に力を入れ、戻る。来た階段を下りたが途中でやはり、足が止まる。

今自分が来た道を、背広の男たちが走ってきていた。マンションで、大外刈りをかけた長身の男ともう一人だ。

「あ」自分の洩《も》らしたその小さな声が、階段をころころと転がり、埃《ほこり》やごみを付着させながら膨張し、巨大な響きとなって背広の男たちに衝突する。青柳雅春にはそう見えた。

溜息《ためいき》がぶつかった背広の男たちが、顔を歩道橋に向ける。青柳雅春は一歩二歩と後ろ向きに、退いた。再び、階段を上り切る。反対側からは、警察官たちが近づいてくる。大外刈り、と頭に浮かぶ。馬鹿《ばか》の一つ覚えとしか言いようがないが、実際のところ自分に取れる方策はそれ以外にない。投げるのか？　警察官を？　三人も？　現実的とは思えなかった。青柳雅春は、落胆し、道路に目をやる。

対向車線側から階段を上ってきた三人の男たちは警察の制服を着ていた。マンションから追ってきた二人は制服姿ではなかったが、腰に拳銃を携えていたことからすると、警察関係者ではあるに違いない。そうであるのならば、自分は別に、犯罪者ではないのだから、捕まったところで正直に事情を説明し、詳細を調べてもらえば、すぐに解放されるのではないか。

そう思った。

そう信じたかったのだ。

ただ、そこで聞こえてくるのは、森田森吾の声だ。あの友人は、「おまえ、オズワルドにされるぞ」と断言し、悲しげに、「ゴールデン・スランバー」を口ずさんだ。「痴漢の濡《ぬ》れ衣《ぎぬ》を着せられて、警察に連れられていったなら、『やった』と認めるまで帰れないぞ」とも言った。続けて、撃たれた酒屋の店主、その肩から血が飛び散る瞬間を思い出す。青柳雅春はぶるっと身体を震わせる。あれは一歩間違えれば、自分に当たっていた銃弾だった。

普通の状態ではない。逃げろ。無様な姿を晒《さら》してもいいから、とにかく逃げて、生きろ。森田森吾自身が自分の身体の中に入り込み、そう叫んでいる気がした。逃げろよ、青柳、躊躇《ちゅうちょ》してるんじゃねえよ、と思うように動かない青柳雅春の身体に苛立《いらだ》つようだった。

逃げろと言ったたって、逃げ場がない。

青柳雅春の見下ろす階段の、ほぼ半分くらいのところまで、背広の男たちが駆けてきていた。銃を抜いている。歩道橋の向こう側からやってくる制服の三人もすぐそこだ。

青柳雅春は両手を挙げ、天を仰ぐ。

左腕につけた時計が目に入った。十三時を十分ほど回っている。もうそんな時間か、と思った瞬間、「あ」と頭の中で光るものを感じた。慌《あわ》てて、左右を見渡し、自分のいる場所を確認する。森田森吾が自分の内で、騒いでいる。先ほど会ったばかりの、疲労と愚痴まじりの彼ではなく、学生時代の飄々《ひょうひょう》とした偉そうな口ぶりで、こう言っている。

「習慣と信頼だ」

その通りだ、と青柳雅春は自分に言い聞かせる。歩道橋の手すりに向かい合った。勢いをつけ、ジャンプし、歩道橋のその手すりの上に足を置いた。

動くな、と誰かが怒鳴り、別の誰かが飛びつくようにしてきた。見えなかったが、気配で分かる。

一瞬のことだった。青柳雅春は眼下に目をやり、そのあまりの高さに下腹部に寒気を感じたが、すぐに手すりを蹴った。

足元から地面が消え、身体が落下する。体内の水分が次から次に、蒸発し、体温がどんどんと低下する気がした。落ちる。速度が増し、自分はこのまま路面にぶつかり、ぺしゃんこになる。そんな恐怖が過《よ》ぎる。

目を瞑《つむ》りそうになるが、無理やり開け、下を見た。

目指したのは路肩に停まるトラックの荷台だ。幌《ほろ》を荷台につけた、トラックがあった。几帳面《きちょうめん》な前園さんは、いつも予定通りに行動する。

時間通り、そこにいる。

青柳雅春は身体を丸めた。直後、幌に身体が沈んだ。膝《ひざ》を抱える恰好《かっこう》で、横から、落ちた。幌が凹《へこ》む。下にある段ボールにぶつかる。腕が痛む。落下の恐怖に、心臓が激しく鼓動している。がさごそと激しい音がし、幌が浮いた。小さく、跳ねた。体勢をどうにか整え、幌から這《は》い出す。

樋口晴子

蕎麦《そば》屋で平野晶と呆然《ぼうぜん》としながら、樋口晴子はテレビを眺めていた。はじめのうちは、「え、何？ 爆発ってどうして？」と二人でぼんやりと首を捻っていたのだが、状況が明らかになるに連れ、「これは大変なことだ」と店の誰もがそわそわしはじめた。店主も厨房《ちゅうぼう》から出てくると、テレビの前で、「おいおいおい、これ、映画じゃねえのかよ」と腕を組んでいたが、「そんなことより、蕎麦作ってくれよ」と怒る客もいない。

「ここ、地下だから分かんないけど、外はえらいことになってるかもね」平野晶が言う。

「パニックだよ。消防車とか救急車とか」

急に、店内が暗くなったかのように思えた。ここだけが唯一《ゆいいつ》の安全地帯で、外はすでに人の住める状態ではない。出ようと思っても出られない。そんなことを空想してしまう。

「早いうちに、娘を幼稚園に迎えに行っておいたほうがいいかもよ。帰れなくなるかも、混んで」

「ああ、だね」樋口晴子は、平野晶の落ち着いた判断に感心し、うなずく。店を後にしようと立ち上がるが、店にいた誰もが同じことを考えていたらしく、レジの前に行列ができていた。

「誰がやったんだろうね」平野晶が、財布から小銭を出しつつ、言った。

「政治的な陰謀とか？」

「もしくはさ、死にたくなって、どうせならでかいことやって、死んじゃおうって奴《やつ》だったりして」

「ラジコン使って？」樋口晴子は顔をしかめる。「ありえなくはないよね」

会計の順番が来て、個別に支払いを終えると、樋口晴子たちは店を出た。階段を上り、ビルの外へ足を踏み出す。予想外に明るい日差しが待っていて、驚く。

「煙かな？」東二番丁通りの方角に目をやっていた平野晶が空を指差した。薄い水色の空に雲がぽつぽつと浮かんでいるが、その雲が尾を引き、地上まで降りているかのように見える。おそらく、爆発の煙が上昇し、雲と混ざって見えているのだ。

「本当にこの街で」樋口晴子は実感が湧《わ》かなかった。この足元の道路を進み、十五分も行けば、先ほどテレビで映っていたパレード現場に辿《たど》り着く。そんなに身近なところで、一国の首相が暗殺されるなどという大事件が起きたとは、到底、思えない。

あ、メール、と平野晶が言い、ポケットから携帯電話を取り出した。釣られるように樋口晴子も自分の携帯電話を確認した。平野晶が噴き出したので、「どうしたの？」と訊《たず》ねた。

「メール、さっき話した、将門からだったんだけど。『今度の土曜日、どこ行く？　松島に電気うなぎ、観《み》に行こうか』だって」

樋口晴子も笑ってしまう。「のどかだねえ。事件のことを知らないのかな」

「かもねえ。今日は休みらしいから、漫画喫茶でごろごろしているみたいだし。でもさ、変なもんだよ。どんなに大事件が起きても、わたしたちは会社に行って、仕事してさ。電気うなぎも観に行くし。戦争がはじまりましたよ、なんて言っても、結局、その日の合コンは開催しちゃいそうだし。個人的な生活と、世界、って完全に別物になってるよね。本当は繫《つな》がってるのに」

「だね」樋口晴子は首肯する。世界的に大きな騒動が起きても、わたしが気にかけるのは、娘の健康状態であり、夫の出張の予定であり、晩御飯の献立と、インターネットで見つける化粧品の値段だな、と思った。

樋口伸幸《のぶゆき》から電話があったのは、夜の七時過ぎだった。出張先の大阪からで、「ずっと会議だったから知らなかったんだけど今、ホテルでテレビをつけて驚いた。仙台は大変なことになってるじゃないか、君と七美《ななみ》は無事なんだよな」と確認をしてきた。

「珍しい」と樋口晴子は笑った。「いつになく、早口で」

「そりゃそうだよ。晴子と七美に何かあったんじゃないかって、焦《あせ》った」

「なら、今すぐ、帰ってくればいいよ」樋口晴子は声を強くしてみた。「本当に心配なら、帰ってくるよ。わたしなら、帰るね、絶対」

「おーい」樋口伸幸が言う。返事に困るとよく、そうやって、間延びした声を出す。

「なんか、よく聞こえない。電波か？　晴子が何を言ってるのか、分からないよ」

樋口晴子はそこで、足元に寄り添っていた娘に向かって、受話器を近づけた。「お父さん、まだ帰ってこないの？」と七美が言った。

「お、七美、元気か。お父さん、こっちで仕事がんばってるぞ」

「電波、大丈夫じゃん。聞こえてるじゃん」樋口晴子は受話器を再び耳に当てていた。

「すぐに帰ってくれば？」

「無理だよ。明日も、会議があるんだし」

「でもさ、万が一、わたしと七美の身に何かあったら、どうした？」

「そりゃ、すぐに帰ったよ」

「じゃあ、そう思えばいいんじゃない？」気持ちの問題じゃない？　とからかう。

「無理無理。とにかく無事なんだな」

「そうだね。一応、物騒だから、七美の幼稚園は明日お休みになったけど、それくらい」

そうか、と安堵《あんど》の色を浮かべ、樋口伸幸は電話を切った。

「お父さん、何だって?」七美がついてきて、服の裾《すそ》を引っ張ってきた。

「七美が、嫌いなキュウリを食べられるようになったら、帰ってくるって」

「じゃあ、帰ってこなくていいよ」

「クールだねえ」

点《つ》け放しのテレビからは、金田首相のパレード映像が、ラジコンヘリの登場する光景が、延々と流れていた。遠い国の出来事のようだった。


遠い国の出来事であったはずが、翌日になると、樋口晴子にとってひどく個人的な、身近な事件へと変貌《へんぼう》を遂げていた。朝一番で点けたテレビに映し出された容疑者が、自分の知っている男だったからだ。

「何やってんの」思わず、テレビに向かって、呟《つぶや》いてしまう。食卓に座り、パンにジャムをつけているところだったが、テレビを見つめたまま、しばらく動けなかった。「何やってんの、青柳君」

「この人、誰?　犯人?」七美がテレビを指差した。「何の犯人?」

テレビから聞こえてくる音声に意識を集中させる。流れている映像は二年前のものだった。青柳雅春が配達中に、女性アイドルを救った頃の、ワイドショーの取材を受けているものだ。

「まさか、あの彼がとは思いますが」テレビ番組の司会者が神妙な声を発している。無意識に樋口晴子はうなずいている。まさか、あの青柳君が。というよりも、これは何の冗談なのだ？

青柳雅春は三ヶ月前に会社を辞めていた、とも言う。

どうして彼が容疑者と特定されたのかは、明らかにされていなかった。

樋口晴子は落ち着くことができない。ジャムを塗るのをやめ、パンに齧《かじ》り付くが飲み込めない。牛乳を口に入れ、無理やり、喉《のど》を通す。立ち上がり、携帯電話を手に取った。

青柳雅春に電話をかけてみよう、と単純に思ったのだが、番号は分からなかった。

「誰にかけてるの？　お父さん？」七美が言ってくる。「どうしたの、ぼんやりとして」

樋口晴子

「どうしたの。ぼんやりとして」そう言われて、十一年前の樋口晴子は自分がぼんやりとしていたことに気づいた。声をかけてきたのは、竹田《たけだ》恭二《きょうじ》だった。樋口晴子がアルバイトをしている学習塾の教師だ。大学に通い、冬休みの間だけの臨時講師として、時給いくらで雇われている樋口晴子とは異なり、竹田恭二は正社員で、年齢も五歳ほど上だった。他の有名予備校から一年前に引き抜かれたのだと別の学生アルバイトから聞いた。

実際にそうであるのかどうかは分からなかったが、ただ、竹田恭二が生徒に人気があり、信頼されているのは確かだった。

「そんなに、ぼんやりしてないですよ」樋口晴子は机の上の答案用紙に慌てて、視線を戻す。

「小学生って、可愛《かわい》いでしょう?」竹田恭二は、樋口晴子の隣の椅子《いす》に座った。樋口晴子の担当は、小学生クラスの授業だった。

「そうですねえ、生意気だけど、あどけないです」

「これが中学生になると急に、大人びるんですよ」

樋口晴子は自分の中学生時代を思い出した。「確かにそんな気はしますよねえ」

「小学校六年生と中学校の一年生じゃあ、一年しか違わないのに、中学生になった途端、がらっと雰囲気が変わって、大人びます。なぜだか分かります?」

「色気づくから」樋口晴子は人差し指を立て、即答した。

竹田恭二は顔をくしゃっとし、大きく笑った。「まあ、そう言えばそうなんだけど」と愉快げに首を振る。「結局、人っていうのは、身近にいる、年上の人間から影響を受けるんですよ。小学校だと、六年生が一番年長ですよね。だから、六年生は、自分たちの感覚がそのままなんです。ただ、中学校に入れば、中学三年生が最年長です。そうなると、中三の感覚が、自分を刺激してくるんですよ。良くも、悪くも。思春期真っ最中の中学三年生が自分の見本なわけです。だから、一歳しか年齢は違わなくても、感覚的には、三歳くらいの差があるんです」

「それはあれですね、小学校六年生の時は、何にも考えずに半ズボンを穿《は》いてたのに、中学生になったら、急に恥ずかしがったりするような、そんな感じですね？」樋口晴子は、小さい半ズボンがお尻《しり》にぴったりと貼《は》りつくようだった、可愛らしい生徒のことを思い浮かべた。一方、中学生はほとんどが学生服だ。

「まあ、色気づくんですね」竹田恭二は歯を見せた。柔らかそうな髪はうっすらと茶色がかり、かけた黒ぶちの眼鏡が知的な雰囲気を出していたが、喋《しゃべ》り方は溌剌《はつらつ》とし、爽《さわ》やかさも充分で親しみやすい。

「竹田さんって、どうして塾の講師についたんですか？」樋口晴子は訊ね、自分の鞄《かばん》に教科書を詰める。特別に関心があったわけではないが、会話の間を埋めるには相応《ふさわ》しい内容にも思えた。

竹田恭二は意外にも真剣に悩む様子で、「何でだろうな」と首を捻《ひね》った。「十代の子供とかが好きなのかなあ。若者が」

そうなんですかあ、と樋口晴子は当たり障《さわ》りのない相槌《あいづち》を打つ。竹田恭二に嫌悪感《けんおかん》を抱いてはいなかったが、どんなことにも流暢《りゅうちょう》に受け答えし、劣等感が微塵《みじん》もなさそうな佇《たたず》まいを前にすると、どうしても気後れしてしまった。

「竹田さんも若いじゃないですか」

「みんな、義理でそう言ってくれるんだよな」

「だって、まだ、二十代じゃないですか」

「晴子さんは、何歳で結婚したい、とかそういう願望みたいなものってあるの?」

「まあ、三十歳くらいのような」樋口晴子は今まで、まったく考えたことのない命題を、さも常に考えているかのような素振りで答えてみた。「でも三十過ぎてもまだ、独身で、ぷらぷらしているような気もしますね」

「結婚したいなあ、と思う相手とかいないの?」

「いないんですよ、これが」樋口晴子は顔をしかめてみせた。

「え」竹田恭二はそこで、目を丸くした。「彼とかいないの?」

なんだか芝居がかってるぞ、と樋口晴子は一瞬、思った。「いないんですよ、これが」ともう一度繰り返し、それから、聞き返すのが礼儀であるかのような圧迫を感じ、「竹田さんは、結婚したいなあ、とか思う相手、いないんですか」とこれまた興味もないのに訊ねた。

「いないんだ、これが」

「あ、そうなんですか」

そこで、ぽっかりと空気に穴が開くかのように、会話が途切れた。居心地が良くないな、と樋口晴子は立ち上がった。

「送っていくよ、俺も帰るから」竹田恭二がすぐに言った。気負いや焦りの感じられない、ごく自然な物言いだった。「仙台駅まででいい？」

竹田恭二の視線が壁の時計に向いていたので、樋口晴子も釣られて、視線をやった。午後の九時までもう少しというところだった。


竹田恭二は運転が上手だった。国道を滑らかに走らせ、車線を次々と変更し、遅い車を追い抜いていく。「あ、そういえばさ」広い橋の信号で停車した時に、竹田恭二が言った。「晴子さん、この後、暇？」

車内の暖房が心地良かったせいか、いつの間にか眠りそうになっていた樋口晴子は、「はい？」と間の抜けた声を出した。「暇といえば、暇ですよね」眠りそうなくらいですし、と。

「仏舎利《ぶっしゃり》のほうに、夜景を観に行こうか」竹田恭二はまた、ごく自然な流れで続けた。

なぜ夜景を観に行くのか、と樋口晴子は疑問を感じつつも、聞き質《ただ》せず、「はあ」と気の抜けた声を出しそうになったが、そこでちょうど信号が青になり、その青色が半開きの目に入ったところで、青柳雅春の顔を思い出した。おそらくそれは、「青信号」の青という響きから、青柳の名前を単純に連想したのに違いないが、とにかく、「あ」と大声を出していた。身体《からだ》をがばっと起こす。

「どうしたの？」ハンドルを握る竹田恭二がのけぞるようにした。車が一瞬、左右に揺れた。

「忘れてました」

「忘れてた？」

「このまま、広瀬通りの一番町のところまで送ってもらってもいいですか？」と樋口晴子は両手を合わせ、拝むようにする。「予定があったんです」

竹田恭二がどういう顔をしているのか、見るのが怖く、ぎゅっと目を閉じていると、「いいよ」と返事があった。心なしか、車の速度が上がる。自分のために急いでくれているのだな、と樋口晴子は感謝し、どうもありがとうございますすみません、と礼を口にした。

あ、うん、と竹田恭二は急に愛想のない返事をし、どういうわけか携帯電話をいじり、電話をかけはじめた。「あ、俺だけど、今から会えないかな。そうそう。飲みに行こうよ」とまるで、助手席にいる樋口晴子のことを忘れたかのように、竹田恭二が誰かと喋りはじめた。

「来ないんじゃないかと思ったよ」青柳雅春は黒いジャケットを羽織り、待ち合わせ場所の、ファッションビルの前に立っていた。ポケットに手を入れ、背を丸めている姿はどこか可愛らしくもあった。夜に光る街灯は華やかだった。アーケードを人が行き交い、広瀬通りに車がたまっている。ファッションビルのまわりは待ち合わせの若者で賑《にぎ》わっていた。

「いやあ、来るよ、そりゃ。だって、わたしが言い出したんだし」樋口晴子は自分に言い聞かせるように、強くうなずいた。二十年前の名作ホラー映画が、仙台で一夜限りのレイトショーとしてリバイバル上映される、という情報を得て、「これを観に行かないでいられますか」と大騒ぎをした当人が、当日になって、すっかり忘れていたとは言い出せるはずがなかった。

「と言いつつ、もう上映開始時間過ぎてるけど」

「え、もう過ぎたの？」樋口晴子は腕時計を見て、大袈裟《おおげさ》にのけぞった。はじめて、知ったかのような顔をした。「少しくらい、待ってくれてもいいのに」

「どんな映画館だよ、それ」

「悪いね、せっかく来てくれたのに」

「いくつか聞きたいことがあるんだけど」青柳雅春が言ってくる。

「どうぞどうぞ」寒い路上で、立ち話をしているのはつらかったが、遅刻の負い目があるだけに、ここは言うことを聞いておこう、と樋口晴子は我慢する。隣では、同じ年代の若者たちが数人、たむろしていた。小さな円を描くように陣取り、全員が全員、ポケットに両手を入れ、喋り合っている。相手を指差すかわりに、靴で突くようにしていた。

「まず最初にさ、俺、樋口の携帯電話に散々、電話したんだよね。時間になっても、ちっとも来ないからさ。メールも送ったし。気づいた？」

「あ」と言って、樋口晴子はポケットをまさぐり、携帯電話を取り出す。「気づいた気づいた。今」

「今かよー」青柳雅春は噴き出した。

「だって、バイト中は一応、鳴らないようにしてるしさ」

「それにしても、確認くらいは」

「九時半くらいになったら、見ようと思ったんだよね」

「何を？」

「携帯電話」

「携帯電話の使い方を間違ってるだろ、それ」

「いいんだって」樋口晴子は語調を強める。「緊急の用件なんて、そうそう、ないんだから」

「緊急の用件があった時に、九時半にチェックしてもしょうがないだろ」青柳雅春はまた、息を吐き、一瞬だけ天を仰ぎ、そして、自分の出したメールに返事がなかったことから思いついたのかもしれないが、「白ヤギさんからお手紙着いた、黒ヤギさんたら読まずに食べた」と口ずさみ、途中からは、白ヤギを青ヤギと言い換え、「青柳さんからメールがついた、黒ヤギさんたら読まずに食べた」と歌った。

「いいからいいから、他に聞きたいことは？」

「誰？」青柳雅春の声の調子が少し変わった。

「誰？　わたしが誰かってこと？　樋口晴子です。はじめまして」

「じゃなくてさ、さっきの車」

　青柳雅春が指差す、広瀬通りの車道を樋口晴子も眺め、「ああ」と気づく。「竹田さん、竹田さん。バイト先の教師」

　ふうん、と青柳雅春がつまらなさそうに言った。下唇が前に出て、子供のようだ。そして、「あのさ」と樋口晴子に人差し指を向け、「それ、バイト用に着てるスーツだろ」と言う。

「そうそう、うちは基本的に先生はみんな、スーツじゃないと駄目だから」

「俺はさ、今日、樋口と映画に行くのに、この服、すげえ悩んで選んだんだけど」

「いいよ。似合ってる」

「そうじゃなくてさあ」青柳雅春が頭を掻《か》く。その姿はやはり、癇癪《かんしゃく》を起こす子供のようだ。「まあいいや、どこか夕飯食べに行く？」

「だねえ。遅くまで空いてる、ファストフード店あったよね」

「今日は、サークルじゃないんだし」

「あ、そうか」

「あのさ」と青柳雅春は、見えない印鑑でぎゅっと何かを押すようでもあった。「樋口と二人で会って、どっか行くのって、これが最初なんだよな」と言う。

あ、そうか、と樋口晴子はまた、そう答えた。言われてみればそうだ、と。

青柳雅春はまた長い息を吐き出し、理由は判然としないが、小さく笑った。まあいいや、とまた言って、歩き出す。

遅れまいと樋口晴子も横に並んだ。

「九時半になったら、携帯、確認したわけ？」青柳雅春が訊《たず》ねてくる。

「だねえ。そりゃ見るよ」

あのさ、と彼が言う。「次の時は、間に合ってよ」

次は絶対に間に合う。樋口晴子は力強く、答えた。

青柳雅春

時計を見ると、十六時だった。青柳雅春は窓にかかった厚手のカーテンを見る。部屋の電気が、外から目立たないだろうか、と気になった。壁に寄りかかり、室内を見渡す。今まで何度も荷物を運んでやってきた家の中に自分がいるのは不思議な感覚だった。それこそ、今すぐにでも、チャイムが鳴り、「宅配便です」とドライバー姿の自分がこの部屋を訪れてくるような、そんな錯覚まで感じた。

壁には、地図が貼《は》ってあった。画鋲《がびょう》で留めてある。どこの国の地図なのか、青柳雅春には分からなかった。アルファベットが並び、標高の高さごとに色がついている。広大な土地に思えた。じっと目を凝らせば、その土地をとぼとぼと歩く稲井さんの姿が見えるような気がした。

三時間ほど前、歩道橋から飛び降り、前園が停車していたトラックの幌《ほろ》に落ちた青柳雅春は、必死の思いでそこから這《は》い出した。運転席を覗《のぞ》くと、悠々と昼寝をしている前園の姿があった。荷台に人が落ちたというのに気づかないとは、どれほど熟睡しているのか、と驚きつつも、窓を叩《たた》き、声をかけようとしたが、途中でやめた。のんびりとはしていられなかった。

歩道橋の上の男たちは、突然の飛び降りに驚いてはいたが、追いかけてくるのは時間の問題で、青柳雅春はガードレールを越え、歩道に出ると、すぐに走った。角で小道に入る。

何だよこれは何だよこれは、と唱え、ひたすら走る。

どこかで落ち着きたかった。タクシーに再び、乗るべきかと思ったが、渋滞につかまるのが関の山にも思えた。喫茶店や映画館にでも飛び込むか？ いや、万が一、そこまで追いかけられたら、逃げ場がない。

となると後は、誰かの家に行くほかない。事情を話し、落ち着くまで一時的で良いから、匿《かくま》ってもらおう。匿ってもらう、という響きに苦笑する。何も悪いことをしていないにもかかわらず、どうして匿ってもらわなくてはならないのだ。

「何がどうなってんだよ」携帯電話を鞄《かばん》から取り出そうとするが、かける相手が思い浮かばない。仙台に住んでいる人間で、この状況を説明し、受け入れてくれる者がいるのかどうか分からなかった。真っ先に思い浮かんだのは、森田森吾だった。というよりも、森田森吾以外に信用できる人間が浮かばず、そのことにまず愕然《がくぜん》とした。愕然とし、苦笑する。その森田森吾にはすでに頼れないのだ。

カズか、と次に思った。小道をいくつか抜けたところで、携帯電話をつかみ、走りながら操作した。今もあのマンションに住んでいるのだろうか。カズとは二年以上、連絡を取っていなかった。青柳雅春がテレビで騒がれている頃に一度、「青柳さん、すごいことになってるじゃないですか。凛香ちゃんに会ったんですよね。いいなあ。青柳さんのこと、今度、合コンの時、自慢していいですか？」とはしゃいだ連絡が来て以来だ。

その時の携帯電話の番号を呼び出し、かけた。

呼び出し音が鳴る。走っているので、息が切れる。身体を揺らし、電話に意識をやるのが難しい。いつの間にか歩いている。

カズには繋《つな》がらず、留守番電話サービスの応答がはじまった。メッセージを残すべきかどうか悩んだ。たまたま脇《わき》の生垣から猫が飛び出し、それにのけぞった時に、録音開始の音が鳴った。

「あ、青柳だけど」とりあえず喋《しゃべ》りはじめたが、何と言ったものか分からず、しばらく無言になってしまい、そうこうしているうちに、また音が鳴り、録音が終わった。

電話を切る。どうするべきか、と途方に暮れ、同時に、追いかけてくる人間の影がすぐ近くにあるのではないか、と急に心配になった。周囲を見る。自分の配達していた区域だな、と気づいた。

消火器の底にあった合鍵《あいかぎ》を使い、稲井氏の部屋に入った青柳雅春は今、カーテンを締め切ったまま、テレビを観《み》ていた。最初のうちは音量を消し、映像だけを見ていたが、真剣な面持ちで喋るコメンテーターたちの顔を眺めているうちに、その発言内容が気になった。

部屋は雑然としている。押入れ前に積み重なった段ボールは、引越し前の荷造りにしか見えなかったし、机の上も物で溢《あふ》れていた。

稲井氏がまだ旅行中だと確信していたわけではなかった。管理人の話では、一年分を前払いして出かけた、というが、それはあくまでも保険のようなもので、実際にはそれよりも早く帰ってくる予定であるのかもしれないし、そもそも、長期旅行には出たものの、「大きくなる」気配や感触がまるでなく、途中でやる気を失い、急遽《きゅうきょ》、戻っている可能性も高いはずだ。けれど、仮に稲井氏が旅行中ではなくとも、この午後の時間帯には不在だろう、と予想はしていた。宅配ドライバーをしていた際、この時間に稲井さんがいたためしがなかった。

いるかいないか、丁か半かの博打《ばくち》じみてもいたが、青柳雅春には大丈夫だろうという確信があり、部屋を訪れた際、ドアに相変わらず、「しばらく留守。配達荷物は管理人に。でかくなって戻ってくる」と貼り紙があるのを見ても、やはりそうか、と思う程度だった。紙は色褪《いろあ》せていたが、まだ、破れていなかった。

机にウォークマンが置かれているのが見える。そこから期待し、脇の引き出しを探ってみると、一番下の棚にコード類がつまっていた。そこからイアフォンらしきものを引っ張り出す。携帯電話用のピンマイクやヘッドフォンがあった。携帯電話にマイクを差している人間を見かけたことがあったが、あれは使い勝手がいいのだろうか、といつも疑問だった。さらに奥から、黒い小型のイアフォンを見つけた。

どのテレビのチャンネルをつけても、金田首相のパレードの場面がしつこく、繰り返されている。東二番丁通りを、金田首相を乗せたオープンカーが、ゆっくりと進んでくる。その顔つきがアップになる。静かな面持ちで、強い意思を秘めた貫禄《かんろく》に満ちている。教科書倉庫ビルの上空から、ラジコンヘリコプターが降りてくる。

そして、爆発が起きる。

青柳雅春はリモコンをぎゅっと握り締めていた。爆弾を載せたラジコンヘリ、と内心で呟《つぶや》いてみる。何度も映るその光景を見つめ、ラジコンの機体をにらんだ。ただの偶然なのか、と顔をしかめる。

青柳雅春は自分の携帯電話を持ち、おもむろにボタンを押しはじめる。井ノ原小梅という登録名と電話番号が表示される。

「ねえ、これって全然、反応しないんだけど、わたしのせい？　何かのいじめですか？」

井ノ原小梅は親しげな口調と丁寧な言葉遣いが混在する喋り方をする。最初もそうだった。小柄な見かけと、ぶっきらぼうな口調と強気な性格はバランスが取れているようでもあった。ハローワークの、タッチパネル式の求人情報閲覧端末に座り、何度も指で画面を触った後で、隣の青柳雅春に声をかけてきた。

「どうだろう」と青柳雅春は言いながら、井ノ原小梅の正面の画面に触れる。するとやはり、反応がない。おかしいな、と自分の画面を押してみると、こちらは正しく動作した。

「お、良かった。わたしだけじゃない」と井ノ原小梅は笑った。髪は薄い茶色で、肩にかからない程度の長さだった。

「何で、反応しないのかなあ。仕事の面接以前に、検索する段階ではじかれるなんて、酷《ひど》い仕打ち」彼女が苦々しく言うのが可笑《おか》しかった。

「俺、さっきスナック菓子食べたから、それで反応しないのかも」と冗談で言うと、彼女が、「あ」と軽やかに声を発した。「わたしも食べた。犯人は、そのスナックか」

そうして知り合ったのが二ヶ月ほど前だった。求人がないかとハローワークに出向くと井ノ原小梅に会うことが続き、昼食を食べることにもなった。

「青柳っちってさ、何か趣味とかある?」と聞かれた時、青柳は、「特にない」とそっけなく答えた。訊ね返すと彼女は、「わたしはね」と目を細めた。「たぶん、意外だと思われるかもだけど」と断ってから、こう言った。

「ラジコンヘリ」

青柳雅春は携帯電話の発信ボタンを押した。井ノ原小梅に連絡を取ってみないといけない、と思った。

「警戒して、疑え」森田森吾はそう言った。いや、と言い返す自分がいる。疑ってるんじゃない、確認をしたいのだ、と。コール音が続くが、出る気配はなかった。留守番電話サービスが応答をはじめる。また君か、と青柳雅春は苦笑せざるをえない。カズに電話をかけた時といい、どこにかけても、留守番電話が登場してくる。

「青柳です。久しぶり。今、ニュースを観ていたら、びっくりした。ラジコンヘリですごいことになってて。用件はないんだけど」何を喋ったものか分からず、間の抜けた無内容のメッセージになってしまったが青柳雅春はとりあえず、電話を切った。

「ラジコンヘリを一緒にやろうよ、めちゃめちゃ気持ちいいから」と誘ってきた時の井ノ原小梅は屈託のない表情で、無邪気な誘いにしか見えなかった。

テレビに目をやる。金田首相の乗ったオープンカーが爆風で見えなくなる。煙が画面を覆《おお》い、混乱する人の影が動いている。この爆発が起きた時、青柳雅春は、森田森吾と裏通りの車の中にいたことになる。その後に起きた爆発のことも思い出す。あれは森田森吾の乗ったあの車で起きたのか？　まさか、と打ち消したいが、それもできない。考えるな、と自分に言い聞かせるようにした。

国道はすべて封鎖され、新幹線や在来線、バスについてもほとんどが動いていないと、テレビは説明していた。

「単独犯なのか、組織的な犯行なのかはっきりとしませんが、ただ、あのラジコンを操縦していた人間が確実にいるはずです。その人間は今も、仙台の街のどこかにいるに違いないのです」

あるテレビ局の番組で、小説家という肩書きのコメンテーターがまじめな顔で発言していた。よく考えてみれば、さほど目新しいコメントではないはずだが、青柳雅春は、その彼がテレビのカメラを通し、稲井氏のマンションでイアフォンをつけ、座っている自分自身を名指ししたように感じ、びくっと震えてしまった。

警察の会見の模様も観た。繰り返される録画映像だ。

警備局の総合情報課、課長補佐の男がマイクを向けられ、淡々と答えている。佐々木一太郎という名前が出た時には、「ワープロソフトみたいだな」と笑ってみたが、室内は静まり返ったままだ。

佐々木一太郎は顔こそ童顔に見えたが、落ち着き払っていた。

二年前、マスコミに追いかけられた青柳雅春は、向けられるマイクの威圧感を嫌というほど知っている。質問をぶつけられ、マイクを近づけられると、「何かを回答しなくてはいけないのではないか」と無意識に思ってしまう。答える必要のない問いかけや、答えられるわけのない話にも、応じなくてはならない、と圧迫感を受ける。

だから、たくさんのマイクを前に、記者たちから矢のように質疑を受けながらも、沈着冷静な佐々木一太郎に感心した。言いがかりに近い質問をしてきた記者に、「あなたがそう進言するなら、私たちももう一度検討しますよ」と返す態度など堂に入っていた。

「仙台で事件が起きたのは、不幸中の幸いと言えるかもしれません。昨年に導入された、セキュリティポッドをはじめ、情報取得がスムーズです。犯人の特定、逮捕もそう遠くない、と私は確信しています」佐々木一太郎は会見の終わりに、そう述べた。

　セキュリティポッドについて詳細は知らなかったが、存在は青柳雅春も知っていた。連続通り魔事件の犯人逮捕が難航し、急に導入が決められたものだ。ホテル周辺の植え込みの陰であるとか、地下道の片隅であるとか、公共施設の駐車場であるとか、街のあちらこちらに置かれて、青葉通りや広瀬通りなどの広い道路には欅《けやき》の木と同様、等間隔で並んでいた。

「あの機械よ、しれっと置かれてるけど、何でもかんでもばれちゃうらしいぜ」と同業ドライバーがまことしやかに話してくれたことがある。

「なんでもかんでも？」

「オービスみてえに、車の速度違反も見つけて、こっそり車を撮影してるみたいだし」

「まさか」そんなことまでできる機械とは思えなかった。

「少なくとも駐車禁止はばれるぜ。気をつけたほうがいい。噂《うわさ》によれば、携帯電話の通話とかも全部、チェックしてるらしいしな」

「通話を全部チェックするなんて、プライバシーの問題で、かなりまずいですよ」

「かなりまずいからこそ、こっそりやってるんだって」

彼は言ったが、その割に、セキュリティポッドの機械は堂々と置かれているではないか、と青柳雅春は反論したくもあった。

自分の携帯電話を見つめる。誰がどこに電話をかけたかをチェックして、それをどう利用するのか見当もつかなかったが、電話機には、絶えず電波を送受信している薄気味悪さがあるのも確かだった。念のため、電源を切ろうかとボタンを指で押したが、その時に着信があった。音は鳴らず、振動がある。ディスプレイには、「カズ」とあった。

「あ、カズ」通話ボタンを押し、すぐに言う。

「青柳先輩、ひさしぶりじゃないですか」

「何だよ、青柳先輩、って」今までそんな呼び方をされたこともなかったため、青柳雅春は笑ってしまった。「仰々しい」

カズの舌打ちが聞こえる。「青柳先輩は青柳先輩じゃないですか」

呼び名についてくどくど喋っている余裕もなかったため、青柳雅春は、「急に電話をして悪かった」と話した。「実はおまえの家に泊めてもらおうと思ったんだけど」

「俺んちにですか?」

その声には明らかに困った気配があったので、「いや、でも結局、どうにかなりそうな気配なんだ。野宿ってことはなさそうだ」と慌《あわ》てて、続けた。

「どうしたんですか。マンション追い出されたんですか？」

「鍵をなくしたんだ」咄嗟《とっさ》に思いついた嘘《うそ》にしては、悪くなかった。「で、業者を呼ぶのも難しくて。おまえは今も、前の賃貸マンションに住んでるのか」

「ええ、そうですよ。あそこです。それで、明日はもう大丈夫そうなんですか？　その、鍵は」

　青柳雅春は頭を必死に回転させる。まだ、稲井氏のマンションで過ごすことはできそうであったし、無理に、カズの部屋に押しかける必要があるわけでもなかった。「たぶん、大丈夫だ」

「それにしても、最近、どうしてるんですか、青柳先輩は」

　また青柳先輩かよ、と呆《あき》れながら、「宅配の運転手は辞めたんだ。今は、失業保険でどうにか暮らしてるけど」と話す。

「ああ、そうなんですかあ」

「カズはどうしてるんだ？」

「電話まだ、大丈夫ですか」

「電話？　大丈夫だよ」電話代のことを心配してくれているのか、と思ったが、かけてきたのはカズのほうだった。「久しぶりに喋《しゃべ》ってるんだから、少しくらい近況を教えてくれよ」

「青柳さん、今、何やってるんですか」

「さっきも言っただろ。失業中だって」

「じゃなくて。今、この瞬間、何を？」

「カズと電話をしているんじゃないか」

「そうですけど。どこにいるんです？」

「ホテルだよ、ホテル。一人きりでさ」

青柳雅春は嘘をついた。まさか、身に覚えがないのに警察に追われ、他人の家に侵入し、くつろいでいるとも言えない。結局、カズは、「何かあったら、また、連絡してください」と電話を切った。

とたんに室内の静かさが際立《きわだ》つ。青柳雅春は電話を眺める。テレビには依然として、パレードの光景が映し出されていたが、イアフォンを耳につける気にはなれない。

誰も状況が把握できていない、ということだけは把握できた。だからこそ、テレビ局は同じ映像を延々と流している。いったい何が起きたのか、事の真相がどうであるのか、憶測を巡らす余裕もないほどに、ただ、騒いでいる。リモコンに手を伸ばし、一度、テレビを消した。

室内の明かりがしゅんと縮こまり、暗さがじんわりと滲《にじ》む。腰を上げ、あらためて、稲井氏の部屋を見て回る。

段ボールの山を前に苦笑してしまう。いくつかの箱には伝票がついたままになっていて、その中には自分が配達したと思《おぼ》しきものもいくつかあった。昔、一緒に旅行に行った友人と再会したかのようで、「なんだ、まだ、ここにいたのか」と呼びかけたい気分にもなる。

特に考えがあったわけでもないが、左の隅から眺めていると、食品メーカーのロゴが入っている箱に気づいた。段ボールを移動し、ブロックゲームをやるかのように空間を作り、目当ての箱を引っ張り出す。蓋《ふた》を開けると中に、携帯用のサプリメント食品が入っていた。スナック菓子ともクッキーともつかない食べ物で、食事を取る余裕もない時や、店を探すのが面倒な時に、青柳雅春も何度か食べたことがあった。まとめて購入した残りなのか、もしくは、景品として受け取ったものなのか。青柳雅春はそれをつかむと、自分の鞄《かばん》へ押し込んだ。稲井さんはいない、とはいえ、他人の物を無断で拝借するのはためらいがあったが、よく見れば、それらの賞味期限はすでに半月ほど過ぎていて、一段落したら、新しく購入したもので補充すればいいのではないか、と自分を納得させることにした。

段ボールを少しずらすと押入れの中が見えた。旅行のガイドブックやアウトドアに関する本が大量にあり、虫や植物の図鑑のようなものも並んでいる。稲井さんは本当に、冒険家だったのかもしれない。押入れの下段には畳まれた布団《ふとん》があり、脇《わき》に白いロープがあった。しゃがんでそれを取り出すと、さらに奥には、小さな俵型のクッションに似た物があった。引っ張り出し、部屋の真ん中で確認すると寝袋だと分かった。

衣類が畳まれ、入っているのも見つけた。セーターやシャツが几帳面《きちょうめん》に、店頭に並ぶかのように折り畳まれている。奥に、ニット帽もあった。三色で編まれた、派手な色だったが、青柳雅春はそれを頭にかぶってみる。

洗面所に移動し、鏡を見る。顔を隠すのにいいだろうか、と思った。

居間に戻り、自分の鞄を開き、ロープやニット帽を詰めたが、チャックが締まらない。今度は、大きめの荷物を入れられる袋や鞄のようなものがないかと部屋を見て回る。「人様の家で何をしているんだ」と呆れるが、背に腹は替えられない。リュックサックを発見した。濃紺の、地味なデザインで、青柳雅春が今使っている鞄より大きい。チャックを開けると、鞄の荷物を移し替える。

冷蔵庫の中にCDがたくさん詰まっていて、驚いた。電源が入っていないため、CDが冷えているわけではなかったが、何もわざわざこんなところに置かなくともと思った。綺麗《きれい》に仕切りがあるわけでもないから、無造作に詰め込まれているだけだ。いったい食材はどこに保管していたのか。常に外食だったのかもしれない。冷蔵庫は不要で、だから、CD入れとなった。よく見れば、冷蔵庫の前面扉に小さなシールが貼《は》られている。

「今日から、おまえはCDラックだ」と印字され、日付もあった。冷蔵庫に暗示をかけているつもりなのか、自覚を促しているのかはっきりしないが、とにかく、稲井さんはやっぱり変な人なのだなとは分かる。「アビイ・ロード」が目に入ったのはたまたまだ。元冷蔵庫、現CDラックの扉を閉めようとした際、重なるCDが滑り、数枚が落ちてきて、その中に、例の、道路を横断するビートルズ四人の姿があったのだ。

部屋に戻ると、テレビにつけていたイアフォンを取り外し、隣のミニコンポに差した。CDをかける。リモコンが見つからなかったため、直接、本体のボタンをいじり、曲を飛ばす。後半のメドレーのはじまり、「ユー・ネバー・ギブ・ミー・ユア・マネー」を再生させる。

穏やかなピアノが鳴りはじめ、青柳雅春の身体《からだ》が弛緩《しかん》する。自分でも知らないうちに身体を床に横たえていた。膝《ひざ》を抱えるように背を丸めた。イアフォンを耳に押し当てる。歌う声が聞こえる。とても寂しげに、叙情的とも言える声が耳に囁《ささや》きかけてくる。イアフォンからの曲に意識を奪われはじめる。曲が軽快な展開となる。夕方ではあったが、眠気ならあった。疲労感と言ってもいい。眠れば、元に戻っているのではないか、と期待していたのかもしれない。ポール・マッカートニーが、「いい子はみんな天国に行けるのさ」と繰り返し、ささめいているようだった。

いつの間にかCDが回転を止めていた。青柳雅春はほとんど眠っていたが、インターフォンの音は聞こえた。はっとし、寝そべっていた身体を起こす。玄関を見やる。耳からイアフォンを外し、リュックサックを見やる。それから、静かに立ち上がり、廊下に視線を向けた。廊下の先が三和土《たたき》だ。

また、音が鳴る。

部屋の壁を窺《うかが》う。電気スイッチの脇に、インターフォンのモニタがあった。来訪者を映す画面が表示されている。

「まあ、今、空いている部屋といったらここくらいですよ」と喋る声が聞こえた。モニタの隅に映るマンション管理人だった。玄関の真正面の位置には、二人の男が立っている。背広を着た男たちだ。青柳雅春が自分のマンションで会った男たちとは違っていた。

「鍵を開けてくれ」と背広の一人が、横の管理人に鋭く言った。

上からの角度で映す映像のため、彼ら三人の姿は頭でっかちの可愛《かわい》らしい体型に見えたが、それを可愛らしい、と感じている余裕はもちろん、なかった。鼓動が激しくなっている。胃が痛む。

「どうしてここに?」という思いがまず、あった。

男たちはほぼ間違いなく、青柳雅春を追ってきているのだろう。どうしてこのマンションにいると見当をつけたのか、その理由がまったく分からなかった。ローラー作戦よろしく、仙台市中の家々を片端から捜査しているのだとすれば、もちろんその可能性もゼロではなく、そうであれば、この部屋に来たのは虱潰《しらみつぶ》しの成果に過ぎないのだろうが、果たしてこんなにスムーズに自分の隠れた部屋に行き着くものなのか。時間が経《た》ったせいか、モニタが切れた。

青柳雅春はまず、足音を立てぬよう気をつけ、玄関へ向かった。廊下がひどく長く感じられる。いつ、向こうから男たちが部屋に飛び込んでくるのか分からず、気を抜くと怯《おび》えで座り込んでしまいそうだ。ゆっくりと足を進め、三和土に辿《たど》り着く。ドア越しに人の気配がある。ドアチェーンがかかっていることを確認した上で、しゃがみ、自分の靴をつかむ。再び室内へ戻った。空の段ボール箱を潰し、その上で靴を履いた。リュックサックを引っ張り上げる。窓を見れば、閉じたカーテンの隙間《すきま》から外が少しだけ見えた。すでに外は薄暗くなっていた。

リュックサックの中には自分の荷物と、先ほど拝借した携帯食品とロープがある。他にも何か入れるべきではないか、と段ボールの山に向き直る。

インターフォンがもう一度鳴った。振り返り、モニタに目をやる。

背広姿の男たちが見え、その後方に管理人がいた。管理人は消火器を持ち上げ、底を確かめたところらしく、「あ、ない」と大きな声を発していた。「合鍵、ここにあるはずなんだけど」

「誰かが使ったんだな」と背広の男が言った。

「部屋に入ってるんだ」別の背広男が続けた。

モニタに映る管理人は顎《あご》を引き、自分の懐《ふところ》から手を出した。鍵を手渡したのだ。直後、玄関のドアノブが音を立てた。

青柳雅春は立ち上がり、窓を見る。悩んでいる場合ではなかった。リュックサックの中からロープをつかみ出すと、ベランダへ向かう。

玄関ドアが開く気配があり、同時にチェーンが引っ張られる音が鳴る。「あ」と誰かが声を上げた。「おい、チェーン」

青柳雅春はリュックサックを背負い、身体を反転させる。脇の段ボールの山を思い切り、倒した。思ったよりも重かったが、力を込めると崩れ、壁ができた。大人の腰程度の高さにしかならなかったが、それでも、邪魔にはなる。いくつかの箱は床に転がった拍子で、破け、中身が飛び出した。稲井さんごめんなさい、と思いつつ、そこで、薄い箱から飛び出している物に気づき、反射的に中身を手に取った。考えるより先に、ジャケットのポケットに突っ込んだ。

そこでチェーンが切れたのか、ドアが完全に開いた。「青柳」と名前を呼ぶ声が響き、廊下から足音が聞こえた。

青柳雅春はカーテンを荒々しく開け、窓の錠を外す。窓に手をかけ、横へ引く。風が室内に飛び込み、カーテンが膨らんだ。ベランダに飛び出すと、青柳雅春は手すりにロープを巻いた。三階からの景色は目新しいものではないが、町並みが見渡せ、夕方の家々はどこかのんびりとした平穏さを漂わせているように思えた。

室内から、男たちが騒ぐ声が聞こえた。崩れた段ボールで足止めを食らっているのだ。ロープをベランダの手すりに、二周巻く。外に向かって、垂らす。一階の地面までは届かないが、地上近くまでは届く。

破裂するような音が鳴った。

何事だ、と思う前に、横のガラスが割れた。発砲したのだ。青柳雅春は両手を頭に寄せ、呻《うめ》く。破片がベランダに落下した。

無我夢中だった。手すりに足をかけ、跨《また》ぐ。ロープが固定されているかどうか自信はない。

「青柳、止まれ」男の声がする。青柳雅春は手すりの外側で、ロープにぶら下がった。軋《きし》む音がする。背負っているリュックサックが予想以上に重く、一回、横に身体が揺れた。手すりはさらに、変な音を立てた。

ロープを両手でつかみ、足を絡《から》め、下へ向かった。焦《あせ》りつつ、二階の高さまで降りた。地面の位置を確認し、まだもう少しもう少し、ジャンプするのはもう少し降りてからだ、と念じる。

軋む音がさらにひどくなった。ロープの結びが心配になり、顔を上にやる。

見上げた先に、男の顔があった。

「待て。撃つぞ」とベランダからこちらを見下ろしている。ぞっとし、ロープから手を離しそうになる。

男は手すりから身を乗り出し、ロープをつかむ青柳雅春を見下ろし、しっかりと銃口を向けていた。撃つぞ、というのがただの脅しでないことは確かだった。眉《まゆ》の薄い、顎の長い男だった。三十代というところだろうか。爬虫類《はちゅうるい》じみた表情をしている。

銃は、青柳雅春の身体に向けられている。引き金に指がかかっている。

撃たれる、と青柳雅春の身体が震える。左手だけでロープにぶら下がり、右手はジャケットのポケットに移動させた。ロープをつかむ左腕の筋肉が盛り上がる。重い荷物を運んでいた頃の感覚が蘇《よみがえ》る。

頭で理解するより、身体が恐怖を感じている。撃たれたら終わりだ撃たれたら終わりだ、と焦りながら、ポケットから取り出す。ダーツの矢だ。

矢をまっすぐに持ち直す。左腕に力を込め、上半身を反らす。狙《ねら》いも何もない。いつ相手が引き金を引くのか、分からない。もう撃たれる。今撃たれる。焦りだけがあった。右腕をどうにか振りかぶり、ロープをつかむ手を強く握る。ベランダの手すりめがけて、思い切り投げた。

「ダーツってあれですかね、的に向かって、矢を投げる、あの？」

「それ以外に何があるわけ？　教えてよ」

以前交わした、管理人との会話が頭を過《よ》ぎる。闇雲《やみくも》に投げたため、ロープに強い負荷がかかった。金具が取れるような音がしたかと思うと、手すりがひしゃげ、ロープが抜けた。

銃口を向けていた男の耳近くに、ダーツの矢が当たるのが見えた瞬間、自分の身体が落ちることに気づいた。落としそうになったリュックサックのベルトをしっかりと抱く。

下は植え込みで、つつじの壇が並んでいた。膝を折り曲げ、着地した。折れた膝が、顎にぶつかり、その衝撃に一瞬、何が起きたのか分からなくなる。脚を枝が引っ掻《か》いている。痛がっている余裕はない。

立ち上がる。関節は動き、膝も無事だ。それだけ確認すると青柳雅春は走り出した。振り返ると、稲井氏の部屋のベランダに二人の男がいた。一人はダーツの矢が当たったからか、耳のあたりを押さえ、もう一人は銃口をこちらに向けていた。距離が離れているためなのか、発砲してはこない。

マンションの南側は平置きの駐車場となっていた。白線が引かれ、車が行儀良く、停まっている。走りながら、そのドアの鍵《かぎ》を眺めていく。車に乗れるのであれば、そうしたかった。検問や道路封鎖のことは頭にはあったが、片隅に過ぎない。遠くの検問よりも、今そこにある、疲労感と恐怖のことが何より重要だった。

リュックサックの中の携帯食品がひとつ零《こぼ》れたが、拾ってはいられない。ドアロックの外れていたセダンに近寄った。運転席側のドアを開ける。ハンドル脇《わき》に手を入れるが、鍵がささったまま、という幸運はない。サンバイザーとダッシュボードを確認する。鍵が置かれている、という幸運もない。

ドアを閉め、再び、走る。

マンションの敷地から飛び出し、細い歩道を走った。車道側にはガードレールがあり、右側は電柱が並んでいる。途中で一度、電柱に肩がぶつかり、身体が跳ね飛ばされるようになったが、立ち止まることはできない。痛む肩をさすり、歯を食いしばり、進むほかない。

なぜ、あの場所がばれたのか？　考えられるのはただ一つだった。テレビに映るあの、警察庁の佐々木一太郎の言葉だ。セキュリティポッドが整備された仙台で事件が起きたことは、不幸中の幸いかもしれない、と彼は言った。

駆けながら、携帯電話をポケットから取り出す。居場所を知られたとすれば、その情報の発信源として考えられるのは、携帯電話くらいだ。電波で居場所を特定されたのか、もしくは、こちらから電話をかけたことで見つけられたのか、どちらが原因なのかははっきりしない。ただ、電話の通信は監視されている。

もちろん、携帯電話の位置情報はエリアの特定はできても、その高度までは分からない。あの、マンションまでは特定できても、どの部屋にいるかまでは判断できない。だから、おそらくは管理人が、「あそこの部屋なら」とアドバイスをしたのだろう。

カズの顔が浮かんだ。電話をかけようかと思うが、やはり、躊躇《ちゅうちょ》した。発信したとたんに、居場所が察知されるのかもしれない。電源を切り、ポケットに電話を戻す。

大通りにぶつかった。車道は中央分離帯のある片側二車線で、その両側の歩道も十メートル近くある広いものだった。青柳雅春は走っていた足を止める。リュックサックからニット帽を取り出す。頭からかぶり、目まで隠す形にした。爆発事件のあったパレードの現場から少し離れているからなのか、それとも時間が経ったからなのか、通行人たちにさほど混乱は見えなかった。

右手前方にバス停がある。ニット帽を引っ張りながら近づくと、時刻表のところに、踵《かかと》の高い靴を履いた女性が立っていた。冬だというのに背中がずいぶんと露出した服装で、スカートは短い。何の我慢比べかと思った。

「バス、来そうですか」

「こっちが聞きたいくらいだって」彼女は眉間《みけん》に皺《しわ》を寄せ、時刻表を睨んでいたが、背筋を伸ばして、青柳雅春を見た。「さっきから、ずっと待ってるけど、来ないし」

「道路が封鎖されてるみたいだから、バス会社もパニックなのかもしれない」

「封鎖？ 何それ」彼女はまた、眉根を寄せた。

「いや、お昼に起きた、爆発事件があるだろ。だから、国道とかは全部、封鎖されているらしい。検問もあちこちでやっているみたいだ」

「爆発事件って何？」彼女が甲走《かんばし》った声を出す。「え、何それ何それ」と目を輝かせた。

車道を車が通り過ぎる。バスは来ないが、一般車両は行き来している。近距離移動なら可能なのかもしれない。それにしてもあちらこちらで渋滞になっているのだろう。

「何って、金田首相が爆弾で殺されたじゃないか。知らないの？」青柳雅春は思わず、語尾を強めた。彼女を不快にさせたかもしれない、と不安になるが、彼女は不快になるよりも前に、好奇心を発散させ、「知らない知らない、教えて教えて」と身体《からだ》を寄せてきた。「金田って誰？ 爆弾ってどうして？」

青柳雅春は左右を見渡し、自分の背後も振り返る。稲井氏のマンションから走ってきたものの、いつ、あの男たちに追いつかれてもおかしくはない。

「あ、俺、少し急いでいるんで」

「いいじゃんいいじゃん。『急ぐと失敗する』って有名な人が言ってたでしょ」

「誰が」

「この間のテレビで観《み》た。ドミノの記録に挑戦してた人が言ってた」

「その人の場合は本当に、急ぐと失敗するから言っただけだと思う」

「ねえ、何で爆発したの？　犯人は？」女の唇が自分の目の前で蠢《うごめ》き、踊るかのようだ。

背後に気配を感じ、青柳雅春はこっそりと首を捻《ひね》る。離れた場所に、先ほど、マンションの部屋で銃口を向けてきた背広の男が、立っている。こちらにはまだ気づいていない。

「あ、何やってんの、そんなところでさ」声がかけられ、はっとする。見れば、車道に車が停車していた。路肩に寄せ、窓を開け、運転席からこちらを見ている。左ハンドルだった。「ナンパ？　してるの？　されてるの？」と言ってくる。パーマをかけた男だった。窓から出す左腕が丸太さながらに太い。輪郭は丸く、サングラスをかけている。鼻も丸い。丸みの強調された、巨大なカタツムリを思わせる車に乗っている。

「全然、バス来ないで、困っちゃってたんだよ」青柳雅春の脇にいた女性が指を鳴らし、そのカタツムリに寄っていく。「乗せてってよ。もう、合コンの時間、ぎりぎりだし」

「あ、いいよいいよ、乗れよ」運転席の丸顔の男は言った。「え、でも、合コン行くわけ？　何でだよ。俺がいるのに」

「あんたがいたら、合コンに行っちゃいけないって法律があるわけ？」と言って、女は車に近づいていく。右手の小さなバッグが揺れる。

「確か、憲法にあったよ、憲法九条か十条」

「九条は絶対に違うと思う」

「あー、憲法違いだ、それ」

「違いなんてねーよ、絶対」

「ねえ、おまえ、誰？」運転席の男が、青柳雅春に指を向けた。

「知らない人。でもさ、金田とかいう首相が死んじゃった事件、知ってる？」助手席側に向かう途中の女が言った。

「え、何それ」

君も知らないのか、と青柳雅春は腰が砕けそうになる。彼女たちのその太平楽な、世の中の事件から隔絶された様子が羨《うらや》ましかった。彼女は合コンに行き、彼は可愛《かわい》らしい車を運転し、俺だけが非日常的な状況にある。滑稽《こっけい》だ、と思った。

「あ、だから、おまわりだらけなのかよ」と丸顔の男が納得した。

「じゃあさ、お兄さんも乗ってよ。車の中で、教えてよ、その凄《すご》い話」

何が何だか分からないうちに、女性が自分の背中に手を回し、路肩に停車した車に押してくる。青柳雅春は逆らわなかった。

後部座席に入ると、芳香剤の匂《にお》いが取り囲んできた。むせるほどではないが、一瞬、鼻の息を止めた。シートにはＣＤのケースが山のようになり、雪崩《なだれ》を起こしている。外にいる、背広の男たちにばれぬように、と身体を寝そべらせた。窓に目を近づけ、こっそりと外を見やると、歩道にはまだ男たちが立っていた。

「お兄さん、どこに行きたいの？」助手席に座った女が訊《たず》ねてきた。「そこまで行くから、教えてよ、さっきの話」

「あんまり遠いと駄目だよ。おまわりだらけで、渋滞にはまるし。何なの今日は？　交通安全週間？」運転席の男はのんびりと首を捻っている。

「事件が起きたんだ」青柳雅春は遠慮がちに説明する。

「あ、それそれ、聞かせてよ聞かせてよ。誰が死んだの？」

「お、死んだ？　犯人は誰？」

能天気な彼女たちの言葉を聞きながら青柳雅春は、そうか、と小さく安堵《あんど》した。警察は、青柳雅春のマンションや居場所をどういうわけか知っていて、もちろん外見や名前もどういうわけか把握した上で、どういうわけか追ってきているが、一般の人間は、たとえばこの車の男女は、青柳雅春のことを特別な人間として認識しているわけではなかった。当然といえば当然のことだが、出会う人間全《すべ》てが自分を追ってくるような錯覚に囚《とら》われつつあったので、いくぶんか楽になった。まだ、逃げる場所はあるのではないか？　そう思えた。カズの家に、と咄嗟《とっさ》に思った。カズの家にまずは行ってみるべきだ。

青柳雅春

「どうしたんすか、いきなり」

玄関のドアを開けたカズは、青柳雅春と森田森吾を見ると、露骨に迷惑そうな顔をした。

「何時だと思ってるんですか」と時計をつけてもいない左手首を、右手で指差す。

「そりゃ」と十年前の青柳雅春は自分の腕時計を確認し、「夜の十一時だと思ってるよ」と笑った。カズが住んでいたのは仙台市街地から徒歩で三十分ほどの距離にある、木造のアパートだった。

「というか、今日は飲み会だったんですよね、森田さんたち」カズは冴《さ》えない紺色のジャージを上下に着ていた。髪は少し濡《ぬ》れている。

「あ、もう、おまえ、風呂《ふろ》入った？」青柳雅春の肩に寄りかかるようにしていた、森田森吾がにやにやと言う。「寝るところだった？」

「寝るところでしたよ、そりゃ。酔ってるんですか」カズが溜息《ためいき》をつく。

「とりあえず、中に入れてくれよ」森田森吾は赤ら顔のまま、駄々をこねる。「仙台の十二月の寒い夜に、アパートの外に先輩を立たせて、それでいいのかよ」

「それでいいです」とは言った。不愉快そうではあるが、さほど怒らないのが、カズの長所であり、損をする性質だった。「ちょっと待っててくださいよ。部屋片付けますから」

青柳雅春と森田森吾はドアのこちら側に取り残された形となり、二階通路の手すりに寄りかかりながら、二人並んで、柄にもなく夜空などを見上げ、「このままカズが出てこなかったら、どうしよう、森田」「それはそれで、年取っても語れる思い出になる」「それなら、いっそここで、雪とか降ったら、もっと思い出深いよな」「雪が降ってきたら、カズも部屋に入れてくれるんじゃないか」「俺がカズなら、入れないけどな」「どうしてだよ、青柳」「雪に埋まったおまえを見てみたいからだ」「ああ、それは面白そうだ。当事者以外は」とぼんやりと会話を交わした。

「いいですよ、入ってください」とカズが再び現われたのは、少ししてからだ。

「だいたい」とカズは、青柳雅春と森田森吾の前に座ると説教をはじめた。「十二月になって、クリスマスが寂しいから、合コンやって、彼女を探そう、なんて安直なんですよ。遅すぎですよ」

八畳と六畳の二間で、こざっぱりとした室内だった。押入れの襖《ふすま》に空いた穴がどこか寒々しくも見える。

「おっしゃるとおり」青柳雅春は素直に言う。

「だってよー」と森田森吾は泣き顔を見せた。「青柳は、樋口と過ごすって言うし、カズだって、俺と一緒にクリスマスは過ごしてくれねえだろ」

「そりゃそうですよ。俺、彼女といちゃつくことになってるんですから」

そこで森田森吾は口を小さく開け、顎《あご》を震わせ、痙攣《けいれん》を起こしたかのように身体を小刻みに揺すった。「おまえ、いつの間に」と裏切られた悲壮さを浮かべる。

「だいぶ前ですよ。バイト先で知り合ったんですけど」

「そんな、ださいジャージ着てるくせに」森田森吾が吐き捨てる。

「これは寝巻きですよ」

「俺なら、寝巻きだとしても、そんなにださいのはごめんだね」と森田森吾は鼻で笑う。「賭《か》けてもいいけどな、そのジャージをデザインした奴《やつ》も、それだけは寝巻きにしねえぞ」

カズは、森田森吾を相手にしても仕方がない、と気づいたのか、「青柳さん、いったいどうしたんですか。何で、うちに来たんですか」と言った。「今日、森田さんに女の子を紹介したんですよね？」

「クリスマス間近で、森田がどうしても彼女がほしいと言うから」青柳雅春は苦々しげに言う。「樋口が前にバイトしていたところの、やっぱりバイトの子を」

「で、楽しくなかったんですか」

「楽しかったよ」森田森吾は、オーケストラの指揮棒を振るかのごとく指を揺すった。

「俺はね、俺は。俺は楽しかった」

「その子はどうだったんですか」

「いや、それなりに楽しそうだったよ。森田もいつもよりは大人しくて、例の、森の精がどうのこうの、とかああいう話も自粛したし」

「森の声な。森の精じゃなくて。妖精《ようせい》はさすがに、痛々しいだろ」

「居酒屋で楽しく食べて、飲んで、その後でカラオケに行って」青柳雅春は説明する。

「森田さん、歌上手《うま》いから、いいじゃないですか」カズはいつの間にか、ティーバッグの入ったマグカップに湯を注ぎ、森田たちに手渡した。押入れに背をつけると、自分の分を口に寄せている。

「そうそう。森田は熱唱してたよ。今流行《はや》りの五人組の」青柳雅春は言ってから、そのグループの名前が思い出せず、言いよどんだ。

「もしかすると、ヒカリファイバーっすか？」カズが目を丸くした。

そうそれそれ、と青柳雅春がうなずくと、カズは、「あれ、森田さん、めちゃくちゃに馬鹿《ばか》にしてたじゃないですか」と声を高くした。

「まあな」と森田森吾は言葉を濁した。

「その子がそのファイバーの大ファンだって分かってたからさ」青柳雅春は笑いを堪《こら》える。

「歌えたんですか?」

「そりゃ」森田森吾はさらに俯《うつむ》く。「練習したからな」

「それでいいんですか、森田さん」

「すげえ、上手かったよ。森田は」

「魂売りまくりじゃないですか!」

「おまえなあ」森田森吾は薄笑いを浮かべ、赤い顔で、「クリスマスを一人で過ごす寂しさに比べたら、ヒカリファイバーさんたちの曲を熱唱するくらい、どうってことねえんだよ」と言う。

「何で、さん付け、なんすか。でもって、うまくいかなかったんですか?」

「カラオケ屋を出て、最初はいい雰囲気だったんだ」青柳雅春は話す。「俺が、樋口と並んで歩いていて、その後ろから、森田とその子が一緒で。それなりに会話も弾んでいるようだったから、安心してたんだけど。どうやら、彼女のほうはそんなに盛り上がってはいなかったみたいで」

そうだったんですか、とカズが同情のこもった視線を森田森吾にやった。慈愛に満ちたまなざしだったために、青柳雅春は少し微笑《ほほえ》みそうになる。カズは根が正直で、優しい男だな、と。

「別れた後で、メールを送ったんだけどよ」

「森田さん、携帯持ってないじゃないですか」

「青柳のを借りたんだ」

「人の携帯使ってどうするんすか」信じがたい、とカズは茫然《ぼうぜん》としていた。

「とにかく全然、返事がねえんだよな」森田森吾はうな垂れて、言う。「これはもう、脈なしってことなんだろ」

「そんなの分かんないですよ」カズが声を大きくする。「どんな文面送ったんすか」

「『今日はとても楽しかったです。また、話させてください』」と森田森吾は棒読みする。

「森田さんらしくないくらいに、普通の文面ですし、悪くないですね」

「だろ。で、返信が来ないってのは」

「すぐに返信しないタイプの子かもしれないっすよ。受信がうまくできなかった、とか。センター呼び出し、してみました?」

「俺がセンターだったら、激怒するくらい、呼び出したよ。メールはありません、って。こっちだってそんなの重々分かってるっての」森田森吾が喋《しゃべ》るのを、青柳雅春は半分笑いながら、聞いた。

森田森吾は面伏せのまま黙り、青柳雅春も口を開かなかった。台所で冷蔵庫が低い唸《うな》り声を発し、壁のどこかで軋《きし》む音が鳴った。カズが身体《からだ》を動かしたせいか、押入れの戸が音を立てた。

「でも、あれですよ」やがて、カズが言った。「森田さんの良さが分からない女は放っておけばいいじゃないっすか。くよくよしてるなんて、森田さんらしくないっすよ」

森田森吾が顔を上げ、眉《まゆ》をひそめると、ひどく落胆した面持ちで、溜息を吐き出した。

「あー、まじかよー」

「え」その反応にカズが戸惑う。

「がっかりだよ」森田森吾が髪の毛をくしゃくしゃと掻《か》く。

「よし、俺の勝ちだな」と青柳雅春は手を叩《たた》いた。

「え、何です」

「いや、実はさ」森田森吾が頭を掻き、残念そうな口ぶりで、「飲み会、明日に延びたんだよな」と話した。

「どういうことですか」カズは状況が飲み込めず、混乱したまま、縋《すが》るように青柳雅春を見た。

「森田が明日の飲み会を前に緊張しててさ。さっき、二人で、前夜祭と称して、飲んでたんだ。その時に森田が、『明日、うまくいかなかったらどうしようどうしよう』ってうるさいから、俺が、『もしそうだったら、カズが慰めてくれる』と言ったんだ。でも、森田は、『カズはそんなに優しくねえぞ』って言い張るんだ」

「何ですかそれ」

「だから、とりあえず、試してみようってことになったんだ。今日、カズのところに行って、ふられた話をしたら、どういう反応をするのか事前に調べておこうって」

「で、賭けたんだよ。青柳は、カズが優しいことを言ってくれるってほうに。俺は、そうじゃないほうに」

「カズは本当に優しい後輩だよ」青柳雅春は本心から言い、うなずいた。

当のカズは狐《きつね》につままれた状態で、驚きつつも、騙《だま》された憤《いきどお》りを持て余しているようだった。「何すか、それ」とぼそっと言う。

青柳雅春はマグカップの紅茶を飲み、ふっと温かい息を洩《も》らす。「でも、これで、明日は安心して、飲み会に臨めるだろ、森田」

「明日、もし、森田さんが落ち込んだら、やっぱりうちに来るんすか?」カズが呆《あき》れて、言う。

「今みたいに、頼むよ」

青柳雅春

「どうしたんすか、いきなり」マンションの玄関ドアを開け、姿を見せたカズは、青柳雅春の顔を見るとそう言った。最初は目を見開き、その後で訝《いぶか》るように眉を寄せた。

「悪いな。やっぱり、今日、泊まらせてくれないか」

数年前に会った時に比べると、カズは髪が伸びていた。少し貫禄《かんろく》が増しているように思えた。太ったのかもしれない。笑っているようにも、泣き出しそうにも見えた。

「さっきは突然、電話して、悪かった」

「あの後、もう一回電話したんですよ」

「ああ、実は、電源を切っていたんだ」

「青柳さん、部屋の中、入りますか？」カズはぎこちなく言うと、どうぞどうぞとやるように手を室内へと向けた。青柳雅春は後に続き、靴を脱ぎ、中に入る。背負っていたリュックサックを肩から外した。

がらんとしたフローリングの部屋には、布団《ふとん》を外したこたつとテレビが置かれ、最新のものと思《おぼ》しきゲーム機が転がっている。座った青柳雅春はクローゼットの横の壁に寄りかかり、「助かったよ」と呟《つぶや》いた。カズが台所へ消えたところで、深呼吸を何度かした。電柱にぶつかった肩の部分を見ると、青い痣《あざ》になっていた。

「急に電話が来たから、びっくりしましたよ。何年ぶりですか」カズはマグカップを二つ持って、部屋に戻ってきた。ひとつを渡してくる。ティーバッグが入っていて、湯気が青柳雅春の顔を温かくする。

「会ったのは、いつ以来だろう。俺があのマンションから引っ越す時に手伝ってもらった時以来か」

「かもしれないですね」カズは腰を下ろした。近くにあるクッションをつかみ、「使います？」と訊《たず》ねてきた。青柳雅春はそれを遠慮し、「今日は役所、休みなのか？」と訊ねた。カズは大学卒業後、県庁職員として働いていた。「平日の夕方に、家にいていいのかよ。俺にとってはありがたかったけど」

「県庁は辞めたんすよ。二年前かな」

「え、どうして」予想外の返事に驚いた。

「何だか、むなしくなっちゃったんすよ」カズは恥ずかしそうだった。「俺ね、自分で言うのも何ですけど、結構、まじめに仕事をやっていたんすよね。集中して、効率的に。で、残業しないで、定時に帰って」

「偉いじゃないか」

「偉かったんすよ。でも、年上の先輩とかはだらだらやって、残業ばっかりして、で、残業代もらってるんすよ。でもって、早く帰る俺は、仕事が足りないと思われて、次から次に新しい仕事を割り振られるんすよ。ゆっくりやってる奴は仕事が増えないで、っていうか、逆に減ったりしてますからね。不公平っすよね。残業代だって、税金から出てるのに」

「まあな」青柳雅春は口元をゆがめ、曖昧《あいまい》に返事をする。純朴な青年が理想を語るような、そういう熱のこもった口ぶりは、学生の頃から変わっていなかった。

「だからね、俺が辞めて、で、俺がいないとどれだけ困るか、上司たちに分からせてやろうと思ったんすよね」

「で、おまえが辞めて、みんなは困ったのか」

「いやあ」とカズは笑う。「全然、困ってないっぽいです」

「早まったな、カズ」

「早まりました。毎日、後悔してますよ」と言うのがどこまで本心なのか判然としなかったが、カズはつらそうに言った。

「今は何やってるんだよ」

「服屋の店員ですよ」と言って彼は、ブランド名を口にした。市街地のファッションビルに店舗があるのだという。聞いたことのないブランドだ、と青柳雅春が言うと、「それはたぶん、恥ずかしいですよ」とカズは言った。

「青柳さん、恰好《かっこう》いいんですから、もっとファッションとか気を配れば、もっと良くなるのに。何すか、そのださいリュックは」

青柳雅春は手元のリュックサックを見下ろし、撫《な》でた。まあな、と言うほかない。

「でも、もう俺も三十代だぜ。見てくれを気にしてる年でもないよ」

「青柳さん、逆っすよ。気にしないと、どんどん、おっさんですよ。坂道を転がっていくように、おっさん化ですよ。だいたい、青柳さん、樋口さんと別れてから、彼女とかどうしてるんすか」

青柳雅春は自分が追われていることも一瞬、忘れそうになる。学生時代の長閑《のどか》さに引き戻された。「いや、親しくなりつつある女の子はいたんだ」井ノ原小梅のことを念頭に話した。ハローワークで会った、ラジコンヘリが趣味の、小柄で気の強そうな彼女とはいずれ、恋人同士の関係になれるのではないか、と期待をしていた。

「いい感じなら、いけいけどんどんです」とカズが半ば儀礼的にけしかけてきたが、青柳雅春は何と応《こた》えたら良いか分からず、「森田に会ったんだろ？」と話題を変えた。数時間前、車の中で目を充血させ、「逃げろ」と人を刺すような言い方をしてきた森田森吾の形相が脳裏に蘇《よみがえ》り、胃が痛む。森田は無事なのか？ 奥歯を噛《か》み、震えをこらえた。誤魔化すように、マグカップに口をつける。

「ああ」カズもそこで現実世界に戻ってきたようだった。「役所勤めしていた時、東京出張があって、その時に飲んだんすよ」

「変わってただろ？」

「結婚してましたよ」

「子供もいるんだろ」

「驚きですよ。本当」

「似合わないよなあ」

「森田さん、青柳さんと樋口さんが別れたこと、知らなかったみたいでしたよ」

そこでしばらく二人とも言葉を発しなくなり、ずず、ずず、と紅茶を緑茶さながらに飲む音が部屋に響くだけとなった。青柳雅春は、カズにどこまで事情を話すべきか悩んだ。テレビをつけてもらいたい、と思った。金田暗殺の事件がどうなっているのか、現状が知りたい。

「あのさ、カズ」青柳雅春は切り出そうとした。「ケネディ暗殺の話、覚えてるか」と。

「そういえば青柳さん」カズが言うほうが先だった。「聞きたいことがあったんすけど」

何だよ、と青柳雅春は自分の言葉を飲み込んで、促す。

「やったんすか?」カズはマグカップを覗《のぞ》くついでのように、青柳雅春には視線を寄越さずに、言った。

「え」青柳雅春は一瞬、言葉に詰まる。

金田首相のあの事件、青柳さんがやったんすか?

カズの質問はそう続くのだと思った。「どうして」と思わず言っていた。どうして、カズがそう疑うのか、と思った。「テレビで、もう、俺のことが報道されているのか?」

と怖くなる。

「本当にやったんすか」カズが眉を上げた。口を大きく開け、「すごいっすね」と言う。

「やってない。やるわけないだろうが」

「え？　やってないんすか」カズが呆気《あっけ》なくそんな発言をするので、青柳雅春は、「え」とまじまじと眺めてしまう。「やってたほうが良かったのか？」

「だって、アイドルとやれるなんてそうそう、ないっすよ。そりゃ、青柳さんは恰好いいっすけどね、芸能人ってのはまた別ですから」

青柳雅春は肩から力を抜く。はあ、と息を吐き、「何だ」と洩らす。「何だ、その話か」

「何だ、じゃないっすよ。あの事件の時、青柳さん、正義の味方みたいで、もてもてだったんじゃないっすか？　凜香ちゃんだって、すげえ感謝してたっぽいし。てっきり、やったのかなあ、って」

「森田も同じこと言ってた」と青柳雅春は複雑な思いで、口にする。「テレビ、点《つ》けてもいいか？」

「もちろん」カズはマグカップを床に置き、手を伸ばすとリモコンをつかみ、差し出してきた。と同時に、軽やかな音が鳴った。テレビの横に置かれた電話に着信がある。カズは、「あ、ちょっとすみません」とすばやく電話を持つと、コードレスらしく、「テレビ観《み》てて下さい」と言い残して、廊下へ出ていった。

テレビをつける。ぼんやりと映るのは、やはり、パレードの光景だった。そして、その映像が終わったかと思うと、視聴者から届けられたと思しき、さまざまな目撃情報が述べられた。口にマスクをつけた大男が携帯電話をいじくっていた、であるとか、駅前の展望台で地図を広げていた男たち、であるとか、爆発直前に手を大きく振っていた女性、であるとかいくつもの話が無秩序に、散文的に流れているが、「現場から数十メートル離れた裏通りで、白い車の中で二人の男が口論していた」という目撃談が流れると、青柳雅春は水を被《かぶ》った気分になった。俺のことだ。俺と森田のことだ、と思った。

自分が犯人だと名指しされる恐怖に襲われる。その場で立ち上がろうとして、すぐに座り直す。まだ、マスコミや一般人は、青柳雅春のことには注目していないはずだ。廊下に目をやると、ドアは開いたままで、真剣な横顔を見せたカズが電話を耳に当てたまま、小刻みにうなずいているのが見えた。どこか暗い表情で、居心地が悪そうだった。

テレビではコマーシャルが流れ出す。漫然とそれを眺めていると、カズが戻ってきた。

「大丈夫か？」

「あ、大丈夫っすよ」

「彼女とか？」青柳雅春は楽しい話題に逃げたかった。茶化すように言った。

「ええ、まあ」

「喧嘩《けんか》中とか？」

「ああ、そうっすね」

「急に歯切れが悪い」

「実は」とカズは足元を見るように首を傾けたまま、「今から来るって言うんですよ」と言った。

「そういうことか」青柳雅春はすぐに立ち上がった。リュックを持ち上げ、「そういうことなら、退散するよ」とうなずく。「仲直りしろよ」

「ええ、まあ」申し訳ないと思っているからなのか、カズはぼそぼそと言う。「でも、青柳さん、大丈夫なんすか？」

「どうとでもなるよ」と嘘《うそ》をついた。

「あの、このマンションを出て、左に進んで道なりに歩いていくと、ファミリーレストランがあるんすよ。赤い看板の」

「何だよそれ」

「そこで待っていてくれませんか？」カズの声が少し高くなる。

「ファミレスで？」

「俺、彼女に説明するんで、そうしたらこっちに戻ってきてくれないっすか？　電話します」

「無理しないでいいぞ」

「久しぶりなんすから、もっと喋《しゃべ》りましょうよ。あんまりです」カズが真剣な表情で言ってくる。

青柳雅春としては断る理由はなかった。ありがたいくらいだ。「じゃあ、一応、その店で時間を潰《つぶ》しているけど、無理はするなよ」

「悪いっすね」

カズは、青柳雅春を玄関まで見送りに来た。リュックを背負い、「じゃあな」と挨拶《あいさつ》する。「彼女とうまく仲直りしろよ」

「ええ、まあ」

「あ、そうだ、ひとつ教えてほしいんだ」青柳雅春はずっと前の記憶を思い出し、言った。

「何ですか」カズがどこか緊張を浮かべた。

「ずっと前のことだよ。学生の頃、俺と森田が急に、おまえの家に行った時があっただろ」

「ああ、あの、ふられた時の予行練習みたいな?」カズの表情が和らぐ。

「そう。あの時すぐには気づかなかったんだ。ただ、後でもしかしたら、と思ったんだけど」

「何がです」

「あの時、おまえの部屋に彼女がいたんじゃないか？　押入れの中に」

カズが表情を崩す。「いまさらですか」

「違ったか？　昔のことだから忘れたか」

「覚えてますよ。あの時、彼女がいて、これから二人でいちゃつこうと思っていた矢先ですよ」

「あの時、ださいジャージ着てたよな、カズ」

「しょうがないっすよ。慌《あわ》てて着たんですから。で、急いで、彼女を押入れに入れて」

「申し訳なかったな」

「でも、彼女も、青柳さんたちが帰った後、大笑いしてましたよ。変な先輩だ、って」

「あ、でも」青柳雅春はそこでふと気になった。「その、これから来るという彼女は、あの時の子とは違うのか？」

「そりゃ、違いますよ」カズは当然のように言う。まだ付き合ってるわけないじゃないっすか、と記憶を辿《たど》る表情で言った。「でも、懐《なつ》かしいっすね。今、あの子どうしてんだろ。最後、別れる時、大喧嘩で、彼女、俺のアパートに設置されてる消火器持って、大暴れしたんすよ。噴射して」

「それはまた、思い出に残る別れ方だな」

「消火器で、恋愛の火も消えたんですよ」

「そんな、うまい表現をするなよ」

「樋口さんのこと思い出します？」カズが不意に言ってきた。青柳雅春は脇腹《わきばら》を突かれた気分になる。

「忘れてた」

「彼女とかって、付き合ってる時はあんなに一緒で、何でも知ってたのに、別れると、本当に何にも分かんなくなりますよねえ」

「だなあ」青柳雅春はその言葉に、本心から同意した。靴を履き、じゃあ、と玄関から出る。

「俺を呼ぶのは、いちゃついた後でいいからな」とおどけると、カズはぎこちなく、微笑《ほほえ》んだ。「あの」と言う。

「何だよ」

「青柳さん、本当にすみません」

「突然、やってきた俺のほうが悪いんだ」

「俺、何かよく分からなくて」カズは、こちらが恐縮するほど、申し訳なさそうだった。

通路に消火器が置かれていることに気づき、「彼女と喧嘩するなら、これ、隠しておいたほうが良くないか？」と言ってみた。はじめは、きょとんとしたカズもすぐに、何の話か察したらしく、「ああ」と苦笑した。ほっとした表情も見せる。

青柳雅春はそこで、背中を向けたが、その時に、「青柳さん、実際、やってないんすか?」と声をかけられた。

立ち止まり、振り返る。面倒臭かったので、「そうだな、俺はやったよ」と答えたが、するとカズは目を強張《こわば》らせ、「まじっすか」と言った。

苦笑し、エレベーターへ向かった。

ファミリーレストランの赤い看板はよく目立っていた。混んではおらず、夕食の時間には早すぎるからなのだろうか、女性二人連れが一組、一人客が数人、ぽつりぽつりと座っている程度だった。笑顔の少ない女性店員に、窓際《まどぎわ》のテーブルへ案内されたが、一番奥の場所へと変えてもらう。人通りの多いところに顔を晒《さら》すのは怖かった。

空腹ではなかった。ただ、パスタと飲み物を注文した。はじめのうちはぼうっと座っていた。精神的に疲れているのか、首の後ろに強張った緊張を感じる。眠れば楽になるだろうか、とテーブルにうつ伏せになるようにして目を閉じたが、そうすると今度は頭の中で、ニュースで見た映像やアナウンサーの言葉がぐるぐると回りはじめる。森田のことを考えてしまう。眠気の兆《きざ》しのようなものは充満しているのだが、まるで眠れない。

料理が運ばれてきたところで青柳雅春は携帯電話をテーブルの上に出した。

カズからの連絡を待っているということは、電源を入れておかねばならない、と今さらながら気づく。右手のフォークでパスタを巻きながら、左手で携帯電話を持つ。セキュリティポッドのことが頭を過《よ》ぎった。小さなロケット型とも、丸みを帯びた郵便ポストともつかない、あの装置のことだ。電波の送受信の状況がどこかで傍受されているのではないか? そもそも、ポッドなどなくとも、携帯電話の位置情報は検索ができるはずだ。電源を入れるのは危険だ。そう思う一方で、電源を入れるくらい大したことではあるまい、とも考えた。

電源ボタンを押した。小さな音楽が聞こえ、携帯電話の画面が光る。その瞬間を狙《ねら》っていたかのように着信があり、青柳雅春はぎょっとした。

最初は、何者かにさっそく見つかったのだ、と思い、次には、カズからの連絡だな、と考えた。けれど、表示されている発信者名には、井ノ原小梅、とあった。考えるより先に、電話を耳に当てていた。

「あ」と井ノ原小梅の声がする。「青柳っち? さっきからずっとかけてたんだけど、まじで繋《つな》がらなくてさ」青柳雅春よりも二つ年下ではあるが、ざっくばらんに喋ってくる。いつも通りだ。

「そうなんだ」青柳雅春は、店内を見渡しながら、声を抑えて言う。「いろいろあって」

「電話かけてきたくせに。留守電聞いたよ」

「ラジコンで大騒ぎだっただろ？　驚いて」

「ラジコンといえば、わたし、みたいな？」

「うん、そんな感じだよな」

「青柳っち、今どこなの？」

井ノ原小梅が言ってきて、青柳雅春は携帯電話を持つ手に力をこめた。

その女は怪しいかもしれねえぞ。

森田森吾はそう言った。とにかく疑ってかかれ、さもないと、オズワルドにされるぞ。

「今は、友達の」と答えつつ、言葉を捜す。信じられるのか？　と問いかけてくる自分がいる。

このタイミングで電話をかけてきた彼女が、自分の居場所を聞いてくるのは、偶然なのか？

そもそも、彼女が、俺の前に現われたのは偶然なのか？　最初に会った時、ハローワークの求人情報の検索端末のところで、機械が反応しない、と彼女は愚痴った。あのやり取り自体が、仕組まれていた？　そんなことがありえるのか？

「友達の家に行くところなんだ」抽象的な答えを口にしていた。

「へー」と井ノ原小梅は言う。関心があるのか、ないのか分からない。いつもと変わらない、といえば変わらない。こちらの真意を探るようだ、といえば、探るようだった。

疑心暗鬼、疑えば目に鬼を見る、疑えば発信者が全《すべ》て鬼、そういう具合だった。「でもさ、まじで大騒ぎだよね。普通、首相ってさ、ラジコンヘリで殺されないよねー」

「確かに、普通は殺されないよな」青柳雅春はその表現が可笑《おか》しく、息を洩《も》らす。能天気な彼女の言葉を聞いていると、彼女はさすがに部外者なのだろう、と安心したくなる。

「ラジコンヘリの機種とか分かったのかな？」

「わたしはあんまり興味ないからよく見なかったけど、でもさ、落合さんとかはいろいろ分析してて、今晩テレビに出るらしいよ」

「落合さんって」

「ほら、青柳っちのヘリをわたしが買いにいった店のさ」

「ああ」ラジコンヘリを購入する際、井ノ原小梅が紹介してくれた店があった。携帯電話を耳に当てたまま、店の窓に目をやった。すぐ外は駐車場で、赤い看板の色がそこを照らしていた。

「実は今、ややこしい状況なんだ。だから、一回電話を切るよ」カズからそろそろ連絡があるかもしれない。「また、電話する」

「何それ、青柳っち、冷たくない？　これから会おうよ」

会えばいい、と思いはした。カズの部屋に泊めてもらうのも、井ノ原小梅に会うのもさほど違いはないように感じられた。むしろ、恋人がいるカズよりも、井ノ原小梅のほうが頼るには相応《ふさわ》しいのではないか、とも思う。

たまたま前を通りかかったウェイトレスが、青柳雅春に一瞥《いちべつ》をくれ、通り過ぎた。電話をかけていることを不快に思っているのか、それとも別の用件があるのか、とにかく、警戒の目でじっと睨《にら》んでいた。ように、見えた。そのウェイトレスは厨房《ちゅうぼう》のほうへと姿を消し、それきり出てこない。不安な思いが、膨らむ。

「ちょっと、切るよ。また、電話する」青柳雅春は早口で言う。

「あのさ、わたし直感がよく働く人なんだけど」

「人なんだけど？」

「青柳っち、大丈夫？　何か面倒なことになってる？」

「大丈夫」と青柳雅春は咄嗟《とっさ》に嘘《うそ》をついた。

わたしね、平気な顔して嘘をつく大人にだけはなりたくないんだよね、という声が聞こえる。樋口晴子の声だ。学生時代、アパートでだらだらとテレビで国会中継を眺めていた時、「そんなことを言った覚えはないよ。知らないよ。忘れたよ」と繰り返し答弁する政治家を見て、そう蔑《さげす》んだ。「嘘をつかざるをえない時はさ、やっぱり、それなりに苦悩して、悶《もだ》え苦しんでくれないと」と彼女は飄々《ひょうひょう》とした表情の政治家を指で弾《はじ》くようにしたものだった。

電話を終え、携帯電話の表示をじっと見つめた。電源を切るべきではないか、と考えるが、おもむろに発信ボタンを押した。呼び出し音を聞く。皿を持って、歩いてきたウエイトレスが忌々《いまいま》しそうに、青柳雅春を見る。まだ電話してる、と非難する目に見えた。

「どうしたんすか」カズの声が聞こえた。

「いや、実はさ」

「どうしたんすか」カズは、青柳の説明が待ちきれないかのように、すぐに繰り返した。その口調には、どこか焦《あせ》りがある。

「ごめん、まだ、取り込み中だよな」

「そういうんじゃないですけど。どうしたんすか」

「いや、携帯が使えなくなりそうなんだ」

「充電っすか？」

「まあ、そうだな」と言う。平気な顔で嘘をつける大人になったな、と苦笑した。「だから、もし、俺が行ってもいい状態になったら、ここまで来てくれないか？　もしくは、この店に電話してくれてもいいんだけど。我儘《わがまま》言って、悪い」

「ああ、そういうことですか」カズは言い、しばらく無言になった。

「おい、カズ」

「すみません、青柳さん」

「何がだよ」青柳雅春は、カズの反応に戸惑った。

「いや、本当にすみません」

「何だよそれは」彼女と仲直りしろよ、と言うきっかけを逃した。「おい、カズ」と言った時には電話が切れていた。もう一度、かけ直そうかと電話を見つめたが、結局は電源を切った。気づくと前に、ウェイトレスが立っていた。気配を感じなかったため、後ろに反り返ってしまう。テーブルに腿《もも》がぶつかり、コップが揺れた。「あの」と彼女は瞼《まぶた》を震わせた。

青柳雅春はそこですぐさま立ち上がり、その場から逃げ出すことを考えた。リュックに手を伸ばしかけたところで、「あの、配達の人、ですよね」と言われた。

彼女をもう一度見た。

瞬《まばた》きを多くした彼女は、「テレビで見て、ファンだったんですよ、わたし」と微笑んだ。

「ああ」と青柳雅春は肩から力を抜く。

彼女はなにやらノートのようなものを開き、「サインもらえますか」と言った。

「俺はただの一般人だし、サインとかそういうのは。それに、今は宅配もやってないんですよ」

仕事をしていた時には、数え切れないほどの家を訪れ、「印鑑をお願いします。なければ、サインで」と繰り返していたが、その自分が、サインを求められ、しかも拒むこいですか、と文句を言われたら、返す言葉がない。わたしたちはいつも、サインしてるじゃないですか、と文句を言われたら、返す言葉がない。

「あ、そうですかー」彼女は少し残念そうではあったが、執拗《しつよう》にノートを突き出すことはしなかった。引き返していく彼女の後ろ姿を見ながら、申し訳ない気分になる。

気まずかったためでもあるが、青柳雅春は席を立ち、トイレに向かった。念のため、リュックサックを持っていく。店の奥にあるトイレへと入った。

小便を済まし、鏡を見る。こめかみのあたりに引っかき傷ができていた。体のあちこちに打ち身があることも思い出す。大した怪我《けが》ではないが、いったいいつまでこれを続けるのだ、と思うと、ぞっとした。膝《ひざ》で打った顎《あご》の部分に触れると痛い。瞼も心なしか腫《は》れている。洗った手を、設置されている温風器で乾かし、外に出た。細い通路を進み、テーブルに戻ろうとしたところで、店の正面の自動ドアが開くのが目に入った。

足を止める。無意識に、一歩、退いた。

やってきたのは五人の男たちだった。知っている顔はない。背広姿の者とそうでない者がいたが、全員、体格が良かった。社会人ラグビーの選手たちかと思った。残業前の腹ごしらえに、和気藹々《わきあいあい》とやってきた会社員には見えない。険しい顔つきだった。

先頭に立つ少し小柄な中年男が、近寄った店員に素早く、身分証明書のようなものを見せ、ほかの四人は店内に視線を走らせている。稲井氏のマンションにやってきた男たち、もしくはその仲間に違いなかった。

その中でも、ひときわ異質な男が後ろにいた。身長は一九〇センチメートル近くあるのだろう、抜きん出て高い場所に頭がある。肩幅が広く、胸板も厚い。髪は角刈りにしてある。格闘家然としたその立派な体型が目立つが、それ以上に、耳に大きなヘッドフォンをつけているのが奇妙だった。さらには、手に細長い筒をぶら下げ、それはどこからどう見ても、銃にしか見えなかったのだが、あまりに自然に、まるで畳んだ傘を持ち歩くかのようだったために、銃には思えなかった。右腕で持ち、左手でそれを支えるようにしている。まさか、この国の地方都市の街中に、しかもファミリーレストランの店内に、銃を平然と構えた男が現れるとは考えられない。他のテーブルに座る客たちも特別、騒ぎ出したりしない。ずいぶんショットガンに似た傘だな、とでも思っている可能性すらある。

青柳雅春は一歩、二歩と後ろへ下がる。彼らが探しているのは間違いなく、自分だ。さすがに、そうじゃないと言い切れるほど図太くはなかった。トイレへと引き返す。

個室の便器の上の窓を開け、リュックサックを窓から落とした。便器の蓋《ふた》に乗り、窓枠をつかみ、体を引っ張り上げる。鼓動が早い。急がなければ、今すぐにでも、背広の男たちがトイレに入ってくる。そう思うと、いても立ってもいられない。上半身を通す。体を反転させることはできなかった。足を誰かにつかまれる恐怖に背筋が寒くなり、必死に腰を窓に通す。ジーンズが窓の出っ張りに引っかかり、痛みを感じるが気に留めている場合でもなかった。頭から地面に手を伸ばし、転がり出る。不《ぶ》恰好《かっこう》に、落ちた。頭の中が揺れ、一瞬、左右が分からなくなる。痛みに呻《うめ》く。体勢を立て直し、砂を軽く払った。

その時、横の壁が急に揺れた。音と声がする。はっとし、足を滑らせ、膝を地面についてしまう。店内で銃が撃たれたのだ。安全な場所に逃げないといけない、と焦るが、それはいったいどこなのだ、と自問する声が聞こえる。

青柳雅春

「安全な場所ってのは法律上、ちゃんとは明記されているわけでもねえんだよな、これが」

膝を折り、行儀の良い小学生のように座った青柳雅春たちの前で、轟が言った。白い丸首のシャツに、どこで買ったかも分からない、水色のズボンを穿《は》いている。薄いシャツだけあって、腹のでっぱりの揺れが目立つ。

「夏っていっても、夜だし、もう少し何か着たほうがいいって」と森田森吾が先ほどから、からかっている。

「うるせえな。肌着一枚も色っぽいだろうが」太った中年男に過ぎない轟がにやにやと言うのが気色悪く、そこにいる全員が悲鳴を上げた。すっかり日は沈み、空は藍色《あいいろ》がかっていた。「今日は、雲もないから、久しぶりにいい状態で飛ばせるな」「去年は小雨だったからなあ」と花火職人の男たちが先ほど会話をしていたが、まさに花火には相応しい天候だった。

広瀬川の河川敷に青柳雅春たちは、いた。樋口晴子、森田森吾、カズ、すなわち、冬の間、轟煙火工場の雪掻《ゆきか》きを行った者たちが、その労働の代価として、仙台七夕花火大会の特等席にやってきていた。

「特等席って言っても、地面じゃんか。席じゃないよ。「ロッキー」と森田森吾が言う。膝を折った姿勢のままだ。轟社長のことを、工場の人間は、ロッキーと呼んでいた。おそらくは、轟からトドロキ、トドロッキーと変化が起き、さらには省略が行われ、ロッキーが残ったのだろう、とは推察できたが、まさか自分たちが馴《な》れ馴《な》れしくそう呼ぶこともできず、最初のうちはしおらしく、「轟さん」「社長」と言っていた。けれど、冬の間、一月から三月まで、何度も工場へ出向き、雪掻きを繰り返しているうちに、だんだんと轟との間にある距離や垣根が気にならなくなり、気づいた時には、ロッキーと呼びはじめていた。

「法律で、何メートル離れないと花火をやっちゃ駄目、とかないんですか？」樋口晴子が聞く。

「実際は、条例で距離も決まってるけどな、地域や条件でまちまちってことだ。だから、百メートル離れても事故が起きりゃあ、それは安全な距離じゃねえんだよ」

「何すか、その法律」カズが笑う。

「でもまあ、俺たちはプロだから、事故なんて起きねえよ。なんなら、街中で、打ち上げてやってもいいくらいだ」笑う轟の顔には、経験に裏付けられた専門家の自負や誇りが浮かんでいて、青柳雅春は感心した。プロだから、という言い切り方が良かった。

河川敷に打ち上げ筒が用意されている。打ち上げる単位ごとに筒が縛られ、それがあちこちに置かれているのだ。職人たちがつい先ほどまで最後の点検を行い、導火線を引っ張り、その配線の確認をしていた。

「俺さ、花火って、マッチとかを筒に入れて、で、素早く離れて、どーんと打ち上げるのかと思ってたよ」森田森吾が言った。

「そうそう、俺も思ってた」と青柳雅春も首を振る。

今はほとんど、パソコンで制御するのだと聞き、驚いた。打ち上げのタイミングや発火の指示をパソコンでできることが信じられなかったし、それ以上に、白いシャツで中年太りの轟と、パソコンはもっとも似合わない組み合わせに思えた。

準備された打ち上げ筒と線、テントにあるパソコンを指差し、「ロッキー、パソコン使えるの？」と森田森吾がずけずけ言った。

「あのな、昔は花火ってのは貴族の遊びだったんだぜ。優雅で、時代の先取りだったわけだ。その職人の俺にかかれば、パソコンだって、お茶の子さいさいだ」

轟はそこで、キーボードを触る指使いを真似《まね》たが、それが、人差し指一本で垂直にキーを叩《たた》く、初心者丸出しの仕草だったので、森田森吾を含め、全員が笑った。

「その叩き方はやばいっすよ」とカズが言い、「うん、やばい」と青柳雅春も同意する。

「でもさ、青柳君は、エレベーターのボタン、こうやって押すよね」樋口晴子がそこで思い出したかのように、親指をぴっと立てた。

一瞬何のことかと思った。

「ああ、やるやる」と森田森吾が苦笑した。「何か、ナイス！って感じで、親指立ててるから、可笑《おか》しいよな」

「別に、普通だろ？」エレベーターの開閉ボタンや階数ボタンを押す際、親指で押すのがどうして変なのだ。「うちの親はそう押すよ」

「それ、普通じゃねえよ」森田森吾が即座に言った。

「普通じゃないな」と轟も大きくうなずく。「親指で押すのは、ちょっと不自然だろう」カズもうんうん、とうなずいている。「普通は人差し指っすよ」

「そうか？」青柳雅春は右手親指を立て、前に突き出す。さほど妙な仕草にも思えなかった。「じゃあ、直すよ」

「そういう昔からの癖ってのは、直らねえもんだよ」森田森吾が鋭いことを言った。

「いや、人間は成長する」青柳雅春は強く、主張した。

「無理無理」と笑ったのは、樋口晴子だった。「青柳君、だっていまだに、ご飯粒とか残すじゃん」

「な、何を」

「ああ、残す残す」森田森吾がまた、大きくうなずいた。「子供じゃねえんだからさ、茶碗《ちゃわん》くらい綺麗《きれい》にしろって」

確かに青柳雅春は意識しているわけではないのだが、ご飯を食べる際、茶碗についた米粒をそのまま残す癖があった。これも自分では特に奇妙だと思っていたわけではなく、単に、自分の両親もそうであったから、疑問にも感じなかっただけだった。

「贅沢《ぜいたく》なんだよ。米を残すなんて、もったいねえっつうの」

「飯粒を全部、食い尽くすなんて、皆殺しにするみたいで、残酷じゃないか」青柳は分が悪いことは実感しつつ、子供の頃に一度、父親が言っていた台詞《せりふ》を口にした。当時は、なるほどお父さんは素晴らしいことを言うものだな、と感心し、感化されたが、こうして声に出すと、意味不明だ。「と、親父《おやじ》が言っていた」

「おまえの親父さん、変わってるからな」

「そうだな」青柳雅春も認めざるを得なかった。

「でも、パソコンのボタンを押したら、花火が上がるって、ちょっと味気ない気もするね」樋口晴子が言った。

轟はそこでにっと歯を見せた。「あんまり関係ねえよ。星を詰めるのも、星を切るのも、人がやるんだし。花火ってのは手作りなんだ。点火と打ち上げがコンピューターになっても、変わらねえさ。そのうち、あれだ、携帯電話で電話番号を、ぴぽぱぽ呼び出したら、どーん、と打ち上げられるようになるぜ」

「ぴぽぱぽ、ねえ」森田森吾が唇を歪《ゆが》める。

「携帯で、どーん、かあ」青柳雅春はさすがにそれは、手軽に過ぎるのではないか、と抵抗を感じたが、轟がやはり、「それでも、花火の良さは変わらねえよ。そういうんじゃねえんだよ」と自信満々なので、そういうものか、と安心した。

空の暗さがだんだんと増し、それに連れ、頭上の橋から人の声が次々と溢《あふ》れてくる。大勢の見物客が集まり、行き来しているのだろう。青柳雅春の隣で、樋口晴子は後ろに手をつき、のけぞるようにした。「結構、真上に上がるんだろうから、首疲れそうだね」

「だなあ」と青柳雅春も答える。

「でも、こんなに間近で見られるなんて、凄《すご》いよね」

「だなあ」

「あ、そうだ、言い忘れてたけどな、花火終わっても帰るなよ。後片付け、手伝わないといけねえからな」

「手伝うって、誰が？」森田森吾が眉《まゆ》をしかめる。

「おまえたちに決まってるだろ」

「言うの、遅えーよー」森田森吾をはじめ、青柳雅春も樋口晴子もいっせいに文句を言った。

「そういえば、ロッキーの息子さんって、まだ、こっちで継いだりしないわけ？」森田森吾が訊《たず》ねた。轟の一人息子は、青柳雅春たちよりも三つほど年上で、今は青森の企業で働いていると聞いていた。

轟が顔をゆがめた。そっくりな顔をしたその息子は、気苦労の種らしかった。「まあ、そのうち帰ってくるだろうよ。あまのじゃくだからな」

「学生の時、勝手に花火を打ち上げて、警察沙汰《ざた》になったって本当なんですか？」青柳雅春は以前、工場の職人たちから聞いた話を、ぶつけてみる。

轟のしかめ面《つら》がそれをすでに肯定していた。「あいつはガキの頃から、打ち上げを手伝ってたからな、そのへんの手際《てぎわ》は神業じみてんだよ」と子供自慢なのか、子供の不満なのか分からないことを言う。「でも、ひねくれ者で、後先考えない奴《やつ》だからな、花火みてえな繊細な仕事には向いてねえんだよ」

「ロッキーにできるなら、息子さんにもできるよ」森田森吾が笑う。

「まあ、そのうち、帰ってくるんじゃねえか」と投げ遣《や》りに轟は言った。それから、「花火大会ってのはよ、規模じゃねえんだよな」とぼそっと言った。

「どうしたんですか急に」

「その町とか村によって、予算は違うけどな、でも、夏休みに、嫁いでった娘が子供を連れて、実家に戻ってきて、でもって、みんなで観《み》に行ったり、そういうのは同じなんだよな。いろんな仕事やいろんな生活をしている人間がな、花火を観るために集まって、どーんって打ち上がるのを眺めてよ、ああ、でけえな、綺麗だな、明日もまた頑張るかな、って思って、来年もまた観に来ようって言い合えるのがな、花火大会のいいところなんだよ」

大雑把で、乱暴な言動の多い轟が、急に繊細なことを口にしたので、青柳雅春たちは少したじろいだ。

「何か、いいこと言うなあ、ロッキーは」と森田森吾はむず痒《がゆ》そうに身体《からだ》を動かした。

「もっといいこと言ってやるよ」轟は鼻の穴を膨らませる。「花火ってのは、いろんな場所で、いろんな人間が見てるだろ。もしかすると自分が見てる今、別のところで昔の友達が同じものを眺めてるのかもしれねえな、なんて思うと愉快じゃねえか？　たぶんな、そん時は相手も同じこと考えてんじゃねえかな。俺はそう思うよ」

「同じこと？」青柳雅春は意識するより先に聞き返していた。

「思い出っつうのは、だいたい、似たきっかけで復活するんだよ。自分が思い出してれば、相手も思い出してる」

「よ、轟屋！」と森田森吾が煽《あお》るように声をかけた。

「ロッキー屋！」と青柳雅春が言うと、「樋口屋！」と樋口晴子がはしゃいだ声を発した。その後は全員が思い思いに、「森田屋！」「青柳屋！」と自分の名前を連呼しはじめ、轟は呆《あき》れながら笑い、打ち上げの準備に向かっていった。

花火の迫力は想像していた以上だった。離れた大学の校舎から眺めるのとはずいぶん違った。遠くから見ている時は、単に、観賞しているだけであったが、間近で見上げるのは、花火を体感している、と言ったほうが良かった。震えるような大きな音を立て、まっすぐに空へと打ち上がり、炸裂《さくれつ》し、光る。点滅しつつ尾を引き、落下し、夜に溶けて、消える。ただ、口を開けたままで、空を見上げているほかない。青柳雅春をはじめ、そこにいる全員が無言で、ただ、空を見ていた。

音が胃を響かせる。暗い空に、一瞬にして、大きな花を開く。ぱらぱらと下に垂れていく花びらの音が心地良い。

次々と打ちあがり、花火が幾重にも交わる。散らばる花火の叫喚が、下にいる青柳雅春たちを揺する。風情《ふぜい》を楽しむ、と言うにはあまりにも圧倒的な力強さに満ちていたが、人工的な星が散り散りに、騒がしく、破裂する様子は見応《みごた》えがあった。

花火が少しの間、止《や》む。空に溜《た》まった花火の煙が、風で流れるのを待つための、小休止だった。

前方にいる花火職人たちを見ると、彼らがいちように目を輝かせ、さっぱりした小学生じみた表情でいるのが分かった。花火の原始的な爽快感《そうかいかん》が、その場の人々の疲弊やくだらないこだわりを、はらはらと洗い流し、誰もが屈託のない子供の頃へと逆行している。シャツ一枚の轟の姿も見えた。彼は、青柳雅春たちのほうに一瞥《いちべつ》をくれると、満足げな笑みを作り、ちゃんと見とけよ、と言わんばかりに二本の指をこちらに突き出した。

「すげえな、なかなか」森田森吾が詰めていた息を吐き出す。

「ですねえ」カズが同意した。それを聞きながら青柳雅春は左に座る、樋口晴子の横顔を見た。彼女は空をじっと見て、余韻を楽しむ様子だった。

「あのさ、樋口」と青柳雅春は、彼女にだけ聞こえる声で言った。

「うん?」樋口晴子が顔を向けてきた。

青柳雅春はそこで、「あのさ」と続けたが、すぐには言葉を発することができなかった。前日にあれほど繰り返したイメージトレーニングに何の意味があったのか、と自分でも呆れる。

「何？」

「あのさ、少し前から、言おうと思ってたんだけど」青柳雅春は自分の顔が強張《こわば》るのが分かった。唇をほぐすように顎《あご》を小さく動かすと、「俺と付き合ってくれないかな」と言った。

樋口晴子は最初、表情を曇らせ、青柳雅春は、ああ失敗した、と泣き出しそうになった。言わなければ良かった、と後悔が、血液中を流れ、全身に回る。

「付き合うって、どこに？」樋口晴子がそこで言った。訝《いぶか》るように、「トイレ？」と続ける。

「連れションじゃないんだから」青柳雅春はさらに顔を歪めた。「そういう、付き合うじゃなくて」

音が身体を揺すった。

花火の打ち上げが再開された。空に、巨大な星がまた広がる。音が鳴り響き、その後で、炭酸の弾《はじ》けるような小気味良さがまた散らばる。

樋口晴子の視線は頭上の花火に戻っていた。青柳雅春はもう一度、改めて、同じ台詞を言わなくてはならないのか、と覚悟を決める。樋口晴子の横顔を見ながら、「あのさ、樋口」と言おうとしたが、その前に、音を立て、星が落ちてくるのをじっと見ながら樋口晴子が、「言うの、遅えーよー」と先ほどの森田森吾の発言を真似て、微笑《ほほえ》んでいた。

「え」

「言うの、遅えーよー」樋口晴子が、笑みを浮かべた顔をこちらに向ける。

「さあ、みなさんご一緒に！　せえの」森田森吾が叫ぶのが聞こえた。「轟屋！」

樋口晴子

雨が降ってきた時、空はまだ薄明るい気配を残していたので、少し凌《しの》げばすぐに上がるだろう、と樋口晴子は見積もっていた。ただ、上がるどころか雲は次第に色を濃くし、夜を彷彿《ほうふつ》とさせる暗さになり、これこそ文字通り暗雲がたちこめる状態だ、と思った矢先、雨脚が強くなった。傘を持ち歩いていなかったため、ひゃあ、と悲鳴を上げ、左右を見渡した。

広い歩道には軒先などなく、身を隠す場所もない。

「どうしよう」と隣の青柳雅春に目を向けた。雨は、発した言葉をすぐさま払い落とすような勢いだ。地面にばちばちと弾ける。

青柳雅春は髪を掻《か》き上げ、腕時計を見やった。「まだ、予約まで一時間もある」

「そういう問題じゃないね、これは。そのお店まで辿《たど》り着けないよ」樋口晴子も髪を手で触り、言う。

「分不相応のフランス料理なんて、食べようとした罰だ」

「いいんだよ、記念なんだから」

交際をはじめて、三ヶ月目の記念をやる、と提案をした時、青柳雅春は最初から気乗りしていなかった。曰《いわ》く、「記念とは、もっと節目の、たとえば一年目であるとか、少なくとも半年後であるとか、そういったタイミングでやるべきではないか」と。そして、「今までそんなことはやったことがないよ」とも訴えた。

「わたしだって、ないって」樋口晴子も主張した。「まあ、車だって一ヶ月点検とかやるじゃない」と適当なことを言い、説得した。「これは厳密に言えば、交際三ヶ月記念じゃなくて、三ヶ月点検だよ」

実を言えば樋口晴子としては、仙台市内にオープンしたばかりの、有名フランス料理店に行く口実が欲しかっただけでもあった。

「よし」と青柳雅春が言うのが聞こえた。

「よし？」

「思い出したよ」青柳雅春はずぶ濡《ぬ》れになりながら、顔を明るくした。そして、樋口晴子の手首をつかむと引っ張る。歩道の角を曲がり、大学のキャンパスに向かうさらに大きな道へと出た。雨は弱まる兆《きざ》しもなく、滝の趣すらあった。車道を走る車が、ワイパーを壊れんばかりに揺すっているのが見える。轍《わだち》に水が溜まり、道路は河さながらだった。

青柳雅春は歩道の脇《わき》に入っていく。もともと木が生え、草が伸びたその場所に道路を通したのだろう。荒れ放題とはいかないまでも、無造作に放置された草むらが広がっていて、その中にずかずかと入っていった。質問を投げるタイミングもなく、樋口晴子もそれについていくしかなかった。靴が地面を踏むと、泥が飛んだ。

その先だよ、と青柳雅春が指差したところには、丈の長い雑草が、樋口晴子の体であればすっぽりと隠れてしまうような密度で、生い茂っていた。車がある、とはかなり近づいて、ようやく分かった。その雑草の生えた裏側に、色褪《いろあ》せた黄色のセダンがあった。ボンネットに当たる雨が鳴っている。

「乗って」青柳雅春は言うと、運転席側に回る。

「乗って?」

青柳雅春はしゃがみ、車体の下に手を伸ばしている。起き上がると、「鍵《かぎ》、開けるから」と言う。ドアロックが開く音がした。樋口晴子は助手席ドアを引くと、中に入った。

「凄い雨だなあ」運転席に乗り込んできた青柳雅春がフロントガラスを叩《たた》く雨を眺め、のんびりした声を出した。

「誰の車なのこれ」

「分からないんだ」青柳雅春は髪の毛をこすり、水分を払っていた。「絞ると出るよ」と前髪をぎゅっと握り、座席の前に垂らした。後部座席を覗《のぞ》いたかと思うと、手を伸ばし、タオルを取った。「ちょうど良かった」と差し出してきた。「使って」

「誰のタオル？」

「分かんないけど」青柳雅春は笑い、いったんタオルを鼻に近づけ、くんくんと匂《にお》いを嗅《か》いでみせた。「古くはない」

「嫌だよ、気味悪い」

「でも、風邪引くよ」

十一月にしては暖かい日が続いていたが、濡れたままでは体に悪そうだった。

「たぶん、カズのタオルだと思うんだ。だから、そんなには怪しくないよ」

「これ、カズ君の車？」

「いや、違うんだけど」青柳雅春は鍵をハンドル脇に挿し、捻《ひね》りはじめたが、エンジンはかからない。「やっぱり、バッテリー切れてるんだな」

樋口晴子はおっかなびっくりではあったがタオルで髪を拭《ふ》いた。持ち主不明なだけに、拭《ぬぐ》うほどに得体の知れない物が毛に絡《から》むような不快感があったが、風邪をひくのも堪《たま》らない。あらかた拭き終え、背中をシートにつける。濡れたところが冷たい。

「よく、この車があるの、知ってたね」

青柳雅春は、「ああ」と言ったが、その表情はどこかばつの悪そうな、後ろめたさもあった。「前から、結構、有名だったんだよ。ここに、車が置きっ放しだって。廃車にするのも面倒な奴が放置したんじゃないか、って噂《うわさ》でさ」

「鍵、どうしたの？」

「タイヤのところに、置いてあるんだよ」

へえ、と樋口晴子は返事をし、窓の外を見やる。次から次へ、流れ落ちてくる雨の勢いに圧倒される。ばちばちと親の仇《かたき》に怒りをぶつけるような凄《すさ》まじさで、ボンネットがよく凹《へこ》まないものだ、とも思った。

「ここで、少し雨宿りしていこう」

「そうだねえ。これは傘があってもつらいし。車、動けば完璧《かんぺき》なんだけどね。暖房つかないかな」

「バッテリー買ってくれれば、動く気がするんだけど」

「そういうもの？」

そういうもの、と返事をした青柳雅春は外を眺めながら、軽快なメロディを口ずさみはじめた。

「何それ」

「この車のCMソング」青柳雅春は淡々と言い、癖になったかのように繰り返す。それが感染したのか、樋口晴子も歌いたくなる。唐突に降りはじめた夕立であれば、すぐに上がるだろう、と思ったが、その予想も外れた。雨脚はなかなか弱くならなかった。車の屋根やボンネットが雨の滴《しずく》で震える。

「レストラン、行くの難しいかな。もしかして、ほっとしてる?」樋口晴子が笑うと、青柳雅春は、「俺が? どうして」と驚いた声で言ってくる。

「だって、青柳君、フランス料理とかって慣れてなさそうだし」

「飯粒残すし?」青柳雅春が苦笑した。

「そうそう」

「そんなことないよ。俺だって、今日のために、マナーの本読んだしさ」と正直に告白し、いかにも外側からナイフとフォークを使いますよ、という仕草を見せた。窓の外を眺めると、「でも、この雨の中、厳しいかなあ」とこぼした。時計を見てから、「もう少し待って、間に合わなさそうだったら、一応、電話をするよ」と言った。

「この大雨だし、少し遅れても許してもらえるんじゃないかな」

「でも、こんなびしょ濡れの服装だと入れてもらえない気がする」青柳雅春は自分の着ているジャケットとその下のシャツを見下ろし、それから樋口晴子を見ると、「樋口なんて、下着もうっすら見えてるし」と唇をゆがめた。

樋口晴子は慌《あわ》てて、自分のシャツを確認した。言われてみれば、白のシャツに滲《にじ》んだ水分が下着を浮かび上がらせているようだったが、目を凝らさなくては分からない程度で、「そう?」と聞き返した。「それは、エロい心で見てるからじゃ」

「ずばり、その通りだよ」と青柳雅春が即答するのが可笑《おか》しかった。

「あ」とそこで樋口晴子は声を上げた。「思い出したよ、わたしは」

「何を」

「ちょっと前にさ、学食で昼ごはん食べてる時に、カズ君がいて、ぼそぼそ喋《しゃべ》ってたでしょ。あれ、聞こえてたんだけど、ホテル代のない時にうんたらかんたら、って言ってたよね」

「言ってたっけ?」とぼける青柳雅春の目は分かりやすいくらいに、泳ぎに泳いでいた。

「あれってさ、この車のことじゃないの」樋口晴子は言葉の槍《やり》で、運転席を突く気分だった。「ねえねえ、そうでしょ。ここをホテル代わりにしてるんでしょ」

どうだどうだ白状しろよ、と突くと青柳雅春は顔を赤くして、「俺は違うよ、俺は」と結局、白状した。「まあ、カズはさ、いちゃつきたい時にここを利用してるらしいけど」

はっとして樋口晴子は背もたれから身体《からだ》を起こす。「さっきのタオルって、そういう時に使ったやつじゃないの、もしかして」

「いや、たぶん、新しいやつだよ。座席に敷くらしいんだけど、カズ、次の人のために新しいのを置いていくって言ってたし」

「何それ。何、その、次の人って」どうにも不快な、淀《よど》んだ空気を感じ、窓に手をかける。「換気しよう、換気。最悪」

「雨が入ってくるって」

「無料簡易ベッドみたいなものなんでしょ、これ。気持ち悪い」

「まあ」青柳雅春も申し訳なさそうではあった。「この大雨、凌げてるんだからいいじゃない」

「あ、そういえば」樋口晴子はウィンドウボタンを押した。エンジンがかかっていないため窓が反応しないことに気づき、舌打ちする。「あの時さ、カズ君、『青柳先輩もぜひ、使ってください』とか言ってたよね」

「だっけ? でも、俺は使ってないって」

「そうじゃなくて、カズ君って何か、意味ありげな時だけ、『先輩』って付けるよね。普段は、青柳さんとかしか言わないのに」

「そうかなあ」

「前にね、学食で、森田君が延々と教授の悪口を言ってた時があってさ」

「そんなのいつもじゃないか」

「その時、ちょうど隣に、その教授が座っちゃったんだよ」

「居たたまれないなあ、それは」

「でもね、森田君はさっぱり気づかないから、喋りつづけていたんだけど。カズ君が必死に、『森田先輩、森田先輩』って声をかけて」

その時の森田森吾は、「おまえ、何だよ急に、森田先輩なんて呼んで、いつも言わないくせに」と眉《まゆ》をひそめたものの、すぐに、「でな、あの教授、ネクタイの趣味も良くねえよな。この間なんて、蛸《たこ》だぜ、蛸。考えがたいよな」と続けるため、その場にいたカズや樋口晴子はどうしても、隣にいる教授のネクタイに目をやらずにはいられず、すると当の教授の襟元にはまさに、ピンク色の蛸が連なるネクタイがぶら下がっていたものだから、噴き出すなというほうが無理な話だった。

「教授は気づいていたのかな」

「たぶんね。あの教授、どっちかと言えば怒るタイプじゃないから、黙ってたけど。後で、状況が分かった森田君が、カズ君に、『何で教えなかったんだよ』って怒ってたよ」

カズは、「あの場で、教えられるわけがないっすよ。しょうがないから、サイン出したじゃないですか。森田先輩って」と怒りつつ弁解した。「俺が、先輩って呼ぶ時は気をつけてくださいよ」

青柳雅春の携帯電話が鳴ったのは、その時だった。「レストランから電話だったりして」と樋口晴子は言ってみせたが、「雨ですが、大丈夫ですか？」と店側が予約客にいちいち心配して電話をかけてくるとは到底、思えなかった。

携帯電話に表示される相手の番号を見た青柳雅春が、「お袋だ」と言った。

「お母さん？　珍しいね」

「何だろう」青柳雅春はあからさまに気の進まない面持ちで、電話に出た。愛想のない返事をし、その後も首尾一貫、苦々しさのまざった相槌《あいづち》を打っていた。「相変わらずなんだなあ」と小さく笑い、「いいじゃん、しょうがないよ。言っても、治らないんだし」と母親を慰めているのか、そんなことを口にして、電話を切った。

「何だって？」

「うちの親父《おやじ》さ、ごく普通の会社員なんだけど、痴漢がこの世で一番許せないんだ」

樋口晴子は突然の父親紹介に驚きつつも、「それはいいね」と答えた。「偉いじゃん」

「度が過ぎるんだよ」青柳雅春は片眉を下げた。「俺が高校生の時にさ、たまたま、行事の関係で休みで家にいたら、少し離れた駅から電話がかかってきたんだよ。近所のおばさんでさ、『おたくのご主人が、駅で暴れてる』って」

「何それ」

「お袋と一緒に、大慌てで駅に行ったら、ホームのところで、若い男の上に馬乗りになって、ぼこぼこに殴ってんだよ」

「何それ」マウントポジションから痴漢を殴りつける男の話ははじめて聞いた。

「電車の中で見つけた痴漢を引き摺《ず》り降ろして、でもって、殴ってたんだって。最悪だよ」

「凄《すご》いじゃん」

「お袋は取り乱して、泣いてるし、鉄道警察みたいなのが、親父を取り押さえちゃってるし、悪夢のようだった」青柳雅春はまさに、悪夢を見る表情になっていた。「で、今、お袋から電話で、また同じことが起きたんだってよ。親父が、痴漢見つけて、ぼこぼこに殴ってたんだって」

「痴漢嫌いは健在なんだ？」

「で、お袋は大慌てで、俺に電話してきたらしい。意味不明だ」

「恰好《かっこう》いいと思うけどなあ、わたしは」

「後先を考えてないんだよ。その場の感情でわっと暴力を振るって、それでいいと思ってるんだ。勢いで行動するんじゃなくてさ、もっと、冷静に手順を踏むのが、人間だよ」

「人間、とは大きく出たねー」樋口晴子は可笑しそうに、体をゆすった。

その後、青柳雅春はフランス料理店に、予約のキャンセルについて電話で連絡をした。電話を切ると、「嫌味たっぷり言われた。まあ、悪いのはこっちだけど」と肩をすくめた。有名なお店だからって偉ぶってるんじゃないの？　樋口晴子は言ってやった。

樋口晴子

「お母さん、どうしたのー、ぼんやりとして」七美が言った。

食卓に座ったまま樋口晴子は、テレビを眺めている。どこのチャンネルを見ても、どの番組を見ても、青柳雅春が映っていた。七美は座った樋口晴子の足元に縋《すが》るようにし、「遊びに行こうよ、遊びに」と繰り返す。せっかく幼稚園お休みなんだからさ、と。

「でも、今日は外に行くと危ないんだってさ。昨日、事件があったし」

「爆発？　お父さんも気にしてたよね。偉い人、死んじゃったんだよ」

「そうそう」と言いながら樋口晴子は、子供というのはいつの間にか、「死ぬ」という概念を、現象を、知っているものなんだな、と思った。そのきっかけが、テレビなのか漫画なのか、ゲームなのかはっきり分からないが、けれど、ある時、捕まえたバッタを持ってきて、「死んじゃった」と寂しげに七美が言った時には、樋口晴子は夫と顔を見合わせてしまった。

「ねえねえ、死んで、このバッタ、どこに行っちゃったの？」

夫の樋口伸幸の答えは早かった。まず、娘の手の中にあるバッタの死骸《しがい》を指差し、「そこだ」

「そこにはもういないよ」と言い、次に、娘の胸にしっかりと人差し指を向けた。「ここ？」

「七美の胸にいるんだよ」

樋口晴子はその答えが、若干、気取りのある台詞《せりふ》だとは思いつつも、死んだ人間も人の記憶の中では何度も再生される、という意味では案外に真実ではないか、いいことを言うなあ、と感心したのだが、当の七美は、「やだよー、いるの気持ち悪いよ」と胸を掻《か》き毟《むし》り、おまけに死骸も放り投げたので可笑しかった。慌てた樋口伸幸は、「いないよいないよ、もう死んじゃったよ。そんな虫、死んだよ」と虫を拾うと、窓を開け、外野からバックホームするかのように思い切り、外へと投げた。勢い良く、隣の家の屋根を越えていくバッタはあの衝撃で生き返ったのではないか、と思えるほどだった。

「この人、犯人？」七美がぼそっと言うので、テレビを見れば、青柳雅春の姿があった。宅配ドライバーの恰好をした、例の録画映像だ。樋口晴子は返事に困り、食卓の上のマグカップに手を伸ばす。「悪者じゃないみたい」

「あ、そう？」

「うん、何か、普通の人っぽい。恰好いいし、七美、好きかも」

樋口晴子は噴き出すのを堪《こら》えた。「親子だねえ」

テレビでは、青柳雅春の写真が何度も大写しになる。

「当時は、爽《さわ》やかな英雄のように思っていましたが、こういう表情を見ると、やはり、何か影の部分を抱えていたのかもしれませんね」高級そうな背広を着たコメンテーターが真剣に言った。映し出されたのは、青柳雅春が肩越しにこちらを見た静止画だった。目を細め、人相があからさまに悪い。

「あ、悪者かもー」と敏感に七美が反応した。

さすがだなあ、と樋口晴子はテレビ局の手法に感じ入る。たとえば、後ろから、「おい、青柳」と乱暴に、酷《ひど》く嫌な口調で呼ばれたのだとすれば、こういう強張《こわば》った顔を見せることもあるだろう。無礼な人間が写真を突然撮ってくれば、むっとするのは当然で、その場面だけを抜き出し、マイナスイメージを強調するのは、それが故意か偶然かは別として、あまり品が良いものではないな、と感じた。品がないが、巧妙だ。

ふと、自分の視界がぼやけ、どういうわけかテレビの中に気味の悪い魚がいるような気がした。そして、魚は生意気な顔をこちらに向けたかと思うと、「小さくまとまるなよ」と忠告してくる。もしかすると青柳雅春は、「小さくまとまるな」のアドバイスに従うべく、「でかいことを成し遂げよう」と思い立ち、首相を殺害したのだろうか。

トンカツ屋の店主が少しして、画面に顔を出した。気のせいかもしれないが、その店主の渋面は、ゲームに登場した不気味な魚に似ていた。

「正午前だったから、まだ、空《す》いてさ、そこの席でテレビ観《み》ながら、トンカツ定食食ってたんだよ」と彼は言い、金田首相のパレードの時、青柳雅春が店にいたのだ、と証言した。

「本当に、青柳雅春だったんですか？」とリポーターが確かめると、店主はむっとし、

「信じねえのかよ、本当だよ」と応《こた》えた。「定食のライスはお代わり自由なんだけどよ、二回もお代わりしてたよ。茶碗《ちゃわん》に飯粒ひとつ残ってなくてな。やっぱり、ああいうおかしなことやる奴《やつ》ってのは、普通じゃねえんだよな。人をこれから殺そうって時に、普通、何度もおかわりして、全部食べ切るような食欲出るか？　な、どうよ」

樋口晴子は視線をテレビにやったまま、逸《そ》らすことができなかった。

「お母さん、どうしたの？」七美が声をかけてきたのも、最初は分からないほどだった。

「どうもしないんだけどね」返事をしつつ、目はテレビ画面を向き、頭では店主の台詞を反芻《はんすう》していた。

米粒ひとつ残さず？

青柳君が？

樋口晴子の知っている青柳雅春は、あまり綺麗《きれい》に食事をするほうではなかった。むし

ろ、汚い食べ方、と揶揄《やゆ》されることが大半だった。「ごちそうさま」と言い終えた彼の皿や茶碗を見れば、千切りキャベツの大きな欠片《かけら》や米粒がたくさん残っていることが多く、「もったいないよ。食べ残さないほうがいいって」と指摘すると、「そうだね」とうなずくものの、それでも次の時にはやはり、茶碗についた米がまだたくさんある状態で、「ごちそうさま」と箸《はし》を置く。わざとというよりは、習慣なのだろう。両親の影響らしいが、残さず食べなくてはならない、という意識が薄かった。

首相を暗殺する前に訪れたトンカツ屋で、青柳雅春は飯粒ひとつ残さず、定食をたいらげた。と店主は証言した。

あの、青柳君が?

「綺麗に食べるわけないじゃん」とテレビに向かって、言ってやりそうにもなる。「あれだけ笑われても、治らなかったんだから」

自分と別れた後に、青柳雅春の食事の仕方が変わったのだろうか。ありえなくはない。付き合っていた頃、彼が将来、暴漢に襲われているアイドルを救うことになるとは思いもしなかった。それと同じで、自分の知らないうちに、彼が食事の習慣を変えている可能性はある。

これから重要な事件を起こす、という際に、ご飯のおかわりをし、綺麗に食べ尽くす。緊張や興奮で、食事を残す、というのであればまだ話は分かるが、状況は逆だ。長い間の、子供の頃からの習慣を抑え、茶碗の米をひとつ残らず食べたのはいったい何のためなのか。験《げん》かつぎ？

娘の七美の姿が見えず、はっとする。名前を呼ぶ。廊下に出ると、玄関のところで靴を履いていた。

「お母さんが遊んでくれないなら、一人で行って来る」

「分かったから、行くよ、行く。ちょっと待っててよ」

家の近くの公園でも、話題はもっぱら、金田首相の事件についてだった。ブランコや滑り台などの遊具が置かれた場所に行くと、ほかに子連れの女性が三人、すでにいた。子供の名前は覚えているが、母親たちの名前はうろ覚えだった。おそらくは、向こうもそうだろう。

「怖いよね」と口々に言っている。

「でも、実感ないよねえ、この市内に犯人がいるかもってことでしょ」髪の短い母親が言った。「わたし、去年まで新潟にいたけど、あっちでも、あの犯人の人って有名だったよ。その時は犯人じゃなかったけど」と笑う。「テレビ、結構出てて」

「そうだねえ」茶色の髪をした母親がしみじみうなずいた。「こっちはなおのこと、すごく話題だったよお。一回だけ、本物見ちゃったし」

その彼女の足元には、子供が、ユーカリに登るコアラさながらにしがみついている。「樋口さんもずっと仙台だもんね」とさらに別の、こちらはこちらでコアラが二匹足元をうろついている母親が声をかけてきた。樋口晴子は、「あ、そうそう」と取ってつけたように返事をした。「でもあれって、たまたま、アイドルを助けただけで、よく考えれば、普通の人だよね」と思わず、言った。

母親たちが声を立てる。「確かにそうだよね」「配達の人だもんね」「でも、恰好良かったけどね」

どういう反応をしたものか、と悩む樋口晴子の隣で、話を聞いていたのか七美が、「七美も、あのお兄ちゃん、好きだよ。だって、恰好いいから」と声を上げ、全員が噴き出した。

「でもさあ」そこで髪の短い母親が急に、顔をゆがめた。「人は見かけによらないよねえ」

「犯人っていうのも衝撃的だったけど、さっきテレビでやってたけど、痴漢もやってたとか聞くとさ、もう、がっくりだよね」

樋口晴子は思わず、彼女の顔を見つめた。

「あの犯人、ずいぶん前に電車の中で痴漢して、逃げたこととかあるんだって。目撃してた人たちが出てきて、喋《しゃべ》ってたんだけど、何か、最悪」

「恰好いいのに、どうしてわざわざ痴漢なんて」

「ああいうのって、病気みたいなもんで、やめらんないみたいだよねえ。恰好いいとか、もてるとか関係ないんじゃない？　痴漢とかじゃないと満足できないんだよ」

「最低だねえ」

「痴漢」樋口晴子は呟《つぶや》いた。

「早く捕まっちゃえばいいのに」と母親の誰かが言い、「そういえば、最近、このあたりにも変な男がうろついてるんだって。ケン君とか、声かけられたらしいよ」と別の誰かが言った。「もしかすると、それもあの、犯人じゃないの？　青柳なんとか」とさらにもう一人の母親が言う。

国内の変質犯罪のありとあらゆるものが、青柳雅春の仕業で、彼さえ逮捕され、何らかの方法で始末されてしまえばそれで一安心とでもいうような気配があり、樋口晴子は滑稽《こっけい》というよりも、恐ろしく感じた。自分がここで、実はあの青柳という男は、わたしが昔交際していた男なのだ、と告白したならば、軽蔑《けいべつ》と非難の目を向けられ、七美もろともこの町から追い出されるような、そんな恐怖が過《よ》ぎる。樋口晴子は動揺や強張りが表情に出ないことを祈りながら、しばらくそこで雑談に加わり、芝生を引き抜いて遊ぶ七美を見守る。

「あ、そういえば、樋口さんって、あの犯人と同い年くらい？」と母親のうちの一人が、深い意味はなかったのだろうが、そう言った。

そこで、「え、そうなんですか」と白を切る自信もなく、かと言って、「そうなんですよ」と即答するのも不自然に思え、樋口晴子は返事に困り、うまく聞き取りにくかった素振りで、瞬《まばた》きを細かくやって、「え」などと白々しく言っていた。

するとそこで、「お母さん、トイレ」と七美が腕を引っ張ってきたので、「ああ、じゃあこの辺で」と公園を後にした。


「家までトイレ、我慢できる？」公園を出た十字路で訊《たず》ねる。

「大丈夫。七美、別にしたくないから」

「え、だって」

「何か、お母さんが喋ってるの大変そうだったから」七美はいつの間にか持っている木の枝を振り回していた。

「脱出させてくれたんだ？」樋口晴子は笑ってしまう。以前から確かに、都合が悪くなると、「トイレ」と言って逃げ出す傾向が七美にはあったが、それを母親のためにも応用してくれるとは頼もしかった。「七美、どんどん賢くなるね」

「七美、頭いいんだよ」と彼女は褒められた照れ隠しなのか、少しむっとして、言った。

「七美のおかげで助かった？」

「うん、助かった」

「じゃあ、今度また、やってあげるね」七美が大きな声で、はしゃぐ。

「鼻を掻いたら、トイレって言ってね」と樋口晴子も調子を合わせた。

家へと歩きながら、「痴漢かあ」と無意識のうちにまた、言った。

「どこどこ？　痴漢どこ？」七美が首をぶんぶんと振り、テレビの変身ヒーローを真似《まね》て、両手を前に出し、身構える。

樋口晴子は一度だけ会ったことのある、青柳雅春の父親を思い出した。痴漢を何より許せない彼は、電車の中で痴漢に遭遇するようなことがあれば、烈火の如《ごと》く怒り、対決せずにはいられないのだ、と青柳雅春から常日頃、聞いていたから、いったいどんな父親なのだろうかと興味津々《しんしん》であったのだが、会ってみるとこれが、背は高くなく、けれど骨格と肉付きのしっかりとした柔道家のような外見で、破天荒というよりは実直で、堅実な人に見えた。

車でディズニーリゾートに行った際に、青柳雅春の実家に立ち寄ったのだ。「樋口のことを紹介したら、すぐ帰るよ」と彼は言ったものの、実際に顔を出したら、そういうわけにもいかず、夕飯も一緒に食べることになった。連れてきた恋人がすなわち、結婚相手であると早合点したわけではないのだろうが、青柳雅春の父は、「雅春をよろしく」

と低い声で言った。「こいつはこう見えて、間が抜けているから」と。「でも、本当は、男気のある強い人間なんだ」

「え、そうなんですか？」とまず最初に確認したのが、青柳雅春の母だった。

「え、そうなんですか？」と樋口晴子も真似をして、聞き返す。

「そうなの？」青柳雅春も確認するように訊ねると、青柳雅春の父は気圧《けお》されたのか、

「たぶんな」と言葉を続けた。

「たぶん、ですか」樋口晴子は、青柳家全員が茶碗に飯粒を残しているのを見て苦笑しつつ、言う。

「おそらく、そうじゃないかと俺は睨《にら》んでいるんだよ」

「ますます曖昧《あいまい》だ」と青柳雅春は苦笑し、まさに軟弱の象徴とも言える優しい笑みを漏らした。

「でもまあ、痴漢をやるような男ではないからな」青柳雅春の父は胸を張った。「人を殺すことはあっても、痴漢はしない」

樋口晴子はのけぞった。「どういう価値観ですか、それは」

「いいか、人を殺すのが正しいとは思わない。ただな、自分の身を守る時だとか、たとえば、家族を守る時だとか、そういった時に、相手を殺してしまう可能性がないとは言えないだろう？　本音を言うとな、俺はそういうのはアリだと思ってんだ」

「アリなんですか」樋口晴子は笑いを堪《こら》え、言った。

「アリだな。だからというわけでもないが、こいつが人を殺す可能性がゼロだとは思わないんだ。何かそうせざるを得ない状況が来ないとも限らない。だろ？　ただ、痴漢ってのはどう理屈をこねても、許されないだろうが。痴漢せざるをえない状況ってのが、俺には思いつかないからな。まさか、子供を守るために、痴漢をしました、なんてことはねえだろ。ま、俺の言わんとすることはそういうことだ」

「そういうことだ、って言われても」青柳雅春はますます顔をしかめ、この自慢げに説得力のない言葉を発している男が自分の血縁、しかも一親等の血縁であることに、落胆するような表情を見せた。「でもまあ、親父《おやじ》に馬乗りになられて、殴られて歯を折ったりする痴漢を目撃してるからさ、恐怖心は植え付けられてるよ。俺には痴漢は務まらないよ」

「務まるとかそういうんじゃ」母親が指摘するが、それより先に父親は、「そうだ、おまえでは力不足だ」と指差した。

七美の手を繋《つな》ぎ、歩く。

「あの青柳君が痴漢をねえ」思わず、呟いていた。

「あの青柳君が、痴漢ねえ」七美が真似て、大人びた口調で言った。

　そのことに微笑《ほほえ》みつつ樋口晴子は、今、青柳雅春の両親は、父親は、あのニュースをどういう思いで眺めているのだろうかと思った。仙台で起きたこの事件をテレビで観《み》て、そこに容疑者として自分の息子の映像が放送され、しかも、痴漢の事実まで突きつけられ、彼らはどうしているのか。心配になる。平静ではいられないだろうし、おそらくは、彼らの家の周りは記者やカメラマンで埋め尽くされているに違いない。

「大丈夫、お母さん？」

　気づくと樋口晴子は鞄《かばん》から携帯電話を取り出し、そのアドレス帳から電話番号を検索していた。森田森吾の名前を見つけ出し、発信ボタンを押す。携帯電話の番号だった。しばらくコールすると、若い女性の声が出た。「森田さんに電話をかけたんですけれど」と訊ねると、「はあ？　ぜんぜん違います」とすげなく、切られた。

　去年、駅前の百貨店で偶然にも再会した時、交換した電話番号だった。あれ以来、かけたこともなかったし、森田森吾からかかってきたこともなかったが、もしかすると最初から、でたらめの番号だったのかもしれない。次にかけたのは、小野一夫、カズの番号だった。やはり、以前会った時に電話番号を交換していた。自分自身に躊躇《ちゅうちょ》の間を与えぬように、すぐにかける。

　しばらく呼び出しが続いていた。森田森吾もカズも、この世の中に存在していないような、そんな怖い気分になる。連絡をつけようと思えば、いつでもつけられるものだ、と思っていたが、いざ、つながりを確認しようとすると電話すらつながらない。「もしもし」そこで声が聞こえた。瞬間的に、樋口晴子は落胆した。女性の声だったからだ。

「あの」と言いかけて樋口晴子は何と続けるべきか悩んだ。どうせ、相手は、明らかに性別が違うのだし、このまま謝罪をして、切ってしまうべきにも思えた。

ただ、そこで電話の女性が、「もしもし、樋口さんですか?」と言ってきたので、背筋が伸びた。隣の七美も、真似をしたのか、背筋を伸ばした。

「え?」

「これ、小野の電話なんですけど、今、着信した時に、樋口さんの名前が表示されたんで。あの、学生の時のサークルが同じだったんですよね。前に話を聞いたこと、ありますす」

「あ、そうです、そうです」樋口晴子は自分でも驚くほど、勢いよく答えた。ここで乗らなければ二度とチャンスはやってこない、と列車に飛びつく気分だった。この電話の相手が唯一《ゆいいつ》のつながりに感じられた。

「わたし、小野君の彼女なんですよ、って自分で、彼女、って言うのって何か変ですよね」

「そうかも」かと言って、恋人、と名乗るのも気恥ずかしいに違いない。「小野君に聞きたいことがあったんだけど」

「今、出られないんです」彼女の声が少し小さくなった。周囲を気にして小声になったというよりは、彼女の感情の沈みが、そのまま声に現われたのかもしれない。

「あ、そうなんですか。本人はどこに」

「病院にいるんです。まだ、眠ってて」

「眠ってて？　小野君、病気か何か？」

「昨日の夜、小野君、怪我《けが》しちゃって」

「小野君が？」

隣でしゃがみ、落ちている木の枝で遊んでいた七美が、「小野君が？」と真似た。

「わたしが部屋に行ったら、倒れてて。格闘したのか何なのか、痣《あざ》だらけ、傷だらけで」

「痣？　傷？　格闘？　泥棒でも入ったの？」と言いつつ、そうじゃないのだろうな、と想像していた。自分が、何年ぶりかに連絡を取ろうとした日にちょうど、カズがたまたま泥棒に入られた、などという偶然があるとは思えなかった。

「青柳さんって知ってますよね？」

電話の彼女のその質問に、樋口晴子は何と答えるべきか、それも分からなかった。

「青柳君」と口に出した。「何か今、大変なことになってるみたいだけど」とあやふやに言う。

「実は、小野君を助けてくれたの、青柳さんらしいんですよ。救急車で運ばれる時、小野君がそう、わたしに言ったんです」

「青柳君が、小野君を助けた？　でも、今、青柳君は犯人で」

「ですよね。その人ですよね」電話の彼女は語調を強めた。「わたしもよく分からないんですよ」

樋口晴子はそこでまた、過去の記憶を、青柳雅春の実家を一度だけ訪れた際の場面を、思い出していた。正確には、自ら思い出した、と言うより、記憶の水位が勝手に上がり、鉄砲水さながらに青柳雅春の父親の姿が頭に飛び込んできた、と言うほうが近かった。

「とにかく、こいつは痴漢だけはやらねえ男だってことは保証する」青柳雅春の父は満足げにうなずき、言った。

「小学校の時の冬休み、書初めの宿題が出たんだよ。何でもいいから、好きなことを書いて提出しろって」父親の隣で青柳雅春は眉《まゆ》をしかめて、言った。「『初日の出』とかさ、みんなはそういうのばっかり書いてんのに、俺だけが、『痴漢は死ね』って書かされたんだぜ、親父に言われて」

樋口晴子が腹を抱えると父親が、「おまえだって、喜んでたじゃねえか」と言った。

「子供だったから面白がっただけだよ。どういう親なんだよ。とにかく、そんな教育受けてきた俺は、別の意味で、痴漢恐怖症なんだよ」

青柳雅春の母が、「痴漢って字、書くの大変そうだったよねえ」と見当違いの長閑《のどか》なことを言った。

青柳雅春

ファミリーレストランのトイレの窓から外に出た青柳雅春は、入り口側の歩道に回り込み、店内を窺《うかが》う。すっかり暗くなっているため、店の中の明るさが照明を浴びた舞台のようだった。中では、先程入ってきた捜査員と思《おぼ》しき男たちが、食事をしている客のテーブルを歩き回っている。ウェイトレスと店長らしき男と、小柄な男が向かい合っている。小柄な男は、手帳なのか写真なのか、何かを二人に確認させていた。ウェイトレスがトイレの方向を指差している。

青柳雅春はリュックを肩にかけた後で、携帯電話を取り出し、電源が切れていることを確認した。これなのか？　これが居場所を？　歩道を進み、店から遠ざかろうとしたところ、大きな音が起きた。背中から見えない手で突き飛ばされたかのような衝撃があり、足を止め、振り返る。ファミレスの入り口近く、大きなガラスが割れていた。男女が椅子《いす》から立ち上がり、目を丸くしていた。店内の誰もが動作を止めている。

割れたガラスの正面に、体格の良い男が仁王立ちしていた。ヘッドフォンを装着した、彫りの深い男だ。手にはショットガンが構えられている。日本のファミリーレストラン、割れた窓ガラス、大男にショットガン、その組み合わせが滑稽《こっけい》な幻じみていた。飛び散ったガラスの破片もろとも、現実感が吹き飛んだようにしか思えない。客の上げた悲鳴が聞こえる。

一歩、道を進むと足が沈んだ。膝《ひざ》に力が入らず、転びかけた。踏ん張り、さらに地面を蹴《け》る。ここから少しでも遠くへ、少しでも早く遠ざからなくてはいけない、と青柳雅春は自分の声で自分の背を押す。頭だけが空回りしている。つんのめるように、歩道を進んだ。脇《わき》の車道を勢い良く、トラックが走っていく。ヘッドライトが照っている。荷台の部分に、運送会社の、鯨のマークが見えた。首相が暗殺された大事件が起きているにもかかわらず、トラックは走っている。ところどころ渋滞や検問で、まともな配達はできないのではないか、と運転手たちに同情したくもなった。

「俺たちが、荷物を運ばなくなったら、この国はぜんぜん、機能しねえよ。インターネットだ、何だって言ったって、実際の物は俺たちが運んでるんだからよ」配達のドライバー仲間が以前、言っていたのを思い出した。「ネットは情報は運ぶが、物は運ばねえんだよ。だから、もっと運転手を優遇すべきだと思わないか？」とそのドライバー仲間は言い、その場にいた同業者も、「そうだそうだ」と盛り上がったが、だからと言って、優遇されるわけではなかった。

二年前、青柳雅春が、アイドルを救った英雄として祭り上げられ、テレビで散々持て囃《はや》され、弄《もてあそ》ばれた時に、あるコメンテーターが、「みなさん、車道で大きいトラックを見ると、嫌な顔をして、邪魔者扱いしますけど、彼らの仕事が経済の根幹を支えてるんですよね」と言っていたことがあった。それを聞いたドライバー仲間たちは、「青柳のおかげで、俺たちのステータスが上がったぞ」と冗談まじりではあったが、喜んでくれた。今、こうして逃げている自分を知ったら、あの同業者たちは、「青柳のせいで、イメージダウンだ」と怒るかもしれない。

大通りに出て、歩みを遅くする。街路灯が並び、自分を照らしてくる。人通りはほとんどなかったが、駆けていると余計に目立つように思える。

カズは？　ふと不安になった。カズは、恋人と和解をした後で、俺を呼びにあのファミリーレストランを訪れるかもしれない。その際、あの捜査員と思しき男たちに絡《から》まれる可能性はあった。無事だろうか？

「すみません、青柳さん」先ほどの電話での、カズの言葉が頭を過《よ》ぎった。思えばあの時のカズの声は、とてもつらそうだった。

あ、とその瞬間、足が止まりそうになった。携帯電話をもう一度見ながら、まさか、と呟《つぶや》いてしまう。居場所がばれたのは、電話の発信からではなく、カズからではないのか？　歩みを完全に止めている。顔を上げ、左右を眺める。目の前を若い夫婦が過ぎっていく。反対側から、学生服の、やけに凝った髪型を作った男たちが三人で、じゃれ合うように歩いてきて、夫婦とすれ違った。

青柳雅春はその様子をじっと見つめた。学生服の手前の男が視線をこちらに寄越し、目が合う。心臓が跳ねる。誰も彼もが、自分を監視しているようだった。急に周囲の街路灯が消え、自分だけが明かりを向けられ、周囲から浮き上がるかのような、見世物にされる恐怖に襲われた。

「俺もそうだが、悪人に見えない奴《やつ》に限って、おまえの敵なんだよ」

そう言ったのは森田森吾だ。つい数時間前、車の運転席で、見たこともない深刻な面持ちでそう言ってきた。「俺が逃げたら、家族が危ねえんだよ」と彼は口を歪《ゆが》めもした。

ちょうど歩行者信号が青になるのが目に入り、渡った。車道を足早に横切る。

仙台駅東口にあるその店には、一度だけ入ったことがあった。数年前、自宅のテレビが故障していた時に、サッカーのワールドカップ予選日本戦をどうしても観戦したいがあまり、藁《わら》をもつかむ思いで、夜に訪れたのだ。インターネットカフェと呼ばれる店舗の存在は知っていて、同僚のドライバーがそういった店でテレビ番組を観ると言っていたのを思い出し、どう利用するのかも分からず、恐る恐るではあるが入ってみたところ、予想外に居心地が良かった記憶がある。

階段を下り、自動ドアをくぐる。以前と同様、証明書の提示も会員証の作成も不要の、条件の緩やかな店のままだった。最近は、入り口付近に監視カメラを設置している店も多いと聞くが、それもない。パソコンの使えるブースを指定し、席に座る。インターネットに接続し、ニュースを読む。自分の名前が大きく掲載され、西部劇に見る賞金首の貼《は》り紙よろしく、顔写真がさまざまなページに映っているのではないか、と恐怖していたが、青柳雅春のことに言及する記事はどこにもなかった。拍子抜けとともに、安堵《あんど》が体を満たす。

森田森吾は、「おまえ、オズワルドにされるぞ」と言った。けれど、そのような情報は、ニュースを見る限りでは、公開されていなかった。

考えすぎなんだよ、森田。金田首相が誰に殺されたのか分からないけれど、俺が犯人だなんて、ニュースにもなっていない。

青柳雅春はそう思うと同時に、森田森吾の哀《かな》しげな顔、カズの言葉、何より自分を追ってくる男たちの強引な態度、ベランダから見下ろしてきた男と、自分が投げたダーツの矢、撃たれた酒屋の店主、衆人の前で発射されたショットガンと割れたファミレスのガラス、それらの光景を次々と思い出した。

こめかみを手で触れる。擦り傷の血はだいぶ乾いていた。鏡をしげしげと眺めながら、考えすぎなどではない、と我に返る。自分が追われているのは事実だ。

今はまだ、情報が公《おおやけ》になっていないだけなのだ。いずれは公開される。そうすれば、洪水に似た大騒ぎが起きる。濁流が、自分はもちろんのこと、自分にかかわりのある人間の生活を転覆させる。きっとそうだ。胃のあたりがきゅっと締まった。

パソコンを使うのはあまり得意ではなかった。学生時代には、レポートを書いたり、安い居酒屋を探したりするために活用していたものの、就職してからはあまり使わなくなり、しかも、マスコミに自分が取り上げられた時には、インターネットに自分の情報が、出所不詳の、事実無根の情報が氾濫《はんらん》したため、嫌悪感《けんおかん》や恐怖心が嫌というほど植えつけられた。

検索キーワードの入力欄に、自分の勤めていた宅配会社の名前を打ち込む。出てきたホームページは、自分がいたころよりも若干、豪華になっていた。トレードマークの、ビーグル犬のキャラクターも心なしか、愛嬌《あいきょう》が増したように思え、強張《こわば》っていた自分の頬が少しだけ緩んだ。この犬の絵は、社長の息子が描いたイラストを元にしている、という噂《うわさ》を思い出す。

表示されたページのアドレス欄を書き換える。ホームページのURLを少し変えると、社員用のシステム画面に移動するはずだった。

社員システムのログイン画面が表示され、社員ＩＤとパスワードの入力が求められる。退職した自分のＩＤはすでに削除されている。それは覚悟していたが、念のため、打ち込んでみた。ＩＤを消し忘れているのではないか、と期待したのだ。そう、うまくはいかない。認証できません、と返事が戻ってくる。

青柳雅春はそこで、記憶を辿《たど》りつつ、別のＩＤを打ち込む。それから、パスワード欄に、「ILOVECAT」とも打った。

パスワードが変わっていませんように。祈りながら、マウスをゆっくりとクリックする。勤めていた頃の上司は大の猫好きだった。ネクタイはいつも猫柄で、職場の机の上には猫の写真や人形が溢《あふ》れていた。離婚を契機に、猫好きになったらしいが、つまりは猫だけが自分を理解してくれ、猫は絶対に自分を裏切らないと信じるようになったらしいが、社員システムのパスワードに、「ILOVECAT」と登録し、そのことを自慢げにみんなに吹聴《ふいちょう》したため、「パスワードを口にするのは、セキュリティ上まずいです」と冗談まじりに、責められることもあった。

エラーとなったら諦《あきら》めよう、と決めていた。別の方法を探すほかない。が、ログインは成功した。画面が切り替わる。小さく、拳《こぶし》を握り、よし、と思わず口に出してしまい、隣のブースに声を聞かれてしまったのではないか、と慌《あわ》てて口を噤《つぐ》んだ。

やることは決まっている。ドライバー検索のページを呼び出し、一覧リストを眺める。目当ての名前を見つけ、さらにクリックした。配達エリアと勤務予定を確認する。「よし」とまた声が出た。

社員用のページからログアウトし、今度は、最初に開いた、一般利用客用のホームページに移動する。「お荷物集荷」と書かれたボタンを押し、申し込み画面を開き、入力する。自分で集荷依頼をするのは初めての経験だった。慣れない手つきで、文字を打ち込む。

氏名欄には、偽名を入力した。

集荷先の住所は、今調べたばかりの配達エリアに該当する雑居ビルを選んだ。青柳雅春も何度か仕事で訪れたことのある、駅から北東部に向かった場所だ。インターネットカフェからも距離がさほど離れていない。

その雑居ビルには、三階に喫茶店があったはずで、記憶を頼りに、店名を書いた。ビルのオーナーが道楽で営業しているのか、週の半分はシャッターを閉じているようないい加減な店だった。

荷物の大きさは、一番大きいサイズの段ボールを三つとした。日時を選択するところで、手が止まる。「翌日以降の日時を選択してください」との但《ただ》し書きがある。本音を言えば、今から一時間後にでも集荷に来て欲しかったが、それは無茶な相談だろう。電話をして、緊急性を訴えれば対応してくれるかもしれない。現にそういった迷惑な客は青柳雅春の記憶にもあったが、怪しまれる可能性は高い。パソコンの時計表示に目が行く。何度見ても、十八時過ぎで、集荷依頼は一番早くても、「翌朝九時」だ。

今から十五時間も先か、と椅子にもたれる。十五時間後、自分がいったいどういう状況にあるのか、想像もできない。ただ、どんなことでも行動しないよりはマシに思えた。「集荷申し込み」のボタンを押す。

その後で、パソコンの電源を切る。汲《く》んできたホットコーヒーはすでに冷めていた。飲み干し、ブースから出ると会計を済ませ、店を出た。

北に向かったことに特別な意図や計算はなかった。ただ、駅に近づくよりはましだろう、と思った程度だった。人とすれ違うたび、胃が縮む。あのままブースの中でじっとしているのが一番の得策だったのではないか、と気づいたのはずいぶん歩いてからだった。

行き先の決まらぬままいたずらに歩き、信号待ちをしているところで、公衆電話が目に入る。眼鏡の販売店の脇、ビルの入り口隅の自動販売機の横に置かれている。携帯電話の普及した今、珍しいな、と田圃《たんぼ》にひっそりと立つ地味な案山子《かかし》を眺める思いで、眺めた。そして、なかなか青信号にならないことに焦《じ》れているうちに、携帯電話の留守番サービスにメッセージが残っている可能性に気がついた。公衆電話からでもメッセージの再生はできるはずだった。携帯電話の電源を入れることは依然として怖かったが、公衆電話から確認するのなら大丈夫ではないか。

財布から硬貨を取り出し、電話をかける。リュックの中から手帳を取り出し、留守番電話サービスの番号を確かめ、ボタンを押した。手順どおりに、電話番号や暗証番号を押していくと、「メッセージが一件あります」とアナウンスがあった。潑剌《はつらつ》とした声にも、冷淡な声にも聞こえる。背後を通る車の音がうるさくて、受話器を耳に強く当てた。

「あ、俺です。小野です」と再生された声は言った。小野とは誰だ、と思うより先に、それがカズの声だとは判別がついたので、そうかカズは小野というのだっけ、と暢気《のんき》に思った。

「青柳さん、無事っすか？　電話の充電切れたって言ってたけど、でも、やっぱり、俺、心配になって」カズの声は、なかなか愛の告白ができず、ためらいつつも言葉を発するかのようだった。「もし、この留守電聞けたら、ファミレスから、すぐに出てください。ってか、いつ、これ聞いてるんだろ。ってか、俺、今から行きますけど。ってか、やっぱり、青柳さんがそんな怖いことしたなんて信じらんないんですよ。ってか、俺んところに来た、警察ってほうがよっぽど怖かったし」

「ってか」青柳雅春は、メッセージの中でカズが何度も繰り返すその接続詞を思わず、口にしてしまうが、同時に受話器を握る手に力が入る。警察？　カズのところに警察が来たのか。

「最初に青柳さんから電話来る前に、警察から連絡があったんですよ」ともカズは言っている。俺が電話する前？

「やっぱり、やばい気がするんで、これを聞いたら、店から出てくださいよ、青柳さん」

青柳雅春は顔をしかめ、息を細く出す。長く、細く、吐き出す。カズの忠告は遅かった。もうファミレスからは逃げてきた。

言葉がそこで途切れ、終わりなのかと思ったがそこで、「あ、あんたたち、何で」と受話器の向こう側で声がした。カズの声の調子が変わり、再び神経をそちらに戻した。「勝手に入ってきて。鍵《かぎ》どうしたんすか」とカズが怒っている。怒り以上に、怯《おび》えが含まれているのは明白だった。

メッセージがぶつりと切れた。溌剌とした音声が、日付と時間を述べた。つい、十五分ほど前だ。カズの身に何が起きたんだ？　疑問に思いつつも、見当がつかなくもなかった。カズの部屋を何者かが訪れた。無断でずかずかと上がり込んだ。となれば、その何者かは、青柳雅春を追いかけてきたあの捜査員の仲間の可能性が高い。違うだろうか？

車が背後を通過する。エンジン音があまりにも大きかったので、横に飛びのき、体を守るように背中を丸めた。リュックの中の荷物が音を立てた。携帯食品が割れたかもしれない。慎重に動かなければ、もっと大事なものが割れるような気がした。

青柳雅春

カズの携帯電話にかけた。公衆電話からでも、自分の居場所がばれる可能性はあったが、メッセージに残っていたカズの怯え方が、叩《たた》かれた太鼓の震えのように、頭の中に残っている。

カズは無事なのか？

電話番号を知るために、携帯電話の電源を入れた。その瞬間、「ここに青柳雅春がいるぞ」と目には見えない電波が街中に放射された恐怖に襲われる。世の中の誰もが、自分の居場所に気づき、注目し、攻撃をしてくる、そんな錯覚があった。素早く、着信履歴を見て、公衆電話のボタンを押す。鼓動が早くなり、胸が痛かった。

「はい」と出た声はカズのものだった。

「カズか」と高い声を出して、言った。

「青柳さん」

「声がかすれてる。大丈夫か」

「やばいっすよ、青柳さん。何で、電話かけてきてるんですか」ずいぶんと弱々しく、朦朧《もうろう》としている。

「おい、大丈夫か？」

電話の向こう側でがさごそと移動する物音がして、やはり、誰かいる、と察した時には、「青柳雅春？」とぶっきらぼうに、フルネームを呼ばれた。

「誰ですか」

「君は誰だ」

「俺は青柳雅春ですよ。そっちは？」

彼はすぐに低い声で、警察庁警備局総合情報課、と名乗った。それは所属する部署であって名前ではない、と思ったが、彼は自分の氏名を述べるつもりはないようだった。

「公表はまだ控えているけれど、君が犯人だということは分かっているんだ。逃げられるはずがない。今なら、いくぶんか譲歩してもいい。自首という扱いにすることも可能だ」

「俺はやってない。犯人じゃないんだ」まさか自分の人生のうちで、そんなことを口にする時が来るとは思ってもいなかった。

「犯人は絶対に、俺が犯人だ、とは言わないものなんだ」相手はにべもない。

青柳雅春は公衆電話を思い切り揺すり、「どうして分からないんだ」と罵《ののし》りたくなった。目の端、歩道の脇《わき》の、つつじの植え込みのところにひっそりと隠れるような形でセキュリティポッドが置かれている。小さなドーム型をした頭部に、赤や白の小さなパイロットランプが点滅している。ここで電話をしている情報を、あれが監視しているのか？　セキュリティポッドに背中を向けた。番犬や番人に睨《にら》まれている気分だ。

「青柳さん、逃げたほうがいいですよ。こいつら、おかしいですよ、絶対」後ろで、カズが大きな声を出すのが、受話器から聞こえてくる。すぐ後に、呻《うめ》きが聞こえた。

「おい」と青柳雅春は声をかける。「何してるんだ」

「何があったと思ってるんだ？」と相手は平坦《へいたん》な声で、質問を返してくる。

「カズに暴力を振るってないだろうな」相手は警察なのだから、まさかとは思いつつも、訊《たず》ねずにはいられなかった。

「振るうわけがないだろう」

その後で、カズの声が聞いたことのない悲痛さを伴い、聞こえた。

「おい」

「君がやったことは本当に大変なことなんだ。首相を殺害した。緊急の、異常事態だ。緊急の、異常事態には少しばかり、乱暴なことをするのも避けられないんだ。なぜか分かるか？」

「分かるはずがない」

「緊急の、異常事態をこれ以上、起こさないためだ」

「そんな馬鹿《ばか》な話はない」

「馬鹿じゃない」と相手はその時だけむっとした。「アメリカの同時多発テロを見たらいい。首謀者を捕まえるのに、いったい、何人の無関係な人間を殺害した」

「おまえたちはアメリカじゃない」

「そうだ。俺たちはありがたいことに、アメリカではない。そして、君は犯人だ」

「カズは関係がない。追うなら、俺を追えばいい。それだけじゃないか」

「君の友人を無事に解放する方法はある」

「解放も何も」

「君が今から、最寄りの交番に出頭するか、もしくは、これから、このマンションまで来るか、だ。そうすれば、この小野君はすぐにでも普段の生活に戻る」

「カズを痛めつけても、何も出てこないんだ」

「青柳雅春が来てくれることを望んでいるよ」

公衆電話に入れた硬貨がそろそろ切れる予感があった。さらに追加すべきかどうか、悩む。すでに、この場所は察知されているのだろうか。知らず、苛立《いらだ》ちと焦《あせ》りで足を揺すっていた。

「俺は犯人じゃない」もう一度、強く言った。

「犯人こそ、そう言うんだ。自分が犯人だ、なんていうのは犯人じゃない」断定的に喋《しゃべ》る、男の傲慢《ごうまん》さに腹が立ったのかもしれない、気づくと青柳雅春は、「それなら、俺が犯人だ」と言っていた。

一瞬、相手が黙る。

「これで俺は、犯人ではなくなるのか？」一矢《いっし》報いたのか？

「君は状況が分かっていない」

「そうだ、森田は？　森田はどうなってるんだよ」

「森田？」相手は白を切るのではなく、本当に困惑していた。ほどなく、「ああ、あの君の友人か。君が殺した、あの？」と続けた。

「殺した？　何のことだ」

「車に爆弾を仕掛けて、爆発させたんだろ」

青柳雅春は一瞬、言葉を失う。昼間に、タクシーに乗る直前に聞こえた爆発音が耳に甦《よみがえ》り、頭の中が空っぽになる。もりた、という言葉がその空っぽになった脳裏に、じんわり浮かぶ。

「何をいまさら」と相手は言い、電話が切れた。青柳雅春は公衆電話の前に立ち尽くす。座り込みそうになったが、どうにか堪《こら》えた。

「人間の最大の武器は、習慣と信頼だ」森田森吾の言葉が頭を過《よ》ぎる。森田はどうなったんだ？ 頭を強く、振る。森田森吾のことを頭から、必死に振り払う。何度も頭を振り、こびりついた「もりた」を払い落とす。

青柳雅春

カズのマンションに行くのは危険だ。明白なことだった。子供でも分かる。猟銃を構えた狩人《かりゅうど》たちがいる場所に、的を担《かつ》いだ鹿《しか》がのこのこと出かけていくのと同じ、などという陳腐な喩《たと》えをするのが憚《はばか》られるくらいに、明々白々なことだった。

ただ、「本当にすみません」と言ったカズの声と、先ほどの弱々しい呻き声が頭から消えない。

「君の友人を無事に解放する方法はある」と電話の男は言った。

頭に血が昇る。顔をゆがめ、痒《かゆ》くもないのに、頬をこすった。学生時代、森田森吾が自慢げに喋っていたリョコウバトの話がそこで頭に浮かんだ。考えまい、とすればするほど、森田森吾の記憶が溢《あふ》れてくる。車に居残った彼の姿が見え、逃げている途中で聞こえた爆発音が耳に響く。

リョコウバトとは、二十億羽もの群れで飛んでいたにもかかわらず、人間の乱獲により絶滅した鳥だ。

当時のハンターたちは、リョコウバトの目を潰《つぶ》したという。目の見えなくなったハトは、ばたばたと暴れるため、その様子を見た仲間のハトたちは、「あれは餌《えさ》を食べているんだな」と勘違いし、寄ってくる。そこをハンターたちは狙《ねら》い撃ちにした。

「酷《ひど》い話だろ」と言いながら、森田森吾はなぜかその人間の酷さを嬉《うれ》しそうに話した。

今の自分の状態は、そのハトに近い。

カズは痛めつけられている。

カズはまさに目を潰されたハトで、何があったのか、と俺が近づけば、そこを、ずどん、と撃たれるのだ。撃たれないまでも、手錠をかけられる。

これが映画だとすれば、とても、シンプルな脚本だ。むざむざその脚本に乗っかる必要があるとは到底思えなかった。しかも、リョコウバトと異なり、自分の場合は罠《わな》と分かった上で、飛び込んでいくのだから、これほど愚かなことはない。

「そうだ、愚かだ」青柳雅春は顎《あご》を引く。「行くのは馬鹿だ」

けれど、足は、カズのマンションのある方向を目指していた。歩幅が広くなり、踏み出す足に力がこもる。「友人を返してもらいに行くのだ」という思いに背中を押される。

歩道を進み、横断歩道を渡ったあたりで、どういうわけか両親のことを考えた。駅のプラットホームで、痴漢に馬乗りになり、拳《こぶし》を振り回し、「この痴漢をちゃっちゃとやっつけて、風呂《ふろ》入って、寝るぞ」などと言っている父親の姿と、その前でおろおろする母親の姿だ。

青柳雅春はそこで、足を止めた。

「勢いで行動するんじゃなくてさ、もっと、冷静に手順を踏むのが、人間だよ」

記憶の中で声が響いた。誰の声かといえば、それは間違いなく、過去に自分が発したものに間違いがなかったが、いったい、いつ、どういうタイミングで、誰に対して言ったのかもうろ覚えだった。おそらくは樋口晴子に言ったのだろう、とは見当がついた。

とにかく、自分が父親を揶揄《やゆ》した台詞《せりふ》が、青柳雅春の歩みを止めた。

このまま、カズのマンションに乗り込んでいって勝算があるのか？

マンションにどれほどの男たちがいるのか分からないが、青柳雅春が訪問することを考え、複数の人間が張り込んでいる可能性は高かった。

携帯電話をつかむ。回れ右をし、来た道を引き返す。

駅の周辺は、普段よりも人通りが少なく、飛び込んだ家電量販店の店内も空《す》いていた。入った途端に、騒がしい宣伝が聞こえてくるが、その賑《にぎ》やかさの割には客がいない。明るい照明の利《き》いた店に入ると、その平穏な日常が新鮮だった。さっきまで自分が抱えていた恐怖心や緊張感、憤《いきどお》りや焦りが汗のように蒸発していく。

昼、森田森吾に会ってから続いた、奇妙で物騒な出来事はすべて嘘《うそ》で、今、ここの店内の、たとえば、エアコンであるとか、くるくるドライヤーであるとか、「画期的イオン」と広告のぶら下がった掃除機であるとか、そういった生活に密着した、平和の象徴にも思える家電製品たちのほうが現実に違いない。そう、思いたかった。

けれど、大型テレビの売り場で、その、ずらっと十数台並んだ画面に、金田首相のパレードの様子が映し出されているのを見ると、やはり、自分の置かれている状況に引き戻される。稲井氏のマンションで見た映像と同じだ。この街で起きたこととは信じがたい、爆発シーンが繰り返されている。

脇のテレビでは、別の番組が流れている。

「これは90ですね」と白髪の男性が言うのが映っていた。横にいる、別の者たちが大きくうなずいていた。全員が男性ではあったが、年齢も服装もばらばらで、彼らには何の共通点があるのか、と不思議に感じたが、見ているうちに判明する。

90とは、搭載されているエンジンの大きさだ。彼らは、ラジコンヘリコプターのフライヤーだった。うろ覚えではあるが、白髪の男性には見覚えがあった。

「大岡のエアホバー」と別の男が断定するのも聞こえた。

青柳雅春は拳をぎゅっと握る。まさにそれは、自宅にあるラジコンヘリの機種に他ならなかった。あのエアホバーはまだ部屋にある。あれと、犯行に使われた機種が同一であるのは、決して、偶然ではないのだろう。それくらいは分かった。

周到に準備されていた。そう考えるほうが、無理がない。

井ノ原小梅は？

家電量販店の陳列されたテレビ画面の前で、立ち尽くす。ラジコンヘリを購入したのは、井ノ原小梅に勧められたからだ。彼女と出会わなければ、ラジコンヘリに手を出すこともなかった。今日、何度か繰り返した自問が、また、過ぎる。井ノ原小梅は信頼できるのか？

立ち尽くしている姿を不審に思ったのか、それとも購入を期待できる客だと踏んだのか、「お探しのテレビはありますか」と店員が寄ってきたが、井ノ原小梅は信用できますか？と訊ねるわけにもいかない。ぎこちなく挨拶《あいさつ》をし、その場を後にする。

ICレコーダーを買った。財布を広げ、クレジットカードを取り出したが、もしかすると、その利用記録が監視されているかもしれない、と怖くなった。そんなことまでやるのか、とも思うが、ファミレスでの発砲やカズへの応対のことを考えれば、何があっても不思議ではなく、それくらいのことならやる、と予想できた。が、現金で払おうとした直前でまた考え直し、結局、クレジットカードを使った。居場所を特定されたほうが、今は、都合がいいかもしれないのだ。

次に、奥のゲーム売り場へと向かった。筆箱大の携帯ゲーム機を購入する。一時期は品薄でニュースでも話題になっていたが、今はずいぶん、陳列されていた。

「ゲームソフトはいらないですか?」店員が言う。

「これ、テレビとしても使えるんですよね」

「余裕で使えますよ。楽勝です、楽勝です」と店員は自分がそれを開発したかのような、誇らしげな顔をする。「高性能ですよ。屋内でも移動中でもばっちり映るし。どこでも観《み》られます」

店から出ると、駅の裏手に入り、ゴミ箱の前で、中身を取り出した。機械に電池を詰める。説明書はリュックに押し込み、箱は捨てた。

ICレコーダーの操作方法を確認しながら、自分の声を録音する。何度か練習をし、一度録音内容をすべて消去すると、まわりに人がいないのを見計らい、声を張って、録音をした。気持ちを込め、機械相手に喋るのはそれなりに恥ずかしかったが、仕方がない。「俺は今から、仙台市を出る」と録音する。それが終わると、ゲームセンターに目を向けた。時計を見る。「まだ、いてくれよ」と思う。「ヘルプ」とビートルズの歌詞を口ずさみ、足を進めた。

青柳雅春

カズの住むマンションの屋上が見えると、青柳雅春は足が止まりそうになった。奥歯を嚙《か》み、腹の中のゼンマイを巻く気分で、また進む。気づくと、「ゴールデン・スランバー」の歌詞を口ずさんでいた。「Golden slumbers fill your eyes」「Smiles awake you when you rise」とポール・マッカートニーは歌い、「Once there was a way to get back homeward」と言って、そして、ばらばらになったメンバーをどうにかひとつにしようとしていた。故郷へ続く道を思い出しながら、だ。結局、バンドは元には戻らず、ポール・マッカートニーは後半の曲をつないで、メドレーに仕上げた。

はじめてその話を聞いた時、おそらくそういった話を聞くとしたら、学生時代のファストフード店での雑談の他にないから、きっとカズか森田森吾に教えられたのだろうが、青柳雅春は、四畳半で一人、肩をすぼめ、多重録音の機材を前にヘッドフォンをし、必死に八曲を繋《つな》いでいる、ポール・マッカートニーの姿を即座に想像し、その孤独さにしんみりとしてしまった。

「何で四畳半なんだよ。スタジオに決まってんだろうが」森田森吾はそう馬鹿にし、確かにそれはそうに決まっているのだが、散り散りになるバンドの中で黙々と作業するポール・マッカートニーはきっと、「昔に戻ろうよ」と願いを託し、メドレーを作っていたような気がしてならない。

昔に戻ろう、とポール・マッカートニーが実際に願っていたのかどうかは分からないが、青柳雅春はまさにそんな思いで、「あの時に戻らないといけない。あの時の仲間を助けなければならない」という一心で、歩みを進めていた。

マンションには、敷地の外からエントランスまでの通路があり、その脇《わき》に植え込みが並んでいる。薄暗い中、奥には小さな遊具スペースが見える。青柳雅春は敷地に踏み込まず、歩道沿いに立つブロック塀に身を隠した。塀に背をつけ、時計を見る。先ほど、ゲームセンター前で話を交わした、雑誌を売る黒豹《くろひょう》ジャージの男のことを考えた。

「東口でこの携帯電話から、電話をかければいいんだね？」顎鬚《あごひげ》に白髪のまじった彼は、青柳雅春の渡した携帯電話を握り、確認した。

「リダイヤルをしてくれればいいですから」そうすれば、カズの携帯電話にかかるはずだった。

「俺は喋らなくていい？」

「このレコーダーを再生させて、相手に聞かせてやってくれれば、それで」青柳雅春はICレコーダーを片手に、操作方法を説明する。

こういう機械をいじるのは得意じゃないんだよな、昔の人だから、と彼は照れ臭そうに、頭を掻《か》いた。アナログの人間なんだよな、と。フケがぼろぼろ落ちたが、そのことよりも、照れ笑いが幼く見えるほうが、気になった。ICレコーダーに触れながら、玩具《おもちゃ》を前にした子供に似た表情を浮かべている。実年齢が分からない。

「相手が何を喋ってきても、気にしないでいいので、かまわず、再生してください」

「それで、会話になるのか？」

「もともと、会話が成り立つような相手じゃないんですよ」

「偉そうな奴《やつ》ほどそうだよな。人の言うことなんて、聞いちゃくれない」

「一方的ですよ。人のことを犯罪者扱いで」青柳雅春が言うと、彼も、「俺もよく、そういう目で見られる」とぼやいた。

「仕事中に、こんなお願いをして申し訳ないです」

するとと黒豹ジャージの彼は、脇の雑誌の束を抱え直し、あまり清潔とはいえない歯をにっと見せ、「アイ、ヘルプ、ユー」と綺麗《きれい》な発音で言った。

ごく簡単な思い付きだった。自分の居場所を彼らが、携帯電話やセキュリティポッドから得ているのであれば、それを逆手に取れないかと思ったのだ。自分の声を録音したレコーダーを、黒豹ジャージの彼に再生してもらえば、カズのマンションにいる警察たちは、その発信源を突き止め、仙台駅東口に注意を向けるかもしれない。その間に青柳雅春は、別の場所、たとえばカズのマンションに近づくことができる。黒豹ジャージの彼には、十九時、と頼んであった。頼むよ、おじさん、と祈る。塀から身体《からだ》を乗り出し、マンションの、ちょうどカズの部屋がある位置を確かめた。二階の向かって一番右側、エレベーターからもっとも遠い場所で、非常階段のすぐ隣にあたる。

足音と人の声が聞こえ、慌《あわ》てて、背を向ける。塀に身体を寄せた。

「東口だ」と男の声がした。エントランスの方向から歩いてくるのだ。電話に向かって、喋りかけながらだった。「電話が入った。携帯からだ。青柳雅春の番号に間違いがない。声も、そうだ。今から行くから、おまえたちも向かってくれ。バスに乗る、と言っていたが本当かどうかは分からない」

青柳雅春は、忍者さながらに塀に背をつけ、様子を窺《うかが》う。敷地から出てきた男は携帯電話に喋りつづけたまま、塀を気に留めることもなく、まっすぐ車道を渡っていった。目で追うと、対向車線側の路肩にセダンが止まっている。夜の、しかも照明下では、色は分からない。高級車なのか、車体は大きかった。横線がいくつも入り、個性的な模様だ。

男はその運転席のドアを開けた。街路灯で、男の姿が少しだけ把握できる。髪は少しパーマがかかっている。ひょろっとした体型で、年齢ははっきりしない。エンジンをかけたのか、車が獣の寝息じみた震えを発する。

そこですぐ横に、ぬっと別の影も現われた。びくっと塀に身体をぶつけそうになる。あの男だった。がっしりとした体格に、耳にした大きなヘッドフォン、そして右手に持ったショットガン、あんな特徴の男がこの日本に、この仙台に、二人もいるはずがなかった。間違いなく、ファミレスにいた男だ。やはり、車道をのしのしと渡った。

やがて、二人を乗せたセダンが発進した。

黒豹ジャージの彼は、頼んだ通り、青柳雅春の声をICレコーダーで再生したのだろう。「カズのところには行かない。バスで移動する。カズのマンションで待っていても無駄だ」と録音したメッセージを、携帯電話を使って、聞かせてくれた。

その電話を聞き、警察たちは、駅の東口へ向かったに違いない。今、発進したセダンは、まさにそれだろう。彼らが携帯電話の位置情報を正確に得ていればいるほど、影響を受けるはずだ。

カズの部屋に何人の警察がいたのかは分からない。ただ、少なくとも二人は消えた。あの、ショットガンの男もいなくなった。運が良ければこれで、カズの部屋には誰もいなくなったかもしれないし、そうでなくとも、敵の数は減った。

「行け」と誰かの声がする。自分の声かと思うが、森田森吾のものにも思えた。「行けよ」と。森の声は何と言ってるんだよ、森田。塀から離れて、マンションの敷地へ踏み入る。エントランスではなく、右手に進む。非常階段から向かうことにした。

青柳雅春

二階の非常階段からマンション内に入る。二階通路の左手、最初に見える扉が、カズの部屋のものだ。通路沿いに置かれた消火器が目に入った時、ためらうこともなく、持ち上げていた。カズが昔、別れ話の際に、彼女に消火器をぶちまけられたというエピソードを考えれば、消火器を使うのは相応《ふさわ》しくも感じられた。リュックをしっかりと肩にかけ直し、左手で消火器を抱え、ホースを右手に持つ。ピンを抜く。軽く構え、レバーに手をかける。

消火器を抱え直し、インターフォン前に立つ。呼び出しのボタンに親指で触れたところで、「普通は人差し指っすよ」とカズに言われたことを思い出す。いつだったか、エレベーターのボタンの押し方が不自然だと、サークルの仲間たちに笑われた時のことだ。指を止めた。ドアノブに手をかける。先ほどの二人がこの部屋から出ていったのであれば、そして、警察がカズのところに出入りしているのであれば、わざわざ鍵《かぎ》をかけている可能性は低いかもしれない。

ゆっくりとノブを回し、手前に引くと簡単に動いたものだから、自分で開けておきながら声を発しそうになる。

慎重に忍び込むべきか、もしくは、なりふり構わず騒々しく乗り込むべきかと逡巡《しゅんじゅん》した後、後者を選んだ。相手の裏をかき虚を突くのであれば、威勢良く騒ぎ立てるのが得策だと計算したのだ。単に、これ以上、緊張を維持したまま、慎重に行動する自信がなかったせいもある。

ドアを思い切り開け放し、消火器を壁にぶつけながらも、土足で廊下に入り、大股《おおまた》で居間に飛び込んだ。

真っ先に目に飛び込んだのは、左手のソファのところで、仰向《あおむ》けに倒れたカズだった。瞼《まぶた》が腫《は》れ、唇の端が青くなっていた。

「カズ」と名前を呼ぶのと同時に、右側から大きな影が飛び掛ってくるのが分かった。考える暇もない。左手で持っていた消火器を思い切り、横に振った。振りながら、投げた。

両手を出し、つかみかかってくる制服の男は、突如として放られた消火器を避けることもできず、顔面で受け止め、後ろにひっくり返った。両手をあげ、降参する蛙《かえる》じみた倒れ方をする。

消火器とぶつかった相手の状態が気になりつつも、まずはカズに近づき、「おい」と頰に触れた。鼻に手の甲を寄せると、息をしているのが判明し、少しだけほっとする。

「おい、起きろよ、何寝てんだよ、カズ」

カズは一瞬、目を開け、確かに青柳雅春を確認したような顔を見せたが、「青柳さん」と洩《も》らした後、何か言いたげに口を開けた後でまた目を閉じた。

青柳雅春は自分の胸の奥から熱い湯気のようなものが、湿り気を伴い昇ってくるのを感じ、自ら、まずい、と感じた時には、目尻《めじり》から涙が粒になり溢《あふ》れた。慌ててぬぐうが、しばらく止まらない。悲しさや憤《いきどお》りよりも、どうしてこんなことが起きているのか、と混乱から、泣いていた。

どうなってんだよ。どうなってんだよ、森田。どうなってんだよ、カズ。

消火器の下に倒れた男がもぞもぞと動き出した。青柳雅春は上半身を上げ、捻《ひね》り、様子をうかがう。相手が立てば、すぐさま次の攻撃を仕掛けるつもりだったが、もちろん攻撃と言っても大外刈りくらいしかなかったのだが、どちらにせよ、そうはならない。

リュックサックを肩から外し、ロープを取り出すと、倒れた男に近づき、両手を無理やり引き寄せ、縛った。目をうっすらと開け、朦朧《もうろう》とした目で見てくる男は何か言いたげだったが、言葉は発しなかった。消火器で殴ったのは自分だとはいえ、無事で良かった。

立ち上がり、カズをもう一度見る。自分が病院や警察に通報するよりは、隣の部屋の住人にカズのことを頼んだほうがいい、と思い、玄関を出た。

隣の部屋のインターフォンを鳴らす。待っている間も、自分がモニタに映るのが怖く、顔を背けた。そのせいなのかどうかは分からないが、応答がない。ドアに耳を近づけると、隙間《すきま》から音楽のようなものが漏れては来る。人がいるのは間違いないが、反応がない。この大事な時に何をやっているのだ、と怒りを覚える。

ドアを叩《たた》く。最初は、手の甲で軽くだったが、そのうちに拳《こぶし》で何度も叩いていた。

「おい、開けてくれ。開けてくれよ」

背後に人がいることも気づかなかった。

「青柳さん、宅配ドライバーがそんなに乱暴に訪問したら、まずいですよ」と後ろから言われる。同時に、ガシャンと音がした。弾が装填《そうてん》される音のようだ、と振り向くと、ショットガンの銃口があった。

青柳雅春

乗せられた車は、横線の入ったセダンだった。つまり、つい先ほど、マンションの前で発進したのを目撃したはずの、車だ。車内は広々としている。床には絨毯《じゅうたん》が敷かれているような、高級感がある。

運転席に座った男はヘッドフォンをつけたままだった。青柳雅春は、後部座席の奥に座らされていた。腕には、手錠もなければ、ロープもなく、自由な身ではあったがすぐ隣に警察庁の男が腰を下ろしている。佐々木一太郎、と彼は名乗った。緩やかにパーマのかかった髪と、垂れた二重の目は、不自由なく育った名家の長男坊じみた印象があったが、脆弱《ぜいじゃく》な優等生というよりは、苦労知らずに生きてきた常勝組のような、威圧感に満ちていた。

「どこに連れて行くんですか?」青柳雅春は訊《たず》ねた。奪われた自分のリュックサックが、佐々木一太郎の脇に置かれている。脱がされたニット帽もそこに入れられていた。

「君は東口にいるんだと、最初は思った」佐々木一太郎は、青柳雅春の質問には答えず、無表情のまま言った。「君の携帯電話から、小野君のところに電話があって、発信源を調べたら間違いなく、駅の東口ロータリーだった。声も君のものだった。だから、彼と車で東口に向かった」と運転手に一瞥《いちべつ》をくれる。「ただ、途中で捜査本部から連絡が入ったんだ。君の携帯電話が使用されているという地点に、ポッドがあるんだが、そこからの映像には君が映っていない。かわりに、慣れない手つきで、携帯電話と小さい器具をいじっている男がいた、と」

「ICレコーダーですよ」青柳雅春は全身から力が抜けるのを感じた。

「ICレコーダーなのか」

「何でもかんでも監視されているんですね」

「電話でも言ったように、異常事態なんだ」

「異常事態になる前からのシステムですよ」

「泥棒を見つけてから縄をなうべきかい？」

青柳雅春はいつ自分が殴られるか、と怯《おび》え、つまりは覚悟していた。すぐ隣にいる佐々木一太郎は手を出そうと思えばすぐにできるはずであるし、彼の言うように、「異常事態」であれば、それをする権利が彼にはあるように思えた。

けれど、彼は落ち着き払ったまま、身体を動かそうとしない。そもそも、と青柳雅春は思った。そもそも、この佐々木一太郎は、首相暗殺の犯人がこの自分だと、どの程度、信じているのか。彼のまなざしは冷たい。観察者や研究者に似ている。犯罪者に対する嫌悪《けんお》や、仕事に対する使命感が感じられず、思わず、青柳雅春は、「俺が濡《ぬ》れ衣《ぎぬ》だって、知ってるんじゃないですか？」と口走っていた。佐々木一太郎は目に力を少し込めた。

「俺が犯人じゃないと分かっているんじゃないですか？」

「電話でも言ったが、たいがいの犯人はそう訴えるんだ」

佐々木一太郎は無表情にそう言った後、「明日になれば、君のことが公開される。顔写真はもちろん、氏名や何から何までだ。君は有名人だから、たぶん、普通の人間以上に騒がれる」と続ける。

「ぜんぜん有名人じゃないですって」

「アイドルを救った英雄なんだろ？」

「有名人とおだてられただけですよ」

「おだてて落とすのが世間の趣味だ」

「犯人だという証拠は何なんですか」

「証拠は次々と出てきているんだよ」

「次々と？　どこからどうやって？」

「残念だが、そんなものは出てくる」

佐々木一太郎は瞼を一度閉じ、ゆっくりと目を開けると、「君が今日、首相を殺害する前に、トンカツ屋に寄ったことを店主が証言する」「君がラジコンヘリを買った店の、監視カメラが提供される」「川原でラジコンヘリの操縦をしていたところをホームビデオで撮影されていた」と順番に説明した。

「それは変だ」と青柳雅春は声を荒らげた。唾《つば》が飛び、佐々木一太郎の鼻の脇《わき》に飛んだ。彼は気にかける様子もない。「俺は今日、トンカツ屋になんて行ってない」森田森吾と訪れたのはファストフード店だった。「それに、ラジコンヘリは俺が買いに行ったんじゃない」井ノ原小梅が買って、直接、渡してくれた。青柳雅春は代金を払っただけだった。

「カメラに映像が残っている」佐々木一太郎は落ち着いたままだ。

セダンが左へと曲がり、身体《からだ》の重心が右へと流れる。佐々木一太郎はまっすぐ座ったままだった。

「君が、確かにそこに映っている。誰もがそれを信じる。そういうものなんだ」

「偽者《にせもの》だ」青柳雅春は自分でそう言った後で、偽者、とは何とも幼稚な言葉だな、と思った。

「私は、君に機会をあげようと思う。正確には、君に機会をあげるように、と言われている」

「機会？」その言い方はあまり喜ばしいものには感じられなかった。

「君が自首をする機会だ。私はまだ、君に手錠をかけていない。このまま、交番の前に落としてもいい。とにかく、指名手配され、名指しされる前に、首相暗殺を自首すればいい」

「やってもいないのに？」

「情報が公開されれば、君はもちろん、君の家族や友人、職場の知人までもが巻き込まれる。マスコミが追い掛け回す。想像はできるだろう？　そうなる前に、君は自首をすればいい」

「自首をしても同じだ。結局、マスコミは俺の周辺を追い回す」マスコミの執拗《しつよう》さと影響力については、経験済だった。

青柳雅春の言葉に、佐々木一太郎は唇を強く結んだ。

「俺が自首するはずがない。犯人じゃないからだ」何度でも、その台詞《せりふ》を繰り返すつもりだった。

「それならば、このまま警察に連れて行くだけだ」と佐々木一太郎は体温の感じられない声で言った後で、「いいか、君が、自首をするのなら」と続け、「つまり、罪を認めるのなら」と若干、声を強くした。「君の周辺に面倒なことが起きないよう、できる限りのことはする。確かに、今日の事件はセンセーショナルで、恐ろしい事件だが、犯人である君にも何らかの、情状酌量に値する、たとえば、マスコミがかろうじて同情を感じたくなるような背景を強調することはできる」

「そんな背景はない」なぜなら、背景も何も、俺は犯行とは無関係だからだ、とやはり訴えた。

「背景があるように見せかけることはできる、と言う意味だ」

青柳雅春は、彼の言うことが一瞬、理解できず、悩んだ。「でっち上げ?」

「情報をコントロールするんだ。君は犯人だが、憎むべき、おぞましい人間ではない。

許されはしないが、同情できなくもない。そういう犯人像にする」

「情報を操作するんだ?」

「イメージ」佐々木一太郎は短く、言った。「イメージというのはそういうものだろ。大した根拠もないのに、人はイメージを持つ。イメージで世の中は動く。味の変わらないレストランが急に繁盛《はんじょう》するのは、イメージが良くなったからだ。もてはやされていた俳優に仕事がなくなるのは、イメージが悪くなったからだ。首相を暗殺した男が、さほど憎まれないのは、共感できるイメージがあるからだ」

佐々木一太郎が、青柳雅春を真犯人と認めているかどうかは別としても、どうして彼が、すぐに警察に自分を連れて行かず、自首などを勧めてくるのかが疑問だった。異常事態の大事件なのだから、有無を言わせず、青柳雅春を警察に連れていけば良いだろうに、取引めいたことを言い出してくる理由が分からなかった。

が、少しずつ飲み込めてくる。おそらく彼は、彼らは、スムーズにこの事件を収束させたいのではないか?

彼らが望むのは、真相を明らかにすることではない。

金田首相が暗殺された、真の理由や動機、方法、ましてや真犯人には興味がない。

ただ、このことを万人が納得する形で、収めることだけを考えている。

このまま無理やり逮捕したところで、青柳雅春が徹頭徹尾、無実を主張する可能性はある。いくら、ラジコンショップの映像やトンカツ屋の証言が実在したとしても、青柳雅春には身に覚えのない証拠だから、裁判になれば否定する。結果的に、裁判で彼らが勝つにしても、一般の人間には違和感が残るかもしれない。誰もが納得できるとは限らない。

だから、青柳雅春にすべてを認めさせ、「証拠も何も本人が白状しているのだからそれが答えなのだ」と押し通すつもりなのではないか？

そのほうが、流れも良く、問題が少ない。世間に主張し、マスコミを納得させられればそれでいい。

青柳雅春は激昂《げっこう》よりも、脱力感に襲われる。

彼らが真実に興味がないとしたら、自分が無実を証明する方法はあるのか？

真犯人を見つけ出し、彼らの前に突き出したところで、状況は変わらないのだ。眩暈《めまい》がした。自らの無力さに、背中の毛が逆立つほどだった。

「割に合わない、と思っているか？」佐々木一太郎が言った。

「合うわけがない」

「あんな恐ろしい事件を起こしたくせに？」

「起こしていない」

「君は今、溺《おぼ》れている。沼に沈んでいく。じたばた暴れると、沈む速度は増すし、他の人間も道連れにするかもしれない。大人しくしていれば、私たちの言うとおりにしていれば、沈むにしろ肩まで程度で、済むかもしれない」佐々木一太郎はやはり、感情のこもっていない言い方をする。

「いや、どちらにせよ俺のことを、沈めて、潰《つぶ》す気のくせに」

佐々木一太郎はすぐには答えなかった。じっと、青柳雅春を見つめてきた。こちらの反応を確かめるような気配だった。観察だ。動物園の飼育員が、担当する動物の習性や体調を把握するために、目を凝らし、耳をそばだてる。そういう真剣な面持ちだった。

車が停まった。警察署にでも到着したのかと思えば、道の途中だった。前を見ると信号が赤だ。

「こういう時はサイレンとか鳴らして、飛ばしていくんじゃないんですか？」

「急いでいる時は、だ」

「今は急いでいない？」

「犯人は確保した。あとは、君を東京に連れていくだけだ」

「東京？」

「この国の特徴は、大事なことは全《すべ》て東京で行われるところにある」

「そんなに素敵な東京に連れていってもらえるなんて、光栄ですよ」

目の前が光った。殴られたとは最初、分からなかった。頬に何かが当たった衝撃があり、同時に首が曲がった。目がかすむ。体勢を戻すと、隣の佐々木一太郎は平然としていた。左手で殴ってきたに違いないが、彼が動いた形跡もない。

窓の向こう側の景色も、何事もなかったかのようにすれ違っていく。

「厳戒態勢で、新幹線、止まってるんじゃないですか?」身体の芯《しん》は震えていた。殴られた痛みよりも、とっさに振るわれた暴力に緊張と怯えが走った。ただ、その今にも萎《しお》れそうな芯を無理矢理、しゃんとさせる。ここで、弱気を見せたらおしまいだと分かってもいた。

「長時間の完全封鎖は無理だ。少しずつ、動きだしている。この道路だってそうだ。検問はあるが、仙台への出入りもできるようになった。あくまでも検問や封鎖は、犯人を捕まえるためのものだ。犯人が確保できれば、不要だ。そうだろう? 新幹線だって、動く」

「ええ、そう思います」青柳雅春は同意した。「だからこそ、まずいじゃないですか。犯人は今も、逃げてますよ。この隙《すき》に逃げているのかもしれない」

「今から逃げるのか」

「俺じゃないですよ」

また、殴られた。今度は、佐々木一太郎の肩の動きが見えた。見えた瞬間、頬に痛みが飛び、首が横に揺れた。痛みや恐怖は表に出すまい、と決めていたが、痛みと恐怖は確実にあった。それが露呈しそうで、窓を見やる。

順番ははっきりしない。もしかすると同時だったのかもしれないが、青柳雅春はいくつかのことに気づく。

信号は赤のままで、車は止まったままだ。

対向車線側の路肩に、トラックが見える。

仙台を東西に走る、北四番丁付近の道だ。

幌《ほろ》をつけたトラックには見覚えがあった。

前園さん、と青柳雅春は腕時計を確認したくなるが、佐々木一太郎の目を気にし、こらえる。

前園さん、大丈夫だったんだろうか、と青柳雅春はトラックの荷台部分に目を凝らす。数時間前、歩道橋からその幌に飛び降りた感触が蘇《よみがえ》る。いくつかの段ボールを潰したのは間違いがなかった。前園がどれほど困ったかを考えると、胸が痛んだ。昼間に会話をした際、「夜間指定の荷物もある」と彼は言っていた。テレビ番組に間に合うように、早めに配達をしよう、と。ちょうどそれくらいの時間かもしれない。順調に配達できているということか。それならいいのだが。

前園に助けてもらえるのではないか？

閃《ひらめ》いたのは、窓から視線を下げた際に車のドアの、取っ手が見えた時だ。手を伸ばせば、すぐ触れることができる。余裕があるからなのか、過信からなのか、佐々木一太郎は、青柳雅春の手足を縛ってはいない。しかも、驚くべきことに、ドアのロックが外れている。

頭の中で、段取りを必死に思いめぐらす。ドアを開け、すぐに飛び出し、対向車線まで駆け、前園のトラックの助手席に飛び乗る。前園は驚くだろうが、きっと、味方になってくれるのではないか。なってくれるはずだ。

信号待ちの今しか、チャンスはなかった。反対側のトラックの運転席に、まさに前園が乗り込もうとしているのが見えた。好機といえば、これほどの好機はない。

「行け」とまたもや、誰かが身体の内側で、声を発する。自分自身でもあり、森田森吾でもあり、カズでもある声だった。行け、逃げろ。

青柳雅春は、佐々木一太郎のほうは向かずに腰をゆっくりと上げる。ドアの取っ手を左手で引っ掛ける。手前に引くと同時に、右腕で押し、外に出る。

そのつもりだった。

けれどどういうわけか、取っ手を引いたにもかかわらず、ドアは微動もしなかった。すかすかと張り合いのない動きを見せるだけで、ドアと連動している様子がまるでない。

「残念だ」と佐々木一太郎の声が聞こえてくる。

青柳雅春は自分の顔が、恥ずかしさに赤らみ、それから、青くなるのを感じた。

「一応、取っ手はついているが、それはダミーだよ。通常のパトカー同様、この車もそちら側は外からしか開かない」

青柳雅春

「だと思いましたよ」青柳雅春は強がることしかできなかった。座席にもたれ、平静を装《よそお》い窓を見やると、街路灯と車のライトで照る車道を、前園の運転するトラックが進み、すれ違っていく。

「逃げられなくて、残念だったな」佐々木一太郎の声は、冷たかった。

「運転席の彼は」青柳雅春は腹に力を込める。こちらの弱気をこれ以上、見せたくはなかった。運転席に顎《あご》を向ける。「彼はずっと、ヘッドフォンをしてるんですか？」

「小鳩沢《こばとざわ》のことか？」

青柳雅春は、「小鳩沢？　小鳩って感じでは全然ないじゃないですか」と言ったものの笑う余裕まではなかった。「そんなに可《か》愛《わい》いタイプには見えないけど。これも名前負けになるんですか？」

話していないと恐怖と不安で押し潰されそうだったが、その話す内容が思いつかない。

青柳雅春は息を鼻から大きく、吸い込んだ。胸を膨らませ、いったん止める。吐き出した途端、力が抜け、震えた。案は何も思い浮かばない。

セダンは動き出していた。小鳩沢はハンドルを握り、てきぱきと運転を続けている。右折し、南へ方向を変える。せめてそこで、渋滞でも起きていないだろうか、と期待したが、これがものの見事にがらんとしていて、車は速度を上げる。

「駅についたら、手錠をかけることになる」

「どうして今は、手錠をかけないんですか」

「弱者を必要以上に痛めつけたくないだろ」

弱者、と面と向かって断定されたのははじめての経験だったが、当然ながら気分は良くなく、そして、気分が良くない以上に、生殺与奪の権利が握られているという恐ろしさを、実感した。

「俺は」と口に出した。声がひゅるっと震えた。「俺は、どうなるんですか」

佐々木一太郎が見つめてくる。運転席の小鳩沢がなにやら呟《つぶや》いたが、内容は聞き取れない。歌でも口ずさんだのか、独り言でも洩《も》らしたのか。

「君は」と佐々木一太郎が言う。「君は、これから私たちと東京に向かう。首相を殺害した犯人として、つかまるわけだ。ただ、恐れることはない。現代の日本は、法治国家だ。処刑や拷問《ごうもん》はない。君の情報がテレビや雑誌に氾濫《はんらん》し、君の家族や親族も非難の矢を受けるかもしれないが」

　そのマスコミによる攻撃こそが、処刑や拷問に思えた。「どうすれば」

「君に今できる、唯一《ゆいいつ》最善のことは」と彼は先ほどと同じ説明を繰り返した。「自首をし、すべてを認めることだ」

「すべてを？」

「私たちは、君がやったことを分かっている。だから、君はそれを認めればいい。そうすれば、おそらく、君も、君の家族も被害は最小限で済む」

「俺がやったこと？」やっていないのに？　朦朧《もうろう》とした感覚の中、返事をする。疲れからか、それとも、車の揺れが心地良いからか、もしくは、おそらくこれが正解だろうが、自分の直面している現実から逃避するためからか、眠気を覚えていた。

「怖がることはない」佐々木一太郎は静かに、続けた。「私たちに任せれば、大丈夫だ」

　いったい何を任せるというのだ、と青柳雅春は思いつつも、反応できなかった。このまま新たに行動するよりは、言われるがままに座っていたほうが良い、とも感じた。それなりに自分は抵抗した。頑張ったではないか。窓の外を通り過ぎる、街路灯の伸びた光を見やりながら、思った。むざむざと捕まったのではない。やるだけはやり、その結果、捕まったのだから、健闘と呼んでもいい。鈍くなる頭で言い訳を羅列する。よくやったよ、俺は。

佐々木一太郎の口にした、「大丈夫だ」の言葉を反芻《はんすう》する。そうか、大丈夫なのか、とほっとする。砂漠を歩き、喉《のど》の渇きに倒れる寸前の青柳雅春からすれば、その、「大丈夫」の言葉は魅力的な泉にほかならず、後はその、「大丈夫」な方針に任せるべきだと思った。

車が急に停まった。駅についたのか、と思ったが何度目かの赤信号だった。いっそのこと早く、新幹線で東京に向かい、すべてを佐々木一太郎に任せるべきだ、とすら感じはじめていた青柳雅春は、その信号待ちがもどかしかった。

窓ガラスに寄りかかろうとした際、視界の隅に、近づいてくる車体が見えた。「あ、危ない」と青柳雅春は言った。

右後方から車が寄ってきたのだ。白の、古い型の軽自動車だ、と考えたところで衝突した。

最初は、また殴られたのかと感じた。視界が揺れたからだ。あれ、と思うと同時に、セダンの車体が時計と逆周りに、ぐるっと回転した。

目の前にある運転席にしがみつく。隣の佐々木一太郎の手が宙をつかんでいた。反対側のドアへとよろけている。車はぶつかられた勢いで滑る。横から突っ込んできた軽自動車は、青柳雅春たちのセダンを左側のガードレールに押し付けるようにして、衝突した。そのまま、こちらのセダンの前を塞《ふさ》ぐ形で、軽自動車は止まる。

何事が起きたのか理解できなかった。座席に押し付けられた首が痛い。

体勢を立て直した佐々木一太郎の動きは素早く、車が停まると同時に、ドアから飛び出している。小鳩沢も運転席のドアを乱暴に開け、外に出た。

青柳雅春は呆然《ぼうぜん》としている。窓の外を見つめていると、幅寄せをするようにしてぶつかってきた軽自動車の運転席から、人が出てくるのが見えた。助手席には、ガラスに寄りかかるような人の髪もある。ぴくりとも動かない。大丈夫なのか？

「おまえの仲間か？」すぐ隣から声がした。先ほど外に出た佐々木一太郎が後部座席に首を伸ばし、「あいつは、おまえを助けに来たのか？」と青柳雅春に訊《たず》ねた。

そこに至り、青柳雅春は、今の隙に外に出るべきだったのだ、と自分の愚鈍さに愕然《がくぜん》とするが、すでに遅い。

どん、と響きがあった。

身をかがめる。何事か、と驚いた。車体が揺れた。すぐ右手、後部座席のドアの外に背中があった。小柄な男が、窓に背をつけている。軽自動車の運転席から出てきた男だ。黒色のパーカーを着て、小鳩沢と揉《も》み合っていた。

黒パーカーの男は背が低く、華奢《きゃしゃ》に見えた。小鳩沢によって、何度もセダンに叩《たた》きつけられていた。そのへんを歩いている、文芸部の中学生とも見えるような、幼さもある男だ。

左のドアに目を戻す。開いたドアの外で、佐々木一太郎が立っていた。そして、小鳩沢に向かって、「おい、そのへんにしておけ」と忠告している。小鳩沢の、発作的な暴れ方に嫌気が差している風でもある。やがて、携帯電話で、連絡を取りはじめた。

黒パーカーの男は背中を、青柳雅春のすぐ隣のドアに何度も何度も打ち付けられている。少年と言っても通じるようなその男は、すでに気絶しているのかもしれない。

「おい、手を寄越せ」

声がすぐそばで聞こえ、びくっと震えた。いつの間にか、佐々木一太郎が脇《わき》に座っていた。手錠を片手に、青柳雅春の腕を引っ張る。「出る。車を換える」

セダンが動かなくなったため、乗り換えるつもりのようだった。おそらく、携帯電話で別の車の手配をしていたのだろう。青柳雅春はなされるがままで、気づいた時には両手に手錠がかかっていた。「出ろ」と引っ張られる。

車から外に出ると、上空は真っ暗だったが、街路灯が並び、街全体は明るかった。セダンが、ガードレールと軽自動車に挟まれる形で停止している。

車道を走る通行車両が何台もあったが、別段、停車するようなことはなく、面倒なことから足早に逃げ去るかのように、車線を変えて、どんどんと通り過ぎていった。歩道には小さな人だかりができている。佐々木一太郎が手帳のようなものを振りかざし、「至急、ここから離れてください」と声を発すると、彼らは遠巻きになった。

小鳩沢が両腕をぶんと前に出し、黒パーカーの男を突き飛ばした。男はセダンに背中からぶつかり、車体が揺れる。貧血の中学生がよろめくように、その場でよろめいている。歩道のどこからか悲鳴が聞こえ、「誰か警察!」と叫んだ。

「我々が警察です。問題ありません」と佐々木一太郎がすぐさま言った。

青柳雅春は両手首を繋《つな》がれ、呆然と立っているほかない。あの黒パーカーの男が危ない、とだけ思った。怪我《けが》どころでは済まないぞ、と。

小鳩沢がさきほどまで自分が乗っていた運転席を開け、身体《からだ》を潜らせた。助手席に手を伸ばすと、そこにあったショットガンをつかみ、再び、外に出る。ショットガンは、滑り止めグリップをつけた、巨大なボールペンのようでもあった。集まる野次馬たちが眼を丸くした。小鳩沢はためらうことなく、ショットガンを黒パーカーの男に向け、フォアエンドを引いた。ガシャン、と弾の装填《そうてん》される音が響く。

何もそこまで、と青柳雅春はその光景に目を疑ってしまうが、小鳩沢は、その黒パーカーの男が自分の仲間だと思っているのかもしれない。だから、むきになり痛めつけている。

「やめておけ」佐々木一太郎は指を鋭く、小鳩沢に向けた。果たしてヘッドフォンをした状態で声が聞こえたのかどうか定かではないが、そこで小鳩沢は動作を止めた。ショットガンを下げる。セダンに背中をつけた黒パーカーの男は、青柳雅春からは後ろ姿しか見えなかったが、ぐったりとしているように窺《うかが》えた。

「よし、行くぞ」佐々木一太郎が言い、青柳雅春の腕を引っ張った。後ろからやってくる小鳩沢の影に威圧感を覚える。ふと、身体を捻《ひね》り、ガードレールにぶつかった軽自動車に視線をやると、街路灯の明かりで、その助手席でぴくりとも動かない女性が見えた。大丈夫なのだろうか。彼女の白シャツの胸の部分に、黒々とした染《し》みがあった。模様にしてはいびつだった。あれは血だろうか、と考えた時、後ろの小鳩沢が低い呻《うめ》きを上げた。

え、と足を止め、振り返る。佐々木一太郎も立ち止まった。

小鳩沢のすぐ横に、黒パーカーを着た男の姿があった。目を光らせ、さっと動いた。きらきらと煌《きらめ》いたものが手には見える。長い刃先の、包丁であるのか、ナイフであるのかは判然としないが、とにかく、その刃物が光っていた。パーカーの胸に縫い付けられた白い星のマークがゆがむ。

小鳩沢が、その刃を咄嗟《とっさ》に避《よ》けた。

真正面から見えた、黒パーカーの男の顔は、額が目立つ、中学生じみた顔つきで、ひょっこりと地面から顔を出したプレーリードッグにも似ていた。部屋に閉じこもり、日光に当たらず、スナック菓子ばかりを食べている、そんなイメージが浮かぶが、外見ほど当てにならないものはない。男の動きは目を瞠《みは》ってしまうほど、俊敏だった。

身体をくるっと回転させたかと思うと、いつの間にか刃物を左手に持ち替え、小鳩沢に切りつけている。それは、激情のあまり護身用のナイフを振り回すのとは違い、とても慣れた動作だった。熟練したダンサーの踊りのようで、息つく間もなく、小鳩沢に切りかかっている。

小鳩沢は最初はさすがに動揺したのか、刃を避けるのに精一杯だったが、ショットガンを構えるとそこが街中であるにもかかわらず、迷わず、撃った。

黒パーカーの男が即座に横に飛びのいた。ショットガンは、空気を破裂させんばかりの大きな音を立て、停車していたセダンのフロントガラスを粉砕した。悲鳴が上がる。

青柳雅春はその突然の銃撃に耳を塞ぎたかったが、腕が手錠で拘束されているため、目を閉じるだけだった。騒音が鳴り止《や》むことを祈るしかない。

瞼《まぶた》を開けると、小鳩沢が、ショットガンを持った右手を押さえていた。肩に、ナイフが刺さっている。黒パーカーの男と向かい合っていた。

あれだけ連射された中、どうやって距離を詰めたのか、と不思議でならないが、運動能力が高いとはとても見えないその黒パーカーの男が、ヘッドフォンの小鳩沢の前に、涼しい顔で立っていた。

小鳩沢がショットガンを構え直そうと動いたが、そこで男の右腕がまた、空中を移動した。手にはまた刃物があり、後ろを通過した車のライトで、白く、瞬《また》くように光った。小鳩沢が右腕を振って、それを避ける。けれど、服越しに刃先が刺さったのか、彼の顔にわずかながら歪《ゆが》みが見えた。黒パーカーの男が目を細め、頭二つ分は高い小鳩沢の顔を、見上げている。冷たい視線だった。そこで青柳雅春の隣にいた佐々木一太郎が、「動くな!」と張りのある声を上げた。

佐々木一太郎は拳銃《けんじゅう》を構え、まっすぐに黒パーカーの男に狙《ねら》いを定めていた。青柳雅春のリュックを地面に置き、両手で銃をつかんでいる。距離にして十メートルほど、安定した姿勢から向けられた銃口は、標的から外れることは決してないようにも見えた。

黒パーカーの男は突き出そうとしていた手を止めた。不満を抱えた若者が、「何が不満なのだ」と質問を投げかけられ、いっそう不満を重ね、頬を膨らませる。そういう顔つきだ。

青柳雅春は、佐々木一太郎に目をやる。彼の注意は完全に、刃物の男に向かっている。手錠のかかった自分の両手首を見る。

「君に今できる、唯一最善のことは自首をし、すべてを認めることだ」と言った佐々木一太郎の台詞《せりふ》を思い出す。もし自首をするのならば、マスコミが同情を感じたくなるようなシナリオを用意することもできる、と取引を持ちかけてきた。

そんなことが可能なのか？

首相暗殺犯に共感を抱かせることなど、可能なのか？

「オズワルドにされるぞ」森田森吾の声がする。

ケネディ暗殺事件で捕まったオズワルドが、連行中にジャック・ルービーに撃たれた瞬間の写真を、青柳雅春は見たことがあった。野次馬の列から突然、飛び出してきたと思《おぼ》しき、ジャック・ルービーと、それにまるで気づかないオズワルドだ。

あれか？

あれだ。

俺に自首を勧め、大人しく連れて行く。そこを誰かに狙わせる。死んだ者は喋《しゃべ》れないのだから、それこそ後は思う存分、好みの役をあてがえばいい。

青柳雅春は考えるより先に、動いていた。手錠のかかった両手を、祈るような恰好《かっこう》で組むと、ハンマーのように振り、佐々木一太郎の後頭部を殴った。拳《こぶし》に痛みが走る。バランスを崩した佐々木一太郎の横からリュックサックをつかむ。

体勢を整え、走る。手錠で繋がった手でリュックを持つのは不恰好で、不自由極まりなかったがそのまま駆けた。「待て」と声がした。銃声が響き、青柳雅春は自分が後ろから撃たれたのだ、と血の気が引くが、痛みも衝撃もない。どこか遠くで、誰かの声がする。悲鳴とクラクションが鳴った。

青柳雅春

息切れがなかなか収まらなかった。両手が不自由なままで走るのは慣れない。つかんだリュックも、手で持つには重かった。歩道を走っている際、すれ違う歩行者は、青柳雅春の手錠に気づき、ことごとくぎょっとした。分かりやすいほどの、怪しさだった。金田首相が殺害された今、仙台市街地を歩く人間はかなり神経質になっているに違いなく、「場合によっては、この辺に、犯人がいるんじゃない？」と意識している可能性も高い。そんな中をこんな恰好の男が走っていたら、注目されないわけがない。

人目につかない場所でいったん休もう、と細い路地に入った。ポリバケツにぶつかるが、構わず先に進む。どこかでまた悲鳴がした。小鳩沢が撃ったのかもしれない。

汚い小さなビルの階段に飛び込んだ。地下への階段を下り、狭い踊り場で壁に寄りかかる。リュックサックを足元へ置き、息を整える。自分の両手にかかる手錠をまじまじと見つめた。無理なのは承知で、両手を引っ張るが、やはり、外れない。

「あ、それ取りますよ、俺が」

階段の下り口から急に声がして、青柳雅春は驚いた。脚がびくっと動き、段から落ちてしまう。三段ほど下で尻餅《しりもち》をついた。

「あ、びびらせちゃいました？」ゆっくりと降りてくる男が誰なのかすぐに分かった。額が広く、どこか怯《おび》えるような顔をした、小柄な青年だった。先ほど、小鳩沢に切りつけていた、あの男だ。さすがに中学生よりは年上のようだったが、大人しく、おどおどした外見には変わりない。「引っ張ります？」と彼が手を伸ばしたが、青柳雅春はそれには従わず、両手の繋がった状態で四苦八苦しつつ、自力で立った。

「えっと、ちょっと手を見せて」男が勢い良く右手を出したので、てっきり刃物で刺されるのか、と怖くなったが、よく見ればそれは小さな鍵《かぎ》だった。彼が手を伸ばす。呆気《あっけ》なく、手錠が外れる。

「それは」

「これ、さっきの警官から奪ってきたんだよね。あいつを殴ってくれたでしょ。その隙《すき》に、ポケット探って、鍵を取ってきたんだけど」男には興奮はなく、年上との距離の取り方に不慣れで、敬語や丁寧語の使い方も上手ではない様子だった。彼はおもむろにベルトにつけたポシェットから眼鏡を取り出し、かけた。

「君は」と青柳雅春は自由になった両手を見つめた。「どうして、俺を助けてくれたんだ」

「助けたっていうか、それより、お兄さん、誰なんですか？」

「え」

「俺は、あの大男を見つけて、慌《あわ》てて、追ってきたんですよ。やっと見つけたぞ、って。で、お兄さん、そこにたまたま、いたんだけど」

「ぶつかってきた軽自動車、あれは？」

「ああ、あれは俺が見つけた車ですよ」

そこから彼が喋るのは、どこかで見た映画の場面のようだった。つまり、ドラマとしては陳腐であるが、現実に起きるとは思えない内容だった。

カズのマンションの前で、青柳雅春を連れて出てきた小鳩沢と佐々木一太郎を、男は偶然、目撃したのだという。「あ、いた、と思って。まあ、あのヘッドフォンで、ショットガンで、見間違えるわけないよね。で、すぐに追いかけたかったんだけど、そっちは車だから、俺もすぐ、通りかかったあの軽自動車止めて、それ運転して、追いかけたんですよ。何年ぶりかなあ、運転」

タクシーでもない軽自動車をどうやって止めたのか、青柳雅春は疑問に思ったが、質問はしなかった。助手席に見えた女性はガラスに顔をつけ、動いていなかった。彼女こそがあの軽自動車の本来の持ち主なのだろう。彼女のシャツに見えた、黒い染みは血としか思えず、その血はこの男のナイフによってつけられたものではないか、と想像できた。

「まあ、敵の敵は味方って言うしね。お兄さんは、あいつらに明らかに捕まってたわけだから、どっちかといえば、俺の味方だと思っても悪くないでしょ？」

「今、小鳩沢たちは？」青柳雅春は反射的に、男の手にナイフを探す。あの大男が、この男に倒されたのか？

「小鳩沢？」

「あのショットガンの男はどうなったんだい」

「え、あいつ、そんな名前なの？　笑えるー」と男は、無邪気な少年のように微笑《ほほえ》む。

「だいたい、あの男、こっちを外見で、舐《な》めすぎなんだよ。身体がでかくて、銃を持ってれば無敵だと勘違いしてるんだ。結局、今日も俺、逃げてきちゃって、二連敗だから、偉そうなこと言えないですけど」

「なんで、手錠の鍵を持ってきたんだ」

「特に理由はないよ。ただ、お兄さんと仲間だと思わせたら、得かと思って」

「俺と君が？」

「情報を錯綜《さくそう》させるほうが何かといいと思わない？　俺が、手錠の鍵を奪ったら、俺とお兄さんが仲間だと思われる可能性は高いよね。警察もマスコミも、そう思うよ。実際にはぜんぜん関係ないのに。そうやって、相手を混乱させるのは、逃げる側の鉄則なんだ。余計なことを、深読みさせてさ。だから、鍵だけ取れば実は、どうでも良かったんだけど、せっかくだし、本当に手錠外してやろうと思ったんだよ。優しいでしょ。優しいのに、何で俺、友達いないんだろう」

踊り場で二人で向かい合っていると、青柳雅春は薄暗い裏道で恐喝に遭う中学生のような気分になった。が、目の前の男は大人しげな、むしろ恐喝をされる側にしか見えなかった。

「それにしても、あのでかいヘッドフォンの男、小鳩沢と言うのかあ。似合わないね。鳩じゃないよ、あんなの」

青柳雅春はそこで、考えていたことを口に出す。「でも、君も」

何？　彼の眼鏡の下の細い目が少し鋭くなる。

「君も変な名前で呼ばれてるじゃないか」青柳雅春は言った瞬間に自分が切られる恐怖に襲われ、寒気を覚えたが、どうしてもそこで口を閉じることができず、「キルオって、そうだろ？　あの通り魔なんだろ？」と続けていた。

男は一瞬、細い目をさらに細くした。表情を緩め、「びっくりした？」と言った。

青柳雅春は顎《あご》を引く。「ずっと前、君の事件が連続して起きた時、雑誌に記事があった。銃を持った大男と連続刺殺犯が対決したっていう、漫画みたいな記事だった」青柳雅春はそれを、当時のドライバー仲間に見せてもらった。「いくらなんでも、これはやりすぎの記事だよなあ。アメリカのコミックじゃん」とみんなで笑ったものだったが、今から思えばあの、銃を持った大男とはまさに、小鳩沢のことに違いない。「あれを思い出したんだ」

「あの記事かあ」彼は下唇を出し、興味があるのかないのかむすっとした。それから、いつまでもビルの階段で喋っているわけにもいかない、と言い、「ついてくる？」と指を横に向け、裏道をどんどんと歩いていった。

青柳雅春はリュックを担《かつ》ぎ、後を追う。不思議なことに、恐怖やためらいはなかった。仙台市内を震え上がらせた連続刺殺犯がそこにいるというのに、だ。

実際、男も一度、振り返りながら、「俺のこと、怖いです？」と訊《たず》ねてきた。

「怖いといえば怖いのかもしれない。でも」青柳雅春は正直に答える。「今日は訳の分からないことばかり起きているから、すでに、混乱してるんだ」ぐちゃぐちゃに掻《か》き混ぜたジューサーに新しい果物を入れ、さらに掻き混ぜたところで、ぐちゃぐちゃの度合いは変わらない。そういうことじゃないかな、と説明をした。

「お兄さん、何をしたわけ」

「逃げてるんだ。濡《ぬ》れ衣《ぎぬ》で追われて、逃げてる。さっき、警察に捕まってしまったけれど、君のおかげで助かった。逃げるのはもう疲れた」だから、君から逃げる気力もないんだよ、と内心で続《つ》ける。

男がそこで口を噤み、青柳雅春をじっと見つめてきた。顔ではなく、着ている服や靴まで舐めるようにした。「どうしたんだ」と訊ねるより先に、彼が手を伸ばしたので、青柳雅春は飛び退《の》きそうになった。ジーンズの背中の部分を触れ、「これ、見てよ」と小さなダブルクリップのような物を掲げた。「位置情報を発信するやつだよ。警察は抜かりない。お兄さんのベルト周りにつけたんだ」

いつの間にそんなものが？　青柳雅春が動揺していることに構うこともなく、「さっきのあいつが、車に乗せた時にでも忍ばせたんじゃないですか。万が一、逃げられた時のために、って。念入りなんだ」と言い、その発信機を脇《わき》にあったビルの郵便受けに放り込んだ。「よし行こう」

若い男は慣れた歩みで、細い道をジグザグに進み、薄汚れたモーテルのある場所に出たかと思うと、その隣のアパートに入っていった。周囲に灯りはさほどなく、モーテルの看板だけを頼りに、足を進める。古い木造アパートだった。裏へ進み、階段を登っていく。手すりに触れると、錆《さ》びのざらざらとした感触があった。男は二階の一番手前の玄関を開ける。鍵がかかっていなかったようだ。

壁のスイッチを彼が押すと、室内灯がついた。オレンジの傘がついた小さな電灯で、室内が何とも言いがたい、寂しげな橙色《だいだいいろ》に浮かび上がる。六畳一間、畳の臭《にお》いが鼻をついてくる。

「お兄さん、名前は何て言うわけ？」

「青柳」と答えていた。今更、本名を隠す必要を感じなかった。

「へえ」

「君は」

「俺、三浦」と彼はやはり、むくれた顔で名乗った。

「ここが、君の家？」

「まさか」と彼はすぐに答えた。

部屋の中央に置かれた、布団《ふとん》の除かれたコタツの前に座る。青柳雅春はその向かいに腰を下ろす。

「どこもかしこも、監視システムばっかりで、まいるでしょ」と彼が言う。「で、どこで休んだらいいものか分からなくて、やっと見つけたのがここでさ」

「ここは安全なんだ？」

「まあ、今のところは」

「君の部屋ではない？」青柳雅春はくどいと嫌がられるのは承知の上で、重ねて訊ねた。

壁際《かべぎわ》に置かれた小さなカラーボックスに、写真立てがあり、そこには、革ジャンを着た眉《まゆ》の太い男と少年が並んでいる写真が飾られていた。

「それはこの部屋の住人だよ」青柳雅春の視線に気づいた三浦が、唇を尖《とが》らせる。

「もともとの？」

「この部屋を、しばらく、彼らから貸してもらってるんだ」

「彼らは今、どこに」

大人しそうな顔つきの三浦は、しばらく黙ったまま、口を真一文字にしていた。「俺が、金をあげたんだ。その親子、オープンカーで日本中を旅するのが夢だっていうから、それができるくらいの金をあげたんだよ。このアパートを貸してもらうかわりに。交換条件としてはそんなに悪くないでしょ？　今頃、赤のオープンカーで、どっか走ってるんじゃないかな」と言った。

そんなことがあるはずない、と青柳雅春は奥歯を嚙《か》んだ。写真から視線を逸《そ》らす。

「もしかするとお兄さん、俺がその親子、刺し殺したと思っていたりする？」三浦は棘《とげ》のある声を発した。

「いや」ずばりその通り、とも言えない。

「正直に言ってみてよ」

「いや」と青柳雅春は口を濁す。ここで正義感を発動し、「人殺しめ、警察に通報してやる」と叫ぶ選択肢はなかった。警察に通報し、逮捕されるのは自分のほうが先だ。

「あの監視システム、俺のことを捕まえるために導入したとか言ってるけどさ、嘘《うそ》ばっかりだよ。俺のことは口実だよ、口実。市民の利益のためってふりをしつつも自分たちの監視のためなんだから、おためごかしだ」

「口実だろうと何だろうと、きっかけを与えたのは君だよ」青柳雅春はまっすぐに言った。

「違うよ。違うと思いますよ。あいつらは俺がいなくても、何か口実を見つけたんじゃないかな。政治家は、口実を見つけることに関してだけは天才的だし。どんなことだって、ユダヤ人の虐殺《ぎゃくさつ》だって、戦争だって、『今、このままだと危険ですよ』って煽《あお》ればやれちゃうんだ。そういうものでしょ。仙台の監視システムはそれと似たやり方だよ。刃物を振り回す物騒な俺一人のために、何もあそこまでインフラを整備する必要もないだろうに」

「あのシステム、どの程度の力があるんだろう」

「俺の知っている限りだとね」三浦は少し鼻の穴を広げた。「あの街中に転がってる、えらい数のポッドがあるでしょ、あれは、半径数十メートルくらいの電波を全部拾ってるんだ。電話、パソコンの無線。音声も録音して。あの頭の部分は、球形カメラでほぼ三六〇度、映像を取得しているんだって。まあ、映像はそれほど広範囲で録画はできないはずだけど。ただ、警備カメラと一緒で、操作して、リアルタイムに観察することはできるみたい」

「その情報は全部、どこかに送られているのかな」

「あのポッド一つ一つがネットワークで繫《つな》がったコンピューターなんだ。だから、あそこから情報を送るというよりは、管理側があのポッドにアクセスして、情報を読み取るんじゃないかな。検索もできる」

「監視社会って、フィクションの世界ではありがちだけど」

「トニー・スコット？　ヴィム・ヴェンダース？　あの映画、何か似てますよねえ、二つとも」三浦は途端に目を輝かせ、鼻息を荒くし、身を寄せてきたが、青柳雅春はその名前の意味も分からず、「『1984年』とか」と昔、読んだ小説のタイトルを口にした。

「八〇年代？」三浦は少し的外れの返事をした。「ただ、これは重要な点なんだけど、現実には全部が全部、監視できるわけじゃないでしょ。たとえば、このぼろアパートの室内までは見えないし。盗撮も盗聴もこんなところまで機械を置いてはいない。よっぽどのＶＩＰの家以外は、監視する意味がないと彼らは思っているんだ。だけど、俺から言わせればね、こういうところこそ怪しい奴《やつ》らがいるんだから、重点的にポッドを置くべきなんだよね。ピントがずれているんだ、ああいう奴らは」

青柳雅春はそこで、自分が稲井氏のマンションで携帯電話を使った直後、居場所がばれたことを思い出した。それを話すと三浦は、「そりゃいまどきは携帯の電源入ってれば、調べようと思えば、居場所が分かりますよ」と当然のように言った。「普通、携帯電話ってのは発信するとその番号を基地局で確認して、正しければ、さらに呼び出しを行う仕組みでしょ」

「そうなのか？」

「そうなんだよ」彼は出来の悪い生徒に苛立《いらだ》つようだ。「位置情報はホームメモリってところに記録されて、それは頻繁に更新されてるんだ。だから、誰かの番号から電話がかけられたのを見つけることもやろうと思えばできるだろうし、位置だって調べようと思えばできる。あのポッドは、そのホームメモリの情報を共有しているって話だし、位置情報ももっと詳細に記録しているはずじゃないかな。本当に居場所を隠したいなら、携帯電話は捨てたほうがいいですよ」

「もう、捨てたよ」正確には、雑誌を売るホームレスに預けたのだが、同じことだ。

「賢明ですね」と相手がはじめて、褒めるようなことを言うので、青柳雅春も、「あ、どうも」と頭を下げそうになる。

「携帯電話の会話は大半、どこかで聞かれてると思ったほうがいいですよ」

「え」

「いや、もちろん、誰かが耳を澄ましてるってわけじゃなくて、録音されてるってことだけど」

「機械的に」

「そう、機械的に蓄積している。蓄積して、必要な場合に、検索する。そういうシステムだよ。だから、その情報から、青柳さんの電話番号絡《がら》みのものだけを検索してるのかもしれない。ただ、逆に言えば、電話番号くらいしか、青柳さんのことを判断する情報がないから、別の電話から喋《しゃべ》る分にはそうそう見つからないと思う」

「そうなんだ？」

「常識的に考えて、青柳さんの声紋で検索、なんてよっぽどじゃないと無理ですよ。そう思いませんか？　検索するには曖昧《あいまい》な情報では難しいし、少なくとも、時間がかかる。シンプルで、確実なのは、電話番号です。かける側、かけられる側の番号」

「じゃあ、他人の携帯電話でかければ」

「見つかる可能性は低くなるでしょうね、きっと。ただ、相手が、お兄さんの関係者だとそっちの番号で検索されるかもしれないけど」

頭にはすぐさま、カズの顔が浮かんだ。カズへの電話に目をつけられていてもおかしくはなかった。井ノ原小梅を思い出す。彼女はどうなんだ？　と思った。彼女と自分の関係はばれているのか、それともそもそも、彼女は自分を陥《おとしい》れるための存在だったのか？　またその疑問だ。

「でも、それだけずっと会話や映像を録《と》ってるんだとすると、ものすごいデータ量になるんじゃないかな？」青柳雅春は疑問を口に出す。「仙台市内に限るとしても、限界があるんじゃ」

「だから、たぶん、ある一定期間しか情報は保存していないんじゃないか、と俺は睨《にら》んでいますよ」三浦は朴訥《ぼくとつ》とした喋り方ながら、インテリの二枚目じみた雰囲気を見せた。「現実的に考えれば、仙台全域を網羅するなら、一日分、もしくは二日分が限界かもしれない。ってことは、昔の事件を捜査するには役立たずってわけだよ。過去の情報は消えていくんですから」

「役立たずなのか」

「派手な事件が起きた場合に、リアルタイムで捜査するなら、役には立ちますけど」三浦は言う。「たとえば、今日起きた、パレードの爆発とか、あの犯人をリアルタイムで捜すには適してますよ」と眼鏡の蔓《つる》の部分をいじくった。そして、「あ」と急に言ったかと思うと、「もしかして、お兄さん、それの犯人？　首相殺し？」と唇の両端をゆがめた。

青柳雅春はどう反応したものか一瞬悩み、言いよどんだ。

「え、嘘。本当に？」三浦ははしゃいだ。握手してください、と言わんばかりだな、と思っていると実際に、「握手してください」と右手を出すことまでした。

「俺は犯人じゃない。ただ、その犯人に仕立て上げられている」

三浦はそこで一瞬黙り込んだ。目をぱちぱちとやり、真剣な面持ちで、眼鏡に触れながら、青柳雅春に顔を寄せる。そしてその後で、「面白いですね」と並びの悪い歯を見せ、にたりと笑った。「濡《ぬ》れ衣着《ぎぬ》せられてるんですか、青柳さん？　真面目《まじめ》そうなのに、最悪だなあ。笑えますよ」

「笑えない」

「だから、あのでっかい小鳩沢とかがお兄さんを捕まえてたのかあ。あいつ、たぶん、特殊な部署なんだよね。首相殺し相手だから出番なんだな。あ、青柳さん、知ってました？　普通の警察は、あんな風に気軽にショットガン撃っちゃいけないんですよ」

「そうじゃないかとは思っていたんだ」青柳雅春も皮肉まじりに言ってみる。「ヘッドフォンしながら仕事してる公務員もたぶん、やばいだろうし」

部屋の外で音が聞こえ、青柳雅春は敏感にぶるっと背筋を動かした。窓をじっと見る。近づきたかったが、外から見られるのではないかという恐怖で動けない。それを察したかのように、大丈夫ですよ、と三浦が言った。あれは、モーテルに出入りする奴らの足音だから、と。「首相が死んでも、モーテルに行く奴は行くんだ」

三浦が立ち上がり、冷蔵庫から出してきたと思《おぼ》しき、缶ビールを二本持ってきた。一つを手渡してくる。テーブルの上に、カップラーメンが置かれている。彼はポットを使い、カップにお湯を注ぐ。ふわっと立ち昇る湯気の温かさに、青柳雅春は少し緊張がほぐれた。

「それにしても、首相殺しの濡れ衣って、なりたくてもそうそうなれないですよ。何があったか、話してくださいよ。ラーメンができるまでの間でいいから」三浦は言うと缶のプルタブを開ける。乾杯、と涼しげに言い、青柳雅春の缶にぶつけ、口をつけた。

「興味津々《しんしん》ですよ」

青柳雅春は自分に起きた状況を喋るのに、さほど抵抗はなかった。誰かに聞いてほしかったのかもしれない。「どこから喋れば」

「最初から行きます？　新郎、青柳なにがしは、父、青柳だれそれ、母、だれそれの長男として、どこどこ市に生まれ、幼少の頃から明朗快活、成績優秀、スポーツも万能で、とか」三浦が冗談めかし、結婚披露宴の司会者の台詞《せりふ》を真似《まね》る。

青柳雅春は自然と、笑みが浮かぶのを感じた。理由は分からないが、ほっとし、その、ほっとしている自分がまた可笑《おか》しかった。

朝、森田森吾に会ったことから話をはじめた。

三浦は、「へえ」であるとか、「あらら」であるとか、「それは大変でしたねえ」であるとか、とぼけた相槌《あいづち》を連発したが、顔は至って真面目そのもので、目新しい宝石を鑑定するかのような表情で、青柳雅春の話を聞き、すべてを聞き終えると、「面白いですねえ」と言った。「それはひどい濡れ衣ですよ。怒っていいですよ」

「そうだよ、これは、ひどい濡れ衣の話で、怒りたいくらいなんだ」

「その話からすれば完全に狙《ねら》い打ちですよね。ずいぶん前から、陥れようとあちこちに穴を掘ってたとしか思えないですし。でも、どうして、青柳さんなんですかね。もっと、あの首相にかかわりがありそうな人間なんていくらでもいそうじゃない」

「俺に聞かれても困る」青柳雅春は缶ビールに唇をつけたが、途中でやめた。その手の動きと視線の移動を、三浦はじっと見つめていた。はっと顔を上げると目が合った。

「毒でも入ってると思ったんですか？」と言ってくる。「まあ、用心にしたことはないですけど、俺を疑ってもいいことないですよ。青柳さんのこと、通報すると思います？」

さあ、としか答えようがなかった。窓の外、カーテンの隙間《すきま》にうっすらとした明かりが見えた。街路灯だろう。

「ラーメン食べちゃいましょうよ」彼が言い、一つを寄越してくる。蓋《ふた》の隙間から湯気が溢《あふ》れた。「それも毒が入っているかもしれないですけどね」とも言う。

断るのも大人気ないような気がして、箸《はし》を受け取る。気づけば蓋を取り外し、食べはじめていた。温かい食事自体が久しぶりで、どういうわけか目尻《めじり》が潤《うる》みはじめた。

「あ」と空気を破裂させるような声を、三浦が発したのは少し経《た》ってからだ。ぽかんと口を開けたかと思うと、「え、嘘でしょ？」とカップラーメンを置き、前のめりになった。「俺、青柳さんのこと知ってますよ」

「え」

「嘘でしょ。まじっすか」彼は小さく感動している様子でもあった。「あれじゃないですか。ずっと前、アイドルを救ったっていう。宅配のドライバーさんですよね？　テレビで観《み》ましたよ。よく観ました」

　青柳雅春は、「ああ」と苦笑まじりに答えるほかなかった。ここに至ってもその話題が出るのか、という呆《あき》れと、仙台市はおろか近県、全国を恐怖させた連続刺殺犯にも自分が知られていたことに対する呆れが、交錯した。

「なるほど、そこを狙ったんですかね」と三浦は納得の声を出している。「英雄が転ぶのはみんな好きですからね。青柳さん、二枚目だし、俺みたいな冴《さ》えない男からしたら、やっかみの対象ですよ。濡れ衣、どんどん着せてしまえ、って気分にもなりますね。うまいこと考えたなあ。首相暗殺犯にぴったりですよ」

「その英雄、というの自体が勝手に作られたイメージだったんだ」

「絶対にやりそうもない奴がやった、ってのは盛り上がりますね」

　三浦はラーメンをずるずると吸い込みはじめる。その食べっぷりは、見ているものにも清々《すがすが》しさを与えるほどで、青柳雅春も釣られるかのように、あっという間にラーメンを食べ終えた。スープまで飲み切り、テーブルに置く。偶然にも、二人がカップから手を離すのは同時だった。

「青柳さん、大変ですね。で、どうするんですか？」

「どうするって？」

「この後、どうやって、逃げ切るんですか」

「まったく分からない」青柳雅春は正直に認める。「だいたい、さっきもあそこで終わったと思ったんだ」

佐々木一太郎とあの小鳩沢に車に乗せられ、駅へ向かっている最中、これで自分のできることは全部終わった、と感じた。全力を尽くしたが、力量の差もあり、負けたまま試合終了を迎える、そういう気分だった。今回は負けたが夏があるさ、と気持ちを切り替えられる高校球児とは違うが、捕まるほかないな、と観念した。ふうん、と三浦は眼鏡を外し、それを布で拭《ふ》いた。

「まあ、逃げるのは大変ですよね。仙台はほとんど、監視されてます。交通機関の完全封鎖は終わったみたいですけど、検問はあちこちにありますし。まあ、強いて言えば」

「強いて言えば？」

「どこか市内の信頼できる家で、ずっと閉じこもっている、という手はいいかもしれませんよ。そうすれば警察たちが、仙台中の家を片端から覗《のぞ》いていかない限り、見つからないですよ。ただその場所が、青柳さんと関係のある人間の家なら、捜査されちゃいますけど」言いながらまた眼鏡をつけた。「無関係な隠れ家、どこかありますか？」

考える必要もなかった。「ない」

「まあどこにいても、近くの人間に目撃されたら、通報されるかもしれないですけどね。

たぶん、そろそろ、警察も青柳さんのことを公表しますよ」

「え」

「だって、あんな風に、逃げてきたんだよ。あいつらももう、穏便に捕まえるのは難しいと判断しますよ」と手を伸ばし、リモコンをつかむとテレビを点《つ》けた。「もう、発表されてたりして」

ぼうっと薄暗いオレンジ色に照らされた室内に、画面が少しずつ明るくなる。青柳雅春はじっと見つめる。相変わらず、どのチャンネルでも特集が組まれ、金田首相のパレードやその爆発の瞬間が流れている。コメンテーターの顔ぶれもさほど新鮮味がなく、番組制作者たちも苦労しているのだな、と同情したくなる。

「この騒ぎ、青柳さんが起こしたことになってるなんて、凄《すご》いね」

「凄くはない」

いくつかのチャンネルを横断した後、「まだ、発表されてないみたい」と三浦は口にした。おめでとう、と付け足したかのようにも聞こえた。「でも、たぶん、朝方までには発表されますよ。時間の問題で」

「そうなったら」

「そうなったら、外は全部敵です」三浦は寸鉄人を刺す鋭さで言う。「街に出た途端、通報される。晴れて、自他共に認める、首相殺しですね」

「自分は認めていないよ」青柳雅春は言い返し、「そこのモーテルでしばらく、身をひそめるのはどうだろう」と窓に目を向けた。

「うまくないですよ」三浦はすぐに否定した。「青柳さん一人では入れないですよね。誰に付き添ってもらうんです。街でナンパします？　ナンパでのこのこついてくる女がどこまで信用できますか」という口ぶりだけを聞けば、それはまさに女性の扱いに慣れた、遊び人生活に飽きたかのような、色男の台詞にしか聞こえなかったが、実際は、女性の前に立てば、もじもじとしどろもどろになる若者としか見えない。「それに、警察だって馬鹿《ばか》じゃないですよ。ああいう宿泊場所は近いうち、調べはじめるんじゃないですか。カプセルホテルも一緒です。従業員にも写真が回って」

「ネットカフェは？　実はさっき、行ったんだ」

「もうそろそろ、やばいですよ。青柳さんの情報が公開されたらアウトです」

「それなら」青柳雅春は目の前のテレビを眺めた。「テレビ局か新聞社に連絡をしてみたらどうだろう。俺は濡れ衣を着せられている。無実だということを訴えれば、信じないまでも面白がって、取り上げてくれる可能性はある」

「それはありますよね。マスコミって、真偽だとか善悪というよりは、面白いかどうかで動くから。青柳さんに話題性があれば、飛びついてきますよ。ただ、危険性もありますけど」三浦は静かに言った。「でも、何て言うつもりですか？『僕、首相殺しに疑われて、追われてるの。無実だってことを放送して。お願い』とでも言いますか？」

「一般人の俺が、大事件の犯人に仕立てられている。それだけでも、話題性はあると思う」

「青柳さんのことをテレビ局が保護して、生放送に出演させてくれると思う？」

「期待はできる」できるのか？　と自分の中で疑問も過《よ》ぎった。そして、咄嗟《とっさ》に以前、似たような出来事が世間を騒がせていたことにも気づく。「そういえば」と三浦に目を向けると、彼は小刻みにうなずいた。

「そうそう。確かに、前、俺の偽者《にせもの》がテレビ局に連絡したことがあったんですよ。あの時、テレビ局は涎垂《よだれ》らして、犯人の独占生放送をやろうとして」

「結局、内部告発で、警察にばれた」

「で、偽者は捕まったんですよ。テレビ局は、こっぴどく叩《たた》かれたみたいですけど」

「君のせいで」

「俺のせいじゃないよ。どこかの馬鹿が、俺に憧《あこが》れて、テレビ局に売り込んだんです」俺に憧れて、という台詞をしゃあしゃあと吐く、三浦の顔は真剣そのものだった。「でも、あんなことがあったから、今はテレビ局も、放送のために犯人を匿《かく》まう度胸はないと思いますよ。青柳さんが電話をしても、びびって及び腰ですよ」

「でも、こんなに大きな事件だ」

「こんなにでかい事件の犯人を警察に渡さないなんて、よっぽど度胸がないと無理です」

テレビ局はそういった無謀なことをやるのが得意そうじゃないか、と青柳雅春は反論したが、三浦は、「マスコミってのは、無茶はしないんだ。ノリで行動はしても、ジャンプするのは安全地帯の中でさ。叩くのはいつだって、叩いても平気だ、と分かってから。そうでしょ」と言った。

「君はマスコミが嫌いなんだ、偏見だよ」

「電話をするのは青柳さんの勝手ですけど、のこのこ出かけていったら、警察が待っているって可能性もあるから、それだけは覚悟しておいたほうがいいよ。それに、どさくさに紛れて、撃たれるかもしれないし。放送中に、ずどん、って」

「警察が？」

「青柳さんが死んだら助かるんだよ、偉い奴《やつ》らは」

青柳雅春は笑い飛ばすこともできなかった。目的もなく、ラーメンのカップに手を伸ばす。空であるのを覗き、また、戻す。頭の動きが鈍くなっていた。

「青柳さん、何か自分で逃げるアイディアは持ってないの？」

青柳雅春は自分に質問が投げられたのだと知り、はっと首を起こし、目を開けた。つまり、知らず知らず、目を閉じていたことになる。眠気で頭部が重くなっていた。

「アイディア」青柳雅春は細切れにしか喋《しゃべ》れなくなった状態に焦《あせ》りを覚えつつ、錆《さ》び付いた滑車をだるい腕で動かすのに似たもどかしさで考える。アイディアはあった。そのことを思い出す。あったはずだ。それを引き摺《ず》り出そうとする。インターネットカフェのブースに入り、画面に情報を打ち込む自分が思い出される。「一つだけ」

青柳雅春は自分が描いていた、その一つだけのシナリオを説明した。舌が回らないことに違和感とじれったさを感じつつだった。

「それ、面白いね」聞き終えた三浦は子供のように興奮し、目を輝かせた。「宅配便やってたんだもんね、悪くないアイディアじゃないですか。集荷かあ」

「勝算はないけど」半ば自虐《じぎゃく》的な気分ではあった。

「でも、可能性はゼロでもないですよ。その相手は、青柳さんの言うことを信じてくれるんですか？」

「分からない」青柳雅春は返事をする。「ただ、俺にとって残っている武器は、人を信頼することくらいなんだ」

そいつはいいや、と三浦は噴き出した。「そんだけ騙《だま》されて、まだ信じるんですか？物好きだなあ。でも、それなら、この部屋で朝まで休んでればいいですよ。明日になったら、青柳さんはその自分のアイディアを信じて、動けばいい。休息が一番大事なんですよ、こういう時こそ」

「こんな状態で眠れるわけがない」と青柳雅春は室内を見る。なぜか、天井が妙に低く感じる。漆喰の壁は、削れば隣の部屋に繋《つな》がるのではないか、と不安になるほどボロに見え、それを眺めているうちに眠くなってきた。

「あ、ちなみに、この部屋にずっと隠れていても、解決はしないですよ。永遠にここにいるつもりなら、いいかもしれないけど、それは無理でしょ？　あえて言うなら、この部屋の中で死ぬほど飯を食うってのはどうですかね。ぶくぶくに太って、今のその二枚目の面影がなくなるような外見になって、そうなった暁にはもしかすると堂々と、外を歩けるかもしれない」と三浦が言った。「頑張れば、半年くらいで肥満体型になれるかもしれない」

ごとり、と音がして目を開ける。やはり、気づかぬうちに瞼《まぶた》を閉じていたことになる。疲れたにしても、あまりに急激な睡魔に動揺する。前を見るとテーブルに携帯電話が置かれていた。三浦と視線が合う。「これは？」

「それは、どっかの人の携帯電話ですよ。まだ、使えるはずだから、あげますよ」

「どっかの人？」

「まだ、死体は見つかってないから、電話は使えるはずです。さっき試してみたし」

死体、という言葉に驚き、青柳雅春はまじまじと三浦を見返してしまう。つまり、彼が殺害し、まだ、発覚していない事件が少なくとも一件はあるということだ。

「使いたい時とかありますよね。その番号は警察にも知られてないでしょうから、青柳さんだってばれる心配もないですよ」と彼は淡々と言った。

青柳雅春は携帯電話を手にした。電源を入れようとしたが、その前に自分の瞼が下りてきて、戸惑う。どうして眠いのだ？

「どうもすみません」ぺこりと三浦が頭を下げた。

「え？」青柳雅春はテーブルの上に突っ伏しはじめる。

「ラーメンに薬を入れちゃったんです。青柳さん、ゆっくり休んだほうがいいですよ。親切心です。体力を回復させないと、逃げられるものも逃げられない。今言っていたアイディアも、明日の朝の九時にならないと駄目なんだから、ちょうど良かった」

「薬？」頭が回らない。ただ、頭の中が重い石で一杯になる、という感覚だけがあった。

「じゃ、また」三浦が最後に言うのが聞こえた。「青柳さんを逃がす名案、思いついたら連絡しますよ」

待ってくれ、と縋《すが》るように発した青柳雅春の声はほとんど口から外には出ない。あっという間に意識が遠のき、目の前は暗くなる。

樋口晴子

病院に到着すると待っていたのが、鶴田《つるた》亜美《あみ》だった。先ほどカズの携帯電話に出て、「小野君の彼女なんです」と言った女性だ。病院の受付窓口の近くで、黒のセーターを着た彼女は、男の子を連れていた。辰巳《たつみ》という名前のその息子は四歳で、七美と同い年だった。「小野君が大変なんだよね」と彼は大人びた言い方をする。

カズの彼女、という言い方をしていたから、鶴田亜美は結婚してはいないのだろう。子供の辰巳がいるということは、離婚した夫がいるのかもしれない。

「来るの大変でした？　道、混んでますよね？」

「途中までタクシーで、あとは歩いてきたから」樋口晴子は説明する。最初は自宅の車を出そうとしたが、混雑状況によっては身動きが取れなくなりそうで、やめたのだ。

「お母さん、小野君って誰」樋口晴子と手を繋いでいた七美が無邪気に訊《たず》ねてくる。

「お母さんのお友達」と樋口晴子が答えると、それに負けじという勢いで、鶴田辰巳が、「小野君は、僕のお母さんの彼氏だよ」と胸を張った。それを聞き、鶴田亜美は少し、照れ臭そうにした。二十代の半ばくらいの年齢だろうか。自分より年下なのは確かだ。

「意識はまだ戻っていないんです」と鶴田亜美は、病室へと向かうエレベーターの中で言った。

「鶴田さんが、発見した時はまだ意識があったの？」樋口晴子は先ほど電話で聞いた会話を反芻《はんすう》しながら、確認する。

「少しだけ。それで、青柳さんのことを呟《つぶや》いていました」

鶴田亜美は昨晩、カズのマンションを突然、訪れたらしい。「虫の知らせ、というよりも、単に、小野君の態度がおかしくて、怪しいと思っただけなんですけど」と苦笑した。仙台市内の実家で数日、過ごしていたのだが、夜、息子が寝た後で、カズの携帯電話に電話をかけたところ、その応対がどうもぎこちなかったために、「何かあるのでは」と思ったらしかった。そして、予告なしで、カズのマンションを訪れることにした。

「浮気を疑ってたんですけど」と鶴田亜美は恥ずかしそうに、目尻《めじり》を下げた。前の旦那《だんな》のこともあって、神経質なんですよ、と言い、「それがまさか、部屋の中であんなふうに倒れてるとは思わなくて」と泣きそうになった。それを励ますかのように、足元の辰巳が口を真一文字にし、ぎゅっと手を握っているのが健気《けなげ》だった。

エレベーターが五階に到着し、音を立てて、扉が開く。鶴田亜美と辰巳が先を歩き、半歩遅れるほどの距離を空け、樋口晴子と七美が続いた。

「小野君は何て？」

「ほとんどうわ言みたいだったんだけど、でも、警察、っていうのと、やられた、っていうのは聞こえて、後は、青柳さんが助けてくれた、って。わたし、前に彼から、学生時代の話を聞いていたからすぐに、その青柳さんを思い出したんですけど、ただ、この病院に来て、それで朝になったら、テレビでニュースを見て」落ち着いているように見えた鶴田亜美も当然ながら混乱の中にいるらしく、昨晩の状況を説明しながら動揺していた。文章になっているような、なっていないような、台詞《せりふ》だった。

「わたしもニュースを見て、びっくりした。あの青柳君が犯人なんて」樋口晴子は正直に言う。

「あの、そういう感じの人じゃないんですよね?」鶴田亜美が首を傾け、樋口晴子を見た。そういう感じの、という漠然とした言い方ではあったが、意味は分かる。

「わたしが知っている青柳君は、あんな物騒な事件を起こす人ではなかった」と言い、「あんなふうにアイドルを助けるような人でもなかったんだけど」と付け足した。

「小野君、わたしに初めて会った時から、自慢してたんですよ」鶴田亜美は懐《なつ》かしみつつ、やはり、泣き顔になる。「自分の大学時代の先輩は、超有名人だって」

「小野君、自慢してた、僕にも」鶴田辰巳も真剣な目だ。

「樋口さんも、大学卒業してからは、青柳さんとあまり会っていなかったんですか?」

その質問の仕方からすると彼女は、自分と青柳雅春が恋人同士だったことは知らないようだった。「最近はぜんぜん」

「でも、小野君、何であんな目に遭ったんだろ」あんな目、という時、鶴田亜美は本当につらそうだった。

「しかも、森田さんっていう人も死んじゃったんですよね」

「え？」

樋口晴子は、いったい彼女が何を言ったのか分からず、きょとんとした。

「あれ」と鶴田亜美も驚いている。「森田さんって、同じサークルだったたんじゃ」

「森田君は、同じサークルだったけど」

「その森田さんのことを、ニュースで言ってたんですけど」鶴田亜美は、樋口晴子が予想以上に動じていることに、動じていた。「あ、あれ違うんですか」

樋口晴子は口を開け、しばらく動けない。どうしたの、と脇《わき》にいる七美が袖《そで》を引っ張ってきてもすぐには反応できなかった。首を振る。「違わないと思う」とどうにか答えた。森田森吾が死んだ、などという話を受け入れられるはずがなかったが、今の事態を考えれば、ありえない、と否定することのほうが難しい。「わたしがニュースを見逃しちゃっただけかも」きっとそうだ。

「森田さんはあの事件現場の近くで、車に乗っていて、やっぱり爆発が起きて、遺体で発見されたみたいで」

何それ、と樋口晴子は目が回る思いだった。自分の立っている場所が把握できず、貧血で倒れそうだ。「それも、青柳君が?」

「ニュースはそんな雰囲気でした」

「森田君が?」樋口晴子はぽつりと洩《も》らす。実感は湧《わ》かない。「何それ」

ええ、と鶴田亜美が同情と心配を浮かべて、こちらを見た。

森田君が? しつこいと思いつつも、確認せずにはいられない。何それ。

廊下を進み、奥の病室の前に来ると、「ここなんですよ」と鶴田亜美が言った。小野、というプレートがある。「さっきまでは入れなかったんですけど」とドアを開ける。

中に入ると、カズがベッドで上を向いたまま、目を瞑《つむ》り、横たわっていた。懐かしさがこみ上げる一方で、巻かれた包帯が痛々しく、樋口晴子は動揺した。

「この人、どうしたの」と七美が見上げてくる。「お母さんのお友達、どうしたの」

「寝てるの。怪我《けが》したんだって」樋口晴子はそう答えるのが精一杯だった。学生時代から今日までの年月の長さを直線で書いたとするなら、紙を折り曲げ、その先端同士を繋ぎ合わせたかのように、距離が一気に縮まり、樋口晴子は初めてサークルに顔を出したカズが、「青少年食文化研究会って、ハンバーガーばっかり食ってるから絶対、不健康な人しかいないと思ってたんですけど、樋口さんは痩《や》せてるし、健康的ですよねえ。胃下垂とかっすか?」と馴《な》れ馴《な》れしく、けれど嫌味なく、挨拶《あいさつ》をしてきた時のことをつい先ほどのように思い出した。その隣には森田森吾がいて、「胃下垂が太らないって、あれ本当なのかよ」とのんびりと言い、青柳雅春が、「ハンバーガーばっかり食ってたら死ぬから、自分の健康は自分で管理しないと駄目だよ」とカズに釘《くぎ》を刺した。

今、樋口晴子の前にいる、数年ぶりに会ったカズの口には、透明のマスクがつけられ、管が伸びている。健康を自分で管理するどころか、機械に管理されている。

どうしてこんなことに、と愕然《がくぜん》とする。そして一方で、森田森吾のことが頭に浮かぶ。森田君が死んだ？　まるで現実味がなかったが、目の前のカズの状態を見ると、荒唐無稽《こうとうむけい》！　と笑い飛ばすわけにはいかなかった。どんなこともありえる、と思わずにいられない。

「早く、起きないかなー」鶴田辰巳が無邪気に言い、隣の鶴田亜美が、「本当だねー」と軽やかに答えた。目尻に涙が浮かんでいる。

「彼の両親とかは」樋口晴子はその個室を見渡すが、他に見舞い客がいるような様子はなかった。「確か、実家って新潟とかだったっけ」と記憶を引っ張り出す。朝から学生時代の記憶の箱を総点検している気分だ。

「昨日の夜、電話しました。たぶん、新潟から向かってきていると思うんですけど、仙台への交通って麻痺《まひ》しちゃってるみたいなので」

樋口晴子もすぐにうなずく。一晩明けて、厳重な封鎖こそ解かれたものの、まだ仙台地域への出入りはかなり不便なはずだった。

するとその時、「小野さんのお知り合いですか？」と後ろから声がかけられた。振り返ると、見知らぬ顔の男が立っていた。よれよれの背広を着ていて、肩幅が広い。真四角の輪郭の顔で、見るからに無愛想だった。手帳を取り出し、「警察庁の総合情報課、近藤守と言います。今、仙台の事件捜査を行っています」と名乗った。

青柳雅春は、首相をラジコンヘリの爆弾で殺害した犯人です。

病院の向かい側にある喫茶店で、樋口晴子たちを前にし、近藤守は断定した。

「証拠とかあるんですか」鶴田亜美が詰め寄ったが、近藤守は嫌な顔もせず、「テレビでごらんにはなっていませんか？　ラジコンヘリを購入する青柳雅春がビデオに映っています。青柳雅春が逃走しているところを、何人もの人間が目撃しています。酒屋の店主が怪我を負い、ファミリーレストランでは銃を発砲しました」と述べた。「それからこれはまだ公《おおやけ》にはなっていませんが、昨晩、実は一度、青柳雅春を逮捕するところまでいきました」

樋口晴子は子供用の座席に座る七美の機嫌を窺《うかが》いつつ、近藤守の話を聞く。

青柳雅春は、カズのマンションから出たところで逮捕されたのだが、仙台駅へと移動する途中で、逃走したのだという。

「昨日の夜、青柳さんは、どうして小野君のマンションに来ていたんですか」鶴田亜美が言うのと同時に樋口晴子は、「逃げるってどうやって？」と疑問を発していた。

近藤守は二つの質問の矢に慌《あわ》てることもない。思えば、会った時から表情らしき表情が浮かんでいなかった。四角い輪郭の能面、だ。

「実は、私たちのところに小野さんから、『青柳雅春から連絡があった』と通報があったんです。おそらく、青柳雅春は、小野さんが通報したことに気づき、彼のマンションに押しかけ、暴力を振るったんでしょう。私たちの仲間がそこに駆けつけ、逮捕した。そういうことです」シンプルな話ですよ、と近藤守はあっさりと言った。「せっかく協力していただいた小野さんには本当に申し訳ないことをしました」

樋口晴子は唇を開き、発言すべきかどうか悩んだ。疑問は解消したかったが、解消するかわりに自分が良からぬ疑いをかけられるのではないか、という恐れもあり、逡巡《しゅんじゅん》していたところ、くしくも、四歳の鶴田辰巳がまさに訊ねたかったことについて訊ねてくれた。

「どーして、小野君は、その人が犯人って分かったの」

警察になぜ、カズが通報したのか。通報できたのか。それが疑問だった。昨晩はまだ、青柳雅春が犯人だとはどこにも公表されていなかったはずだ。

「詳細についてはお教えできないのですが、小野さんは、青柳雅春から電話をもらった際、金田首相の事件に関する情報を聞いたそうです。学生時代の友人、後輩ということで、青柳雅春も逃走の手助けを頼んだのでしょう。小野さんはそのことで、警察に相談した。警察は、つまり私たちはその時すでに、内々で、青柳雅春について捜査をしていたところだったので、まさに、ちょうどのタイミングでした」

「ふうん」鶴田辰巳は、近藤守の説明を理解しているようには見えなかったが、それ以上は質問をしなかった。

「それから、青柳雅春がどうやって逃げたのか、という質問ですが」近藤守は律儀《りちぎ》に、樋口晴子の問いにも答える。「仲間と思《おぼ》しき男が、移動中の警察車両に軽自動車で衝突して、その隙《すき》に青柳雅春は逃走しました」

「仲間？」樋口晴子は反射的に聞き返す。

「体当たりをしてきた軽自動車は、一般人の所有する車でした。青柳雅春の仲間が無理やりに奪ったもので、所有者である女性は」近藤守はそこでいったん言葉を止め、樋口七美と鶴田辰巳に視線をやり、若干声を落として、「刺殺されていました」と言った。

鶴田亜美が目を丸くしている。

樋口晴子もぎょっとした。ますます、頭の中に靄《もや》がかかるようだ。青柳雅春の面影と、今、近藤守が述べる犯人、青柳雅春がどうしても重なり合わない。

「今、全力を挙げ、青柳雅春を捜索しています。仙台市内のセキュリティポッドから情報を得て、顔写真を宿泊施設、病院、交通機関に配っています。もしかすると、小野さんのところに彼が来る可能性もあります。その警戒のために私もここに来ました」

「青柳さん、ここに来るんですか？」鶴田亜美は、近藤守の話を聞き、急に不安になったのか、青柳雅春を恐怖する面持ちになっていた。

「可能性の問題です。お二人の電話番号を聞かせていただいてもよろしいですか？」

「電話番号？」

「樋口さんは、青柳雅春の大学時代の友人ですし、鶴田さんは、小野さんのお知り合いです。青柳雅春が何らかの接触をしてこないとも限りません」

「接触を？」

「実は今日、つい先ほども、青柳雅春は知人に接触しました」近藤守は事務的に述べるだけで、その知人が誰であるのか、接触した結果どうしたのかは明かさなかった。「ですから、お二人についても十分にありえます。電話がかかってきた場合、こちらでその情報を確かめることができますので、番号を教えていただけると」

「盗聴されるってこと？」樋口晴子は眉《まゆ》をひそめた。言い方は丁寧だが、近藤守の説明はすなわち、そういうことになる。

「セキュリティポッドが設置されて以降、さまざまな情報が取得されています。あくまでも、セキュリティのためです。私たちはそれを無断で、閲覧、利用することはありません。ただ、今回のような緊急事態の場合、どうしても、情報の活用が求められるわけです。車のナンバーをチェックする、Nシステムと同じですよ」

樋口晴子は、友人の平野晶の恋人が、セキュリティポッドのメンテナンスをしている、という話を思い出した。「ザッツ監視社会」と思わず、口にした。

それを聞いても近藤守は怒らなかった。困った様子すらなかった。「お二人の電話番号にかかってきた番号はとりあえず、チェックされます。内容ではなく、かけてきた相手の確認です。もし、青柳雅春や不審な相手からのものだと分かれば、私たちが駆けつけます」

「電話を聞かれるなんて、気分が悪いけど」

「協力をお願いいたします」近藤守は丁寧に、けれど感情は外に出さず、言った。

「わたしは構いません。協力します」と鶴田亜美は言った。その気持ちは樋口晴子にも分かった。カズのあの状態を考えれば、この事件が少しでも早く解決するように、と考えるのは当然だ。

「わたしもいいですよ」樋口晴子も同意する。ここで了承しなかったところで彼らは番号くらい独自で調べられるのに違いなく、隠す意味も感じられなかった。

「もし、不審な電話がかかってきたら、短くても三十秒は時間を稼ぐようにしてください」

「それより短い会話は、基本的には蓄積されない仕組みになっています。できるだけ、話を延ばしてください。その蓄積された情報に対して検索を行いますので」

「もし、小野君の電話に、青柳さんから連絡があったら、どうすれば」鶴田亜美が質問をした。

「可能であれば、電話に出て、何か聞き出していただければと思います。どこかで落ち合う約束が交わせればベストですが」

樋口晴子たちの電話番号、住所などを書き終えると、近藤守は満足したように顎《あご》を引いた。結局、注文したアイスティーには一度も口をつけなかった。

「どうして、青柳君はあんな事件を起こしたんでしょう」樋口晴子はテーブルから立とうとする近藤守に訊《たず》ねた。

答えはシンプルだった。「それは、捕まえてから本人に聞こうと思っています」

「三十秒？」

病室に戻り、カズの目を閉じた姿をもう一度見ると、樋口晴子は病院を後にすることにした。外へと向かう途中、鶴田亜美が、家はどのあたりなのですか、と訊ねてくるのでマンションの場所を説明すると、「ああ、そこなら分かります。以前、近くにいたことがあるんです」とその時だけ彼女は明るい声を出した。

病院の出入り口に着いたところで、「小野君が目を覚ましたら、連絡します」と鶴田亜美は言い、それから首を傾け、上を見た。釣られて樋口晴子も空を眺めると、雲はほとんどなく、奥行きも何も感じない薄い青色がのっぺりと広がっていた。白々とした日差しが心地良い。

「びっくりするくらい空が青いと、この地続きのどこかで、戦争が起きてるとか、人が死んでるとか、いじめられてる人がいるとか、そういうことが信じられないですね」鶴田亜美は笑顔とも泣き顔ともつかない顔になった。

「え?」

「前に小野君が言ってたんです。天気がいいとそれだけで嬉《うれ》しくなるけど、どこかで大変な目に遭ってる人のことも想像してしまうって」

「そっかあ」樋口晴子は、どちらかといえば享楽《きょうらく》的に生活していたカズがそんなことを考えるようになったんだ、と感心した。

「って、実はそれ、青柳さんに聞いたらしいんですけどね」鶴田亜美が言う。

「青柳君に?」

「晴れた日にどこか遠くで大変な目に遭ってる人を想像する、って話、青柳さんが言ってたらしくて、それを小野君、ずっと覚えてたみたいです」

「青柳君は意外にそういうことを言いそうなんだよね」樋口晴子は気を抜くと、懐《なつ》かしさで胸に穴が空くような予感があった。

またねー、と子供たちは挨拶《あいさつ》をし合う。樋口晴子と七美は病院の敷地から出た。

「ねえねえ、お母さんのお友達って、悪者なの？」細い歩道を進みはじめたところで、七美が訊ねてきた。「あのテレビに映ってた人でしょ。お母さん、お友達なんて言ってなかったよね」

「昔の友達だったからね」樋口晴子は言ってから、そうか今はもう友達でもなかったのか、と思う。

恋人と友達のどこが違うのかというとね、と以前、平野晶が主張していたのを思い出した。「恋人はね、別れたら基本的に友達には戻れないよ」と彼女は言い切った。

「戻ってる人たちもいるじゃない」

「無理無理。まあ、もちろん例外はあるだろうけどね、基本的には、別れた元彼の人生は、自分の人生とは無関係だよ。どこで何してようが、関係ない。じゃないとさ、その時一緒にいる恋人とか配偶者に失礼でしょ」

配偶者、という堅苦しい言い方が面白く、記憶によく残っている。

「でも不思議なもんだよねえ。付き合ってる時は毎日連絡を取り合っていたのに、別れて数年したら、まったく関係もなくなって、永遠に接点なく、生きていくんだから。不思議だよね」平野晶はそうも言った。

「悪そうな人じゃなかったけどなー」七美が繰り返す。「恰好良かったし」

樋口晴子は意識するより先に、「でしょー」と答えてしまう。

正午前、太陽も高い位置にあった。歩いている樋口晴子の前髪を揺らした風も穏やかだった。

青柳君は、と思った。爽快感溢《そうかいかんあふ》れるこの青空の下、自分たちの歩くこの地面と連続したどこかで、身を潜め、逃げ回っているのか？　何とも現実味のない話だった。

お腹《なか》が空《す》いたという七美を連れ、北四番丁近くのファミリーレストランに入った。窓《まど》際《ぎわ》のテーブルに着くと、先ほどの近藤守が、青柳雅春はファミリーレストランで銃を発砲したと言っていたのを思い出した。青柳君が銃を？　ますます実感が湧《わ》かず、それは、素人《しろうと》の青柳雅春が無理やりドラマに出演し、学芸会じみた演技を披露するかのような、ぎこちなさを感じさせた。

本当に？

店内の壁には大きな横長の液晶画面があり、テレビ番組が映っていた。普段はスポーツの中継などを流しているのだろうが、今は当然の如《ごと》く、金田首相の事件についての特別番組が流れていた。

「あ、お母さん、また！」と七美がストローから口を離し、画面を指差した。

青柳雅春の顔が映っている。例によって、アイドルを救った時の取材映像だった。おどおどしつつ控えめに話す姿は、樋口晴子のよく知っている彼に近かった。「ああ、わたしの知っている青柳君が、そんなところに」と思った。

食事を終えるまでの間に、電話が続けざまにかかってきた。

最初は、夫の樋口伸幸からだった。テーブルの上の携帯電話に着信があり、名前が表示された途端、「あ、お父さん」と七美が反応する。樋口伸幸は勘がよく、精力的では決してなかったが、思いついたならすぐに行動する性格だった。せっかちなのかもしれないが、分かりやすい。だから、電話に出て、樋口伸幸が、「今、ニュースで観《み》たけれど、あの犯人って、晴子の昔の友達じゃないか」と直截《ちょくせつ》に言ってきた時も、夫らしいな、と思った。

「よくご存知で」

「俺は、妻の過去について根掘り葉掘り聞くのが趣味だから」と冗談めかして、言う。「前に、テレビで話題になった時、教えてくれただろ。あのアイドルを助けた運転手が、学生時代のサークルの友達だったって。それが今は、大事件の犯人だっていうから、びっくりして電話したんだ」

「わたしもびっくりしてるところ」

「大丈夫か?」樋口伸幸が言う。抽象的ではあったが、樋口晴子はその呼びかけに救われた気分にもなる。

「大丈夫じゃない、って言ったら、帰ってくる？　わたしなら、帰るね、絶対」

樋口伸幸が笑う。「帰るよ」

「うそうそ、大丈夫。実はさっき、その青柳君のことで警察の人に声をかけられたんだけど、それくらいだし」

「警察？」

「昔の知り合いだから、連絡があるかもしれない、って。電話があったら、警察に連絡しろってことみたい。というか、今ね、仙台中の電話が盗聴されてるっぽくて、わたしのところに青柳君から電話があったら、自動的に分かっちゃうかもだけど」

「じゃあ、この電話も警察に聞かれてるってわけか？」樋口伸幸はすぐに状況を察した。

「気味悪いな」

「まあ、向こうも暇じゃないだろうし、青柳君からの電話じゃないって分かったら、気にしないんじゃない」と言いつつ樋口晴子も、今、この時も誰かが聞き耳を立てているようなおぞましさを感じた。窓の外に目をやれば、歩道の植え込み近くにセキュリティポッドの丸い頭が見えた。明かりが点滅している。「警察の人が言うには、三十秒以内の短い電話なら、録音されないみたいなんだけど」

「ありえるな。逆探知なんかもある程度、時間が必要みたいだし、機械ってのは意外に、起動して、働き出すまでに時間がかかる。そういうもんだ」

「じゃあ、次からは三十秒以内の用件で済ませて」樋口晴子が笑うと、夫も笑った。

「とりあえず、なるべく早いうちに帰るよ」と樋口伸幸は電話を切った。

「お父さん、何だってー?」七美はジュースを飲み干し、皿に残ったピラフを手で摘《つま》んでいる。

「大丈夫かな、って心配してた」

「心配するだけなら誰でもできるよ」とませたことを娘が言うのが可笑《おか》しかった。

電話にまた着信があった。見れば、また夫からで、「どうしたの?」とすぐに出る。

「三十秒以内で」樋口伸幸が笑いつつ、けれど、早口で言った。「彼は本当に犯人なのか? そんなことする奴《やつ》と晴子は付き合ってたのかよ。犯人は他にいるんじゃないか?」

樋口晴子はいきなり、背中から突かれた気分だった。青柳雅春と交際していたことは話していなかったはずだぞ、と頭の中で大至急で、過去の記憶を早回しにする。「いつの間に、ばれてたんだっけ?」

「ばればれですよ、奥様」樋口伸幸は言うと、「じゃあ、また」と電話を切った。

「何がばれたの? 浮気だー」七美が嬉しそうに言ってきた。

浮気の意味も知らないくせに、と樋口晴子は笑ったが、するとまた携帯電話が震えはじめる。またもや夫からか、と表示を見れば、平野晶だった。電話ばっかりだね、お母さんもてもてだね、と言う七美に、「だねー」と言い、通話ボタンを押す。

「あ、晴子ちゃん」と彼女は前日に会った時と同様、快活な調子だった。「どう、あの後、うまく帰れた？　街中、えらいことになってたけど」

「えらいことになってるね。そっちは、無事？」

「会社でも大騒ぎだったけど、でもさ、不思議だよねー。一国の首相が殺されるような事件があっても、仕事はあるんだよ。つまらない仕事がわんさか。地球がなくなっても、会社ってあるんじゃない？」

愚痴とも世間話ともつかない彼女の話に、樋口晴子は肩の力が抜けてくる。今は仕事中ではないのか、と確認すると、ただいま昼休みの延長戦、と訳の分からない返事があった。

「でもさ、わたしの彼も大忙しみたいよ」

「セキュリティポッドのメンテナンス？」

「そうそう。今や、仙台の治安があの可愛《かわい》いロボットみたいなものにかかってるらしいよ。で、その装置をぴかぴかに磨く、我らが将門君が命運を握ってるようです」

「トランプの10なのに」樋口晴子は前日の話を思い出す。

「顔は11のくせに」平野晶は自分で言って、噴き出すようにした。「でも、犯人があの宅配便のドライバーだとは思わなかったね。偶然ってあるんだねー。ちょうど昨日、晴子ちゃんとその話をしたばっかりで」

「偶然って怖いね」と本心から言った。

それじゃあまた、次はもっとゆっくり会おうよ、と平野晶は言い、「本当は夜、飲みにいきたいけどね」と笑う。

そうだね、と答えるが、娘を一人残して、夜に家を空けることなど樋口晴子からすれば、空中ブランコよりも難易度の高いものに感じられた。度胸や訓練で解決できるものとも思えない。

電話を切る。七美は黙々とピラフを口に運んでいる。口の周りについた飯粒を樋口晴子は指で摘んで、七美に食べさせる。

自分の分のパスタを食べ、皿がようやく空になりそうだというところで再び画面に目をやると、どこかで見たことのある場所が映っていた。どこだろうこれは、と懐かしい気分で目を凝らす。カメラやマイクを持った男たちがずいぶんいる。誰も彼もが真面目《まじめ》な顔をしていたが、緊迫感はない。物見遊山《ものみゆさん》とも野次馬とも違うが、慣れた祭りをこなすような様子に見えた。

ロッキーのところ、と気づいたのは少ししてからだ。学生時代に、サークルの仲間たちとたびたび訪れた、市の北に位置する花火工場だった。

ああ、そうか、と樋口晴子はほどなく、気づく。青柳雅春がこの花火工場で働いていたという情報を手に入れたマスコミは、花火工場であれば火薬を使うから、火薬にも馴染《なじ》みがあるだろう、つまり、爆弾にも密接に関係しているはずで、やはり青柳雅春は爆破の犯人なのだ、そうかそうかそうか意外に簡単なシナリオだ、と短絡的に考えているのかもしれない。案の定、マイクを持ったリポーターが、「ここで働いていた際、青柳雅春は、黒色火薬についての知識を得たといわれています」と述べていた。そんな馬鹿《ばか》な、と樋口晴子は瞬《まばた》きをした後で、画面を眺める。

轟煙火には学生時代、何度も通ったが、樋口晴子たちがやったことといえば冬の間の雪掻《ゆきか》きや工場内の掃除、荷物の運搬程度だった。社長の轟は豪快で、細かいことを気にするタイプではなかったが、プロ意識が強いこともあり、花火や火薬については神経質で、ただの学生に過ぎない樋口晴子たちにはその製法や火薬の知識については一切、教えなかった。青柳雅春が轟煙火に通ったことで爆弾を作れる、というのは、それこそあそこの工場の空気を吸うだけで爆弾に詳しくなれる、というのと同じだった。

樋口晴子は微動だにできず、テレビを観る。真面目な顔つきで喋《しゃべ》るリポーター、スタジオで深刻にうなずく司会者、彼らの言うことがいかに根拠がないか、現実と離れているのか、それを実感する。

「嘘《うそ》ばっかりじゃないの」

「お母さん、どうしたの」

七美に声をかけられ、我に返る。「ああ、あのね、テレビって本当のことしか言わないと思ってたけど、違うんだな、って」

「そんなのわたし、知ってたよ」七美が自慢げに言う。「だから、テレビでよく謝ってる人とかいるでしょ」不祥事を起こした企業の、謝罪会見のことを指しているようだった。

樋口晴子は携帯電話を取り出し、電話番号を検索した。自分の電話番号は学生時代と変わったが、登録されていた電話番号の大半は残してあった。

「ちょっと電話かけてみるね」と樋口晴子は、七美に声をかけ、テーブルに座ったまま携帯電話を耳に当てた。テレビに映る工場の敷地を眺めながら、今まさにあの中にいる轟に、自分の電話が届く様子を想像してみる。

話し中の音がむなしく、鳴った。誰も彼もが轟煙火に電話をかけているのかもしれない。

その後で、森田森吾に電話をかけたくなったが、自分の知っていた番号では繋《つな》がらなかったことを思い出した。「森田君、死んじゃったって本当なの？」と彼自身に問い質《ただ》したかった。「まあ、そうだな。森の声のお導きだよなあ」と彼なら飄々《ひょうひょう》と返事をするかのような予感すらあった。青柳雅春は暗殺犯として逃げ回り、森田森吾は爆発で死亡し、カズは怪我《けが》を負い、病院にいる。いったい、何がどうなってるわけ？　と誰かに迫りたかった。携帯電話をテーブルに戻し、また、壁にかかった大型の画面を見やる。

いつの間にかコマーシャルになっていた。激しく炎が映り、いったいどこの火災現場かと思えば、カメラが遠ざかるにつれどこかの厨房《ちゅうぼう》だと判明する。髭《ひげ》の中年男性が、「私が作った特製ホワイトソース、いかがですか」と気取った言い方をした。ホワイトソースの宣伝らしかった。

有名なフランス料理店のシェフだ。仙台にも姉妹店があったはずで、昔、青柳雅春とそこへ行こうとしていた時のことを思い出した。土砂降りに遭い、結局、キャンセルをする羽目になったあのレストランだ。その一ヶ月後、再チャレンジのつもりでその店に行ったが、高級な割に接客態度が悪く、味もどこかぴんと来ず、青柳雅春と首を捻《ひね》りあって、出てきた。気のせいか、青柳雅春と出向いた飲食店は外れのことが多かったな、と思い出した。そのたび樋口晴子は、青柳雅春と自分の組み合わせは誰からも歓迎されていないような気分になった。流れ出す記憶に樋口晴子は戸惑いつつ、窓の外を見やる。ずっと遠く、空は依然として、雲ひとつない。

何年も前、花火大会の際に轟が言っていた台詞《せりふ》も蘇《よみがえ》った。「花火ってのは、いろんな場所で、いろんな人間が見てるだろ。もしかすると自分が見てる今、別のところで昔の友達が同じものを眺めてるのかもしれねえな、なんて思うと愉快じゃねえか？」

昔の恋人である青柳雅春が仙台市内のどこかで、このコマーシャルを見て、自分と同じ記憶を掘り返し、同じ感慨に浸っている。もしかするとそうかもしれない、と考えると、照れ臭さや寂しさ、くだらなさの入り混じった思いにとらわれる。

彼は本当に犯人なのか？　夫の言葉が自分の内側で響いた。テレビが流す情報はどれも、信じがたかった。トンカツ屋の話も、痴漢の件も、花火工場と爆弾についても違和感があった。ましてや、森田森吾を殺害したなど、あまりに信じがたく笑いそうになる。もし犯人ではないのだとすると、青柳雅春は無実であるのに、今も逃げていることになる。

そんなことする奴と晴子は付き合ってたのかよ。

自分に男を見る目が、人間を見る目があるとは思ったこともなかったが、自分の付き合っていた青柳雅春が何をやり、何をやらないか、それくらいは知っているつもりだった。少なくとも、テレビでマイクを持つ、あいつらよりはわたしのほうが詳しいのに、と思うと樋口晴子は伝票を持ち、立ち上がっていた。

青柳雅春

三浦に飲まされた薬はあくまでもきっかけに過ぎなかったのだろう。薬が効いたというよりは、たまった疲労が自分を熟睡させたように思えた。目を覚ました時、すでに朝の八時だった。服のまま身体《からだ》を横にし、枝から落ちた幼虫が身を屈《かが》めるかのような姿勢で、眠っていた。

カーテンは開けたままだったが、アパート自体が日陰に位置しているのか、さほど日は照ってこない。三浦は置手紙も残さず、そんなものがあったらあったで戸惑っただろうが、姿を消していた。布団《ふとん》なしのコタツの上に、鍵《かぎ》があるだけだった。これで施錠《せじょう》して外に出ろ、という意味だろうか。

テレビを点《つ》けた。自分の顔がそこに現われた時、青柳雅春は部屋の底が抜け、そこから落下する感覚を覚えた。背中を冷たい指がすーっとなぞってくる。首筋が寒くなる。まさに、一日前、歩道橋から前園のトラックに飛び降りた時の、落下の感覚だった。

「そこのマンションに、アイドルの凜香ちゃんがいるってことは以前から、知っていたんですか?」リポーターの質問に対し、二年前の青柳雅春が、「いえ、知りませんでした」と答えている。

あの時の映像が流れ、それが終わるとスタジオの司会者が、「あの彼が、とは思いますが」と神妙に語った。

落ち着かないといけない、と青柳雅春は言い聞かせた。ついに来た、ついに自分の顔写真が公表された。だが、これは想像していた展開じゃないか、浮き足立ってはいけない、と必死に念じる。そうでもしなければ、自分が犯人として発表された恐怖で、正気を失ってしまいそうだった。テレビのリモコンで電源を切る。

ぱしゃっと消えた画面はしんと静まり返る。

立ち上がり、発作的に玄関に向かうがリュックサックを忘れていた。すぐに戻る。肩に掛け、また部屋を出かけるが、ドアの向こうに自分を待ち構える人間が列をなし、銃口を向けているかのような予感を覚え、室内に足早に戻る。窓から外を覗《のぞ》くが、下の細い歩道には人の影はなかった。視線を動かすと電線にとまっていたカラスが羽根を広げ、飛んだ。

また、テレビを点ける。

マイクを向けられ、嫌々ながら回答している二年前の自分があまりにも無邪気に見えた。耐え切れず、電源を消そうとしたが画面の隅に書かれた、「事件に関する情報はこちら」という文字が目に入った。電話番号、ＦＡＸ番号、メールアドレスがある。

昨日、三浦と交わした会話を思い出した。テレビ局に頼っても無駄だ、と彼は言っていたが、まだその案を捨てきれずにいた。トラブルに巻き込まれた際、一般の人間が真っ先に頼るのは警察で、その次は、マスコミのようにも思えた。

深く悩んでいると永遠に踏ん切りがつかない気がし、三浦から渡された携帯電話を使い、テレビに映っている番号を押した。念のため、非通知にし、かけた。電話が殺到しているのか、しばらくは話し中の音が鳴るだけだったのだが、十分ほどして繋がる。「あの」と言うと向こう側は慣れた様子で、「今回の事件についての情報ですね」と促してくる。はきはきとしてはいたが、事務的な女性の声だった。

緊張し、「あの」と喋りはじめる。「あの、俺、青柳雅春です」と思い切って、一息に言った。その途端、相手は呼吸が止まらんばかりに驚き、突如訪れた、特ダネとも大ニュースともつかない連絡に興奮し、声を上擦らせてくる。青柳雅春はそう、想像していたのだが、実際は違った。まるで、異なっていた。

「ああ、そうですか」という声はどちらかといえば、うんざりとしたもので、青柳雅春のほうが虚を突かれた思いだった。「今、テレビで流れている、あの青柳雅春なんだけど」

「住所等を教えていただいてもよろしいですか?」と言ってくる。

青柳雅春は戸惑いつつ、しだいに状況が飲み込めてくる。大勢いるのだ。青柳雅春だ、と主張し、面白半分なのか本気で思い込んでいるのかは分からないが、テレビ局に電話をかける人間が何人もいるのに違いない。だから、電話を受ける彼女にも、またか、のニュアンスが滲《にじ》んでいる。

電話を切りたくなったが、我慢する。自分は青柳雅春で、逃げているところなのだ、と説明をした。自分は事件の犯人ではないので、そのことをテレビを通じ、視聴者に伝えてほしい、と訴える。

あまり長時間、電話をすること自体が怖くなり、さすがに切ろうかと思ったがそこでその電話応対の女性が、別の人間と喋っているのが聞こえてきた。詳細は分からなかったが、後ろをたまたま通りがかった男性に状況を説明する、という様子で、しばらくすると、「プロデューサーの矢島と言います」と男が電話にかわった。「青柳雅春さんですか？」

「そうです」と思わず、声が強くなった。

「申し訳ないのですが、青柳さんだと言って連絡をしてくる人が非常に多いんです。ただ、大半が、自分が犯人だと自慢げに話す方で、そちらのように、濡《ぬ》れ衣《ぎぬ》だと報道してくれ、とおっしゃるのは珍しくて」だから、興味を持ってくれたようだった。

「俺は無実だから」と青柳雅春は言う。あまり、長い文章を喋ると嗚咽《おえつ》がまざりそうだ。

「あなたが青柳さんだということを証明できますか？」

すぐには答えられない。自分が自分であるという証明など、誰にできるのか。「もし、俺が青柳雅春だと証明できたら、守ってくれますか？」

「守る？」

「俺は警察に追われています。あんな事件は起こしていないのに」

「警察にそう話せばいいじゃないですか」

舌打ちが出そうになった。話して分かってくれる状況ではないのだ、だから、テレビを通じて放ちたくもなった。ですよね、誰だってそう思いますよね、と投げ遣《や》りに言い世論に訴えたいのだ、と続ける。執拗《しつよう》に追いかけてくる警察官と、ショットガンを持つ大男、次々と発砲された銃が頭を過《よ》ぎる。「俺の無実を理解してもらえるまで、テレビ局で匿《かくま》って欲しいんです」

矢島は黙り込んだ。即座に、「いいっすよ。いいっすよ。大船に乗ったつもりで」などと言い出してもらえるような期待もあっただけに、落胆した。

青柳雅春がこっそりと唾《つば》を飲み込んだ時、「難しいかもしれない」と矢島は答えた。

「まず、君の言っていることが真実かどうかの検証が必要だ。無闇《むやみ》に、勝手な報道はできない」

「今、まさに、俺が犯人だという報道が、無闇に、勝手にされてますよ」青柳雅春は嫌味を発したかったというよりは、言わずにはいられなかった。

矢島はまた、口を噤《つぐ》んだ。少しして、「君の情報が分かったら、警察には報告をしなくてはいけない。そういう取り決めが、昨晩から、なされているんだ。だから、君の安全は出来る限り、こちらで守るが、警察に言わないわけにはいかない」と言ってくる。真っ当な対応には思えた。

青柳雅春の頭に、一つの光景が浮かぶ。テレビ局に出向き、スタジオに通される自分の姿だ。カメラが何台も自分に向けられているがそれを構えているのは全員、制服を着た警察官で、はっとするのもつかの間、彼らの手にした拳銃《けんじゅう》で撃ち抜かれる。事情を知らされていないテレビ局のスタッフは当然、なんてことをするのだ、と騒ぎ出すが、そこに佐々木一太郎が悠然と姿を見せ、「青柳雅春は銃を隠し持っていました。射殺するほかなかったんですよ」と宣言する。明らかに胡散臭《うさんくさ》く、陰謀説も飛び交うことになるが、真実は藪《やぶ》の中、オズワルドが死んで、すべてがうやむやになったのと同じことになる。

「聞いてるかい？」矢島の呼びかけで、我に返る。

「とりあえず、また、考えて電話をします」青柳雅春はそう答えるほかなかった。

矢島は引き留めるべきかどうか逡巡《しゅんじゅん》している風ではあったが、何かあったら電話をしてくれないか、と自分のものと思《おぼ》しき携帯電話の番号を告げてきた。青柳雅春はそれを咄嗟《とっさ》に、机の上に転がっているボールペンを拾い、左手首に書き留めた。

電話を切り、テレビの電源を消す。先ほどからずっと一人きりだったが、これでまた一人だ、という気持ちが強くなった。

「逃げろ」それは森田森吾が昨日、あの車の中で自分に言った台詞だった。

「この部屋にずっと隠れていても、解決はしないですよ」と三浦は言った。

リュックサックからニットの帽子を取り出す。稲井氏のマンションからずっと持ってきたものだ。すぐに、昨日、そのニット帽を被《かぶ》っていたところを佐々木一太郎に捕まったことを思い出した。すでに彼らはその帽子を、青柳雅春の特徴として関連付けている可能性もある。セキュリティポッドがどの範囲まで、どの程度の精度で映像を取得しているのか定かではないが、その帽子がはっきりとテレビに映る場面も想像できた。慌《あわ》てて、帽子を部屋の隅に投げる。いっそのこと何も被らないほうがましかもしれない。もう、何をやっても、いくら策を弄《ろう》したところで、捕まるのは時間の問題に思えた。

アパートを出た青柳雅春は顔を伏せ、北へと歩みを進める。仙台駅から北東に位置する雑居ビルを目指していた。歩くには距離があるが、他の交通手段が思いつかない。バスでは人の目が気になるし、タクシー運転手には青柳雅春の顔写真が配布されているかもしれない。昨日とはまるで違う緊張感だった。道行く人が自分を犯人と罵《のの》り、「テレビで観《み》た男!」と腕をつかみ、もしくはこっそりと通報を行ってもおかしくはない。

広い大通りの赤信号で、立ち止まる。脇《わき》に立つ男女がちらちらと自分を窺《うかが》うように思え、居心地が悪く、歩道橋を渡るべく階段に向かった。すると今度は、急に方向を変えたことが目立ったのではないかと焦《あせ》り、階段を早足で昇ってしまう。歩道橋を渡っている最中、眼下の植え込みにセキュリティポッドが見え、身体をかがめたくなるが、我慢する。歩道橋下を救急車が通り抜けていった。そのサイレンと赤色灯をじっと目で追う。行動のすべてがちぐはぐで、何をしても不自然で、身体を動かすこと自体が嫌になる。

車道を見やれば車は昨日よりもスムーズに流れているようだった。検問はやっているのだろうが、緩くなったのかもしれない。宅配便の大型トラックが路肩に停車し、運転手が荷物を運び出している。

雑居ビルに到着するとエレベーターは使わず、暗い階段で上がった。三階の右手に喫茶店があるが、シャッターは閉まっていた。気紛《きまぐ》れでしか開店しない方針は変わっていないようだ。

青柳雅春はその店の脇にある、共用トイレの中に身を潜める。暗く、埃《ほこり》の臭《にお》いで満ちている。三階はその喫茶店以外は使用されておらず、トイレの利用客もいないはずだったが、隠れている間は不安だった。個室に入ったもののその狭さに怖くなり、さらには逃げ場がないことに気づき、小便用便器の前に立っていることにした。洗面所の蛇口から水が滴《したた》っている。強く締めても、零《こぼ》れている。雫《しずく》が跳ねる小さな音が耳にこびりついた。

エレベーターが作動する音が聞こえたのは、九時を十分ほど回ってからだ。ドアの向こう側で、「やっぱり、閉まってんじゃねえか」と愚痴が聞こえた。「集荷依頼、あったから取りに来たんだけど！」とドアを叩《たた》いている。

青柳雅春はトイレのドアをゆっくりと開くと、足を踏み出した。「岩崎さん」

岩崎英二郎がこちらを向き、目を丸くした。相も変わらず、きっちりとしたオールバックだった。

「おお」と彼は目を丸くし、動きを止めた。足元には、荷物を乗せるための台車がある。

「青柳、おまえ何やってんだよ。俺はちょうど、集荷頼まれて、取りにきたんだけどよ」

「岩崎さん、すみません、それ俺が依頼したんです」

「何だよそれ」と彼は眉《まゆ》を鼻に寄せるような顔つきになる。

「昨日、ホームページから頼んだんです。岩崎さんの担当エリアを調べたら、ちょうどこっちのほうだったんで」

「嘘《うそ》だろ。何だよそれ」岩崎英二郎は困惑すると口元に笑みを浮かべる癖があったが、それはやはり変わらぬようで、今も、うっすらと笑っている。怒っているわけでも、怖がっているわけでもないのが分かる。「ってかよ、おまえ、えらいことになってるぜ」

「テレビ、観ましたか」

「今朝、観た。家を出ようとしたところで、うちのやつが呼び止めるからよ。何かと思えば、おまえが映ってるじゃねえか。犯人で逃げてるっつうし。会社も大騒ぎだぜ。電話も鳴ってよ」

「本当に申し訳ないです」青柳雅春は頭を下げる。自分の以前の勤め先に注目が集まるのは当然のことに思えた。「仕事にならないですよね」

「まあ、気にすんなよ」岩崎英二郎は少しずつ、落ち着きを取り戻しつつあるようでもあった。「どうせ、おまえじゃねえんだろ」

「え」

「おまえがあんな事件の犯人なのかよ。違えだろ」眉に皺《しわ》を寄せる岩崎英二郎の表情をじっと見つめているうちに、新人だった頃、配達中に、彼のそういう横顔をよく見たな、と思い出した。カーステレオから流れてくるヒット曲を聴き、「これのどこがいいんだよ。ロックもロールもしねえじゃねえか」とげんなりした時の顔だ。青柳雅春は奥歯をぎゅっと嚙《か》む。

見透かしたように岩崎英二郎は、「何、泣きそうになってんだ」と言った。「青柳、おまえが実は犯人だ、なんて言うなよ。聞きたくねえぞ」

「いや、そんなにあっさり岩崎さんが信じてくれて、驚いているんですよ」青柳雅春は照れながら、言う。目の端を手の甲で拭《ぬぐ》う。と同時に、顔も洗っていないことに気づいた。

「あのな、前にも言ったかもしれないけどな、テレビで流れる流行の歌とか聴くと、俺はうんざりするんだよ。どこがロックなのかさっぱり分からねえバンドがもてはやされてよ。だいたい、売れてる音楽とか小説ってのは、どれも薄っぺらくて嘘くせえじゃねえか」

「よく言っていましたね、岩崎さん」

「だからよ」岩崎英二郎は、鷹《たか》にも似た鋭い眼を光らせる。「俺はテレビってやつはだいたい、嘘しかつかねえって思ってんだよ」

ああ、と青柳雅春は納得したような気分だったが、それ以上に、ずっと変わらない岩崎英二郎のことが嬉《うれ》しかった。

「で、何を運んでほしいんだよ」岩崎英二郎は顎《あご》を少し上げた。自分が持ってきた、台車に目をやる。会社のイメージカラーでもある薄い青色シートで覆《おお》われた、台車だ。大きい荷物を複数個、運ぶ際に使用したり、もしくは駐車禁止区域となっている街中での配達の際、サテライトからその台車を使い、徒歩で運んだりする。

「俺を」青柳雅春は言う。「仙台から逃がしてくれないですか」

岩崎英二郎が目をぱちぱちとやっている。また、口元を緩めていた。

青柳雅春は必死の思いで説明した。集荷の依頼で、大きめの荷物と指示すれば、カバー付きの台車で取りにくるのでは、と期待したこと。その中に隠れて、トラックへ運んでもらい、移動させてもらいたかったこと。

岩崎英二郎は、「ふーん」と言い、「それにしても、俺がこのエリア担当だってよく分かったな」と訊《き》いた。社員用のホームページを閲覧し、担当運転手の情報を見たのだ、と説明した。そして、正直にこう伝えた。「岩崎さんなら、俺の言うことに、ちゃんと耳を貸してくれるんじゃないかって思ったんですよ」

岩崎英二郎は鼻をこすりつつ、首をこきこきと動かした。

「本当にすみません。こんな迷惑なお願いで。でも、頼れる人がいないんですよ。全然、ロックじゃなくてすみません」

しきりに頭を下げる青柳雅春に、岩崎英二郎は低い声で、「いやあ、ロックだよ」と、けたけた笑った。「入れよ、運んでやるよ。着払いか?」

青柳雅春

台車に乗って運ばれる、という経験は初めてだった。

「トラックは少し離れた場所にある」岩崎英二郎は言った。「身体《からだ》を折り曲げてじっとしていろよ」

青柳雅春が中に入るとその上から、空のダンボールを、蓋《ふた》のようにして重ねてきた。身体を折り、膝《ひざ》を抱えた恰好《かっこう》で、運ばれるがままになる。車輪がついているとはいえ安定はしておらず、動くたびに揺れ、尻《しり》が痛い。

エレベーターに入ったのは分かった。音が鳴り、ゆっくりと下っていく。すぐに止まった。ドアが開く振動の後、「ああ、岩崎ちゃん」と入ってくる男の声が聞こえる。このビルのオーナーで、先ほどまでいた喫茶店の店主だ。

「何、このビルに配達だったの?」と岩崎英二郎に声をかけている。

「社長も、二階から一階へ降りる時くらい、階段にしなよ」と岩崎英二郎が笑った。「痩《や》せないって。というよりも、あの店、気紛れで開けたり閉めたりするのやめたほうがいいよ」

エレベーターが到着し、ドアが開く。先に、社長の降りる足音がした。台車が前に進む。閉まってきたドアが衝突し、青柳雅春の体にも響く。

「岩崎ちゃんのところも大変じゃない」社長がそこで言った。「青柳ちゃん、今、大変なことになっちゃってるだろ。課長とかてんやわんやじゃないの?」

「あれ、社長、青柳のこと知ってたの」

「前に何度か来てくれてたからね。気が利《き》くし、真面目《まじめ》だし、頼りになったけど。ほら、あのテレビで話題の時とか凄《すご》かったしね」

「たいした奴《やつ》じゃないですよ」岩崎英二郎はわざとらしく、大きな声で否定した。

「でも、人は見かけによらないよねえ。あんな物騒な事件起こして。会社大変だろ」

「ドライバーの俺たちはそんなに関係ないよ。石を投げられるわけでもないし。だいたい、青柳は会社、辞めてるしさ」

「でも、首相を殺すかね、普通」

「普通は殺さないって」

青柳雅春は膝を抱えつつ、耳に神経を集中させる。配達をしていた時には、会うたびに大声で話しかけてくる社長が苦手だったが、今はその大声がありがたかった。

「でも、実際、あいつが犯人かどうかはまだ分からないんじゃない？」岩崎英二郎が言う。

「テレビでいろんな映像が出てるだろ。あれ、どこから見ても青柳ちゃんだよ。他にもいろいろ、証拠が出てきてるみたいだし。ありゃ、決まりだな。何であんなことしたんだろうね」

岩崎英二郎はすぐには返事をしなかった。台車が進みはじめる。すると後ろのほうから社長の声がさらに聞こえた。「でもさ、岩崎ちゃん、このビルに何の用だったの？配達？」

台車の動きが止まる。「集荷ですよ。呼ばれたから来たんだっての」

「でも、うちのビル、今、俺の店以外はテナント全部出て行っちゃってるけど」岩崎英二郎は少し間を空けた後で、「でも、集荷、あったよ。何か、そういう幽霊でもいるんじゃねえの、社長のビル。集荷おばけ。持ってけー、持ってけーってやつ」と答えた。同時に台車がまた、進む。くだらない冗談ではぐらかすのは悪い方法ではないと思ったが、余計に相手を不審がらせる気もした。

「いないだろー、おばけは」社長が高らかに笑うのが聞こえた。

路上を進むと台車が激しく揺れた。小さな車輪は乱暴に傾き、そのたび、尻が跳ねる。頭ががたがたと震え、おかげで、恐怖を感じる余裕もない。

台車が止まり、重いドアの開く音がした。顔を上げる。

「箱をはずすから、すぐに荷台に飛び乗れ」と上から声がした。直後、周囲が明るくなる。被されていた段ボールが引っ張りあげられた。太陽に照らし出された途端、自分の服が水に浸される気分になった。濡《ぬ》れ衣《ぎぬ》を着せられ、路上に投げ出される感覚だ。衆人環視の中に、ぽたぽたと滴《しずく》を垂らした姿を晒《さら》される恐怖が過《よ》ぎる。身体を上げ、目の前に見える荷台に乗った。抱えていたリュックが扉の脇にぶつかる。

「奥にいけよ」岩崎英二郎もすぐに荷台に上がってきた。「今日は俺の担当、荷物が少ねえんだよな。だから、けっこう空いてるだろ。隠れやすくはねえけど、隅のほうで箱被ってりゃ、ま、大丈夫だろ」

青柳雅春は積まれている段ボールを見る。確かに、ぎっしりと詰まっているわけではなかったが、身を隠す場所はありそうだった。

「昨日のあの爆発事故のせいで、うちのサテライトに送られてくる便が微妙にずれてるんだろうな。とにかく、今日は仕事が少ねえんだ。そのぶん、都合がいいこともあるけどな」

「都合？」

「おまえをどこかに連れていく時間がある」岩崎英二郎が整ったオールバックの髪を撫《な》でるようにした。「ただまあ、正午にもう一件、集荷でいくところがあってな、また、街中なんだけどよ」とタスク表をめくりながら、言って来る。

開け放たれたままの扉から外が見えるため、青柳雅春は落ち着かず、脇へと移動する。

「じゃあ、それに間に合う感じで、行けるところまででいいので、どこかで俺を落としてください」

「どこだったら安全なんだ？」岩崎英二郎は、青柳雅春に訊《たず》ねるというよりは自分への問いに思い悩むようで、腕を組んだ。「まあ、あれだな、北か南かどっちがいい」

「北か南？」

「西でもいいぜ。東は海だけどよ。仙台市から出るところまで、俺が面倒見てやるよ。

ちなみに、他県から来たドライバーが言ってたんだけどな、北側、泉から富谷《とみや》に抜けて、四号を上がっていくほうが検問は緩いって話だ」

「じゃあ、北で」

岩崎英二郎はまた、けたけたと笑った。「青柳、おまえ単純だよなあ。俺の言葉、鵜《う》呑《の》みじゃねえか。嘘だったらどうすんだよ。じゃあ、とりあえず、さくっと北へ走らせてやるからよ。おまえ、やっぱりさっきの空の段ボールに一応、入ってろよ。もし検問に引っかかって、万が一、扉開けられても、さすがに宅配トラックの荷物全部、開けたりはしねえだろ」

「迷惑かけちゃって、すみません」

「おまえが自分で呼んだんだろうが。いまさら何言ってんだよ」と岩崎英二郎が鼻の頭を掻《か》く。

「まあ、そうなんですけど」

「それによ、俺、おまえのこと結構、あちこちで自慢したんだよ。おまえがほら、アイドルの子助けて、有名になった時があっただろ。あん時よ、『俺が、あいつに仕事を教えたんだ』って言ってな、自慢ばっかりだよ」

「奥さんに、ですか」岩崎英二郎の妻には会ったことがあった。

「あと、キャバクラの姉ちゃんにもな」岩崎英二郎は、にっと高校生が照れるような表情を見せた。「おまえをだしにして、姉ちゃん口説いて、やれちゃったしな」

「何ですかそれは」青柳雅春は返事に困る。

「ってわけで、俺は、おまえに借りがあるんだよ」岩崎英二郎は自分で納得するかのように、よし、と言うと、どういう経路で北へ向かうのかを話しはじめた。県道ではなく、大学病院脇を抜け、輪王寺の下を走る地下道を使い、環状線に合流する。そこから、国道四号に入る、という。

「任せます」実際、荷台の中にいる荷物に、走る道を選択する自由はない。

「まあ、俺に任せておけば問題ねえよ」岩崎英二郎は荷台を後ろへと進み、道路へと飛び降りた。こちらを向きながら、扉を閉めはじめる。

「あ、青柳」途中で、岩崎英二郎が言った。

「なんですか」

何か大事なことを訊ねられる予感があり、青柳雅春は唾《つば》を飲む。岩崎英二郎も、岩崎英二郎らしからぬもじもじとした態度を見せた。

「なんですか」ともう一度、聞き返す。

「あのな」と彼は口を開きかけたが、そこで口をいったん噤《つぐ》んだ。ようやく唇を動かしたかと思うと、「おまえさ、あのアイドルとやったの?」と言った。

青柳雅春は噴き出した。「何で、みんな、それぱっかりなんですか」

扉が閉まる。荷台の中は暗闇《くらやみ》に包まれる。完全に閉じるとなぜか、もう二度と外には出られないような、心細い気分になった。

青柳雅春

トラックのエンジンが動く。青柳雅春は荷台の扉から一番遠い場所、運転席のちょうど後ろに位置するあたりに座り込んだ。揺れる車体は、巨大な肉食獣が鼓動を震わせるのと似ている。唸《うな》り声をひそめ、静かに呼吸をしつつ、体毛を揺らす、大きな獣だ。俺は今その身体の中にいるのか、と思うと、食べられて消化待ちの餌《えさ》になったようだった。

段ボールの中に隠れていたが、箱の蓋は閉じていなかった。暗いとはいえ、目が慣れればまわりは把握できる。リュックサックを開ける。空腹ではなかったが、次にいつ食べられるかも分からない。中から携帯用のサプリメント食品を出し、口にした。甘さは分かるが、美味《おい》しいとも思えず、ただ、噛《か》んで飲み込むだけだ。昨日、食べたカップラーメンはまだ、食事に思えるだけましだったが、段ボールの中で乾いた食べ物を飲み込むのは、電池の交換をしているのと五十歩百歩で、その味気なさに空《むな》しくなる。リュックサックに、携帯ゲーム機が入っているのが目に入った。これを家電量販店で買ったのが、とてつもなく昔のことに思えた。電源を入れると小さく音が鳴る。ボタンをいくつか押していくと、テレビが映った。あの販売員が誇らしげだっただけあり、映像は、車の荷台の中、しかも移動中にもかかわらず、はっきりとしている。音量を調節する。

小さな画面に、例によって二年前の自分が映る。見ていられず、チャンネルを変えた。どこに設定しても自分がいることが可笑《おか》しかったが、ある民放チャンネルで手が止まり、目を凝らす。

明らかに監視カメラによる映像だった。レジの背後から撮影したもので、店主の後頭部が見える。

「これが、青柳雅春がラジコンを購入している場面です」司会者が説明していた。

レジカウンターの向こう側、店主と向き合っている男が顔を上げる。カメラの位置を意識したかのような素振りで、一瞬、視線がこちらを向いたが、すぐに顔を背けた。青柳雅春の顔だった。

「誰、これ」

ラジコンショップへ直接、行ったことはなかった。ラジコン機の購入や組み立てなどは全《すべ》て、井ノ原小梅がやってくれたのだから、店を訪れる必要も購入する場面もなかった。けれど、画面に静止画像として見える男は自分と似ていた。眩暈《めまい》がし、混乱する。

かと思えば、別の番組で、トンカツ屋の店主が、「犯人はそこのテーブルで、綺麗《きれい》に定食をたいらげた」ということを証言していた。店主は、リポーターに対し、青柳雅春名義のクレジットカードまで見せた。

「誰なんだ？」

昨日、あのパレードでの事件が起きる前、自分は森田森吾とともにファストフード店で昼食を摂《と》った。トンカツ屋など、前を通ることすらしなかった。自分ではない自分がそこにいた。青柳雅春は膝に回した手に力をこめている。ぎゅっとつかむその感触を確かめる。今、ここで俺が触っている男、俺こそが青柳雅春で、彼らがテレビで話題にしている人間は本物の青柳雅春ではない、そう思えば思うほど、言い聞かせれば言い聞かせるほど、不安になった。

トラックは時折、停車したが、信号待ちらしく、すぐに動き出す。

ゲーム機から目が離せない。視聴者から寄せられた、というホームビデオの映像が流れ、川原沿いの少年野球を撮影した背後で、青柳雅春がラジコンヘリの操縦をしている姿が映っているのを観《み》た時には、すでに青柳雅春は驚くことをやめた。顔は自分のものだったが、それは、自分ではない。川原で練習をしたことはあった。が、それは井ノ原小梅や他のフライヤーたちに操縦指導をしてもらった時であり、一人きりでということはなかった。だいたいが、ホームビデオに映っている青柳雅春の服は、実際には見たことがないものだった。俺ではない、けれど俺に似た男がいる。もしかすると、と考えるまで時間はかからなかった。青柳雅春は最初は単なる思い付きとして、そう考え、そのうちにきっとそうではないか、と確信しはじめる。念頭にあったのは、二年前、期せずして自分が助けることになったアイドルの凜香のことだった。

「みんな、とにかくね、わたしが整形したってことにしたいみたいなんですよ」ホテルの一室でゲームをしながら、彼女は突然、言った。「この胸も作り物だ、って」と無邪気に揉《も》むようにしたので、青柳雅春は慌《あわ》てて、目を逸《そ》らした。

例の事件の後、青柳雅春はマスコミや急造のファンに追われていたし、凜香は凜香で事件のショックで体調を崩したり、やはりマスコミにもみくちゃにされたり、と大変な状態であったため、お互いに会うような機会はなかった。けれど、半年ほど経《た》ってから、「遅ればせながら、お礼を言いたい」と青柳雅春のもとに電話があった。マネージャーが車で迎えに来たかと思うと、凜香が宿泊しているというホテルに連れていかれた。

マネージャーも同席している中では、彼女とベッドでいちゃつけるかもしれない、などという期待もなかったが、挨拶《あいさつ》もほどほどに、「ゲームやりましょうよ、ゲーム」と言われた時には、びっくりした。

「付き合ってやってください」とマネージャーも頭を下げた。

「付き合うって交際じゃないですよね」

格闘技のゲームを一時間ほど続けながら彼女は、何度も青柳雅春に礼を言った。恩人ですよ、と繰り返したが、ゲームのほうは手加減がなく、何度も何度も負かしてきた。

「本当に感謝していますと言いながら、俺のキャラクターを殴るのはいかがなものか」と青柳雅春は主張したが、彼女ははしゃぐだけだった。自分のキャラクターがやられそうになると、「ああ、死んじゃうよ」と大騒ぎした。そのうち、凛香は自分の仕事の愚痴を洩《も》らしはじめ、どういうわけか整形の話に繋《つな》がった。

「わたしなんて顔、ぜんぜんいじってないのに、少し写真がいつもと違う感じになっただけで、目をいじったとか鼻に何か入れたとか、噂《うわさ》されるんですよ。酷《ひど》いですよお」

青柳雅春はそう言われても何と答えたものか分からず、まじまじと彼女の横顔を観察するのも失礼だろうから、と視線のやり場にも困った。困っている間に、青柳雅春の操作していたゲームキャラクターは、凛香の動かした女性格闘家により、ノックダウンさせられた。凛香は拳《こぶし》を振り、可愛《かわい》らしい雄叫《おたけ》びを発した。

「整形ってそんなにいろいろ変えられるんだ？」青柳雅春は他意があったわけではなく、浮かんだ疑問を口にする。

「変えられますよ」と彼女は即答し、慌てて、「わたしはやってないからね」と言い訳がましく付け足し、「でもね、ちょっと直すと印象が変わるよ。医者にもよるけど。仙台にね、凄《すご》い名医がいるんですよ。ね」とマネージャーを見た。

マネージャーも話題を振られ、たじろいではいたが、「まあ、いますね」と苦々しく認めた。

「この間なんて、外国のほら、超有名なミュージシャンが来日して」と凜香は誰でも知っているカタカナ名を颯爽《さっそう》と発音し、「あれなんて、その医者に影武者を作ってもらいに来たらしいんですよ」とコントローラーを触る。

「影武者？」それはいったい何時代の話なのだ。

「あまりに、マスコミが騒がしいから、自分と同じ顔の人間を何人か用意しようとしたらしくて。顔を整形して」

「そんなに似るものなのかな」

「ある程度、骨格が似ている人なら、そっくりにできるらしいですよ」と彼女は言い、またしても、「わたしじゃないですよ。あくまでも、聞いた話」と強調した。「ね」とマネージャーに声をかける。

「まあ、ですね」とマネージャーも渋々ながらうなずく。

俺の顔に似せて整形したのか？　トラックの荷台の中で青柳雅春は、携帯ゲーム機の画面をじっと見つめる。流れるホームビデオに映る、「青柳雅春」と断定された人間の姿を凝視する。

それくらいのことはするかもしれない、とは思った。今回の事件はあまりに規模が大きい。首相暗殺の背景に何があるのか、誰のどんな思惑が隠れているのか、それを推測するのは、巨人を見上げ、その頭頂部を想像するようなもので、自分のような一般人には何があるのか見当もつかなかった。唯一《ゆいいつ》、確かなのは、その巨人の頭頂部がどうであろうと、巨人が足を踏み出せば、下のものは潰《つぶ》される、ということだ。

「何ができる？」と自分に問いかける。巨人に対し、何ができる？　自分が無事に解放され、以前の生活に戻り、平穏に暮らしている場面などどう頑張っても思い浮かべることができなかった。

映画やドラマでは、と縋《すが》る思いで想像もする。映画やドラマでは、濡《ぬ》れ衣《ぎぬ》を着せられ逃げる人間の話はよくある。主人公は無実を証明しようと、奔走し、観客の同情を背負いながら、必死に逃げる。

彼らはいったい、どうやってハッピーエンドを迎えるのだっけ、と記憶を辿《たど》った。真犯人を捕まえる。それだ。無実の主人公は、追われつつも事件の真相を探り、本当の犯人を見つけ、自分の無実を信じてもらう。めでたしめでたし、となり、観客は満足し、劇場を後にし、もしくは、テレビの電源を消す。

真犯人？　青柳雅春はぞっとする。

巨人が計画を練り、偽《にせ》の証人を準備し、偽の青柳雅春を用意し、クレジットカードを偽造し、青柳雅春の周辺の人間を巻き込み、青柳雅春を犯人に仕立てようとした。真犯人を見つけることなど、できるのか？　捕まるよりも前に？

そもそも、だ。真犯人など、いるのか？

ケネディ暗殺はどうだった？　オズワルドが犯人だとは誰も信じていない。だが、真犯人は誰なのか。狙撃《そげき》した人間はいるのだろうが、その人間が真犯人だと名指しする人間もいないはずだ。別の何か大きなもの、それが犯人なのは間違いない。

ただ、仮に万が一、オズワルドが殺されず、万人の前で大きな声を張り上げ、「別の何か大きなものがやったのだ！」と訴えたところで、無実が証明されただろうか？

現実的ではなかった。ケネディの死後、何十年も経ち、ようやく真実らしきものが語られるようになった。それも、諸説いろいろだ。それだけの年月をかけても、完璧《かんぺき》な真実など分からない。

オズワルドにできたことは、と青柳雅春は考える。

俺に今できる唯一のことは、と青柳雅春は思った。

いったい何なのだ？

座りながらも、気が遠くなりそうになった。床を靴で叩《たた》いていた。じっとしていられない。

岩崎英二郎がトラックを走らせ、仙台市内を出るところまでは手伝ってくれる。その先は？　目を閉じたまま、自分の膝を強く抱える。「ゴールデン・スランバー」を口ずさんでいる。「おやすみ、良い子」と子《こ》守唄《もりうた》を口にする。最後に見た、森田森吾の姿を思い出した。彼も口ずさんでいた。

青柳雅春

トラックが止まった。乗ってからずいぶん時間が経っている。はじめは当然、信号待ちだろう、と思っていたがゆるゆると左へ進んだ気配の後、しばらく動かなかったため、路肩に停車したのだと分かった。

青柳雅春はテレビ代わりに眺めていたゲーム機の電源を一度切り、リュックサックにしまった。時計を眺めていたわけではなかったが、少なくとも五分近くは、トラックが停車したままで、そうなるとさすがに何かあったのでは、と考えたくなる。段ボールの中に身を隠すべきか、と身体《からだ》を潜らせようとしたが、それよりも外に飛び出す準備のほうが必要ではないか、とも思う。

警察が、トラックを誘導し、停車させたのではないか？　岩崎英二郎が運転席から降ろされたのではないか？　嫌な予感ばかり過《よ》ぎった。

身体の向きを変える。運転席の音が聞こえないかと荷台の壁に耳を近づけた。警察が呼び止めたのであれば、その警察と岩崎英二郎のやり取りを耳にできるのではないか、と。けれど、何一つ聞こえてこない。

トラックがいつの間にか、市内の警察署の駐車場に止まっており、運転席からは岩崎英二郎が降り、後は武装した警察官たちが周囲をぐるりと囲んでいる。そんな場面が、頭に浮かぶ。

「人間の最大の武器は、習慣と信頼だ」森田森吾が言い切ったその台詞《せりふ》を、頭の中で反芻《はんすう》する。

少しして、荷台の扉ががたがたと揺れはじめた時、青柳雅春は知らず、両手を、まさに祈る恰好《かっこう》で組んでいた。教会で祈る少年同然だった。祈る相手も分からぬままにそうしている。今まで祈ったこともなかったくせに、と思ったところで、一度だけあったな、と思い出す。父親が、痴漢に馬乗りになり殴りつけていた時、早く終わりますように、と祈った記憶がある。

おそらくはこの停車に深い意味はないはずだ。扉が開けば、岩崎英二郎が例の飄々《ひょうひょう》とした態度で近づいてきて、「悪いな、荷物を一つ届けに寄ってもいいか？」と言ってくるに違いない。それだけのことだ、と自らに言い聞かせた。組んだ手に力が入る。扉が音を立て、開く。胃がきゅっと締まった。

外の日差しが、荷台の中を照らしはじめる。息を呑《の》み、目を瞑《つむ》りそうになるのを堪《こら》えた。

警察や彼らの構えた銃があるのではないか、と恐怖を感じたが、目に入ったのは、岩崎英二郎一人の姿だった。ジャンプして荷台に上がってきた。

どうしたんですか何かあったんですか、と青柳雅春は早口になってしまう。何かあったに違いないことは、岩崎英二郎の難しそうな顔つきを見れば、明らかだった。

岩崎英二郎は立ったまま、段ボールに座り込んだ青柳雅春を見下ろした。

「青柳、あのな予定変更だ」と岩崎英二郎が言ったのと、青柳雅春が、「岩崎さん、遠慮しないでいいですから」と発したのはほぼ同時だった。お互いの言葉がトラックの荷台の中でばちんとぶつかり弾《はじ》けたが、岩崎英二郎は構わず、続ける。「俺がロックを好きなのは、とにかく単純で分かりやすいからなんだよ。ギターで、じゃかじゃーん、ってコード鳴らせば、その瞬間、面倒なことなんてどうでもよくなっちまうだろ。ややこしい理屈とか言い訳なんていらねえし」

そうですね、とも、そうなんですか、とも言えず、ただ彼を見上げる。

「だから、まどろっこしいことは抜きで、簡単に説明するぞ」岩崎英二郎は髪を触り、それから言った。「これから、八乙女《やおとめ》の地下鉄駅前まで行く。警察が来ている。俺は、おまえをそこで警察に引き渡す」

裏切られたとは感じなかった。岩崎英二郎にも事情があるはずだからだ。

「今な、電話があったんだ。何だと思う？」

青柳雅春は自分のリュックを見下ろし、口の中で一度、「警察」と唱えた後で、「警察？」と語尾を上げた。

岩崎英二郎は肩をすくめ、下唇を出すことで肯定した。「さっきの、おまえが俺を呼び出したビルの、あの社長、会社に連絡したんじゃねえかな。俺が段ボールを運んでたけど、怪しいってな。あのビル、本当に社長の店以外、テナントが入ってねえんだな。どうなってんだよ」

「社長、鋭いんですね」

「外見はああなのにな」

「それで、警察に連絡が行ったんですね」

「で、会社から俺に電話だよ。もし、庇《かば》うようなことがあったら、どうなるか分かってるんだろうな！」岩崎英二郎が、いまどきテレビでも登場しないような、悪人の声色で言った。「ってなことをまわりくどく言われたんだよ」

「俺を庇ったら、どうなっちゃうんですか」

「実はな、俺、会社の配達のほかに非番の日とかも、個人的に配達を請け負ってんだよ。バイトみたいなもんでよ。住所とか街の地図は頭に入ってるし、価格も少し安くして、お得意さん相手なんだけど、やってんだよな」

青柳雅春は、いったい何の話なのだ、と打つべき相槌《あいづち》が思いつかず、口を閉じた。

「警察って怖えな。その、俺の副業のことを知ってやがった。どうやって調べてんだ？しかも、それを会社にチクってんだよ。中学生かっつうの。で、課長がのたまったわけよ、『岩崎君、就業規則でそういったことが禁止されているのは知ってるよね。ただ、警察に協力するならば今回は大目に見ようと思う』なんてな」

上司や同僚の口真似《くちまね》が、岩崎英二郎は昔から上手だった。新人の頃、助手席で、その物真似芸を散々聞かされたのが懐《なつ》かしく、青柳雅春は口元が緩んでしまう。

「何笑ってんだよ、おまえの問題だぜ。まあ、そういうやり取りを今、運転席で、携帯で、やってたわけよ」

「夫婦喧嘩《げんか》をやってたような言い方ですね」

「正直な、うちの娘も習いごととかはじめちまってよ、今、収入がなくなるのはピンチなんだよな。だから、まあ、ここはおまえを売るしかねえかな、と思ってよ」

「ええ、売っちゃってください」

だよな」

「そこまで迷惑はかけられないですよ」

「警察にはこの先の、地下鉄駅前にトラックをつけて、おまえを渡すってことにしたん
だよな」

「で、その前に、俺の顔、見に来てくれたんですか？」

そうそう、と岩崎英二郎が愉快げに、くっくっと声を洩《も》らし、肩を震わす。「売られていく子牛を眺めにな」と言った後で、「なーんてな、そんなわけあるかよ」と乾いた声を出す。

「何ですかそれは」

「あのな、俺が何で警察に協力しないといけねえんだよ」岩崎英二郎はつまらなさそうにぼそっと言った。

「でも、どうするんですか」自分で言うのも何だけれど、今、俺の味方につくのはかなり危ないです、と真面目《まじめ》に訴えたが、決断した岩崎英二郎にとってはうるさい説教にしか聞こえないらしく、耳をほじくりながら、「うるせえな。俺はな、こう見えても、『シンドラーのリスト』を観《み》て、感動したクチなんだよ」と歯を見せる。「迫害された者を命がけで救っちゃう派と、救わない派に分ければ、救っちゃう派なんだよ」

「でも、どうやって」

「まあ、とりあえず俺は、おまえを地下鉄の駅前まで連れていく。あいつらの言う通りにはするけどな」岩崎英二郎は言った。「おまえには悪いけど、全部、おまえのせいにするぜ。そいつは許せよ」と片眉《かたまゆ》を上げ、自分の計画を説明した。

単純なのが好きだ、と言った岩崎英二郎らしく、確かに単純明快で、ありふれた案だったが、岩崎英二郎に迷惑がかからぬように逃げる方法はそれ以外にないようにも思えた。

「じゃあ、行くぜ」一通り話を終えた岩崎英二郎は手をぱんぱんと叩き、荷台から外へと歩きはじめる。「後はぶっつけ本番だ」

「本当にすみません」

「本番でとちるなよ」と岩崎英二郎は言ったかと思うと、路上へ飛び降りた。そして、扉を閉める際に、思い出したかのように、「あ、あとな、言っておくけど、うちの夫婦喧嘩は、警察とのやり取りなんて目じゃねえくらいにおっかねえぞ」と言った。

青柳雅春

道筋を頭に描きつつ、自分が運転している感覚でいたので、八乙女駅に到着したのは察しがついた。青柳雅春は段ボールから尻《しり》を上げる。深く考える余裕もない。緊張していない自分に気づく。荷台の扉に視線をやる。目が慣れたものの、周囲は薄暗い。自分を取り囲む段ボールたちは、じっと黙り、いずれたどり着く外界への期待で興奮しそうになるのを堪え、息を潜めているように見える。段ボールに仲間意識を持つようではおしまいだな、と笑いそうになった時、扉ががたがたと揺れた。

レバーが引かれ、錠が外れる。外で、誰かが喋《しゃべ》っているのが聞こえる。鋭い声が飛び交っていた。

「動くな！」「動くな！」「止まれ」「待て」

日が差し込み、荷台の薄闇《うすやみ》がじんわりと蒸発し、荷台の中が明るくなる。

「いいからいいから、俺に任せろって」岩崎英二郎の乱暴な声がした。おいしょっ、と掛け声を洩らし、荷台に飛び乗った。

「降りろ！　車から離れろ」と背後から言ってくる男がいた。警察だろう。

「うるせえな。青柳は、俺の後輩なんだから、俺のほうが言うこと聞くんだよ」岩崎英二郎は喚《わめ》き散らしつつ、どかどかと近づいてくる。

あいつらがいかに無茶をして、おまえを捕まえようとしていたところでな、協力しようとしている俺の背中を撃つようなことはしねえよ、と段取りを説明する時、岩崎英二郎は笑った。「だからな、荷台を開けたら、さっさと俺が、おまえを連れに来る。警察はそれを制止しようとするだろうけどな、止められやしねえよ」

岩崎英二郎の歩みは大股《おおまた》で、乱暴だったが、青柳雅春が外から撃たれたりはしないように警察の視界を塞《ふさ》いでくれている様子だった。青柳雅春は中腰になり、リュックを静かに担《かつ》ぐ。そして、尻ポケットから、先ほど渡されたばかりのバタフライナイフをつかんだ。

「いつも、ダッシュボードに入ってんだよ。何かと便利だろ」と岩崎英二郎は言い、「俺が近づいたら、これを首に突きつけろ。おまえのじゃねえよ。俺の首な。で、すぐに背後に回れ。俺を人質にしろ」と指示を出した。「いや、いきなり俺が捕まるのもそ臭えからな、まずは殴るとか倒すとかしてからのほうがいいな」

「殴るんですか」

「そのほうがリアリティがあるだろ」

その通りのことを青柳雅春は実行した。

寄ってきた岩崎英二郎に対し、がばっと立ち上がり、抱きつくようにぶつかり、右足を大きく振り、つまりは唯一《ゆいいつ》の武器ともいえる大外刈りを見舞った。ものの見事に彼が背中から倒れた瞬間、学生時代、森田森吾が食堂で、カズを倒している光景が重なった。同時に、車の外から複数の怒声が飛んできた。「青柳！」と叫ぶ声もする。前のめりで倒れた姿勢で、目をさっとやると、銃口がいくつかこちらを向いている。

「倒したら、すぐに俺を引っ張り上げて、盾にしろよ。急がねえと、撃ってくるかもしれねえだろ」その指示を思い出す。

足を踏ん張り、岩崎英二郎の腕を引く。すぐに羽交い絞めの体勢を取り、ナイフを首に当てた。岩崎英二郎は両手を上げ、降参した人質の姿勢を取る。「おいおい、青柳、やめろよ」と大声で言っている。

最初は、「八乙女駅の手前でトラックを止めるから、おまえは、俺を縛って、逃げろ。俺は、おまえにやられたふりをするからよ」と岩崎英二郎は提案してきたのだが、それではやはり、警察は疑いの目を向けてくるのではないか、と心配だった。どうせならば、警察の目の前で、岩崎英二郎を人質に取ったほうがいい。

岩崎英二郎の後ろに隠れながら、荷台の外へ進む。外が見える。警官の数は十名ほどだった。これからもっと集まってくるのかもしれない。遠くで、サイレンが聞こえた。バスの停留所のある右手には、警察車両が並んで停車している。こちらを睨《にら》んでいる銃口を見た途端、心臓がどんと跳ねた。視界が揺れ、後ろに倒れそうになる。

「撃つなよ、撃つなよ。俺、刺されちまうだろうが」と岩崎英二郎が喚き、警察官たちに怒鳴る。

地面に降り立つと、円を描くように刑事たちが囲んできた。「青柳、逃げても無駄だ」と正面にいる、私服の男が言った。眼球と瞼《まぶた》で語ってくるような、力強い目つきだった。

「逃げ切れないぞ」

青柳雅春は、「近づいたら、刺します。発砲を一度でもしたら、刺します」と喚いた。

警察だってそうそう無茶はできねえよ、というのが岩崎英二郎の読みだったが、まさにその読み通り、警官たちの表情は引き攣《つ》り、もどかしそうだった。「もっと離れてくれ」と青柳雅春は声を上げる。

先ほど話しかけてきた刑事がその場の統率者なのか、銃を構えたほかの制服警官たちが、彼の顔を窺《うかが》う。「警察つったって、個人個人は普通の会社員と変わらねえからな、いきなり撃ったりなんてできねえし、しょせんは、指示待ちだよ」と言っていた岩崎英二郎の言葉は的中した。

私服刑事がしぶしぶ、顎《あご》を引く。少し退くように、と手を動かした。

青柳雅春は通路沿いに並ぶフェンスに背をつけた。これで背後から撃たれる心配はない。その後、岩崎英二郎を連れ、後ずさりをしながら、進む。それに合わせ、一定の距離を取りつつ、警官たちがついてくる。

「いいか」岩崎英二郎が、羽交い絞めにされたまま、後ろの青柳雅春に囁《ささや》くような声で、話しかけてきた。

「岩崎さん、本当にすみません」

「いいか」と彼は構わず、喋る。「もう少し行くと、団地がある。おまえも知ってるだろ。車は通れねえから、そこ走って、裏に出ろよ。越えて、川沿いに歩いて、公園に出てもいい。とにかく、後は、走るしかねえぜ。荷物運んでた頃を思い出せ」

「本当にすみません」

「いいよ、謝るなっての」岩崎英二郎は早口だった。喋っていることが警察に怪しまれないか、と不安になったが、単に説得しているようにも見えるはずだった。「まあ、キャバクラの姉ちゃん、口説けたのおまえのおかげだからな」

「奥さんに告げ口しますよ」

「無事に逃げ切って、告げ口しに来いよ」

その台詞《せりふ》に青柳雅春は笑みを洩らしそうになり、堪《こら》える。この芝居がばれるのではないか、と不安になる。前を見る。幸い、警察は真剣な面持ちで銃を構えているだけだったが、そこで背筋の毛が逆立った。直感とも予感ともつかないが、瞬間的に青柳雅春は、「撃ってくる」と感じたのだ。

岩崎英二郎は、協力者の俺を撃つはずがない、だから安心しろ、と太鼓判を押した。ただ、それはあくまでも通常の場合だ。今は、決して通常の場合ではない。異常事態なのだ。

ファミリーレストランでの小鳩沢の発砲、カズへの暴行などを思い出すまでもなく、警察は明らかに、度を越した捜査方法を取っている。今、青柳雅春を目前にして、みすみす取り逃がすとはとうてい思えない。巨人の計画からすれば、この場で、岩崎英二郎もろとも俺を撃つことくらい、岩崎英二郎一人を巻き添えにすることくらい、抵抗はないのではないか？　自分のためにひと肌脱いでくれた、岩崎英二郎が撃たれる？　水を被《かぶ》ったかのように、汗が噴き出る。

自分を囲む警察官たちの脇《わき》で、私服の刑事が電話を耳に当てていた。会話の内容は当然、分からなかったが、想像はできた。「人質ごと、撃ってもよろしいか？」

自分の上層にいる誰かに、それはもしかすると佐々木一太郎なのかもしれないが、確認を取っているに違いない。

「暇人が多いよな」岩崎英二郎がぼそっとこぼすのが、耳に入った。

その声に従い、視線を上げると離れた場所に、白壁のマンションが見えた。十階建てで、新しくもないが古くもない、という外観だった。ベランダに影があった。こちらを見る人間の姿だ。この騒ぎに出てきた一般人に違いない。不安と好奇心と恐怖を合わせ持った目撃者たちだ。

「撃つな！」と青柳雅春は咄嗟《とっさ》に、叫んでいた。「撮影されているぞ」と左手でマンションを指差した。その際、岩崎英二郎の脇から手を離すことになったが、当然ながら彼は逃げ出さなかった。逃げ出さないことを不審に思う余裕も、警察官たちにはなかった。

制服警官も私服の刑事も全員が、青柳雅春の指差した方向に顔を向けた。そこまで単純に釣られて良いのか、という別の心配は過《よ》ぎったものの、とにかく、マンションのベランダでデジタルビデオのカメラを構えている者たちの存在を、その場にいる警察官たちが認識した。ベランダに立つ人間の八割近くが、カメラかもしくは携帯電話をこちらに向けていた。

あれだけの一般人の目撃者と、撮影記録がある中で、発砲はできまい、と思った。私服の刑事はベランダから返した顔をあからさまにしかめていた。

青柳雅春はフェンスに背を向け、岩崎英二郎を盾にしたままずるずると後ろに引き摺《ず》り、曲がり角まで来たところで、岩崎英二郎を放し、走った。地面を蹴《け》り、団地の中に飛び込む。

青柳雅春

七北《ななき》田《た》川《がわ》沿いの土手を走っていくと大きな橋に出た。橋の名前が刻まれたプレートがすでにかすれて読めない。橋脚の陰で休む。団地を抜け、ひたすら走りつづけてきたため、息がすっかり上がっている。岩崎英二郎の読みは正しく、団地内ではさすがに銃は発砲されなかったが、警察車両のサイレンがけたたましく、いつ誰が、自分に飛び掛ってくるのか、怖くて何度もへたり込みそうになった。橋脚に背を付け、膝《ひざ》を折り、少し股を開き、後ろに手をつく。土手や道から姿が見えないように、と身体《からだ》を縮こまらせた。周囲には丈のある雑草がたくさん生えていた。ジーンズに、地面の冷たさが少しずつ染《し》みてくる。

頭の中は、吐き出した酸素を吸収することに必死なのか、ほとんど何も考えることができない。漫然と、視線の先を流れていく川を眺める。

川はほんのわずか表面を揺らし、機械的とも無秩序ともつかない、心地良いだらしなさを伴い、流れていく。川の流れの音が地べたを通じ、自分の座る場所をも揺らしてくるようだった。

目は閉じなかったが、肩と頭が重かった。視界がぼやけた。瞼が知らず、塞がってくる。何もかもが重い。立ち上がれないかもしれない、と思うがそのことを心配するのも、ひどく鈍い感覚の中でだ。

はっとしたのは、救急車のサイレンが聞こえたからだ。遥《はる》か遠く、かすかに音が鳴っていた。リュックサックから、携帯ゲーム機を取り出した。アンテナを立て、電源を入れる。ニュースを確認したかった。今、警察たちはどういう行動を取っているのか？自分がどう追跡されているのか？

番組の映像が映った際、もしかすると、この川を眺める自分の姿が現われ、「今、犯人の青柳雅春はこんな場所で、暢気《のんき》にもゲーム機をいじくっています！」とリポーターの声が聞こえるのではないか、と恐怖が過ぎりもしたが、実際に出てきたのは演出過多とも言えるコマーシャルだった。

炎が力強く上がり、激しい音が響く。どこからどう見ても中華料理の厨房《ちゅうぼう》にしか見えないが、しばらく観《み》ていると、フランス料理の有名店シェフが考案したソースの宣伝だと分かる。

ああ、この店は行ったことがある、と青柳雅春は記憶に引っ掛かりを覚え、その記憶を辿《たど》るために、チャンネルを変えることができなかった。樋口晴子と行った店だった。学生時代、あれは確か、交際をはじめて何ヶ月か経《た》った時で、記念だ記念だ、と勢いをつけ、フランス料理を食べにいったのだった。いや、正確には違う。行こうと思ったのだが、その日は行けなかった。突然の大雨に足止めされ、予約時間に間に合わず、結局、日を置いて別の機会に訪れた。期待の割に、驚くほどの味ではなく、というよりも接客の態度があからさまに自分たちを見下すようで、不愉快だった。「何だかね」「何だかな」と樋口晴子と言い合った記憶がある。

懐《なつ》かしかった。今の自分が置かれている状況が滑稽《こっけい》に感じられ、いっそのこと声を立てて笑いたかったが、どういうわけか目尻が湿りはじめる。涙というよりは、汗だ。

コマーシャルが終わると、どこかで見た広々とした敷地が映った。マイクを持ったリポーターが深刻な表情で、けれどあまり深刻そうではない声で、場所の説明をしている。

「ロッキー」と青柳雅春はつぶやく。

轟煙火工場だ。

「迷惑にならないように街から離れた場所に工場を作るだろ。でも、その後でうちの工場の近くに、家が建ってくるんだよ。でもって、花火工場は危険だってことを言われて、工場を移転する羽目になる。俺のところのほうが先に住んでたっつうのに、酷《ひど》い話だろ」と轟はよく嘆いていたが、画面に映る工場は、青柳雅春たちが学生時代に通っていたのと同じ場所に見えた。

「轟社長にも連絡を取っているんですが、なかなか捕まらないんですよね」リポーターは、本当に困っています、とまったく困っていない声で言う。視聴者に向かって、というよりは番組のメインキャスターやスタッフと雑談するような、軽々しさだ。「青柳雅春が、ここで爆弾の知識を得て、今回の事件でそのノウハウを使ったのは、もちろん現時点で断定するのは危険ですが、ただ、考えられないことではないと思われます」

断定するのは危険ですが、などと言いつつ、すでに断定しているも同然だった。そのことを笑う気力も、そのことに憤慨する余裕もなかった。ロッキーにまで迷惑をかけている、という事実が、青柳雅春をさらに落ち込ませた。

しばらくして、青柳雅春は立ち上がった。「勝手に決め付けるなよ」とゲーム機を強くつかんだ。何でそんなに偉そうなんだ、何も知らないくせに。敵が誰なのか今もって見当もつかなかったが、「負けたくないな」とは思った。

リュックサックを肩にかけた時、頭に一つの絵が浮かんだ。土砂降りにやられ、樋口晴子と一緒に駆け込んだ、草叢《くさむら》の中の、色褪《いろあ》せた黄色のセダンだ。

樋口晴子

七美をチャイルドシートに乗せ、ベルトを締める。「お母さん、どこ行くの」ファミリーレストランから戻ってきて、すぐだ。家の玄関を跨《また》ぐこともせず、駐車場へと直行した。

「ちょっと用を思い出したの」後部座席のドアを閉め、運転席に回り、乗り込む。可愛《かわい》らしい外形と、淡い色の車体は樋口晴子も気に入っていた。バックミラーの位置を直し、座席の位置を調節する。

「ねえねえ、お母さん」後ろから七美が喋《しゃべ》ってくる。「どこのケーキ食べに行くの？」

「ケーキを食べに行くのが、どうして前提になってるわけ」誘導するような娘の物言いに笑う。

「何のおもちゃ、買いに行くの？」

「買わないよ」エンジンをかけ、アクセルを踏む。最近はあまり運転していなかったな、と思い出した。ねえねえどこに行くの、と言ってくる七美には答えず、ハンドルを切り、駐車場から出た。

ハンドブレーキの横に、携帯電話を置いてあった。自分の電話が監視されている、と改めて思うと、やはり気味が悪い。

目的地までの経路を頭に浮かべる。最近はまったく疎遠《そえん》になった方角で、今も同じルートでいけるのかどうか不安になる。「カーナビ、つけてれば良かったなあ」と思わず口に出してしまう。車を買う際に、ぜひ付けたいと主張した夫を、「どうせ使わないよ」と説得したのは自分だった。

「知らない場所に行くの？」七美が聞いてくる。

「知らなくもないけど、ナビがあれば分かりやすかったかも」

「どこ？」

「思い出の場所」冗談めかし、樋口晴子は言った。

「思い出の場所って、カーナビで教えてくれるの？」

娘の問いかけに、確かに難しそうだね、と樋口晴子は微笑《ほほえ》む。記憶を頼りに向かうしかなかった。国道四八号を西へ進み、交差点を右折、細い町並みに入り、道幅の狭い、迂曲《うきょく》する道を行く。渋滞というほどではなかったが、絶えず前後には車がいて、対向車線も同様だったから、気を抜くと接触するのではないか、と怖かった。

うろ覚えの経路を進んだが、予想外の行き止まりや見知らぬ交差点に戸惑うこともなく、順調だった。そして、順調だな、と意識した途端、七美が後部座席から、トイレトイレ、お母さんトイレ、と喚《わめ》きはじめた。「これね、たぶん、ジュース飲みすぎたからだよ」七美が、自分で分析するかのように言った。

「犯人、捕まったみたいね」コンビニエンスストアで、トイレから戻ってくる七美を待っている間、背中側、雑誌を読む女子高生の一人がそう言っているのが耳に入り、樋口晴子ははっと振り返りそうになった。「犯人って、あの、青柳君のこと?」と詰め寄りたかった。青色を基調とした店内は清潔感がある。

「犯人って、あの、首相殺し?」別の女子高生がちょうど訊《たず》ねた。首相殺し、という響きがおぞましいほどの迫力を伴っていた。

「そうそう。少し前だけど、うちのクラスの子が八乙女の駅で、見たらしいよ。トラックから出たところを、警察に囲まれたんだって」

樋口晴子は聞き耳を立てる。目の前の棚の化粧品を、興味がないにもかかわらず、熱心に選んでいるふりをする。捕まった、という言葉が自分の頭を重くした。

「お母さん、お待たせ。七美ねー、上手にできたよ」と足元で声がし、見れば七美が洗った手を、樋口晴子のジーンズで拭《ふ》いている。

飴《あめ》を購入するため、レジに並ぶと、先ほどの女子高生たちが前にいた。雑誌やスナック菓子が籠《かご》に詰まっている。彼女たち二人は、髪型も化粧もどこか似ていた。携帯電話が鳴り、左側の彼女が素早く、それに出た。

「ああ、わたし。今？　レジ中だよ。レジ並び中」女子高生は不平を洩《も》らすような、間延びした口調だった。「あ、そうなの？　まだ八乙女なんだ？　あ、そうなの？　まだ逃げてるんだ？　あ、そうなの？　捕まってないんだ？　あ、そうなの？　テレビカメラ来たの？　あ、そうなの？　映ったかも？」

彼女は律儀《りちぎ》というべきか、いちいち、「あ、そうなの」と相槌《あいづち》を打ち、相手の言葉を復唱してくれたので、樋口晴子にもおおよその内容が分かった。足元の七美も得意の勘の良さを発揮したのか、意味ありげに樋口晴子を見上げ、そうかと思えば、前の女子高生に、「ねえねえ、お姉ちゃん、逃げたの？　犯人？」と質問をぶつけていた。女子高生は突然の馴《な》れ馴《な》れしい呼びかけに一瞬、むっとしたが、相手が背丈の低い幼児だと分かると強張《こわば》りを若干、解いた。「そうそう。犯人、逃げたみたい」

「あの、爆発の犯人ですか？」樋口晴子はタイミングを見計らい、口を挟んだ。

「みたいですよー。怖いですよねー」女子高生が言う。「刃物を使って、逃げたんだって」

「刃物？」

隣のレジに店員が現われたので、樋口晴子はそちらへ移動し、会計を済ませた。

車に再び、乗り込んだところで、電話をかけた。青柳雅春が今、どこにいるのか、本当に逃げているのかどうか、もしくは逮捕されたのかどうかは気になったが、どうすることもできない。発信ボタンを押すと呼び出しの音が鳴った。どうせ、話し中だろうと思っていただけに意外だった。

「誰だよ?」ぶっきらぼうに訊ねてくるその愛想のなさは、学生時代に散々耳にした轟社長の声に他ならなかった。

「わたしわたし、樋口晴子です」と早口で伝える。「学生時代にお世話になってた。森田君とかの仲間で」

少し間があった。覚えていないのか、もしくはこれ以上の面倒にかかずらうのが嫌で、切られるのでは、と思った。

「おお、晴子ちゃん」轟の声が大きくなった。

「覚えてます?」

「覚えてるって。それに、今、おまえたちの青柳のおかげで大騒ぎじゃねえか」

おまえたちの、という言い方が面白かった。「すみません」

「晴子ちゃんがやったんじゃねえだろ」

「わたしたちの青柳君が、迷惑をかけちゃって。マスコミが囲んで、えらいことになってますし。テレビつけたら、工場が映ってました」

「人気者だよ」

「仕事どころじゃないんじゃないですか？」

「まあな。ただ、シーズンじゃないから大丈夫だ。社員たちもびびってるところはあるけど、カメラはそこまで映さないみてえだし、だいたい、青柳のこと知ってる社員なんて限られてるからな。だから、あいつら、俺に直接、話を聞きてえんだろうな。しつけえよ。電話鳴らして、チャイム鳴らして」

「花火屋は裏方だ、とよく言ってたのに」

「めちゃくちゃ目立っちまってるよなあ」

「社長から何を聞き出したいんですかね」

「青柳が、爆弾に詳しかったって話だろ」

「でも、爆弾に詳しいわけがないですよ」

「だよな」轟が、かかか、と笑う。「あいつに爆弾作れるなら、俺はロケット作れるよ。最初にテレビの奴《やつ》が来た時にな、俺は聞いてやったんだよ。本当に、青柳が犯人なのか、ってな。あいつら答えねえんだよな。だから俺は、あいつがそんなことするとは思えねえけどな、とちゃんと言ってやったんだが」

「カットですよ。それ、テレビでは流れてないですよ」樋口晴子も笑うほかない。多数意見や世論、視聴者の興味や好みに沿わない情報は流さない、流せないのがマスコミの性質なのだろう。だから、マスコミはいけない、というつもりはなかった。ただ、マスコミとは、報道とはそういうものなのだ。嘘《うそ》はつかないが、流す情報の取捨選択はやる。

「わたしも、青柳君が犯人とは信じられないですよ」

「それに、あの森田も爆発で、って本当なのかよ。俺はそれも信じられねえよ」

「わたしもです」

「あんなにうるさい、胡散臭《うさんくさ》い奴が簡単に死ぬわけねえんだよ」

「そう思います」樋口晴子は、そう思いたいです、という気持ちで応《こた》えた。右手の拳《こぶし》を強く握る。

「どうなってんだよ」

樋口晴子は携帯電話を意識した。この電話を、警察が聴いている可能性はある。リアルタイムかどうかは分からないが、最低限の確認はしているはずだ。通話の相手が、花火工場の社長であれば、彼らは彼らなりに興味を持つに違いなく、そこで自分と轟が、「青柳雅春が犯人だとは思えない」というテーマで話を交わしているのを聞けば、警察にも何らかの影響を与えることが、たとえば、「本当に青柳雅春は犯人なのか?」という疑念のようなものを抱かせることができるのではないか、と期待もした。

「で、何で電話をくれたんだよ」

そう言われると樋口晴子も返事に困った。「何でだろう。何か、そっちは今、大変だろうなと思ったら、申し訳なくて」

「そりゃ、お気遣いありがとう、というか別に、晴子ちゃんのせいじゃないだろうが」と彼はまた言った。「でもよ、あいつまだ逃げてるらしいぞ。テレビで流れちゃいねえけど、テレビ局の奴らが何か言っててな。トラックの運転手を人質にして、逃げたんだと。どこに行くつもりなんだか」

「社長のところに行ったりして」と樋口晴子は言ってから、ありえなくはないな、と感じた。青柳雅春の最近の交友関係は知らなかったが、それでも、頼れる人間となるとさほど多くはないはずだ。だいたいが、一人の人間が、信頼できる相手など限られている。

「花火、わたしたちがやっていた頃から進化しています？」

「まあ、地味にな」轟が自嘲《じちょう》気味に言う。「ただ、いい部分は変わらねえよ。みんなが、夏に観《み》に来る」

「家族とか恋人と」樋口晴子は言ってから、昔見た花火を懐《なつ》かしく思い出した。「また連絡します」と自分の携帯電話の番号を告げようとしたがそこで轟が、「今、かけてきてる番号、これがそうだろ。俺んとこの電話も、番号くらい出るんだよ」と返事をした。

「進化してますねえ」

「大した進化じゃねえよ」

「あ、社長、そういえば教えて欲しいんですけど」

「爆弾の作り方か？」

不謹慎だな、と樋口晴子は顔をゆがめた。「違いますよ。車のバッテリーってどこで手に入るんですか？」

「バッテリー？　上がったのか？」

「そうなんですよ」樋口晴子はハンドルを撫《な》でつつ、答える。「旦那《だんな》に、暇がある時に交換するように言われて」

「そっか、晴子ちゃんも結婚してんだよな」

「進化してますよ」

「バッテリーなら、カー用品店でも買えるだろうし、ガソリンスタンドでも売ってる。スタンドは高いかもしんねえけどな。うちの社員、今、暇をしてるから手伝いに行かせようか？」

「暇なんですか？」

「こんだけ大騒ぎなら、仕事も手につかねえよ。特に、うちの息子なんてマスコミに腹立てて、パチンコ行って、帰ってこねえぞ」

「あ、息子さん、継いでるんですか」樋口晴子は少し、声を高くした。花火工場を継ぐのかどうかも分からず、青森に行ったきりになっていた一人息子を、轟はよく嘆いていた。

「一郎な。一応、戻ってきたんだよ。まあ、手先は器用だけど、性格が腐ってるからな。あまのじゃくで、後先考えない性格はそのままだ。さっきも一郎の奴、『マスコミの奴ら、ひと泡吹かせてやらねえと、気がすまねえ』なんて言って、玩具《おもちゃ》花火を外のマスコミの奴らに投げようとしてたからな」

「それはマスコミが大喜びしますよ」

「だろ。だから、パチンコにでも行って来いって追い出したんだ。ああ、何だったら、バッテリーの件、一郎に行かせるか？　あそこのパチンコ店だ、ほら」と店名を口にする。

「いえ、大丈夫です、自分で買ってみます」樋口晴子は礼を言い、電話を切った。「お待たせ。行こうか」と七美に声をかける。

エンジンをかける。コンビニエンスストアの駐車場から車道に飛び出すと、車線を移動し、加速した。

北環状線に入り、坂道を下っていく。相変わらず、渋滞とはいえないほどの、だらだらとした混雑が続いていた。物騒な事件が起きたことで誰もが仙台市内から逃げ出したがっているのか、もしくは、前日の封鎖で交通が止まっていた反動で、今日の仕事が忙しいのか、車の量が普段の五割増しほどに感じられる。先を見れば車が停車をはじめ、信号が青にもかかわらず、進む気配が見えない。結局、渋滞にはまる。左側にカー用品店の看板が目に入った。反射的にハンドルを切っている。駐車場に乗り入れ、止めた。

「ここが思い出の場所？」七美が訊ねてくるので、「違う違う」と否定した。

後部座席のチャイルドシートから七美を引っ張り出し、鍵《かぎ》を閉め、店に向かう途中、車道に目をやる自分に気づく。これだけ車間距離が狭い中で、尾行されていればすぐに分かるとは思うが警戒するに越したことはない。

レジの店員に、「車のバッテリーが欲しいんです」と伝えると、その女性店員は愛想が足りない顔で、「どの？」と短く言ってきた。「どの車？」

「どの、って普通の車」自然、樋口晴子の返事もぶっきらぼうになった。

「軽？　普通車？」

「軽ではなかったかも」樋口晴子は自分の微《かす》かな記憶を辿《たど》る。黄色の印象があるが、それはナンバープレートではなく、車体の色だったはずだ。「車種、分からないとまずい？」

店員は軽蔑《けいべつ》の目を一瞬だけ向けてきた。「バッテリーっていろいろ種類あるから、その型番見ないと分かんないですよ。同じ車種でも、年式とかで違っていたりするし」

え、そうなの、と樋口晴子はのけぞりそうになる。あれが何の車だったのかも覚えていないのだから、ましてや年式など分かるはずがなかった。

「お母さん、それ何の歌？」七美が袖《そで》を引っ張ってきて、自分がメロディを口にしていることに気づいた。はっとし、赤面した。青柳雅春の横顔が頭を過《よ》ぎる。二人で、雨宿りをした時の記憶だ。「これ、その車のCMで流れてた歌なんだけど」と照れながら、樋口晴子はまたメロディを続け、むっとしたままの女性店員に聞かせる。ずいぶん前であるし、目の前の店員の年齢からすると知ってはいないかな、と思いかけたが、女性店員は意外にも、「ああ」と合点がいったようだった。「知ってますよ、それ」と車のメーカーと車種を言った。

「年式は分かんないんだけど」

「それなら」女性店員は淡々と通路を歩き、店内奥へと進んでいった。慌《あわ》てて、後についていく。バッテリーの棚の前で女性店員は、「たぶん、これかこれ」と商品を指差した。「まあ、どっちも付くとは思うけど」

「ちなみに、取り付け方も教えてくれる？」樋口晴子が頼むと、店員はさらに不審を露《あら》わにしたが、乗りかかった船から降りることのほうが面倒臭そうで、「じゃあ、駐車場のお客様の車で説明します」と言った。客商売向きとは思えない彼女から、「お客様」と呼ばれるとどこか違和感があった。

店の外、駐車場で樋口晴子の乗ってきた車のボンネットを開け、バッテリー装着の講義を受ける。

「エンジンが切れてる状態で、ボンネットを開けて」と彼女は一つずつ説明をした。

「マイナス側のケーブルを外してから、次にプラス」

「外す順番に決まりがあるの？」

「守らないとショートするから」

「ショートってどういうこと？」

「とにかく決まってるんですよ」彼女は古いバッテリーを取り外し、ターミナルに錆《さび》がついていたら取って、新しいバッテリーを入れて、今度はプラス側から、と続ける。

ふんふん、と樋口晴子はその作業をじっと見守り、足元の七美も背伸びをしつつ、エンジンや器具の詰まった場所を興味深そうに眺め、ふんふん、と言っている。バッテリーを固定したり外したりする時には、レンチがあったほうがいいですよ、と彼女は言ったがすぐに、「スタンドとかでも安くやってくれますけど」と暗に、自分でやらないほうがいい、と助言もくれた。

「すぐに使いたいから、箱はこっちで処分してくれる？」樋口晴子は言った。

樋口晴子

「これ、何に使うの？」後部座席、チャイルドシートに乗った七美は、自分の隣に置かれた大きめのバッグを見やっている。その中に、買ったばかりのバッテリーを入れていた。

「使えればいいんだけど」

　渋滞を避けるために環状線をはずれ、北方向へと車を走らせた。空《す》いているように思えた車道もすぐに前方車両のブレーキランプが見えるようになり、結局は停車する羽目になった。じっと止まり、おもむろに動き出すが、またすぐに停まる。繰り返しているうちに、前方で検問が行われているのだと分かった。

　車道の脇《わき》、路肩に警察車両が並んでいる。道路には制服の警察官が誘導灯を持ち、振りながら、一台一台を路肩寄りに、停車させた。数人の警察官が運転手に質問をしている。

　緊張する間もなく、もちろん何らかの心構えをする余裕もないうちに、樋口晴子の軽自動車もその検問所に辿り着いた。左側へ移動させられ、止めると、素早く車の周囲を警察官が囲んだ。地面から湧《わ》き上がる蒸気のようでもあった。音もなく、すっと立ち塞《ふさ》がる。

　運転席の窓を下ろすと、男の顔があった。帽子をかぶっているとはいえ、人間としての表情があるはずなのに、仕事への疲弊のせいなのか、任務への使命感のせいなのか、感情なしの無個性の顔面だった。

「お忙しいところすみません。今、泉区で、爆発事件の犯人が逃走しているので、念のため、各車両を調べさせていただいています」

「あ、そうなんですか？」

「後ろのトランク開けてもらっていいですか」

　樋口晴子は身体《からだ》を屈《かが》め、座席下の小さなレバーを引く。身体を起こし、バックミラーを見れば、いつの間にか車後部のトランクのところに警察官が並び、中を確認している。まずい物が入っているわけではなかったが、気分は良くない。

「娘さんですか？」と開いた窓から顔を近づける警察官が、車内を覗《のぞ》くようにした。

「そうです」樋口晴子は応える。警察官に目をやり、視線を逸《そ》らす。無意識のうちに、鍵をいじくっていた。早くエンジンをかけたかったからなのだが、それを見透かされた気分になり、慌てて、指を離す。鍵についたアクセサリーが揺れ、音を出した。「犯人って、一人なんですか？」

　警察官の目が光った。ように感じた。じっと黙っているのが怖かった。少ししてから、

「そうですね」と答えがある。

「車で?」

「分かりません」

とぼけているのか、実際に分からないのか判然としないが、樋口晴子もそれ以上、追及できない。

「これから、どこに行かれる予定ですか?」警察官が質問してくる。

「それって、言わないといけないんですか」

「危険ですからあまりうろつかないほうが」

「ああ、そうですよね。気をつけてみます」自分の緊張が外に出ないようにと気を配った。トランクが閉められ、車体が揺れる。バックミラーに視線をやると、後ろに立つ警察官が手でOKの仕草をするのがリアウィンドウ越しに見えた。

「お騒がせしました。どうぞ行ってください」隣の警察官が言った。

樋口晴子は鍵を捻《ひね》る。

「あのねえ、あの犯人ってねえ、お母さんの友達なんだよお」後ろの七美が可愛《かわい》らしい声で言ったのがその時だった。樋口晴子ははっとした。人間とは咄嗟《とっさ》には、表情や動作を取り繕えないようで、ドアのすぐ外にいる警察官と目が合い、あからさまに動揺が顔に出た。警察官は怪訝《けげん》な様子で眉《まゆ》をひそめた。構わず、ハンドブレーキを下ろし、アクセルを踏み、車を発進させる。

「ちょっと」と警察官が言うが聞こえないふりをした。窓を閉める。サイドミラーに、自分たちをじっと見つめてくる警察官の姿が映っている。その脇に、私服の男が寄っていくのが見えた。

樋口晴子

「お母さん、七美さ、変なこと言っちゃった?」七美が言ってくる。

「大丈夫、問題ないよ」

検問を抜ければ道は混んでもいなくて、広い車道にもすぐ合流できた。緩やかにカーブする片側三車線の道路を進んでいく。歩道に植わる欅《けやき》が等間隔で並び、こちらを見送るようだ。葉の落ちた枝は、節くれ立つ、長い指にも見えた。左の車線に移動し、少しずつブレーキを踏む。周囲の景色がゆっくりと速度を落とし、止まる。

「どうしたの? ここがそこ?」七美がまわりを見渡している。

曖昧《あいまい》な返事をしながら樋口晴子は左手の草むらに視線を向けた。ハザードランプを点《つ》けると、車を止めた。確か、このあたりではなかったかな。記憶を、目の前の景色とどうにか重ね合わせようと試みる。

後ろに別の車が停車したことにはまったく気づかなかった。だから突然、右側の窓をこつこつと叩《たた》かれた時は、文字通りその場から飛び上がり、締めていたシートベルトに引っ掛かり、奇妙な声を上げることになった。策を練ることもなく、窓を開けてしまう。

「樋口さん、何度もすみません」と四角い顔があった。

どこかで見たことのある男だな、と思い、その直後には、カズの病院で会った捜査官だ、と分かり、少し間を空け、名前は近藤守だ、と思い出した。先ほどの検問で、制服警官に歩み寄った私服は、彼だったように思える。

「こんなところで？　偶然とは思えませんよ」

近藤守はロボットじみた顔つきを変えず、それには応《こた》えない。「どちらへ？」

「どちらへも何も、言わないといけないんですか？」心臓の動きは早くなり、気をつけなければその揺れが口から覗かれるのではないかと怖かった。

「教えていただけるとありがたいです」

「別に、わたしの友達のところですよ」樋口晴子はむっとした。「何を疑われてるんですか？」

「いや、青柳雅春が逃げていますので」

「わたしが会うと思ってるんですか？」

「あくまでも可能性の問題なんですよ」近藤守がその時だけ、声に力を込めた。「乱暴な方法だということは承知していますが、やらなくてはいけないんです」

「大変ですね」と嫌味をぶつけても、近藤守は動じない。「ええ、大変です」

「おじさん、怖いよ」きっぱりと言い放つことに関しては負けていないぞ、というつもりでもないのだろうが、すかさず、後ろの七美が言った。

近藤守は車内に少し顔を近づけ、七美のほうを見て、「おじさんよりもっと怖い犯人がいるからね」と言い聞かせるようにした。

「あの犯人は、お母さんの友達なんだよ」七美がまた言った。一瞬、樋口晴子は首から背中へ氷が滑るような感覚で、ぞっとしたが、この近藤守はそのことをとうに承知なのだ。彼は、「そうなんだよ。だから、お母さんが心配なんだよ」と答えた。

「あ、お母さん」と七美が少しはっきりした声で言ったのは、そのすぐ後だ。子供ならではの唐突さだった。

「どうしたの」

「トイレ」と七美が言う。「我慢できない。ここでしていい？」

「もう少し我慢できない？」樋口晴子は鼻の頭を掻《か》きながら、バックミラーを見る。

「ここでしていい？」

「駄目だって」樋口晴子は眉を下げ、窓際《まどぎわ》の近藤守に頭を下げた。「すみません。そこの草むらでさせてきてもいいですか」

「法律では禁止されているんですよ」近藤守は特別、迷惑がっている様子でもなかった。「通常ならわたしもそんなことさせません。ただ、今は、異常事態なんです」樋口晴子は冗談めかし、近藤守を拝むようにした。

「異常事態だよ。トイレトイレ」七美が喚《わめ》く。

近藤守の警戒の度合いが少し減ったのが分かる。一歩、下がると、「すぐに済ませて」と言った。

「青柳君から連絡があったら、絶対、近藤さんに言いますから」と樋口晴子は携帯電話をつかんで、振った。近藤守は納得したわけでもないだろうが、子供の膀胱《ぼうこう》を我慢させるのも忍びなかったのか、「信じていますから」と退いた。

絶対に信じていないくせに、と樋口晴子は思いつつも、どうも、と頭を下げ、窓を閉める。鍵《かぎ》を抜き、運転席から降りる。後部座席から、七美を引っ張り出すと脇のバッグを肩にかけた。

後ろに停車している車に乗り込もうとしていた近藤守が、抜け目なくそのバッグに気づき、「樋口さん、そのバッグは？」と声を大きくした。

「私物です。トイレの後、いろいろあるので」と返事をした。まったくもって具体的ではない答え方だったが、それでいいと思った。近藤守が自分の車の運転席に乗った。

バッテリーの入ったバッグは思った以上に重かったが、その苦痛が顔に出ないようにと気をつける。「じゃあ、行こうか」と七美を草むらのほうへと引っ張った。

「ねえ、お母さん、助かった？　トイレのふりして、助かった？」

「大助かりだったよ」樋口晴子は礼を言う。「よく覚えてたね」と鼻を掻く真似《まね》をまたやった。

近藤守の車に背を向け、草の生い茂る、小さな林のような場所へと向かう。

樋口晴子

ねえねえ、これどうするの、と七美がバッグの中身を開け小声で騒いでくるが、樋口晴子はそれも耳に入らず、ただ、前にある車を眺めていた。本当に残っていたんだ、と感慨とも、呆《あき》れともつかない思いで立ち尽くす。
学生時代、青柳雅春と雨を凌《しの》ぐために乗り込んだ車が、その時と変わらぬ状態でそこにある。夢とまでは思わないが、どこか滑稽《こっけい》な喜劇を目《ま》の当《あ》たりにしている感覚だった。薄い黄色をしたその車が、あまりに動きが鈍く、のんびりとしているがために、周囲の時間から置いてけぼりを食らう、そんな喜劇だ。伸び放題の草が、車体をうまく隠している。
「ねえ、この車どうしたの」と七美が袖《そで》を引っ張った。「すごく汚いし」

確かに、驚くほど汚れていた。黄色い車体、とはいえ、埃《ほこり》や土に覆《おお》われ、地層から発見された化石に似ていた。よくもまあ残っていた、と改めて思う。

腰をかがめる。前輪の上に鍵があった。昔から置き場所が変わっていない。ドアの錠に差し込み、捻ると、「七美、助手席に乗っちゃって」と声をかけた。

「この車どうしたの?」

「昔からあったんだよ」樋口晴子は運転席に腰掛け、車内を見渡す。埃と湿気のまざった匂《にお》いを感じる。昔もそうだった記憶があった。清潔感はなかったが、不潔とも言いがたい。鍵をハンドル脇に入れ、回転させた。期待はしていなかったものの、かちりと動くだけで、引っ掛かりや手応えはまるでなかった。

「昔からって、いつからあるのー」

「七美がね、生まれる前からだよ」

「嘘《うそ》。わたしが生まれる前から?」

「長生きでしょ。しぶといんだよ」

「しぶといのに、動かないんだね」いつの間にか七美が、助手席から身を乗り出し、ほとんど樋口晴子の膝《ひざ》に乗るような恰好《かっこう》で、ささった鍵を覗き込んでいた。

「だね。そうだと思ったんだよ、お母さんも」樋口晴子は、七美の身体を引き起こし、今度は自分が身体を屈め、座席右下のレバーを探す。指に引っ掛かった部分を手前に引く。はっきりとした感触はなかったが、ボンネットが浮いたようには感じた。フロントガラスについた埃や花粉がどうにも汚い。「じゃあ、さっきの店員さんが教えてくれたことを実践しようか」

思ったよりも作業は順調で、びっくりした。普段は、説明書通りに電化製品を動かすこともできないのに、こんなこともあるのだなと感心してしまう。バッテリーの型番が同じだったのも幸運だった。カー用品店の店員の判断は正しかったというわけで、樋口晴子はあの無愛想な店員を思い出しながら、感謝を口にしたくなる。開けたボンネットに身体を入れ、プラグのはめ込みをしていると、隣で七美が、「白ヤギさんからお手紙着いた」とぶつぶつと歌いはじめた。

え、と顔を窺《うかが》うと、七美は特に深い意図もないようで、自分の意思でというよりはまわりの草むらの揺れる音に歌わされていますよ、という無心な表情だった。「白ヤギさんからお手紙着いた。黒ヤギさんたら読まずに食べた。仕方がないからお手紙書いた。さっきの手紙の、ご用事なあに」

それを聞きながら、手を動かす。改めて聞くと、若者の片想《かたおも》いやすれ違いをモチーフにしているようでもあって、少し切ない歌だな、と樋口晴子は思った。

よし、と声が自分から漏れる。ボンネットを閉じる。ばたんと揺れ、色のついた埃が舞い上がる。

「動くの？　動くの？」七美が目を輝かせ、助手席に向かう。樋口晴子も運転席に乗り込む。鍵を再び挿し込み、捻る準備をする。

「これで、動くの？」

「動いてほしいよね」

　どうして自分が、この車を動かそうとしているのかすでに分からなかった。理由らしい理由はない。ただ、花火を眺める者同士が同じことを考えることがあるように、今この瞬間に、逃走中の青柳雅春がこの車のことを思い出すこともあるのではないか。青柳雅春の身に何が起きているのかその詳細は分からないまでも、少なくとも犯人ではないと信じているのだから、何かできることがあるのならばやるべきだ。そう思った。白ヤギさんの歌を口ずさむ七美は、助手席で身体を揺すっている。

「じゃあ、やってみよう」祈る思いで、鍵を持つ手に力を込めた。

青柳雅春

　青柳雅春は捻った鍵から手を離した。うんともすんともエンジンは反応せず、ただ、鍵が回った、というそれだけだった。

そんなに都合よく動くはずがない。分かってはいたはずだった。

けれど鍵を捻る瞬間、エンジンがかかるのではないか、と期待したのも確かだった。

川原沿いを歩き、車の場所を目指してきた。「あの場所にあの車がまだ、あったなら、きっと自分は助かるに違いない」靴を飛ばし、表だったら明日は晴れだ、と占うのと同様の、いい加減な願かけに近かった。車の鍵はおそらく当時のまま、同じ場所にあり、その鍵を使えばエンジンはかかるだろう。そして、車に乗った自分は必ずや、逃げ切れるに違いない。何の根拠もない想像に過ぎなかったが、青柳雅春を前進させたのはその根拠のない希望だった。

が、車は動かない。

それが現実だった。

エンジンのかからない車の運転席で、青柳雅春は両手を振り上げ、ハンドルを叩《たた》いた。殴った。車体が揺れる。学生時代から、この車はエンジンはかからなかったではないか。しかも、あれから年月が経《た》ち、車体は恐ろしいほどに汚れている。鍵があっただけでも僥倖《ぎょうこう》だったと言えた。

鍵をもう一度回す。かちりと音がする。それだけだ。ハンドブレーキを落とす。アクセルを踏み込む。ハンドルをつかむ。アクセルをべったりと床に押し付け、その後でまた、ハンドルを殴った。クラクションのあたりに顔を当てる。

丈の伸びた草と周囲の木々のおかげで、車道からも歩道からも見えない場所ではあった。このまま運転席で眠り、休むべきではないか、とも思う。

バッテリーを買ってくれれば良かった。そんなことは分かっていた。ただ、カー用品店は見当たらず、ガソリンスタンドで店員に顔を見せる度胸もなかった。眠ってしまおうか。目が覚めたら、長い年月が、事件のことも自分のことも誰もが忘れているくらいの年月が、経っていたりはしないだろうか。次から次へ浮かぶのは、無益な妄想ばかりだ。助手席のリュックサックに目をやる。何度目か分からないが、また、鍵を動かす。何も起きない。

ダッシュボードを開けた。昔はこの車をホテル代わりに使っていた友人も多く、だからその場所には避妊具が入っている、と言われていた。「誰かが穴を開けてるかもしれねえし、怖くて使えねえよ」と森田森吾はよく言い、青柳雅春たちも同意した。怖いし、汚いし、使いたくねえよ、と。一度、樋口晴子とこの車内で雨宿りした際も、ダッシュボードだけは開けまい、と思った。

開けたダッシュボードの中にはメモ帳程度しか入っていなかった。転がるペンに埃がまとわりついている。避妊具はない。気づくとメモ帳を千切り、ペンをつかんでいた。考える間もなく、書き付ける。

「俺は犯人じゃない。青柳雅春」

ペンを紙から離した途端、空《むな》しくなる。笑い声を立てたかったが、それも出ない。これは俳句にもならない、と苦笑した。こんな単純で、分かりきった、たった八文字の事実をどうして信じてもらえないのか。紙を二つ折りにし、サンバイザーに挟んだ。いつか誰かがこれを見つける時が来るかもしれない。

それがいつなのかは分からないが、この紙に書かれた言葉は、その人間を戸惑わすだろうか、同情させるだろうか、もしくは冷笑をもたらすだろうか。見当がつかなかった。

俺はその時、どうなってるんだ？

「おまえ、小さくまとまるなよ」

なぜか、そんな言葉が頭に浮かんだ。昔やった、不気味な魚が喋《しゃべ》りかけてくるゲームで、その魚が発した台詞《せりふ》だ。樋口晴子はそれがきっかけで、青柳雅春と別れることを決意した。「わたしたちって、このまま一緒にいても絶対、『よくできました』止まりな気がしちゃうよね」と彼女は言った。

青柳雅春は動かない車の運転席でうなだれていたが、ふと背筋を伸ばすと運転席側の窓ガラスに指を当てた。指で花丸を描き、「たいへんよくできました」と文字を書こうとしたが、窓の汚れは外側についたものらしく、指が動いても字が残らなかった。

ほら、やっぱり青柳君は、たいへんよくできました、じゃないんだよ。樋口晴子に言われているような気分になった。青ヤギさんからお手紙ついた、白ヤギさんたら読まずに食べた。口ずさみながら、鍵に手をやる。駄目でもともと、念のため、という思いで捻る。エンジンはうんともすんとも言わない。

青柳雅春は河川敷をまた、歩いていた。動かない車に落胆し、来た道を引き返していた。バッテリーを手に入れたかった。あの車を動かすのに必要なのは、バッテリーでそれを買うべきだ。短い橋の脇《わき》から細い未舗装の道に入り、背丈の高い草を掻き分けるように進んでいく。川と併走する、遊歩道だった。観光名所でもなければ、特徴的な風景もないため、近隣の人が散歩に使う程度の道なのだろう。人通りはなく、青柳雅春は俯《うつむ》き加減に歩いた。バッテリーを、と思いつつ、実際に自分がそれを目的に歩いているとは思えなかった。すっかり意気消沈していた。

「本気で、車が動くと思っていたのか」自分が問いかけてくる。

「動くと信じていたわけではなかった」と答えている自分がいる。「ただ、動けばどうにかなると期待していたんだ。藁《わら》に縋《すが》ろうと思って、縋れなかったんだから、そりゃがっかりする」

電話がかかってきた。リュックサックの中で覚えのない振動があり、慌《あわ》てて、中から引っ張り出す。あの、三浦が別れ際《ぎわ》にくれた携帯電話だ。着信番号が非通知であるのを眺めた後で、通話ボタンを押し、電話に出る。相手が名乗らずに、「残念でしたね」と言ってきた。三浦の声だとすぐに分かった。「残念でしたね。昔の同僚に助けを求めて、トラックで逃がしてもらうってアイディアは悪くないと思ったんですけど」

「ああ」

「ばれたんですね。その元同僚が密告でもしたんですか？」

違う、と青柳雅春は強い口調で否定した。岩崎英二郎は、自分を裏切ることはしなかった。

「実は、俺が警察に密告したんですよ、と言ったらびっくりする？」三浦は軽快に言った。

「え」

「嘘ですよ」三浦が小さく笑う。「俺が、警察の味方なんてするはずがないし」

青柳雅春は携帯電話を耳に当てながらも、応《こた》えることができない。

「あ、今の冗談を真に受けた？」

「連続無差別刺殺犯の男の言葉を信じる馬鹿《ばか》がいるのか？」

おおっ、と嬉《うれ》しそうに相手が歓声を上げる。「俺、青柳さんを助けたじゃないですか。密告なんてするわけがないよ」

確かに彼は手錠を外してくれ、アパートに上がらせてくれたが、それは単なる気まぐれだった可能性もある。気まぐれで青柳雅春を助け、気まぐれで警察に売る。正義感や同情だと言われるよりは、彼の行動原理としては説得力があった。

「信じてもらいたいからってわけではないんですけど。伝えたいことが二つあります」

「いいニュース？」と訊《たず》ねた。いいニュース以外は聞きたくもなかったからだ。

「いいニュース、かな。正確には、いいアドバイスと面白いお知らせかも」と彼は自慢げな息を漏らす。

「アドバイス？　何のだ」

「青柳さんが逃げる方法」

「どうやって」

「さっき、テレビを観《み》ていたら、青柳さんが店でラジコンを買う映像が出ていました。広い場所で、ラジコン操縦を練習しているビデオもあったし」

「あれは俺じゃない」

「ですよね」あまりに相手が簡単に言うので、青柳雅春は拍子抜けした。「俺もそうじゃないかな、と思ったんです」と三浦は続けた。「青柳さんを陥《おとしい》れようとしているのは、個人じゃない。そんじょそこらの組織でもないですよね。もっと、でかいものでしょ」

青柳雅春には、その通りだよ、という言葉を発する余力もなかった。

「そいつらは、青柳さんを陥れるためには、そっくりの人間を用意することくらい、余裕でやるんですよ、きっと」

「その通りだ」今度は声を出せた。

三浦は少し笑っている。「ただ、それが逆に、突破口になるかも」

「突破口？」

「その偽者《にせもの》を捕まえるんです。青柳さんそっくりの男を捕まえて、どこか、まあ、それこそ、テレビ局にでも駆け込んだらどうですかね。そっくりの顔をした人間がもう一人いることを見せれば、大半の人間は、おかしいと感じますよ。この事件は少しおかしい、と思わせることができる。青柳さんが犯人だと思い込んでいる人間も少しは悩む。疑念が突破口になる可能性はあります」

「あれは、整形じゃないか、と思うんだ」

「整形ですね」三浦はあっさりと断定した。「この街には、腕のいい医者がいるんですよ」

「どうしてそれを」と思わず青柳雅春は訊ねた。アイドルの凛香から聞いた話を思い出している。

「俺のこの額の広い顔、本物だと思ってるんですか？　もとは、もっと二枚目ですよ」

三浦はむすっと言った。「とにかく、青柳さんの偽者がどこかにいる。それは間違いがないです。そいつを引っ張り出せばいい」

「でも、どうやって」青柳雅春は、三浦の提案に惹《ひ》かれはじめている自分に気づく。

「どうやって、その男を見つけ出すんだ。俺の身代わりになった男がどこにいるのかなんて、分かるはずがない」

「俺が探してみますよ」

「え？」

「蛇《じゃ》の道は蛇《へび》？　でしたっけ？　もしかしたら、っていう情報網がないわけでもなくて」

「ないわけでもない？」回りくどい二重否定を頭でほぐす。

「青柳さんの身代わりになった男は、青柳さんそっくりなんだから、やっぱりその辺をうろつくわけにはいかないですよ。下手に誰かに見つかったら、間違えられて、面倒なことになっちゃいますし。でもそうは言っても、まだ偽者の出番はあるかもしれないってことは、仙台から消えるわけにもいかない。だから、かなりの確率で仙台市近辺で、待機しているはずだと思うんですよ」

「出番を待つ代打選手みたいに？」

「まさに、それそれ」三浦は言う。「だから、青柳さんの偽者を探してみますよ。連絡を待っててください」

「それまで無事だったらいいんだが」

「でかいショッピングモールかパチンコ店の駐車場に行って、車の中で寝そべってたらどうですか？　比較的、安全ですよ」

「駐車場？　車がないのに？」青柳雅春は自分でも意識しないうちに、自嘲《じちょう》気味な口ぶりになっている。

「車ならありますよ」三浦が息を吐いた。「そっちが面白いお知らせ、です」

いったい何のことだ、と青柳雅春は首を捻るが、その時に、「青柳さん、さっき、近くの草むらに入って、車を動かそうとしてましたよね？」と言われ、息を呑《の》んだ。「どうして？」とかすれた声で聞き返すのにも時間がかかった。「どうして、知ってるんだ」

「青柳さんのことつけてたんですよ」

「つけてた？」

「怒った？　ごめんなさい」謝りつつも三浦は、声を弾ませた。「青柳さんの集荷大作戦がうまく行くかどうか知りたかったんですよね。だから、様子を見ていたんですけど」

「どこから」青柳雅春は何とも言えない不気味さに、周囲を見渡す。後をつけられていたとはまったく気づかなかった。油断していた覚えはなく、むしろ警戒に警戒を重ねていたつもりだった。

今もどこからか、三浦に観察されているのでは、と首を上へ傾け、視線をあちらこちらへ向ける。左手には自分が先ほど橋の脇から降りてきた緩やかな土手、右前方は、川を挟み、不穏な色合いを見せる自然崖があるが、人の姿は見つからない。

「何をきょろきょろしているんですか」電話の向こうで笑う三浦は言った。当てずっぽうで言っているようにも、実際にこちらの様子を把握しているようにも感じられた。

「青柳さん、警察に囲まれた中、逃げたのは凄《すご》かったですね。感心しましたよ。すげえ、って。で、どこに行くんだろう、って後を追ったら、草むらに入っていくんでびっくりしました。あそこに車があるの、よく知ってましたね」

青柳雅春は目立たぬように、視線を移動させる。

「きょろきょろしないでくださいよ」とまた言われる。「青柳さんは動かない車から降りて、肩を落として立ち去って、で、今、その川原沿いを落胆しながら、歩いているんですよね」

「あの車、バッテリーが切れてるんだ」

「青柳さんの後に別の人が来ましたよ」

青柳雅春は、相手の喋る意味が分からず、しばらく黙る。

「青柳さんが立ち去った後に、その車に乗る人がいたんですよ。しばらく、そこで作業をしていて。バッテリーを交換していたんですね、きっと。だから、俺の勘ですけど、今なら車、動きますよ」

「バッテリー交換？　誰がそんなことを」

「青柳さんの知り合いじゃないですか？」

「俺の知り合い？」

「物好きですよね。青柳さん、今の時点ではどこを見ても敵ばかりの、完璧《かんぺき》なアウェイ状態ですし、味方するのはかなり、リスクがありますよ」

「味方なんて」

「一方的な応援団ですかね」三浦は、ふうん、と言った。「でも、あんなに可愛《かわい》い子供を巻き込んだら駄目ですよ」

「子供？」聞き返した時には電話は切れた。

向かい側にそびえる自然崖の上を、トンビだろうか、羽根を広げた土色の鳥が旋回している。音もなく、緩やかに風を切る。その回転に後押しされたわけでもないが、踵《きびす》を返し、来た道を戻る。だんだんと、駆け足になった。

先ほどぴくりともエンジンがかからなかった車が、川原まで往復している間に動くようになっているとは信じがたかったが、青柳雅春はそこに戻るほかなかった。裏手の細道は緩やかな上り坂で、疲れた身体《からだ》には楽ではない。草むらの茂みに黄色い車体がうっすらと見えた。リュックを抱えたまま、足早に駆け寄る。何も考えてはいられなかった。しゃがみ、前輪に手を伸ばす。鍵《かぎ》があった。運転席に座り、鍵をすぐさま差し込む。

フロントガラスに向き合い、息を吐く。かかるのか？　指に力を込める。ブレーキを踏んだまま、「かかれ」と念じた。実際に口に出していたかもしれない。かかれ。かかれ。青柳雅春は最初、何が起きたのか咄嗟《とっさ》には分からなかった。自分の下の地面が、ぶるっと身震いをし、粘り気のある悲鳴のような音を立てた。

エンジンがかかりそうな音がした。

すぐに、エンジンはかからなかったが、手応えはある。おそらく、タンクの中のガソリンは相当、古いはずだ。腐っている可能性もあるが、とにかく揮発性の低いものしか残っていない。セルを長く回せば、かかるかもしれない。青柳雅春は深呼吸をし、しつこく鍵を捻《ひね》る。車の悲鳴が長く、続く。寝起きの悪い子供が喚《わめ》くようでもある。

「かかれよ」ともう一度念じたと同時に、尻《しり》が揺れ、つかんでいたハンドルが小刻みに揺れる。何だ生きてたのか、とのんびりと懐《なつ》かしむような余裕はなく、ただ、興奮によって頭が空っぽになった。サイドミラーに白煙が見える。マフラーから煙が大量に出ていた。

青柳雅春はハンドルを握り、ブレーキを踏んだままで、しばらく身体を動かすことができない。少しして、バックミラーの場所を調整するために手を伸ばし、ぎょっとした。たまたま映った自分の顔がやつれていたからではない。それは、想像していた通りだった。ただ、その目尻から頬にかけて、涙の筋があるのはまったくの予想外だった。森田、どうなんだよ？　そう訊ねたい気分だった。なあ、森田、人間は、車にエンジンがかかったくらいで泣くのかよ。

この期《ご》に及んでも俺は、森田に答えを聞きたがっている。

情けなさと滑稽《こっけい》さで顔を歪《ゆが》めると、鏡に映っている自分の口元も弱々しく、崩れた。クラッチを踏み、ギアを一速に入れようとしたが、その前に、サンバイザーを開き、中から折った紙を取り出した。つい数十分前に自分で挟んだ紙切れだ。もう不要に思えた。くしゃっと丸め、ポケットに突っ込もうとしたところで、ふと、開いてみた。皺《しわ》だらけの紙を広げたところで、はっとした。鼓動が一瞬だけではあったが、強く跳ねた。

「俺は犯人じゃない。青柳雅春」自分で書いた文字が残っている。少し斜めになった、見慣れた字だ。問題はその脇だった。青柳雅春の字よりも薄い文字で、綺麗《きれい》な筆跡で、こうあった。

「だと思った。」

青柳雅春はその紙をしばらくの間じっと見下ろしていた。ぎゅっと瞼《まぶた》を閉じる。その字に見覚えがあるかどうか、字を書いた者の真意は何か、そういったものは関係がなかった。ただ、声が漏れそうになった。早く行かなくていいのかよ、と言わんばかりに車の震動が続いている。「だと思った」の一言が、胸の中をぎゅっと絞ってくる。

ギアを入れ、ハンドブレーキを下ろすと、アクセルを踏んだ。草むらから飛び出す。人がいた。散歩中の老人なのか、腰を屈《かが》め、藪《やぶ》を突くようなおっかなびっくりな姿勢で立っていた。突然出てきた、青柳雅春の運転する車にのけぞり、飛び退《の》き、尻餅《しりもち》をつく。申し訳ない、と思いつつも、アクセルを踏み込んだ。車道に飛び出し、ハンドルを切る。車体が音を立てて、ぐらぐらと揺れた。思ったよりも速度が出ず、アクセルを乱暴に踏んでみる。タイヤの空気がない。長年放置されていただけに、空気が抜けているのだ。この不安定な動きは目立つかもしれない。

車線が広いとはいえ、他の車にぶつかる恐怖はある。フロントガラスはまだしも、左右の窓は曇っていた。黒い影が見え、慌《あわ》てて、ハンドルを回す。すぐ真横をＲＶ車が走り抜けていく。車体をまっすぐに戻し、加速する。

セルフサービスのガソリンスタンドの場所を思い出す。配達の仕事をしていた際に、何度か見かけたスタンドだったが、給油のほかに空気も入れることができたはずだった。あそこでこっそりと作業ができる。先ほど河川敷を歩いていた時のおぼろげな風景とは違い、目の前の光景はくっきりと輪郭を持って、見えていた。

樋口晴子

「凄いね、お母さん、やればできるじゃん」エンジンのかかったことに、助手席に座った七美ははしゃいだ。ぴょんぴょんと座席の上で、尻で跳ねる。それにしても凄い煙だねえ、と車の後部から溢《あふ》れてくる白煙を見てもいた。

「やればできるもんだ」と樋口晴子はハンドルを握ったまま、小さな感動を味わった。エンジンを切る。

「運転しないの？　じゃあ、何しに来たの」

「何しにだろうね、本当」

「誰か、乗りに来るの？」

樋口晴子は笑ってしまう。逃走中の青柳雅春がこの車のことを思い出し、なおかつ乗りにやってくる可能性がどれほどなのかまるで分からなかった。「でもさ、乗りに来た時に、車が動かなかったら、寂しいでしょ。動いてほしいよ」

鍵を抜く。警察が待っているとも思えないが、車を見られたら面倒だった。「出るよ」と七美に声をかけたが、そこでサンバイザーから紙がはみ出しているのが目に入った。考えるより先に手が伸びていた。開くと、懐かしい字が目に入り、思わず目を細めてしまう。「俺は犯人じゃない。青柳雅春」の文字があった。

「知ってるって」樋口晴子は自分のバッグをつかむと中からボールペンを取り出して、脇に書き込んだ。青柳君はこれをいつ書いたの？　紙切れに向かって、訊《たず》ねたくなる。もしかすると、自分が来るのは遅かったのではないかと不安になる。


路肩に停車したままの軽自動車に戻った。近くに、警察車両がないか、制服を着た警察官がいないか注意を払うが、通過する車はあるものの、他に気になるものはなかった。空は依然として、雲の破片も浮かべていない。画用紙をぺたりと貼《は》っただけのような、遠近の分からない青色がある。

「あの」と声を後ろからかけられ、その場で飛び上がりそうになった。強張《こわば》った顔で振り返ると、そこには少年とも青年ともつかない、小柄な男が立っていた。黒いパーカーを羽織り、額が目立つ顔をしていた。おどおどしつつ、薄笑いを浮かべている。脇《わき》には、自転車がある。ハンドルが一文字で、タイヤが細く、スマートな自転車だ。

「何でしょう」と言った時、樋口晴子は、その男が警察関係者だという可能性は考慮していなかった。目の前の男には、警察や役人などとは正反対の雰囲気しかなかったからだ。

「あの、たまたま、見かけたんですけど」と彼は眼鏡をいじくり、口を尖《とが》らせる。

「はい？」

「えっと、今、何をやってたんですか、そっちで」と彼は草むらの方向を指差した。

「娘がトイレを」と七美の頭を撫《な》でる。「非常識ですよね」

「それを咎《とが》めたいわけじゃないんですけど」

樋口晴子は曖昧《あいまい》に返事をし、軽自動車へと歩きはじめる。「七美、行くよ」と声をかけた。

「ねえ、その自転車、お兄ちゃんの？」七美は、小柄な男を見上げ、無邪気に声をかけていた。

「まあ、だね」と男は言った。

そして、打ち合わせがあったようにも思えないが、どちらからともなく、男と七美が、「白ヤギさんからお手紙着いた、黒ヤギさんたら読まずに食べた」と歌いはじめた。

無愛想な顔のまま、子供と歌う男はやはり、標準的な大人とも見えず、樋口晴子は、「行くよ、七美」と語気を強めずにはいられない。後部座席ドアを開ける。じゃーねー、と七美が手を振っている。気のせいに違いないが、男が一瞬、歌の歌詞を変え、「青ヤギさんから」と言ったように聞こえた。

車を運転し、自宅へと向かう。もはや、青柳雅春が首相暗殺の犯人だと疑う気持ちは微塵《みじん》もなくなっていた。先ほどの、あの車のサンバイザーに挟まっていた紙切れにあった、「俺は犯人じゃない」の文字で十分だった。

「さっきの車のことは内緒だよ」樋口晴子は言って、バックミラーを見ると、七美はチャイルドシートに座り、すでに眠っている。

自宅マンション前に辿《たど》り着く。エントランス近くに停車した車が目に入った。赤色灯を載せてもおらず、ただの普通車だったが、見た瞬間、嫌な予感はあった。

前を通り過ぎ、駐車場に車を置く。重いこんにゃくのようになった睡眠中の七美を抱きかかえつつ、マンションのエントランスに向かうと、背広の男が近づいてきた。樋口晴子はマンションの鍵をバッグから取り出しながら、「まさか、また偶然じゃないですよね」と相手に言った。

「待ってたんですよ」近藤守は頭を下げた。彼の背後から陽光が射《さ》し、表情はよく見えない。近づくと彼は、樋口晴子の胸に顔をつけて眠る七美の様子に一瞥《いちべつ》をくれた。

「電話をくれれば良かったのに」

「出てくれないと面倒臭いので」

近藤守の表情は相変わらず変化に乏しかったが、つい先ほど、検問後の路上で会った時よりも明らかに険しさが増していた。

「樋口さん、本当のことを教えてほしいんですが。青柳雅春と連絡は取っていないんですか？」

「取っていないですよ。わたしのことにこだわっても、時間の無駄ですよ」

そこからは我慢比べにも似た、睨《にら》み合いが続いた。近藤守は、樋口晴子の目、というよりも顔全体の動きを観察し、樋口晴子もそれを真っ向から受け止める気分で、対峙《たいじ》した。意識すると不安が態度に出そうだったが、相手がただのロボットか何かであると思いはじめるとさほど気にはならなくなった。

根負けしたわけでもないのだろうが、近藤守が、「今度、何か行動する時は連絡してください」と言った。

何か行動する時、とはまた漠然としているな、と思いつつ、一刻も早く彼から離れたかったため、「そうします」と優等生のように返事をする。

近藤守の視線を感じながら、マンションのエントランスに入った。エレベーターに乗り、玄関前まで到着し、鍵を開けたところで、いつから起きていたのか、七美が飛び降り、「お母さん、あの人、嫌な感じだね」と軽やかに言った。

背後の青空に向き直り、どこかにいるはずの青柳雅春のことを考えた。逃げてるのかなあ、と思った。大変だ青柳君は。

青柳雅春

　大変だなこの車も、とハンドルを握る青柳雅春は他人事《ひとごと》のように、思った。何年ぶりに稼動《かどう》したのか分からないが、少なくともまだ止まらずに、走ってくれている。
　セルフサービスのガソリンスタンドは、昔の記憶通りの場所にあった。スタッフがいるものの、特に用件がなければ一人で作業ができ、敷地の隅に空気圧を調節する器具があるのも変わらなかった。放置されていた時間の割りに、空気は減っていなかったようで、バルブキャップを開け、エアゲージのノズルを差し込めばさほど時間はかからず、タイヤが元に戻る。念のため、給油も行う。さらには車体のあまりの汚さが気にかかり、ホースを使い、水で車の汚れを落とすと、もちろんもともとがかなりの汚さであったため綺麗と言える状態にはならなかったが、とにかく少しはマシになった。休んでいる間もなく、すぐにガソリンスタンドを飛び出した。
　いつ動かなくなってもおかしくはない。アクセルを踏んでいる間は良かったが、速度を落とし、ギアを下げたり、もしくは赤信号を前に停車したりするたびに、もう動かなくなるのではないかと怖くなる。車道で立ち往生したら目も当てられなかった。
　泉区の環状線沿い、ショッピングモールの駐車場に入った。黄色い古ぼけた車体は、ありきたりで地味というものではなかったが、さほど目立つ色合いでもない。何よりも今、自分が車で逃げている、という事実はまだ、警察にも知られていない可能性が高く、それだけでも、ありがたかった。

　駐車場は広々とした敷地の平置きで、入り口のところで旗を振る誘導員がいた。青柳雅春は顔をうつむけにしつつ、駐車券を取り、順路に従い、車の並ぶ隙間《すきま》を縫うように進んだ。黒の3ナンバーが出るところだったため、その空いた場所に停車する。エンジンを止め、運転席に背をつける。二度とかからないのではないか、と恐怖があった。ためしにもう一度、エンジンが無事に動くことを確認し、また止めた。

　シートベルトを外し、座席を後ろに倒し、外から姿が見えないように、と寝そべった。助手席のリュックサックに手を伸ばす。中から取り出した、携帯食品の封を切り、食べる。空腹だったわけではないが、とにかく口を動かし、喉《のど》に流していく。

　携帯ゲーム機の電源を入れ、アンテナを伸ばし、画面に映る番組を見た。ダイヤルで調整を行い、音を出す。自分の姿が映っていることにもさすがに慣れた。また、おまえか。また、俺か。二年前の映像、ラジコンヘリを操縦している様子が繰り返されている。

「青柳雅春と思《おぼ》しき男が、若林区のコンビニエンスストアでパンを奪い、逃走」

「青柳雅春と思しき男が、松島海岸の遊覧フェリー乗り場前で目撃されました」

「青柳雅春と思しき男が、野蒜《のびる》海岸付近を走っていた、と複数の人間から通報」

俺ばっかりじゃないか、と笑いたくなった。余裕が生まれたわけでもなかったが、ここまで来ると感覚も麻痺《まひ》する。様々な目撃情報によって、むしろ自分の本当の居場所は埋もれることになる。これはこれで好都合ではないかと思った後で、このこと自体が、警察の戦略かもしれないと疑いが湧《わ》いた。青柳雅春を安心させ、警戒心を弱めるために、わざと真実とは遠い情報を大量に流す、そういった警察による陽動作戦のひとつではないか。ありえなくはない。今や、自分が無事に平穏な日常を取り戻すこと以外であれば、どんなことでもありえるように思えた。

尿意には、最初、気づかないふりをしていた。すると次第に、膀胱《ぼうこう》が膨らむ感覚が強くなり、無視できなくなる。一度、狭い車内に落ち着くと、外に姿を晒《さら》すことが怖くて仕方がなかった。運転席でそのまま用を足す、という選択肢も思いついた。すでに中古の、しかも持ち主も年式も不明の車なのだから、助手席から後部座席に移動し、こっそり小便をしても構わないのではないか。少々の臭《にお》いに我慢すれば運転には支障はないだろう、と思えた。実際に、ジーンズのチャックに手をやりかけたが、けれど途中で断念した。

車の中で小便すること自体はできる。ただ、そうした時、「どうして俺がこんな目に？」の惨《みじ》めさに自分が耐えられるとは思えなかった。周囲を見渡し、人通りがないことを確かめるとリュックサックを肩にかけ、ドアを開け、建物に向かい一気に進んだ。

便器の前に立ち、小便をしているとすぐ右に若い男が立った。同時に左側には、背広姿の男性が身体《からだ》を寄せ、用を足しはじめる。まず、右の若者が、青柳雅春に一瞥をくれた。次に、左の背広姿の男がちらと眺めてくる。深い意図があって、視線を向けてきたわけではないのだろうが、青柳雅春は緊張した。小便がなかなか終わらないことに焦《あせ》る。鼓動が早くなった。自分の性器の状態を確認する素振りで、ずっと俯《うつむ》いているほかない。小便を終えると洗面所で蛇口を開け、一度手をこする程度ですぐに外に出た。手を振り、水滴を飛ばす。

駐車場の、自分が車を止めた位置が遥《はる》か遠くに思えた。小走りで進む。歩いている間中、舞台上で姿を晒している気分だった。髪の毛を茶色に染めた若者たちの集団が目に入った。右脇、駐車場に止めたライトバンの横に五人ほどがしゃがんでいる。タバコをくわえ、眉《まゆ》をひそめ、たむろしている。派手な色のシャツに、首にはネックレスをつけていた。色のついた、洒落《しゃれ》た眼鏡をかけている者もいる。

どう見ても十代だろうな、と青柳雅春は思いつつ、こんなところで暇潰《つぶ》しをしている彼らの暢気《のんき》さと怠惰を羨《うらや》ましく感じた。そしてそれが、学生時代、食堂やファストフード店にたむろし、同じくだらだらと過ごしていた自分たちの姿と重なる。自分たちは悪気もなく、ただ、純粋に、「楽しいから」という理由で騒いでいたのだが、いつだったか、急に近寄ってきた背広姿の男が、「おまえたち、遊んでいられるのも今のうちだぞ。人生、甘くないからな」と発作でも起こしたかのように言ってきたことがあった。あの時、自分たちは何と言い返したのだっけ、と思い出そうとしていると、五人の若者たちの一人が、「あ」と声を上げ、こちらを指差した。その指摘に反応した残りの四人も立ち上がり、あっという間に自分を取り囲んだ。

「おっさん、あれでしょ」と一人が言う。

「犯人でしょ！」と別の一人が言う。

五人ともが似た髪形、似た服装で区別がつかない。にやにやする彼らをどうすべきか必死に頭を回転させた。それほど体格が良いようには見えなかったが、まさか五人全員に、大外刈りを披露していくわけにもいかない。あまり大騒ぎになるのも好ましくない。しばらくして、「どいてくれないか」と青柳雅春は言った。もちろんそれが受け入れられるとは思わなかった。どいてくれ、と言われ、「そうだね、どうぞ」と避《よ》けるようでは不良少年としては失格だろう。

ところが、だ。前にいる金髪の若者が真顔で、「そうだね、どうぞ」と言うものだから、驚いた。

「え、そうなの?」と聞き返してしまう。

「逃げてる最中だもんなあ」と別の若者が言う。「頑張ってね。おっさん」「俺たち、ただ、挨拶《あいさつ》したかっただけだから」「そうそう」「写真も撮らないで、我慢するし」

いったいどういうことか、と青柳雅春はすぐには応対できなかった。正面の若者が右手を出してきた。「頑張ってよ」

思わずすぐにこちらも手を伸ばし、握手を交わしそうになったが、そうしたらすぐにでも腕をつかまれ、地べたに引きずり倒される気もした。するとまた、「おっさん、頑張ってよ」と言ってくる。さらには、「どうせ、やってねえんだろ」とも続けるので、

青柳雅春は言葉を失う。

「俺たちなんて、いつもやってねえことをやった、って言われてるんだ」

「すげえ、分かるよ、その気持ち。濡《ぬ》れ衣《ぎぬ》ほどつらいものはねえよなあ」

「悪いことが起きると何でも俺たちのせいだぜ。アメリカみたいだよな」

そして彼らは、示し合わせたように道を開け、さあどうぞ、と言わんばかりに手のひらを進行方向へ向けた。訳が分からなかったが青柳雅春は頭を下げ、その場を後にした。

何か言わなくてはならない、と思うが、言葉が出ない。

たまたまなのだろうが、周囲の駐車車両のことごとくがいなくなっていて、薄汚れた自分の車だけがぽつんと残っていた。早くその場を立ち去りたかった。慌《あわ》てて、ポケッ

トに手をやり、鍵《かぎ》を取り出したところで、リュックサックに押し込んであった携帯電話が震え出す。見れば、今度は電話番号が表示されている。

「青柳さんにお手紙ついた」と三浦の声が、歌うような声が、した。「無事ですか」

「何とか」と青柳雅春は返事をし、背後を振り返った。先ほどの五人の若者の姿はどこにもなかった。

「時間かかったけど、分かったよ」

「分かった？　いったい、何が？」

「青柳さんの偽者《にせもの》がどこにいるか」

樋口晴子

マンションの自宅へと戻ってきても、樋口晴子は落ち着かなかった。テレビの電源を入れるとチャンネルの大半は、首相暗殺に関する特別番組を流していた。
「お母さん、大変だねえ」と七美が言う。
「わたしはぜんぜん、大変じゃないよ。青柳君は大変だけどね」
「青柳君、頑張ってるねー」七美はテレビを指差すが、あまり感情はこもっていなくて、無責任な尊大さがあった。画面には、どこの監視カメラなのかは分からないが、青柳雅春に似た姿の男が映っている。

目撃情報が次々と流れる。当然ながら、すべてが正しい情報であるはずもなく、情報同士が矛盾し合うものも多かったが、テレビ局はそのことはまるで意に介さず、もしかすると矛盾自体も青柳雅春が起こした混乱で、自分たちは悪くない、とでも考えているのかもしれなかった。「仙台市内に設置されているセキュリティポッドから、様々な映像や音声が取得され、今、警察で分析中のようです」とアナウンサーが言う。セキュリティポッドねえ、と樋口晴子はソファに腰を下ろした。自分の携帯電話の通話情報も、警察には調べられている。何もかもお見通しなのか、と思うと青柳雅春に同情する気持ちはもとより、それ以上に、監視ツールを駆使し、一般人を包囲する警察や権力者たちへの怒りを強く感じた。

「偉い奴《やつ》らは紅茶を飲みながら、脚とか組んじゃってよ、俺たちのことを高見の見物してるんだぜ。腹立つよな?」と言った森田森吾の声が急に思い出された。いったいどういう状況で発せられたのだっけ、とその声を、記憶の糸として辿《たど》り、その場面に行き当たる。

市営プールの清掃をしていた時だったはずだ。カズが見つけてきたアルバイトで、初夏とは言え、薄ら寒い時期に裸足《はだし》になり、デッキブラシで汚れをこすっていた。青柳雅春をはじめ、仲間が集まっていた。もともと疲れることが嫌いな森田森吾は早々に音を上げ、「プールって広いなあ」であるとか、「プールなんて汚いくらいがちょうどいいよな」と愚痴とも言いがかりともつかないことをぶつぶつ言い、そして、ふと見上げた場所に監視カメラが設置されていることに気づくと、「偉い奴らは紅茶を飲みながら、脚とか組んじゃってよ」と発言したのだった。

「掃除している俺たちを見てるわけがないだろ」青柳雅春は、森田森吾に苦笑する。聞き分けのない子供をあしらうのと似ていた。「しかも、何で紅茶なんだよ」

「俺たち一般大衆なんてのは、偉い奴らの決めたことに振り回されるだけなんだよ。俺たちが目先の仕事や恋愛だとかに必死な間に、勝手に物事を進めて、でもって理不尽なことを背負わせてくるんだ。でもって、偉い奴らはああいう監視カメラの向こうで、泡食ってる俺たちを嘲笑《ちょうしょう》しているんだよ」と森田森吾はデッキブラシについた洗剤の成分で酔ってしまったのか、うわ言を口にするようだった。

樋口晴子ももちろん、森田森吾の発言に苦笑いを浮かべずにはいられなかったが、ただ彼が、「偉い奴らの作った、大きな理不尽なものに襲われたら、まあ、唯一《ゆいいつ》俺たちにできるのは、逃げることくらいだな」と真顔で話していたのは印象に残った。「でかい理不尽な力に狙《ねら》われたら、どこかに身を潜めて、逃げ切るしかないんだよ」

「どういうことだよ」

「おまえさ、海で鯨に襲われたらどうする？」

「鯨って、襲ってくるのか？」

「襲うだろ、そりゃ。人間ってのはみんなに嫌われてるんだぜ。で、おまえは、鯨と闘うか？　無理だろ。真っ向勝負を挑むのか？　マッコウクジラだけに？　ないだろ。青柳なんて、飲み込まれておしまいだよ。ピノキオじゃねえんだから」

「おまえだって、飲み込まれておしまいだ」

「だから、一番利口なのは」

「利口なのは？」

「逃げることだって。泳いで、逃げる。それしかねえよ。無様でもいいからな、必死に逃げろ」

「泳いでも、飲み込まれるって」

樋口晴子はそんな会話を頭に再現させながら、一方でソファに目をやる。寄りかかった七美は、さすがに疲れたのか睡魔と綱引きをするかのように、目を閉じてはぱっと開け、閉じてはぱっと開け、とやっている。

プールの記憶を引き摺《ず》り出したところで、その糸に絡《から》まっていたのか、別の画面も頭の中に飛び出してくる。

ファストフード店で集まっていた時のことだ。遅れて現われたカズが、短大生の彼女を連れてきた。彼女が気さくで快活なこともあり、打ち解けるのは早かった。雑談に花を咲かせ、意味も意義もないくだらない話題で盛り上がっていると何度か、森田森吾が、「どかーん」と大きな声を出すことがあった。何事かと思い、目をやると彼は、「いや、時には派手な効果音を入れようと思って」と訳の分からないことを言い、その後も、誰かが話をし終えた途端、激しく手を叩《たた》いたり、「嘘《うそ》、まじで？」と必要以上に大袈裟《おおげさ》な反応を示した。

「いったい、森田君、どうしちゃったわけ？」とカズに訊《たず》ねても、「今日はああいう、オーバーリアクションが流行《はや》ってるんじゃないっすか？」と冷めた返事が返ってくる。

「特に気にすることないよ」と青柳雅春も言ったが、不定期に大声を出す森田森吾は煩《わずら》わしくて仕方がなかった。その理由が分かったのは、カズの彼女がトイレに立った時だ。店の奥へと彼女が入っていくのを確認した後で、「おい、どうだ」と森田森吾が、カズに訊ねている。

「いやあ、よくわかんないです」とカズはテーブルの下、腰のあたりに手を伸ばし、何かをしている。

「何してるわけ？」

「カズが、彼女の携帯電話をチェックしたいって言うからよ」と森田森吾が言う。

「何それ」

「俺たちが彼女の注意を引きつけておくから、その間に鞄《かばん》から携帯電話を抜き取って、こっそり確認しろ、って言ったんだ」

樋口晴子は思い切り、顔をしかめる。「最低だよ、それ」

最低、の声にカズがはっと顔を上げ、赤面する。

「いいんだよ。浮気してるほうが最低なんだから」森田森吾は平然と言う。

「浮気してるわけ？」

「それを調べてるんだって」森田森吾の口ぶりは明らかに偉そうだった。

「最低だ」樋口晴子はもう一度言う。「で、馬鹿《ばか》みたいに大声出してたわけ？」

「いいこと教えてやろうか？」

「いいよ、教えてくれなくて」

「動物ってのは、大きな声とか音が急に聞こえたら、そっちを気にするようにできてるんだ。危険がないかどうか、そっちを見ずにはいられないんだよ」

立派な話になってきたなあ、と青柳雅春が苦笑した。

「何度もやってたら、慣れると思うよ」

「まあ、そうだけどな」森田森吾はあっさりと認めるが、「でも、現に、この作戦が功を奏して、カズが携帯電話をこっそりチェックできているのは確かだ」と胸を張る。

「ってよりも、彼女がトイレに行ったおかげじゃないか」青柳雅春が冷静に指摘する。

「携帯電話を盗み見るのが、最低なのも確かだって」

結局、カズは罪悪感に耐えられなくなったのか、彼女がトイレから戻ってくると、「携帯電話を勝手に見ようとしました」と自白した。彼女があからさまに機嫌を悪くし、怒り出したので、青柳雅春と樋口晴子が必死に宥《なだ》めたのを覚えている。カズは俯《うつむ》いてしまい、どういうわけか森田森吾は、「カズ、おまえは最低だな。謝って許されると思うなよ」といつの間にか糾弾する側に回っていた。

懐《なつ》かしいな、と樋口晴子は思った。同時に、本当に森田君は爆発事故に遭ったのかどうか、死んでしまったのかどうか、気になる。今すぐテレビ局や病院に問い合わせをし、事の真偽を確かめたい衝動にも駆られるが、真実を知ることへの恐怖のほうが勝っていた。考えたくない、と考えた。

しばらくして、樋口晴子は電話をかけた。背中を突かれる感覚で、携帯電話を耳に当てていた。

「あ、もしもし、どうしたの晴子ちゃん」すぐに出た平野晶は軽快に言ってくる。

「今、大丈夫？」

「仕事中だけど大丈夫」と彼女は答えた後ですぐに、「仕事中だから大丈夫」とわざわざ言い直した。声を落とす気配もなく、さらには、「あ、これ、コピー取りましたよ、課長」と紙をがさごそと手渡す音も聞こえてきた。自分が勤めていた時のことを思い返し、彼女は変わらないな、と思った。昨日会ったばかりだと言うのに、自分だけが遠くにやってきた感覚がある。「で、どうしたの？ 急用？ それともランチの誘い？」「彼氏を紹介して」樋口晴子は自分で思っている以上に興奮していたらしく、言葉が唇を割って、飛び出した。

さすがの平野晶も、「晴子ちゃん、結婚してんじゃん」と声を甲高くした。「というよりも、旦那《だんな》以外に彼氏がほしいってこと？」

「そうじゃなくて、晶さんの彼氏。あの、平将門の」と早口にした。三十秒を超えないほうがいい、と咄嗟《とっさ》に計算している。

「将門？ どうしたの急に」

「あ、ちょっと待ってね。すぐにかけ直すから」樋口晴子は言って、電話を切った。自分から電話をしておいて失礼にもほどがあるな、と思いつつ、少し間を空けてから、リダイヤルをした。

「どうしたの、晴子ちゃん」すぐに電話に出た平野晶が訊ねてくる。

「会ったりできないかな。突然で悪いんだけど。その、将門君にお願いがあって」

「じゃあ、今週末とか何か食べながらにする？ 子供いるからランチがいいよね」

「今からが、いいんだけど」言い出しにくかったが、ためらっている場合でもなかった。

サイドボードの上の掛け時計を睨《にら》む。三十秒以内、三十秒以内、と言い聞かせる。会社の近くにある、ほら、コーヒーショップでいいからそこで会えないかな、と言う。

「言ってなかったかもしれないけれど、今、仕事中なんだよ、わたし」平野晶が可笑《おか》しそうに言う。

樋口晴子はそこですぐに、「今、テレビで話題の犯人いるでしょ。逃げてる男。あの」と話す。

「うん、あの話題の元運転手が？」

「あれね、わたしの昔の彼氏なの」

「え？　何それ。晴子ちゃんの？」

「そのことに関係してるんだけど」

眺める時計の針が、ちょうど三十秒を経過する位置に辿り着きそうだった。ほぼ同時に、電話の向こう側で、「課長！　有給休暇これから取っていいですか！」と叫ぶ平野晶の声がした。

青柳雅春

運転席で携帯電話を耳につけた青柳雅春は、「本当に？」と聞き返していた。「本当に見つかったのか？　俺の偽者《にせもの》が？」

　そもそも偽者の存在自体が信じられないのだから、薄闇《うすやみ》の中で、あれが霧だ、と示されたかのようなつかみどころのなさを感じた。

「こんな嘘をついてもいいことないって」三浦は冗談めかしてもおらず、淡々と言う。「青柳さんの偽者がどこにいるのか分かったんだ」

　どこに？　という問いかけと、どうやって、という疑問が同時に浮かんだ。

　両方を察したかのように三浦は、まず、「あのね、青柳さんにはああ言ったものの、どこから情報を集めようか最初は悩んだんだよね」と言いはじめる。若干ではあるが、自らの手柄を話す高揚を伴ってもいた。「でも単純に考えれば、青柳さんの偽者は、整形をしていたわけでしょ。ってことは、その整形を施した医者に話を聞くのが一番手っ取り早いんだよ」

「ああ」青柳雅春は返事をする。「君も顔を変えてもらった、という医者？」

　それについて彼は返事をしなかった。「その医者の電話番号を、俺は知っていたから、しかも、幸いなことに医者も電話を変えていなかったからね、電話をしたら、その医者が教えてくれたんだ。青柳雅春さんの顔に変えられた、悲しき身代わりさんが、仙台病院センターの病棟で休んでるって」

「まさか」青柳雅春は携帯電話に向かい、唾《つば》を飛ばした。

「まさか？」三浦は心外とでも感じたのか、棒読みするように言った。「何が、まさか？」

「どうしてその医者は、君にそんな重要なことを教えてくれたんだ」

右横の駐車スペースに、別の車がバックで駐車しはじめている。ほかの場所もふんだんに空いているのに、どうしてわざわざこの隣に停めようとしているのか。電話を耳に当てつつ、若干、身体《からだ》を寝そべらせ、姿を隠した。窓の外に目をやる。運転しているのは、若い女性だった。運転が慣れないのかサイドミラーとバックミラーを念入りに見つめているが、それらの仕草はすべてカモフラージュで、彼女は自分を追う側の人間なのではないか。そんな恐ろしい憶測が過《よ》ぎる。運転に不慣れな様子は、こちらを油断させるためのものだと思えなくもない。

「えっとね、その医者は、大病院で働いているわけでもなければ、看板掲げる有名医師でもないんだよ。表舞台から隠れ、人の顔をいじるような医者だから。どちらかって言えば、警察とかマスコミよりは、俺とか青柳さんの側の人間だと思わない？」

「俺と君を一緒の側にしないでくれ」隣の車が完全に停車した。運転席から女性が出て行く。

「つれないなあ」

「その医者が、俺の偽者を手術したのか？」

「いや、そうではないんだって。今言ったけど、その医者は、俺とか青柳さんと同じタイプなんだよ」

「一緒にしないでくれ」

「これはかなり大きいプロジェクトでしょ。念の入った、規模のでかい計画で。ちっちゃい犯人の仕事じゃない」

　青柳雅春は、自分を踏み潰《つぶ》そうと足を上げる巨人の姿を思い浮かべる。「たぶん、そうだろうね」と答える。「ケネディ大統領の暗殺が、しけた犯罪者の仕業じゃなかったように」これは大きな力の仕事だ。

「偉そうで、権力を持った奴《やつ》らの計画だよ。だからね、その医者も、偽者をでっち上げる仕事を引き受けなかったんだ。国家権力側の仕事なんて、やりたくもないからね。ただ、狭い業界なんだよ。その彼の、知り合いの医者が頼まれて、引き受けていた」

「頼まれたって、警察に？　国に？」

「まあ、自己紹介したかどうかは定かじゃないけど、逆算して考えればそうなるよね。とにかく、その情報によれば、青柳さんの偽者は病院センターのベッドに寝ているらしい」

「怪我《けが》でもしているのか」自分の偽者とはいえ、どこか分身を傷つけられたような感覚に襲われた。

「出番を待ってるんだ、きっと。病室なら出入りを管理できるし、一般人の目にも触れないで済む。食事も提供できるし、隠れ場所としては悪くない。あ、青柳さんもその真似《まね》をして、病室で暮らしてみたら？」

「病院側が味方してくれないことには無理だろ」

「でも、一つ方法はあるよ」

「一つ？」

「青柳さんが、その偽者と入れ替わるんですよ。あのね、幸いなことに、何と青柳さんとその人は顔がそっくりなんだって」彼は自分がさも、上等なユーモアを口にしたかのように、嬉《うれ》しそうな声を立てた。

青柳雅春は、自分と同じ顔をした男のかわりにベッドに横たわることを想像した。日数は分からないが、かなりの長い期間、素知らぬ顔で病人のふりをして過ごす。不自由ではあるだろうが、少なくとも安全ではある。と思うが、すぐに我に返る。「そうなったら、その偽者のほうはどうなるんだ？　まさか俺のかわりに逃げてくれるのか？」

「そうですね」と彼は、もとから冗談で言っただけなのだから、むきになるなよ、と言わんばかりだった。「とにかく、病院へ来てください。裏の駐車場まで来てくれれば、俺が病室へ案内しますよ」

「俺の偽者が匿《かくま》われている病院なんて、よっぽど警戒されているんじゃないか？」

あ、と三浦は少し嬉しそうに、弾む声を発した。「分かってるじゃないですか。青柳さん、疲れているだろうに、まだ、頭は働くんですね」

「もうそろそろ限界だけど」

「実は今、さっそくその病院センターに来ているんですけど、それほど厳しい警備はされていないんですよ。これはたぶん、青柳さんがここを見つけられるとは思っていないからですよね。舐《な》められてるんだ」

確かに、この三浦と知り合うことがなければ、その美容整形医からの情報など手に入らなかった。

「だから、ごく普通の顔で駐車場に車を停めて、堂々と入ってくれば院内には入ってこられますよ。信用して、俺を」三浦の言い方は、笛を吹くかのような気楽さがある。

「君をか」

「人間にとって、最大の武器は何だか分かる？」

その相手の言葉に青柳雅春は咄嗟に、「習慣と信頼だ」という台詞《せりふ》を思い出す。森田森吾が自分に発した、苦しさのまざった、はっきりとした言葉だ。

「思い切りだよ」当然ながら三浦の答えは、森田森吾とは異なっていた。「病院に着いたら、電話をしてください。この番号でいいですから」と言った。「あ、病院の場所は分かる？」

「俺を誰だと思ってんだよ」青柳雅春は余裕があったわけでもないが、少しでも自らを鼓舞させるつもりで、決め台詞さながらに言った。

「首相暗殺の犯人でしょ」

「元、宅配ドライバーだ」

電話を切った青柳雅春は一度、車を降りた。開けたドアが、隣に駐車したばかりの青い車にぶつかりそうになる。思った以上に接近していた。身体を横にし、車との隙間《すきま》を通り過ぎ、広い駐車場を建物の方向へと戻る。

もういなくなってしまっただろうか。首を動かし、人影を探す。あれはもしかすると幻だったのか、現実にしてはどこかおかしかったし、と思いかけたところで、「おっさん、いつまでここにいるのよ。早く行かないと」と若者の声が横から飛んできた。先ほど通りかかった時と同様、彼らは五人で地面にしゃがみ、雑談をしている。

「ああ」と青柳雅春は小さく、頭を傾ける。「頼みがあるんだ」

彼らはしゃがんだまま、驚きながらも億劫《おっくう》そうな顔をしたが、すぐに、「何？　何？」と興味を示した。

「服を交換してくれないか？」

その場しのぎの変装や服の変更が大きな効果を発揮するとは期待できなかったが、できることはやるべきにも思えた。彼らはいっせいに噴き出した。さすがに怒り出すか、もしくは呆《あき》れるかと覚悟もしていたのだが、「おっさん、本気だな」と一人が言い、「協力するぜ」と他の四人が言った。全員が同時に服を脱ぎはじめたので慌《あわ》てた。

「一人分でいいんだ」

黒いダウンジャケットはそれなりに高級そうだったが、彼らは、「いいよ、着てよ」と気前良く、言った。恐縮しながら、羽織るととても暖かい。「本当にいいのかい」

「いいって、いいって」と彼らは笑う。そして、止める間もなく、リュックサックにお菓子やらCDやら時計を突っ込んでもきた。

「じゃあ、このおっさんの服は俺がもらっておくよ」と若者の一人は、青柳雅春が渡したジャケットに袖《そで》を通していた。これはこれで値打ちが出るかもな、などと暢気《のんき》なことも言っている。

「おっさん、頑張れよ」と彼らが手を挙げる。今度こそ何か気の利《き》いたことを言い残したいと思ったが、口から出たのは、「人生は甘くないよ」という台詞で、自分でも笑ってしまう。

彼らも爆笑した。「説得力あるなあ」と口々に言い合う。

車に向かう途中、振り返り、もう一度挨拶《あいさつ》をしようとしたが、若者たちの姿はまた、煙さながらに忽然《こつぜん》と、消えていた。

その時、駐車場の入り口から速度を緩めずに入ってくるセダンがあった。黒い車と、その後ろに白い車で、順路を半ば無視する形で勢い良く、進んでくる。

青柳雅春は地面を蹴《け》り、駆け足になった。まさかとは思うが、自分を捕らえにきた車の可能性も捨て切れない。鼓動が早くなる。黒い車がブレーキをかけ、ちょうど自分の車の左側へと停車した。さらには後続の白いセダンが、その向かい側にバックで停車をはじめる。進路を塞《ふさ》ごうとしているように見えた。

運転席に乗り込むと、「動けよ」と念じ、鍵《かぎ》を捻《ひね》る。ここでエンジンが止まったままなら、アウトだ。一瞬、無音となる。アウト、と誰かが叫ぶのが遅れて聞こえる。少しして、車が身体を震わせた。

ギアをバックにいれ、クラッチを外しながら、アクセルを噴かした。後ろの空間へと車を飛び出させるとハンドルを切り、すぐさま駐車場の出口へと向かった。

青柳雅春

青柳雅春は車を運転しつつも、目の前が霞《かす》んでくるのを感じた。実際に、景色が見えづらいわけではなく、高熱に魘《うな》され、膜やフィルター越しに現実を眺める気分だった。自分の置かれている状況への恐怖と、車内という狭く安全にも感じられる居場所とが不釣合いに思え、混乱していたせいかもしれない。

仙台病院センターの場所は分かる。そこまでの道順もすぐに頭に浮かんだ。地図というほどのものではないが、漠然とした、曲がり角や交差点の図が見える。あそことここを通って、そこで曲がれば、目的の建物に到着する、という絵柄が見えた。仙台病院センターのエリアを担当したことはなかったが、同僚の代わりに数度、配達に向かったことはある。駐車場は広く、入り口には簡単な発券機があるだけだったはずだ。

問題は検問に引っ掛からないで済むかどうかだろう。この車は目立つ車体ではなく、強いて言えば、「かなり汚い」ことが唯一《ゆいいつ》の特徴だったが、世の中に汚い車は意外に多く、汚い車の中にかなり汚い車がまざることは大したことにも思えなかった。

車の流れは良くもなく、悪くもなかった。とりあえず、動いてはいる。この車や自分と同じだ、と思った。動いてはいる。逃げることはできている。生きてはいる。

一方で、首相が死亡した爆発事故から一日しか経《た》っていないというのに、混乱がこんなものでよく済んでいるなという感心もあった。車が道路を走り、走行により風で路上の物が舞い上がり、大事な証拠が消える可能性がないとも言えない。むしろ証拠を消したいのだろうか？　と一瞬だけ、そんな考えが過ぎる。

仙台病院センターは、繁華街からは少し北東のほうに離れた場所にある。環状線を右回りに進み、坂道を下る。身動きが取れなくなるのも怖かったが、周囲に車がなくなるのも不安だった。

前方車両の速度が落ちてくるたびに、検問を警戒した。検問所の近くで急に道を逸《そ》れるのは明らかに怪しい。できれば、そうなる前に別の道に移動したかった。

信号待ちの時に、助手席のリュックサックから眼鏡を取り出し、顔にかけた。ショッピングモールで遭遇した若者たちの一人が、くれたものだ。素行の悪い若者にはぴったりだが、首相暗殺の容疑者にとって相応《ふさわ》しいかどうかは分からない。違和感があり、取り外した。

さらにはリュックサックに無理やりに押し込まれていた、ＣＤをつかんだ。ジャケットを見て、苦笑してしまう。聞いたことのないミュージシャンだが、映っている写真のファッションからすれば明らかに、ヒップホップに分類される音楽だ。ヒップホップは聴くなよ、と妙なこだわりを口にした岩崎英二郎のことが思い出され、これも何かのつながりだな、とケースからＣＤを出すと、カーステレオの中に挿入した。

何年も使われていなかったに違いないステレオはどこか得体の知れない汚れも付着しているように見えた。入れたＣＤは永遠に出てこない不安があったが、音は鳴った。

車を走らせながら、リズム良く跳ねる音と弾けるような声を楽しむ。自暴自棄になりつつも陽気さを忘れない様子で、軽快に韻を踏み、執拗《しつよう》に相手を攻撃するかのような音楽は心地良かった。「聴けば、悪くない」

仙台病院センターに辿《たど》り着き、駐車券の発券機からチケットを取り、ゲートをくぐる。広い敷地内に、順路や駐車区域を示す表示が描かれている。日当たりの良い場所を選び、そこに止めた。

エンジンを切ろうとしたところで、ドアのすぐ横の人影が目に入った。ぎょっとしてそちらを向くと、白衣が見えた。病院関係者に咎《とが》められるのかとぞっとし、窓を下げ、恐る恐る、「何ですか？」と訊《たず》ねた。車内で、弾んでいたヒップホップの曲が外に流れ出ていく。

「服装を変えたんですね」と声がしたと思えばそこには、三浦の顔があった。「俺は白衣を着てみました。コスプレってやつですかね」

青柳雅春は運転席に座ったまま、彼を眺めた。小柄で童顔なところもあるので、医者の真似をする少年のようだった。エンジンを切り、リュックサックを持つと外に出た。向かい合った三浦は例によって、おどおどした様子だったが、ふてぶてしさも備えている。

「少し痩《や》せたか？」と青柳雅春は意識するよりも先に訊ねていた。

「え、俺が？　一日前に比べて？」と彼は驚いた顔をする。

どことなく華奢《きゃしゃ》に思えるのはなぜだろう、と思った。

「一日でそんなに簡単に痩せられるなら、ダイエットの本を出しますよ、俺」と言う彼の表情は固い。「でも、遅かったですね」

「これでも順調に来られたほうなんだ」

「でもまあ、間に合って良かったです」

「間に合った、っていったい何にだよ」

「少し後だと、いなくなっていました」

「ど、どこかに行くつもりだったのか」

「俺も忙しいんですよ。大変なんです」

言いながら三浦は歩きはじめた。どこへ向かうのかも分からなかったが、それについていくと、病院の建物の裏側を進んでいくことになる。

「こんなに堂々と歩いていいのかい」青柳雅春は少し俯《うつむ》き、つま先を見るように歩く。

「大きい病院なんですけど、だいたい中の様子は分かりました。青柳さんの偽者《にせもの》さん、五階の入院病棟の一番端にいるってことで」と彼は言い、目の前のエレベーターの上昇用ボタンを押した。「ここはスタッフが主に使うエレベーターみたいです」

エレベーターが到着し、扉が開く。中から白衣を着た若い男女が姿を見せた。青柳雅春はその場でびくんと身体《からだ》を動かしそうになるのをこらえた。「あ、お疲れ様です」と三浦がすぐに挨拶を発したことで、落ち着けたこともあった。

「お疲れ様です」と彼らは機械的に挨拶をし、横を通り過ぎるが途中で立ち止まった。不審げな顔で振り返るが、三浦は気に留めない。青柳雅春はエレベーターに入り、隅へと寄った。「ばれたんじゃないかな」

「怪しまれたかもしれないですけど、青柳雅春さんだとはばれてないですよ。意外に気づかないもんです」三浦は五階へのボタンを押した。

「そういうものかな」

「俺と一緒だってことも大きいですよ。青柳雅春は一人で逃げていると報道されているから、ここで白衣の俺と並んで歩いているのが、そうだとは思いにくいんじゃないですか」

その通りかもしれない。一人きりで不安げに歩いていたなら、先ほどの二人にもすぐに通報されていた可能性はある。

音とともに扉が開く。三浦は慣れた様子で通路を右方向へと進んだ。病院特有の、冷たい肌触りを感じる廊下だった。優しい暖色で覆《おお》われてはいるものの、どこかひんやりとしている。

「その一番奥の病室です」

「ここの入院病棟は、別段、特別な場所ではないのかい？」自分の偽者がいるのだとすれば、もっと監視の行き届いた、近づくことが困難な病室を想像していた。

「あれを見てくださいよ」彼が顎《あご》をしゃくる。前方に、見覚えのある機械が置かれていた。

「セキュリティポッド」と青柳雅春は呟《つぶや》き、踵《きびす》を返そうとした。いくら服装が違うとはいえ、情報を取られること自体が怖い。

「大丈夫ですよ」三浦が腕を引っ張ってくる。意外に力が強かった。「さっき、来た時にいじくっておいたから、映像と音声は取られないはずだし」とこともなげに言う。どうやって、と訊ねると彼は、「あの機械はそもそも、俺のために設置されはじめたんですよ。まあ、実際は俺のためじゃなくて、政治家たちが設置したかっただけだろうけど」と答える。

「セキュリティポッドを設置して、国民を監視するため？」

「利権のためじゃないですか？　あの機械の開発とか設置って、たぶん、担当の機関があるはずだし、そうすると、ほら、天下り先もできるでしょ。俺ね、頭は良くないけど、それでも知ってるんだよね。政治家とか偉い人を動かすのは、利権なんだよ。偉い人は、個人の性格とか志とかとは無関係にさ、そうなっちゃうんだ。えっと、何の話だっけ？　あ、そうそう、あれだ、とにかく俺、あの機械には詳しいんだよ。俺のための機械だから。で、置かれているやつを一時的にごまかすくらいならできるんだ」

「電源を？」

「それは無理。電源が切られたら、すぐに通知が警察に行く仕組みになってる。そうじゃなくて、中の配線をいじくって、入力と出力の端子をクロスするんだよ。あれって、中のハードディスクにいったん、映像や音声を記録するから、そいつを出力側にも回せば、延々と同じ情報が残るだけなんだ」

「そんなに簡単に？」

「知識と技術はいるけど、知ってて手先が器用な人がやれば、難しくはないよ。だって、俺にもできるくらいだし」

「つまり、君はさっき、一度この階まで来たんだ？」

確認しながら青柳雅春はどこか、穏やかならざる気配を察知していた。直接的な危険というよりは、隣で喋《しゃべ》る三浦の口ぶりや歩き方に違和感を覚えた。三浦の口調に少し、焦《あせ》りが見える。

「青柳さんを案内する前に、その偽者が本当にいるかを確認してやろうと思ってさ」三浦は前を向いたままだった。「ほら、あの突き当りの右の個室がそう」

「それにしても、スタッフの姿がまるでないけど」

どんな病棟にも受付やナースステーションなるものが存在しているのではないか、と思った。現に、エレベーターを降りた正面にはそれらしきカウンターがあったのだが、人の姿はなかった。

「鋭いですね、青柳さん」三浦は短く言う。「正確に言うと、ここはまだ未使用の階らしいんだよね。来年度から本格的に使われるみたい」

「ここは普段は使われていない階？」

「そう」

「それなら」と青柳雅春は先ほどから自分の胃の中で煮え、泡を飛ばさんばかりに膨らんでいるその思いを声に出す。「これは罠《わな》じゃないのか？」

「鋭い」三浦はまた言った。「鋭いよ、青柳さん」

青柳雅春はまじまじと横の三浦の顔を眺める。罠だとするならどうして引き返さないのだ、と思う一方、その罠とは、君が俺に対して用意したものなのか？　と怖くなった。立ち止まりそうになるのを、三浦がぐいっと引っ張った。果てがないほど長く思われた廊下がいつの間にか縮み、顔を上げれば真正面に病室のドアがあり、その502というプレートを認識した時には、三浦がノブを捻《ひね》り、ドアを開けていた。途端、青柳雅春は後ろに飛び退《の》きそうになった。不穏な空気に圧され、身体が反射的に跳ねる。白壁の室内は、贅沢《ぜいたく》な個室用なのか広かった。手前にベッドがあった。人が寝ているのが、布団《ふとん》の膨らみで分かる。

「青柳さんがここに来る可能性はどれくらいあったと思う？」三浦が言う。

「え」

「今回はさ、たまたま、俺が情報を仕入れて、青柳さんを呼んだでしょ」

「そうだ、君のおかげだ」

「それがなかったら、自力でここまで来られる確率は低かったと思うんだ」

「そうだ、君のおかげだ」青柳雅春は嫌味のつもりではなく、繰り返した。

三浦が喋り、室内に足を踏み入れた。「ただ、青柳さんが来ない可能性が高いと言っても、念には念を入れるべきだし、安全ネットはどこにでも張っておくべきでしょ」

　彼が何を言おうとしているのか、分からなかった。

「青柳さんを追っている奴《やつ》らもさ、もちろん、念のための下準備くらいはやっていたんだ。万が一、青柳さんが、自分の偽者を見つけ出そうとしたら、偽の情報で誘導する準備くらいはしていたってわけ」

　青柳雅春は自分の立つ病室の床が急にスポンジ状になったかのような感覚に襲われ、よろめいた。「偽の情報？」

「あのね、この病院の個室、この病室に青柳さんの偽者がいる。そういう偽の情報を流したんだ。万が一、青柳さんがここを探し出して、現われたら、その時はここで逮捕する。そういうシナリオを用意して」

「でも、誰も捕まえに来ないじゃないか」言いながら青柳雅春は、もしかすると君がその役割なのか、と言いたくなった。

「セキュリティポッドが外にあったでしょ。青柳さんが来るのをあれで確認できたら、そこで人を寄越す段取りだったのかも。来るか来ないかで言えば、青柳さんがここに辿り着く可能性なんて僅《わず》かだから、それで充分だと判断していたのかも」三浦は病室内を進み、窓際《まどぎわ》から外を眺めた。「俺がやってきて、セキュリティポッドをいじくったのは誤算だったんだよ」

「何が何だか」

「あのね」三浦が申し訳なさそうに、言った。

「何?」

「謝るしかないんだけど、俺が手に入れた情報が嘘《うそ》だったみたいなんだ」

「嘘? 何が?」青柳雅春は自分の周囲の何に寄りかかればよいのか分からなくなり、しゃがみ込みたくなった。

「俺は、医者に情報をもらったんだけどね、その医者自身が偽情報をつかまされていたみたいで」

青柳雅春がもし、整形された偽者を探すとすれば、その業界の話を聞きまわる可能性は高い。それを見越し、偽の情報を業界全体に流していたのかもしれない。あくまでも、念のために、だ。そして、その偽情報を得た医師が、三浦に情報を伝えた。そういうことらしい。「青柳さんが敵にしているのは、相当、でかい奴らだね」と三浦も、対決の相手を評価するようなことを口にした。

「でかいというのは規模が？　態度が？」

三浦は頬を引き攣《つ》らせた。「どっちもだね。うん、腹立たしい」

青柳雅春は静かに移動し、ベッドの脇《わき》に立つ。「ということはここには、人形か何かが置かれているのか」と布団に手をやり、めくった。その瞬間、後ろで、三浦が愉快げな笑い声を立てた。

目に飛び込んできたのは、人の身体だった。ベッド上で横になり、膝《ひざ》を折っている。精巧な人形だと最初は無邪気に思ったが、白いシーツに広がる染《し》みがあるのが分かり、これは何だろう、ああ血だ、と気づいた時には口を開けたまま、しばらく、喋ることができなかった。

「二段構えだったんだろうね」いつの間にか隣に三浦が立っていた。「セキュリティポッドで監視しつつ、このベッドにはこの人が寝ていて、青柳さんが来たら捕える予定だったんですよ。たぶん、それなりに訓練を受けている人なんでしょう」

見ればベッドの上の男は大柄でこそないが、パジャマの裾《すそ》から見える足首の太さや足の大きさから想像するに、しっかりとした体格に思えた。

「これは君が？」青柳雅春は指を向けるのに抵抗があり、視線だけでその血の滲《にじ》む脇腹を指した。

「布団を開けた途端、飛び掛ってきたんだよ。咄嗟《とっさ》に動いちゃうよね、俺も」と床を見下ろす。

「早くここから逃げないと」状況が完全に把握できたわけではなかったが、自分たちの前に死体が一つ出来上がっているのは確かで、そのことを知った病院関係者が、もしくは警察関係者が、ここへやってくるのは時間の問題に思えた。

「まだ大丈夫じゃない？」三浦は、青柳雅春の焦りとは反対に、落ち着き払っていた。「ここで起きたことはまだ、外には漏れちゃいないはずだし」彼が横へずらした視線の先、ベッドの奥に見慣れた球体の頭が覗《のぞ》いている。「みんな、これに頼りすぎなんだよ」

そのセキュリティポッドも、三浦がすでに操作をしているのだろう。

「おとなしくしていれば、しばらくはばれないと思う。俺も、青柳さんを駐車場に迎えに行って、戻って来られたし」

ベッドの男の顔を見る。自分とはまるで似ていなかった。「偽者の偽者」

「青柳さんを手助けしようかと思ったら、裏目に出ちゃいました。電話で呼んだ時はまだ、情報が正しいと信じてたんだけど。ごめんね」

「何で、こんなことになってるんだ」青柳雅春はぼそっと呟く。ベッドの男にも家族がいるに違いなく、その彼が使い捨ての駒《こま》よろしく呆気《あっけ》なく倒れている様を前にすると、ぶつけようのない憤《いきどお》りを感じた。「誰がこんなことを」

「あ、俺です」三浦はあっけらかんと手を挙げる。「俺が刺したんですよ。でも、俺に道徳を説かないでくださいよ。無駄だから」

「そうじゃない。全部だ。俺がこうやって追われて、俺の知り合いに危害が加えられて、しかも、君が彼を刺すようなことまで起きてる。どういうことなんだ」

「俺はそういう人間なんですよ。殺人犯だし。刺しても罪悪感を感じていないんだ」

青柳雅春はそこで、三浦を見つめ、彼が連続殺人犯であることを改めて認識するが、そのことに新しい恐怖は感じなかった。

「そうじゃない」ともう一度言う。「君が今まで事件を起こしたのは、たぶん、君の意志だ。ただ、今回のこれは違う。誰かの、どこかの誰かの思惑で、こんなことが起きている」

「どこかの、態度も規模もでかい誰か？」

「顔も名前も分からない奴ら」

三浦はそこで、ふっと息を漏らした。笑ったのか、と思うと不意に窓際の壁に近づき、その壁に寄りかかると沈むように、尻《しり》をついた。「何か、疲れたね」と平坦《へいたん》な口調で言った。

「大丈夫か？」

「青柳さんが相手にしているのは、馬鹿《ばか》でかい抽象的な敵だよ。たぶん、国家とか権力とか呼べちゃうようなさ」

「さっきからそういう話をしているじゃないか」

「詳しく言えば、だれそれ大臣だとか何がし社長だとか、いるのかもしれないけどさ、基本的には、首相を殺したのは、曖昧《あいまい》な思惑だよね。さっきの利権の話と一緒でさ」

急に三浦が難しい言葉を話しはじめた気がして、青柳雅春は気を引き締める。

「思えば俺たちってさ、ぼうっとしている間に、法律を作られて、税金だとか医療の制度を変えられて、そのうちどこかと戦争よ、って流れになっていても反抗ができないようになっているじゃないですか。何か、そういう仕組みなんだよ。俺みたいな奴がぼうっとしてる間にさ、勝手にいろいろ進んでるんだ。前に読んだ本に載っていたけど、国家ってさ、国民の生活を守るための機関じゃないんだって。言われてみれば、そうだよね」

饒舌《じょうぜつ》に喋る彼を前に、青柳雅春は少し戸惑いつつも、「巨人を敵に回した俺に、勝ち目はないってことか」と訊《たず》ねる。

「勝ちってのが何を指すのか分からないけどさ、強いて言えば」

「強いて言えば？」と訊ね返したところで青柳雅春は自分の頭が、ぐん、と別の場所に引っ張られる感覚に襲われた。どこなのかも分からないが、晴天の下で、周囲には裸足《はだし》の友人たちがいた。真面目《まじめ》な顔をしている男がいると思えば、森田森吾だ。彼が真面目な顔で喋る時はたいがい下らない思いつきだから、喋りかけられている相手が可哀想《かわいそう》だな、と憐《あわ》れみを覚えていると、どうやらその相手が自分らしい、と気づいた。森田森吾は、「馬鹿でかい鯨に襲われたら」などと喋っている。「一番利口なのは」と。そうか、似たようなことをあいつが言っていたのだ。

目の前の三浦が口を開いた。

「逃げること、かな」

「逃げること」それは昨日から散々、自分に向かって投げられた台詞《せりふ》でもあった。「誰も追ってこないところまで逃げる。それしかないでしょ。国や権力を敵に回したら、できるのは逃げることだけだ」

「鯨から逃げるように」青柳雅春はぐっと胸倉をつかまれ、襟元を絞り上げられる気分だった。逃げろ、と幾人もの人間に命令される。命令というよりは、託される。その感覚の後、ふっと頬が緩む。「結局、それかよ」それはそれで、腹が決まった。「でも、どうやって？」

「あ、ごめんね」三浦は背中を壁につけ、少し乱れた恰好《かっこう》の白衣を直しもせず、言った。相変わらず台詞は二枚目俳優然としていたが、小柄な彼が発すると滑稽《こっけい》な場面に見えた。「ごめんね？」青柳雅春は聞き返した。ごめん、と謝るのならば、今まで酷《ひど》いことをしてきた相手全員に謝るべきだ、とも思った。

「青柳さんがこの後、どうすべきか考えようかと思ったんだけど、俺、時間がなさそうなんだよ」

そこで青柳雅春は先ほど彼が、忙しい、と言っていたのを思い出した。

三浦の羽織る白衣がはだけた。下に着た薄い茶色のシャツの脇腹に、影ができるように色がついている。血だ、と分かる。ずいぶん血を吸い込んでいるらしく、服はたっぷりと膨れていた。

「そのベッドの人さ、小さい拳銃《けんじゅう》を持ってたんだよ。消音の、口径は小さいやつで、まあ、護身用みたいなやつだったんだろうけど。訓練されてる人ってやっぱり、偉いよね。俺が刺した時に、同時に撃ってきたんだ」三浦が少し口元を歪《ゆが》めた。笑っているようにも、苦しんでいるようにも見える。「致命傷じゃない気もしたんだけど、結構、まずかったみたいだな。血、こんなに出てるし」

「早く、病院へ」と咄嗟に口走る青柳雅春に、彼は噴き出した。「ここが病院じゃないですか」

「どうして」と言いつつも、その後に何と続けるつもりなのか自分でも理解できていなかった。どうして死ぬのか、であるとか、どうしてこんなことまでして、という言葉ではなかった。「どうして、こんなことに」とだけ言った。

カーテンがめくれ、病室の窓に射《さ》し込んでくる日差しで室内が白々と明るくなり、陰《いん》鬱《うっ》なじめじめとしたものをすべて、乾燥させ、薄く消していく。

「気まぐれで、青柳さんが逃げるのを助けるのも面白いかもなあ、と思ったのが運の尽きだったんだ」と彼が言う。

「ああ」と漏れる声が少し震えた。

「青柳さんのせいだ」

「殺人犯のくせに」青柳雅春は強く言い放つ。

「その通りだよね」と答える三浦は特に気取っているわけではなかった。

「何で、さっき会って、すぐに言わなかったんだよ」青柳雅春は、相手に近づくこともできず、思わずその場に座り込みそうになったので、ベッドの端に手をかけ、足を踏ん張った。「ぜんぜん、気づかなかった」

駐車場からこの病室までやってきて、ことの成り行きや推論を語る彼には、深手を負っている様子はまるでなかった。言われてみれば確かに、彼がどこか痩《や》せ衰えたようにも見えたが、もしかするとそれは彼の根源的な、生命としてのエネルギーが減っていることの表われだったのだろうか。三浦は小さく顎《あご》を引き、そして、「あ、びっくりした？」と仏頂面《ぶっちょうづら》で述べると、それきり動かなくなった。

青柳雅春

動かなくなった三浦を長い時間、見つめていたと思ったが、はっと我に返り、時計を確認するとほんの数分しか経《た》っていなかった。ベッドの上の、警察関係者と思《おぼ》しき男の死体を振り返る。

低い振動音が聞こえてきた時、はじめは自分の携帯電話が着信しているのだと思い、ポケットに手を当てた。が、動いてはいない。次に地震か近隣の工事で建物が揺れているのかもしれない、とベッドや壁の張り紙を見るがそうではなく、ただの聞き間違いだと結論付けようとしたところで、三浦の携帯電話だ、と思い至った。彼の白衣の襟元から手を入れる。中のシャツの胸ポケットに、小動物が潜むかのような震えがあった。

着信の表示を見れば、携帯電話の番号が出ているが、名前はなかった。電話に出ることの危険性を即座に頭で並べ立てたが、それほど影響があるとも思えず、通話ボタンを押す。

「君は誰ですか」あまり感情のこもらない、男の声が聞こえた。「これは、三浦君の電話では？」

「そうなんですが、今、出られないので」青柳雅春は答えた。嘘《うそ》ではない、と自らに言い聞かせる。

「君か」

「え？」

「君が逃げているご本人ですね」

「そっちは？」

「私は医者です」即座に言ってくる男は確かに、冷静沈着な医師を思わせた。自分のいる場所がまさに病院であるから、そこの医師に見つかったのかとはじめは思ったが、三浦に電話をしてきたからにはそうではなく、別の側の医師だと気づく。「整形の？」

「三浦君に謝りたくて電話をしたんですけど、君でも構わないと思うので言います。私が聞いていた情報は嘘でした」

「仙台病院センターに、俺の偽者《にせもの》はいないわけですね」青柳雅春は先回りをした。

「分かっていましたか」

「今、ちょうど分かったところです」

「仙台病院センターに行きましたか」丁寧な言葉ではあるが一本調子で、血肉が感じられない喋《しゃべ》り方だった。「三浦君は？」

「電話には出られない状態です」青柳雅春は言いながら、病室の出口へと向かう。いつまでもいるわけにはいかなかった。医者は詳しい説明がないにもかかわらず、何が起きたのか理解したようだった。「申し訳ないと思っています」

「情報の真偽を確かめるのは難しいから、仕方がないですよ」青柳雅春は電話に囁《ささや》く。今、自分の置かれている状況を誰かに伝えようとしたところで、まともに伝わるとは思わない。情報がいかに当てにならないのか、ということについては今の自分ほど分かっている者はいないだろう。

「この後、どうするつもりですか」と相手が言ってくる。

「まあ」正直に答える。「逃げるしかないですよ」

「どうやって」

答えずに電話を切った。自分でも答えが分からなかったからだ。病室のドアのノブを捻《ひね》る。開けたら、銃を構えた男たちが威勢良く隊列を作って、待ち構えている。ということはなかった。通路を戻り、エレベーターに辿《たど》り着き、ボタンを押す。鼓動がまたしても早くなる。扉が開き、中に白衣の女性がいるのが見えた時には声が漏れそうになったが、構わずに乗り込んだ。すぐに、奥の壁に寄る。女性は扉脇《わき》のボタン前に立ち、「何階ですか」と訊ねた。

「一階です」答えた声がまた上擦ってしまう。汗が背中を垂れた。私服を着た自分が、未使用の病室階にいたのだから、不審に思われているのは間違いなかった。

一階に到着し扉が開いても、左右のどちらに向かうべきか判断がつかなかった。が、そこでおろおろと順路を探すわけにも行かず、右、と決めるとまっすぐに歩みはじめた。広い廊下に合流する手前で、どうしても気にかかり、背後を振り返った。得策ではない、とは分かる。ただそうせずにはいられなかった。エレベーターを降りたその場所で、先ほどの白衣の女性が、院内用のＰＨＳに話しかけているのが目に入る。

自分が青柳雅春であると看破されたとは思わない。けれど、何らかの不審者として通報されている可能性は高い。電話を耳に当てる彼女が目を上げた。慌《あわ》てて顔を逸《そ》らす。足を速め、先に進む。病院から出て、駐車場へ行かなくてはならない。焦《あせ》りがさらに自分を挙動不審にする。

通り過ぎるパジャマ姿の入院患者や、点滴ごと移動する老人とすれ違うたびに、怖くなる。街の外を歩くのとまったく同じ、恐怖だった。左右に窓のついた通路はやはり、無機質の冷たい感触を漂わせている。床は、歩くたびにぺたりぺたりと粘り気のある音を出した。

「あ、あちらです」と背後から声が聞こえた。

後方で先ほどのエレベーターで一緒になった女性が、警備員の隣で指を差していた。遠慮がちに伸びた人差し指は、青柳雅春の背中に向いている。

走るべきだろうか。後ろから、警備員のものと思しき足音が近づいてくる。洪水が押し寄せてくるのに似た恐ろしさに、足がすくんだ。吐き気すらし、その場に跪《ひざまず》きそうになったので、右手に、「非常口」のドアが見えると考えるまでもなく、飛び込んだ。

冷たい空気に、じめっとした湿り気がある。階段が螺旋状《らせんじょう》に巻かれ、上へと続いている。せっかく一階まで来たところではあるが、上へと駆けた。

「おい、兄ちゃん、前向いて階段昇れよ。ぶつかるだろ」上から声がして、危うく段を踏み外しそうになった。見れば踊り場のところに胡坐《あぐら》をかいた、年配の男がたこ焼きを食べながら、その長い爪楊枝《つまようじ》をこちらに向けていた。

「何を泡食ってるのか知らねえけど、前見てなくちゃ、衝突してたぜ」

「はあ」青柳雅春は声を潜め、息を抑える。

「お、兄ちゃん」男が声を大きくした。見れば、彼の脇には松葉《まつば》杖《づえ》が横になっていた。

「兄ちゃん、あれじゃねえか、今、テレビで話題の」

青柳雅春はどういう反応をすべきか必死に考える。

「兄ちゃん、テレビで観《み》たぜ。頑張って逃げてるみたいだけど。傍から見てる野次馬の俺から見れば、もう、詰んでるようにしか思えないけどな」とその白髪の多い男性は言い、へらへらと笑った。

樋口晴子

「で、どういうことなの、晴子ちゃん」コーヒーショップの一番奥、四人がけのテーブルで向かい合った平野晶は、目を輝かせていた。ねえねえ教えて教えて、と彼女の身体《からだ》中がはしゃぐようだった。茶色がかった髪を頭の上で結わえている。果物のへたにも見える髪形が、似合っていた。

「はじめまして、菊池将門です」と平野晶の隣に腰掛ける男が言った。手を膝《ひざ》の上に置き、背筋をぴっと伸ばしている。長いせいか、腕が余り、少し妙な姿勢だった。耳が隠れる程度の、男にしては長い髪で、顎に髭《ひげ》を生やしていた。平野晶が言うほど、トランプの絵札Jに似ているとは思えなかった。

「急に呼び出して、ごめんなさい」

「いいのいいの。ランプをこすれば出てくんだから」平野晶が答えた。

有給休暇を急遽《きゅうきょ》、取り、すぐに会おうとしてくれたものの、さすがに会社を抜け出すのは難しかったようで、結局、会えたのは、彼女が会社の就業を終えた後だった。外はすっかり、夜と言ってもいい暗さで満ちている。

菊池将門はぱっと見た感じであれば、若い女性に人気のある、遊び慣れた芸能人のような外見だったが、平野晶の隣で、にこにこしつつ、オレンジジュースのストローをちゅうちゅう吸っていると、躾《しつけ》の行き届いた飼い犬に見える。

樋口晴子はそこで、青柳雅春のことについて話をした。今、逃げているあの犯人は、自分が昔交際していた男であり、別れて以降、再会したことはないのだが、わたしが知っている彼は、そんな犯罪を起こす男ではなかったのだ、とつまらないくらい、率直に伝えた。

「でも、人はいつ、どう変わるか分からないよ」平野晶がからかうように言ってきた。

「そうなんだけどね」

「でも、信じてるんですね」菊池将門がまさに、愛はすべてに打ち勝つんですね、と言わんばかりの純真さを発散させるので、さすがに樋口晴子も戸惑ったが、「うん、信じてる」とは答えた。「というよりも、信頼している、って言ったほうが近いかも」

「信頼ねえ。別れた男なのに」と平野晶はにやけた。「旦那《だんな》にそのまま密告してやりたい、今の言葉を」

「ふーん、って言って終わりだよ、うちの旦那は」と樋口晴子は笑う。樋口伸幸はいつも、自分には分からない超然とした空気を漂わせていた。

「で、どうしたいわけ。というか娘はどうしたの？　四歳九ヶ月の」

「七美はとりあえず、マンションの隣のおうちに預かってもらって」隣室の望月八重子《もちづきやえこ》は五十代の専業主婦だった。自分の息子二人はすでにひとり立ちしており、もともと子供好きらしく、時々、七美を預かってくれていた。

「そこまでして」

「そこまでして、ねえ」樋口晴子は自分でも可笑《おか》しかった。そこまでして、自分がいったい何をしようとしているのか、分からない。「将門君、あのセキュリティポッドのことを教えてほしいんだけど」

「ええ」

「青柳君が逃げてるとしたら、あれがやっぱり、邪魔かな、と」

「邪魔かな、って」菊池将門は頬を引き攣《つ》らせる。「意外に怖いこと言いますね、樋口さん」

「意外に怖いことを言うんだよ、この子は」と平野晶が、うんうん、とうなずいた。急に、結婚します、って仕事辞めちゃうし、と続けた。

　特に明確な目的や勝算があったわけではなかったが、自分が青柳雅春と接触することなくサポートができるとすれば、例の街中に散らばっているセキュリティポッドを誤作動させることくらいではないか、と思った。何とかして、偉そうに監視してくる奴《やつ》らの裏をかきたかった。

「何を教えればいいんですか」

「セキュリティポッドを一時的でいいから、使い物にならないようにしたいんだけど。そうすれば青柳君も少しは、逃げるのが楽になるかもしれない」

「でも、どのポッドを使い物にならなくすればいいのか」

「全部」樋口晴子が言うと菊池将門が首を素早く横に振った。犬が水飛沫《みずしぶき》を上げるのに似ている。

「無理っす。市内にどれだけあると思っているんですか」

「無理とか言わないで、前向きに考えなよ、将門」

「ええ、無理じゃないですよ」と急に言い直す菊池将門が可愛《かわい》らしい。

「電源切っちゃうとかそういう裏技ないわけ?」

「あれは電源が切れると自動的に、異常事態の警報が警察に行くんですよ。だから、それは無理なんですけど。中をいじくって、映像も音声も空振りさせる方法はありますよ」

「空振り?」

「入力端子を、内部のレコーダーからの出力端子と無理やり繋《つな》げるんですよ。端子の変換アダプタがいりますけど。そうすると昔のデータを延々とまた、取り入れはじめて、だいたい半日くらいは実質、機能しない感じに」

「それいいじゃない」

「でも、街中のしかも街頭のを一つずつやるなんて、無理っすよ」

「出た、無理宣言、再び」と平野晶が囃《はや》す。

「どこかの建物に侵入したくて、数台だけこっそり無効にするとか、そういう時なら効くけど」口ごもるように言う。「街中のを全部、ってのは」

「何か、セキュリティポッドの近くで音を立てるのはどうかな？」樋口晴子はそこで、自分のアイディアについて話した。「誰かの声を聞かせないためには、それが他の人に届かないように、妨害の音を出すっていうのもありでしょ？」

「どういうこと？」平野晶は眉間《みけん》に皺《しわ》を寄せたが、菊池将門は察しよく、「ああ」と理解を示した。

「人って、大きい声とか音がするとそっちに気を取られるでしょ。それと一緒で、何かラジオとかを近くで鳴らしていたら、セキュリティポッドもそっちに集中するんじゃないかって」樋口晴子は説明する。てっきり馬鹿《ばか》にされるかと思っていたが案に相違し、菊池将門は、「一理あります」と返事をしてくれた。「あれって、半径数十メートル、百メートル圏内の音声と映像を完全に保存、とか言われていますけど、実際に全部というのは難しいんですよ。容量も決まってるし。で、突発的な音とか起きるとその分、容量を食っちゃうみたいで、画質が落ちるとも言われていますよ」

「そんなもんなの？」平野晶が訝《いぶか》るように言う。「税金投入して、大々的に導入したあの、偉そうな仕組みって、たかがそんな精度なわけ？」

「税金を投入して、大々的に導入した、偉そうな仕組みってだいたいそんなものなんですよ」菊池将門は申し訳なさそうでもあった。

「音で妨害するのって、すぐにできる?」樋口晴子は切迫した声を出した。

うーん、と悩むように彼は腕を組み、しばらく唸《うな》った。「だいたいその、別の雑音を発生させる方法が思いつかないです」

「確かに」

「晴子ちゃん、アイディアがあるわけじゃないんだ?」

「ないです」とはっきりと言う。

「じゃあ、たとえば、あのポッドに死角とかないわけ?」

「ありますよ」これもあっさりと菊池将門は言った。「ポッドの裏側にぴったりくっついたところって、画像がもともと影になりやすくて、分かりづらいんです。音さえ出なければ、見つかりづらいです」

「でもまさか、その死角で膝抱えて、隠れるわけにいかないしね」樋口晴子は苦笑する。

「将門みたいなのが毎日、清掃とかしてるからすぐにばれそうだしね」

「それはまあ」と菊池将門も首肯した。「俺が管轄《かんかつ》している範囲って、市内の三分の一くらいだから、残りの部分の担当者にはばれると思いますよ」

「清掃とか整備って毎日やってるの?」

「それぞれのセキュリティポッドを三日に一回、チェックする感じです。ただ、昨日からは事件のせいもあって、警察も神経質にはなってるんですよ。日中と夜と一日二回、全部のセキュリティポッドを調べろって」

「朝晩かあ」樋口晴子は口元に手をやり、何か閃《ひらめ》かないかと思案するが何も思い浮かばない。

「まあ、晴子ちゃんの、昔の彼氏を思いやる気持ちは充分わかったけど、難しいのは難しいみたいだねえ」

「気持ちだけじゃあどうにもならないね」

菊池将門は腕を組んだまま、相も変わらず、うーん、うーん、と頭を悩ませていた。

「何か閃け、将門！」と平野晶が隣で、鼓舞する。

「閃いてください」樋口晴子も大袈裟《おおげさ》に拝むようにしたが、すぐに菊池将門が両手をクロスさせて、「無理です」とまたもや、無理宣言を発した。

そうだよね、と樋口晴子は肩を落とし、水のお代わりをもらおうかとウェイトレスの姿を探したところ、出入り口近くのテーブルに見知った顔が座っているのが見えた。新聞を読んでいた。

「じゃあ、また何か思いついたら連絡していい？」樋口晴子は二人の顔を見る。

「俺、今日も夜はセキュリティポッドをチェックして、巡回やるので、できることあったら電話ください」菊池将門はいつの間に記したのか、携帯電話番号の書かれた紙ナプキンを寄こした。

仕事中に電話してごめんなさい、と言うと平野晶は、「こんな用事なら、どんどん呼んで」と責任感があるようなないような気前の良さを見せた。二人が立ち上がる。「あれ、晴子ちゃんは帰らないわけ？」

「わたしはちょっとこのお店に残ってみる」

平野晶たちが店を出て数分も経《た》たないうちに、目の前に男が二人、立った。

「何度目の偶然ですか？」樋口晴子は座ったまま、近藤守を見上げた。よれよれの背広姿の近藤守はネクタイも曲がっていた。こちらから何も言っていないにもかかわらず、彼は向かい側の席に腰を下ろした。その隣にいるのは、格闘家にしか見えない大柄な男だった。角刈りで、彫りが深く、なぜか大きいヘッドフォンを耳につけている。近藤守同様、表情がなく、むすっとしたまま、椅子《いす》に座った。

「偶然ですね」

「本当に偶然です」近藤守は能面めいた顔つきのまま、言った。「怒ってるんですか？」

「怒ってはいないですけど、ずっと監視されているみたいで、気分は良くないです」樋口晴子は言いつつも、どうしてばれたのか、と考えていた。平野晶への電話は三十秒以内、通話内容が記録されないようにと気を配ったつもりだった。もっと単純に、電話か室内を直接盗聴されているのだろうか。

「監視しているわけではないです。ただ、樋口さんがこのお店に入るのが見えたので」

その言葉に、店の外を眺める。道を挟んで向かい側、つつじの植え込みの中にセキュリティポッドがあった。あれだ。自分たちがコーヒーショップに入るのがたまたま、あれでチェックされていたのかもしれない。近藤守はその情報をもとに、やってきたのだろう。

「そうやって、庶民を追い込んで、楽しいですか？」

「仕事です」

「まあ、ですよね」

近藤守の隣の大男は仁王様の片割れのように、ただ、座っているだけだ。口も開かないため、呼吸しているのかどうかも怪しく思える。

「それで、今の人たちはどういう関係ですか？」と近藤守が言う。

「調べればすぐに分かるんじゃないですか」樋口晴子は溜息《ためいき》まじりに答えた。「前の会社の同僚とその彼氏です。会って、雑談しただけですよ」

「どうやって、連絡を取ったんですか？」

なるほど、と思った。樋口晴子がかけた平野晶への電話は三十秒以内で記録は残っていない。だから逆に、平野晶との接点が警察には分からないのだ。

「一週間くらい前に、たまたま道で二人と会って、その時に約束してたんですよ」と嘘《うそ》をつく。彼らが、自分のことを監視しはじめたのは早くても昨日からだ。

「そうですか」近藤守の声は感情がないため、どこまで信じたのかが見えにくかった。「青柳君はまだ、逃げてるんですか？」近藤守がまっすぐに見てくる。こちらの反応を見逃すまいとしている。「逃げ切ってほしいですか？」

まさか、と今まで通り白々しく嘘をつこうとしたがそれも癪《しゃく》に障《さわ》った。「近藤さんは、青柳君が犯人だとどれくらい信じてますか？」

「どれくらいも何も」近藤守が答える。「犯人と確信しています」

「あれだけの大事件を、ただの一般市民の青柳君が起こしたと思うんですか」

「大事件の大半は一般市民が起こすものです」

「冤罪《えんざい》も多いと思いますよ」

「青柳雅春を庇《かば》うんですか？　首相の暗殺犯を？」

樋口晴子は目の前のアイスココアの残りをストローで飲み干した。氷が硬質の音を立てた。近藤守の隣の大男が、その氷の動きを凝視している。ストローを持つ指が震えそうになる。

「昔の友人が犯人じゃないと信じたい気持ちは分かりますが」近藤守がむすっと言うのを途中で遮るように、「気持ちが分かってるなら、いいじゃないですか」と笑ってみせた。

近藤守はにこりともせず、かと言って、むっとするわけでもなく、「何かありましたら、必ず連絡ください」と立ち上がった。

無表情の近藤守と、岩にも似た大男には目に見えない圧迫感があった。おそらくは、命令さえ下れば、今この場で、自分のことを殴りつけ、銃で撃つことも厭《いと》わないような、冷たい迫力だ。

青柳雅春

「俺は保土ヶ谷って言うんだよ。保土ヶ谷康志」

非常階段の踊り場から二階へと上がり、通路に出る。男は、青柳雅春を西側突き当りの病室に連れて行った。

「ここは？　保土ヶ谷さんの病室ですか？」と言ったものの、ベッドには布団《ふとん》もなく、カーテンも閉じたままだったから、そうは思えなかった。

「さっきの非常階段で喋《しゃべ》ってたりしたら、やばいだろ。ここは空き室でさあ。大部屋だけど、空調がいかれてるから使えねえんだ。俺の病室は別の大部屋。ここでこっそり、脚を休めてんだよ」

「脚を？　骨折？」

保土ヶ谷康志の両脚にはギプスがあって、歩くのも大変そうだった。けれど、松葉杖《まつばづえ》を、道端で拾った小枝か何かのように扱う様子を見ていると怪我人《けがにん》に見えないのも確かだった。

「両脚骨折だよ。まあ、治ってるんだけどよ、一応、入院ってのも悪くないからな。ちょっと長居してんだよ。このギプスも簡単に取れるんだよ」と脱ごうとしてみせた。

青柳雅春は薄暗い室内をぐるっと見渡す。カーテンの隙間《すきま》から入ってくる日差しに、埃《ほこり》がちらちら揺らめくのが、とても優雅なものに見えた。入院とはそんなに自由に延長できるものなのか、と疑問が過《よ》ぎり、訊《たず》ねると彼は、「俺はどっちかというと、裏稼業《うらかぎょう》だからねえ。知り合いが調整してくれるんだよ」と鼻を膨らませた。

「裏稼業」と青柳雅春は鸚鵡《おうむ》返しにする。

「何を笑ってるんだ」

「裏稼業と自慢する人間がこんなところでたこ焼きを食べていて、まっとうに生きていたはずの俺が、こそこそ逃げなくちゃいけないなんて、あまりに不平等で、笑うしかないですよ」

「分かる分かる、その気持ち」保土ヶ谷康志は軽薄に言う。「実はちょうど退屈してきていたんだ。そこに、あんたの事件が起きて、俄然《がぜん》、テレビが楽しくなって、入院がさらに充実してきたところだったんだけどな」

「犯人がここにいる、と通報しなくていいんですか？」

「してほしいのかよ、あんた」

「俺は、あの大事件の犯人らしいですよ」

「一つ」と保土ヶ谷康志は細い、節くれだった指を立てた。「俺はあんまり、誉《ほ》められるような一般市民じゃねえんだよ。さっきも言ったけど、裏稼業だ。だから、市民の義務として通報しよう、なんて頭はなからねえんだよな。それから二つ」ともう一本伸ばす。「俺は、あんたが犯人だとはそんなに信じていねえんだ」

急に、カーテンの開きが大きくなり、眩《まばゆ》いばかりの太陽が保土ヶ谷康志を照らし、その姿が輝くような錯覚を覚える。

「あんたは、大掛かりな捜査態勢で追われて、一人で逃げてる。どういうわけでこの病院に来たか分かんねえけど、まあ、必死で逃げてるんだろ」

「俺に今できる唯一《ゆいいつ》のことが、逃げることなんですよ」

「俺がここで、警察に通報したら劣勢のあんたがさらに劣勢になる。それはちょっとフェアじゃない気がするんだよなあ」といつの間にか取り出した耳掻《みみか》きで、耳をほじくったりしている。よく見れば、先ほどまでたこ焼きに刺さっていたもののようで、そんなものを使うのは衛生上どうなのか、と呆《あき》れてしまう。人を食った年配の男の言うことにこれ以上、かかずらっている場合ではない、と思いつつ、とりあえずは、「ありがたいです」とだけは答えた。

「あんた、頑張ってるけど、ただ、惜しいよな」

「惜しい？」

「もうそろそろ手詰まりだろ？ それくらい、俺だって分かるんだよ」保土ヶ谷康志は顎《あご》に手をやり、にやにやした。目尻《めじり》を垂れ下げてもいる。「詰んでるだろ？」

「それはまだ、これからですよ」

「意外に、タフだなあ、あんた」

「タフじゃないですよ。ただ、昨日からいろいろあって、いろんな人に、『頑張って逃げろ』って言われているうちに、使命感みたいなものが出てきたんです」青柳雅春は背中を、ベッドに寄りかからせた。

「どうやって逃げるんだ？」保土ヶ谷康志は耳に入れていた、長い爪楊枝《つまようじ》をこちらに向ける。たこ焼きを刺すのに使われ、耳掻きに用いられ、人を指し示す指示棒にされ、あの楊枝も大忙しだ。

「こうなったら、闇雲《やみくも》に、車で突破しようかと」

「検問を？」

「俺、宅配便の運転手もやってたし、運転は意外に得意なんですよ」仙台市の境や県境にどれほどの検問が敷かれているのか見当もつかなかったが、ただ、衝突や怪我を恐れることなく、物理的に突破することを覚悟すれば、どうにかなる可能性はある。検問とは、大人しく行列を作り、身分証明書を提示する車両を前提としていて、ばれることを恐れずに正面から突破する、無鉄砲な車には効果がないのではないか。

「無理だよ」保土ヶ谷康志が言い切る。「さっき、ニュースで映ったけどな、仙台市の周辺はすげえ、念入りにバリケード張ってるぜ」

「昨日に比べれば、だいぶ緩くなったはずですよ」

「でも、一台きりで真正面からぶつかれば、即死だよ。激突死だな」保土ヶ谷康志は嘲《ちょう》笑《しょう》するかのように言ったが、はっと途中で真顔になった。「あんた、死んでもいいや、とか思ってんじゃねえだろうな」

青柳雅春は表情を変えず、答えもしなかった。

「捕まるくらいなら、死んだほうがいい、とか思ってんじゃねえだろうな」

青柳雅春はやはり、口を開かなかった。

「意味ねえぞ。死んだら、逃げたことになんねえぞ」

「俺が死んだら、後味悪いですかね」

「誰の」

「テレビで観《み》てる人たちの後味が」

「あんた、そんなの気にしてんのかよ」保土ヶ谷康志が口を大きく開けた。指揮者が振るように、爪楊枝を揺する。「よし、それじゃよ」と右手の指をこするようにし、音を出した。「どうせアイディアがないのなら、一つ、いいこと教えてやるよ」

青柳雅春はじっと、保土ヶ谷康志を眺める。先ほどまでの日差しは見えなくなっている。今度は、彼の姿全体が薄暗く翳《かげ》り、全体が把握できない。

「あんた、下水管の中を走るか？」

青柳雅春

保土ヶ谷康志が喋り出したのは、下水道の話の上にきな臭く、さらに、うそ臭さに胡《う》散臭《さんくさ》さがまざったものだから、その怪しげな臭気が室内からこぼれ、誰かに感づかれてしまうのではないかと怖かった。

「俺たちの仲間が前に、盗みを計画してたんだよ」と保土ヶ谷康志は言う。「仙台市の博物館で馬鹿《ばか》でかい宝石が飾られていて」

「ありましたね」当時、宅配ドライバーの仲間の誰かが、その宝石を運び込む仕事に携わったと自慢をしていた覚えがあった。「あれを盗んだんですか？」

「いやいや、計画だけな」彼は少し、照れた。布団のないベッドに尻を載せ、ギプスの足を器用に上げていた。「そん時にまあ、検問を張られたら、下水管を使おうって話があったわけよ」

「下水管ですか」青柳雅春は、汚水で満ちた巨大な管を思い浮かべる。

「下水管っていっても、雨水を通す雨水管ってのと、便所の水が流れて行く汚水管ってのがあんだよ。汚水のほうは生活排水が始終、流れてるから無理だけどな、雨水管なら、晴れてりゃ問題ない。場所によっては、それなりにでかい管だから、移動はできんだよな」と言う。「仙台市街地はな、昔から、汚水も雨水も同じ管に流してたんだけど、少し前にな、全部、分離させることにしたんだよ。数年前だ。予算をどこから持ってきたのか知らねえけど、誰かが得する何かがあったんだろうな」

「偉い奴《やつ》らを動かすのは利権らしいですよ」青柳雅春は、三浦の言っていた言葉を思い出した。

「よく知ってるな、その通りだよ。教科書に載せるべきだ」

「その地下の管を使って、逃げろというんですか？」青柳雅春は探るように訊ねてみる。

「どこからどこにですか。どこまで遠くに出られるんですか」

「市の外に出るのは無理だ。だいたい、直径一八〇センチくらいで、人が通れる管ってなると、通ってる場所も限られるからな。それに、最終的に、雨水管は川に出るか、もしくは施設のポンプでくみ上げられる。ってことは、雨水管を通って、遠くの県まで、ってのは無理だ」

あまりに淡々と保土ヶ谷康志が言うので、呆気《あっけ》に取られる。

「それなら逃げたことにならないですよ」

「まあ、そうだな」

青柳雅春は噴き出した。腹が立つこともなかった。「打つ手なしですね」

「ただ、何かの時には使える。手品師と一緒だ。こっちに注目させておいて、逆方向から飛び出すってのは意表を突くのには悪くないやり方だ。マンホールのこっちからあっちへ、ってな。市街地で良さそうなルートがいくつかある。前に調べたんだ」

「マンホールの蓋《ふた》ってそんなに簡単に開くんですか？」

「あれは重さで載ってるだけのが多いからな。持ち上げれば、開く。ただ、直径六十センチで、重さ六十キロだ。中から押し上げようとするなら相当、大変だろうな。外から持ち上げるには、こういう手鉤《てかぎ》ってのがあるから、そいつで引っ掛けて、開けられる」保土ヶ谷康志は言って、両手をくいくいっと動かし、お好み焼きでもひっくり返すかのようなしぐさをした。

青柳雅春は想像をしてみる。どこかの路上で立ち止まり、器具を取り出し、マンホールの蓋を開けている自分の姿だ。「怪しすぎる。その時点で、誰かに見つかりますよ」保土ヶ谷康志が嬉《うれ》しそうに、舌を鳴らした。にっと笑うその顔に、青柳雅春は馴染《なじ》みがあり、果たしていったいどうしてなのか、と考えてみればそれは、下らない悪戯《いたずら》を思いついた時に森田森吾が見せる笑い方と似ているのだった。森田ここにいたのか、と言いたくなった。「まあな。俺たちがやろうとしてた時は、模造品を使うつもりだったんだけどな」

「何の模造品ですか」

「マンホールのだよ」

果たしてそれが何を指すのか一瞬、分からなかった。模造品のマンホール、と言われるとプラモデルのような、ミニチュアの街を思い浮かべてしまう。

「マンホールそっくりなんだけど、軽いんだよ。簡単に持ち上がる。だから、さっきの博物館の宝石を盗もうって時には、そこの近くのマンホールを事前に、模造品に置き換えておこうってことだったんだ。だったら、逃げてる時にすぐ、もぐれるだろ」

「わざわざ、事前に蓋を入れ替えておくんですか」

「盗んだ後で、マンホールをいじくったら怪しまれる。ただな、何かが起きる前に準備をしているなら、そんなには警戒されない。そういうもんだろ」

「ただ、俺の場合にそれが有効とも思えないけど」

「使えるようだったら、連絡してくれよ」保土ヶ谷康志は、暇になったら飲みに行こうぜ、と言わんばかりだった。たこ焼きを包んでいた紙を裏返すと、そこにボールペンで電話番号を書きつけてきた。紙を畳むと、「ま、電話してくれよ」と手渡してきた。「ただ、雨が降ったらアウトだな。潜ったところに、水が来て、大変だ。で、あんた、この後、どうすんだ？」

「まず、ここの病院から無事に出ないと。さっき、不審者だと思われて、追われて」

「不審者じゃなくて、首相暗殺犯だってのにな」

「乗ってきた車があるから」青柳雅春はそこで、つい先ほど後にしてきたばかりの502号室を思い出す。ベッドの上で血を流し、動くことのない男性の死体と、窓際《まどぎわ》に座り込み、目を半開きにしたまま亡《な》くなった三浦の姿だ。上の階に死体が、と保土ヶ谷康志に話すことも考えたが、ここで騒がれては自分が逃げるのにも支障がある。

「それじゃあ、俺が車まで案内してやるよ」彼はギプスをつけた脚で平然と着地する。

「骨折、大丈夫ですか」青柳雅春が茶化すと、保土ヶ谷康志はまた微笑《ほほえ》んで、「痛くて死にそう」と眉《まゆ》をひそめた。

病室を出る。保土ヶ谷康志が、「俺が病院を抜ける時の経路を連れて行ってやるよ」と先導してくれるので、それに従うことにした。荷物を搬入する大型エレベーターを使い、一階に降り、細い病院関係者用の通路を進む。先ほど青柳雅春を追ってきた人間の姿は見当たらなかった。すでに追跡を諦《あきら》めたのかもしれない。

受付窓口には、目の細い、白髪頭の女性が眠そうな顔で座っていた。保土ヶ谷康志と青柳雅春が通過する際に睨《にら》んではきたものの、保土ヶ谷康志がぺこっと頭を下げると、学校を抜け出す不良少年を見逃す、保健室の先生にも似た、「しょうがないわねえ」という表情を浮かべただけだった。

建物を出ると日が沈みはじめているのが分かる。周囲の明るさがかなり弱まっていた。

「あんたさ、もし、捕まるんだったら」歩きながら保土ヶ谷康志は、その時だけは真剣な口ぶりで、話しかけてきた。「注目されてる場所がいいぜ。テレビカメラとかに囲まれて、野次馬ぎっしりの」

「そうしたら、喜んでもらえますか」

「じゃなくてよ、人の目がたくさんあったら、警察も無闇にあんたを撃てねえだろ」

昨日から警察が発砲する場面に何度も居合わせていた。にもかかわらず、自分が撃たれる、という言葉に現実感がなかった。

「あんたは犯人じゃねえと俺は思ってるし、実際、そうなんだろうよ。だけど、警察はあんたを追ってる。ってことは警察は、あんたを犯人にしちまいたいんだろうな」

「同感です」

「で、一番簡単なのはどさくさに紛れて、あんたを撃っちまうことだ。口を封じて、はい、おしまいよ」保土ヶ谷康志は右手の松葉杖《まつばづえ》を前に出し、どおん、と撃つ真似《まね》をした。

「それなら、大勢の観客の前に出たほうがいい。奴らだって、テレビが映してる中、無闇に撃ったりできねえよ」

青柳雅春は、岩崎英二郎を人質にして、逃げた時のことを思い出していた。あの時も近隣のマンションに目撃者がたくさんいたため、警察も発砲を躊躇《ちゅうちょ》した。逆に考えれば、目撃者がいなければ、岩崎英二郎ごと撃ち抜いた可能性は高かった。そうか、俺も撃たれる可能性は充分にある。

駐車場を進んでいると、車が見えた。「俺、詰んでますかね」と言ってみる。

保土ヶ谷康志は、「まあ」と口をもごもごさせた後で、「詰んでるよな」と松葉杖を止め、もみあげあたりを掻いた。

樋口晴子

平野晶たちと喋《しゃべ》り、刑事の近藤守たちと会ったコーヒーショップを後にし、徒歩でマンションへと戻っていく。街中のアーケードには通行人も多く、一日前の大事件などどこにもなかったかのようにも思えたが、爆発現場の見える付近になると立ち入り禁止のテープが張られ、制服を着た警察官たちが険しい表情で立っていた。よく見れば往来には、仕事で急遽《きゅうきょ》、仙台に派遣されたと思《おぼ》しき、カメラマンや記者らしき男たちの姿もあり、やはり、いつもの街とは異なっていることが分かる。騒擾《そうじょう》から目を逸《そ》らすためなの

か、シャッターを堅く閉じ、臨時休業の貼《は》り紙をした店舗もちらほら、あった。広い通りから一本外れ、北へと進む。途中、地下道を通ろうとしたが、下り階段脇《わき》に若者たちがたむろしていて、ぎょっとする。派手な色のシャツを着たり、ネクタイ抜きで背広を着た青年たちだった。心なしか、樋口晴子を見やり、にやにやしている雰囲気もある。

被害妄想に過ぎないとは分かりつつも、そそくさとその若者たちの間を通り、地下道を行くと、自分の靴が鳴る音に追いかけられる気がして、早足になり、その早足がさらに足音を響かせるので、途中からは駆け足となった。昇りの階段を一足飛びに進む。地上に出たところで、腰に手をやり、呼吸を整える。

すでに辺りは暗かったが、自分が荒い息を一つするたび、空が段階を踏み、いっそう暗くなっていくようにも感じた。

「あれ、たった今、警察の方がやってきて、連れていきましたよ」マンションに戻り、隣の部屋に七美を迎えにいくと、いつも穏やかな望月八重子が心配そうに言った。

瞬間、樋口晴子は、自分の顔から血の気がさっと引くのが分かった。その白くなった顔から責任の重大さを悟ったのか、望月八重子も顔面蒼白《そうはく》となった。自分がとんでもないことをしてしまったと怖くなったのだろう。顎《あご》を震わせ、「警察手帳も」と声を上擦らせた。偽物《にせもの》だったの？　と囁《ささや》くようにし、手で口元を塞《ふさ》ぐようにした。

「本物だとは思います」樋口晴子はマンションの通路を見渡す。本物の警察だからこそ、厄介だった。「どれくらい前ですか？」

「今さっき。すれ違わなかった？」

「すれ違いませんでした」

「すぐさっきなの。二人で来て、樋口さんが怪我《けが》をしたので、とか言ってきて」言い訳めいたことを口にする望月八重子には自分を正当化するような様子はなく、ただ、心配と不安で動転しているようだった。

樋口晴子は言葉にならない挨拶《あいさつ》を残し、踵《きびす》を返し、マンションの通路を走る。エレベーターは一階に止まっていたため、到着を待つのもまどろこしくて、非常階段を駆け下りた。三階からとはいえ、螺旋状《らせんじょう》の階段を走りながら途中で何度も、膝《ひざ》が折れそうになった。手すりを持ち、転がるようにして下った。七美に何かあったら、と内なる自分が呟《つぶや》いている。何かあったら、何かあったら、と不安の声が出るが、「何かあったら」の続きは出てこない。途中で一度、足が滑り、見事なまでに数段踏み外し、尻《しり》を打った。痛みより先に、頭が揺れる。一階に到着し、よろけながらも前を向くとマンションの正面の道路に、白と黒の柄の、警察車両が見えた。制服警官が数人いるのも分かる。太股《ふともも》が重いものの構っている暇はない。手前に電信柱とフェンスがあるため、はっきりとは見えず、余計に焦《あせ》った。意識するより前に、目は娘を探している。視線をあちこちへと振り回す。警官の脇にはいない。

走っていくと、警察車両の脇に制服警官が二人、そしてそれに向き合うようにして女性がいるのが、目に入る。背筋がぴっと伸び、短めの髪で、清楚《せいそ》ともいえる薄いピンクのジャケットを着ていた。鶴田亜美だ。彼女の足の、ちょうど膝の後ろあたりには、息子の鶴田辰巳が隠れるようにして立っていた。その隣には、七美がいた。

「七美」と樋口晴子は名前を呼び、駆け寄る。制服警官二人がこちらを見た。その向かい側にいる鶴田亜美の表情が少し、緩んだ。笑ったというよりも、一人で警察と対峙《たいじ》していた緊張で痙攣《けいれん》しているようでもあった。「樋口さん、今」

「樋口さん」と制服警官の一人が言ってくる。

「何で、七美を連れていくんですか」樋口晴子は躊躇することなく、言った。呼吸が荒く、思わぬ大声が出た。「わたしが怪我をした、とか嘘《うそ》までついて。それ、おかしいですよね」

「そんなこと言ってませんよ」向かって右側の警官が言う。

うそつき、と樋口晴子は内心でなじる。

「ただ、青柳雅春が、樋口さんに会いに来る可能性も高いので」と左側の警官が言った。

「高いから何なの？」

「お嬢さんに何かあってからでは遅いですから、まずは安全なところに、と思いまして」

「平気な顔して嘘をつく、立派な大人になっちゃって」樋口晴子は自分の鼻息が荒くなるのが分かった。先ほど転んだ際にぶつけた尻やくるぶしがずきずきと痛む。その腫《は》れが自分の興奮と重なり、体が弾む。「青柳君が何をやって、今どうしているのかさっぱり分からないけど、あなたたちよりは安心かも」

警官二人は表情もなく、ただ、レンズのような目でこちらを見つめてくる。七美がすっと自分の足元に寄ってきた。鶴田亜美が、「今、樋口さんのところに寄ろうと思ったんです。そうしたら、ちょうど警察の人が七美ちゃんを連れてきたので」と言う。緊張のせいか、声がひっくり返り、早口だった。「どうしたんですか、って聞いても無視して連れて行こうとするから」

「怖いよ、この人たち」鶴田辰巳が指を向けた。怖がりつつも、憤《いきどお》っている。「おっかない」

七美が自分のジーンズのベルトの部分をぎゅっとつかんでくる。

「人の娘を勝手に、どこに連れていくつもりだったんですか」

「だから」警官は落ち着き払ったものだった。「青柳雅春には分からない場所で」

「保護するつもりだったんです」もう一人も言う。「お母さんも一緒に」

樋口晴子は、のれんに腕押しとも言える警官たちの態度に、腹の底からむかむかと煮え立つものが湧《わ》き上がってきたが、相手にするのが得策とも思えなかった。

「うちは結構ですから」とはっきりと発音した。

「樋口さん、訪問販売を断るのとは違うんですよ」

「青柳君なんて、何年も会ってないんだから、全然関係ないです」

「そんなことを言って、何かが起きてからでは遅いんです」と左側の警官が言う。暗に、非協力的な態度を取っていると、いざという時には助けてあげないですよ、という脅しが滲《にじ》んでいる。

「困った時に助けてくれればそれでいいです」

「ねえ、もう行こうよ。この人たち怖いよー」鶴田辰巳が、母親の服の裾《すそ》を引っ張り、ワゴン車に顔を向ける。鶴田亜美がそこで、「樋口さん、行きましょう」と促した。

どこへ、と質問する必要も感じず、樋口晴子は、「そうね」とすぐに同意した。

「ちょっと待ってください」と鋭い声を発する警官の口調には、一般市民を危険から守ろうとする使命感ではなく、容疑者の仲間を呼び止める厳しさが漲《みなぎ》っていた。

「さっきの警官たち、七美ちゃんを連れていって、どうするつもりだったんですかね」

ワゴン車に乗り、ハンドルを握る鶴田亜美はバックミラー越しに樋口晴子を見た。車は意外なほど座席が広く、後ろの座席のチャイルドシートに鶴田辰巳が座り、その隣に、樋口晴子と七美が並んでも窮屈ではなかった。七美と鶴田辰巳はすでに、警官とのやり取りなどなかったかのように、小さなストラップを取り合っている。

「警察は、わたしが何か余計なことをしないか心配なんだと思う。だから、監視しやすい場所に置いておきたかったんじゃないのかな」まず七美を連れていけば、否応《いやおう》でも樋口晴子も来ると考えたのだろう。

「余計なこと？」

「青柳君の手助けをするとか」

「手助けなんて、どうやって」

「できるくらいなら、やってるんだけど」樋口晴子がそう言うと、鶴田亜美が笑った。

「手助けしちゃうんですか」

ワゴン車はスムーズに道を進む。樋口晴子は角を曲がるたび、首を傾け、後ろからつけてくる車がいないかどうかを確認した。

「鶴田さん、でも、七美が連れて行かれるのを呼び止めてくれて、ありがとう」彼女には警察を疑うところはまるでないように思えたから、警官二人と言い合っていたのは意外だった。

「警察は信用できない」ぼそっと鶴田亜美が言った。自分で言いながら、覚悟を飲み込むようでもあった。「って言ってたんです」

「誰が？」

「小野君」

「え」と樋口晴子は言い、その後で鶴田亜美からまだ行き先を聞いていないことに、気づいた。「この車、どこに向かってるんだっけ？」

「病院です。小野君がさっき、目を覚まして、それで樋口さんを呼びに来たんです」

再び訪れた病院は朝に訪れた時よりも、外来患者の数が減ったからだろうが、静けさが増し、放課後の小学校を思わせた。駐車場から裏側の出入り口を使い、入院病棟へと向かう。「病院から電話があったんです。小野君の意識が戻ったって。それで一度、会いに行ったんですけど」と鶴田亜美が言う。「たぶん、小野君の両親もそろそろ仙台に着くはずです」

エレベーターを降り、病室へまっすぐに向かった。鶴田亜美が開き戸に手をかけようとしたところで、中から医師が現われ、危うくぶつかりそうになる。医師は白髪と黒髪が半々程度で、頭頂部分が薄く、眉毛《まゆげ》がなぜかほとんどなかった。鼻が細く、口周りに皺《しわ》がたくさんある。貫禄《かんろく》があるのかないのか、名医とも頼りない医師ともどちらにも見える男だ。

「小野君、どうですか？」鶴田亜美が声を弾ませた。

「よくもないけれど、悪くもないです」と医師は答えた。愛想はなかったが、刑事の近藤守や先ほどの警官たちの反応に比べればまだ、赤い血が流れているのだな、とは思えた。「ぼうっとしているようですので、早く休ませてあげてください。明日、また、検査しますね」

樋口晴子は、医師と鶴田亜美の後ろに立ち、二人のやり取りを聞いていたが、「そんなことを言ったところですぐに警察がやってきて、あれこれ問い質《ただ》しはじめますよ」と教えてあげたくなった。

ベッドに寝たままのカズは頭の包帯もそのままで、目の膨らみもひいていなかったが、樋口晴子に気づくと口をにっと開き、「樋口さーん」とわざと甘えるような言い方をした。学生時代とまるで変わらない。

「久しぶりー」とできるだけ軽やかな言い方で、答えた。「久しぶりー」と七美も真似《まね》をした。

「七美ちゃん、俺のこと覚えててくれたんだあ」

「ぜんぜん」と七美は淡白に答える。

「まいったねえ」と樋口晴子は、カズの顔のそばに寄り、腰をかがめた。そうすると彼の痣《あざ》や傷の生々しさがはっきりと見え、呻《うめ》き声を上げたくなった。「大変だったねえ」

「大変なのは、青柳さんですよ」カズが言った。

「カズ君をそんな風にしたのは青柳君だ、って言われてるんだよ」

「ニュースでですよね？　恐ろしいよなあ」カズが息を洩《も》らす。「嘘ばっかりすよ」と言った。「さっき、亜美に聞いたけど、青柳さんまだ捕まってないんでしょ」

「まだ、ね」樋口晴子は顎を引く。

「小野君、お母さんのこと呼び捨てにすんなよ」鶴田辰巳が偉そうに言った。

「樋口さんは、青柳さんのこと疑ってるわけ？」

「わたしは答え知ってるから。メモにあったし」

「メモって何です」

「古い車のサンバイザーにね、メモが挟んであって、開いたら、『俺は犯人じゃない』って書いてあったんだけど」

当然ながらカズはそれを聞き、苦笑した。さすがに真に受けないようで、「樋口さん、つまんないこと言いますね。昔はもっとちゃんとしてたじゃないですか」と言った。

「でもさ、本当に青柳君が、小野君を助けに来たの？」

「気を失いかけてたんですけど、はっきり記憶に残ってます。あれ、青柳さんですよ。というより、酷《ひど》いのは警察ですよ。俺をめちゃくちゃに殴ってきたし」

「本当に警察だったの？」樋口晴子は確認せずにはいられなかった。

「証拠はないんですよね。俺に対して、警察って名乗っただけで。ああ、でも、あのテレビで喋《しゃべ》ってる捜査官みたいな男もいたような」

「まさか」樋口晴子は声を高くした。「あの、佐々木何とかって？」

「そうそう。いたような気がします」

「何それ」

「もともとは俺が、青柳さんを売った感じなんですよ」カズが天井を見つめながら、自《じ》嘲《ちょう》するような笑みを浮かべた。

「どういうこと」

「昨日、金田首相の事件が起きた直後っすけど、俺のところに警察から電話があったんですよ。『もし、青柳さんから接触があったら、通報するように』って。最初は何がいいたいのかさっぱり分からないし、悪戯《いたずら》かと思ったんですけど、青柳さんは重要な参考人なんだ、って言い出して」

「え、そんなに早くに？」樋口晴子は驚きを隠せなかった。「だって、その時はまだ、青柳君が犯人だなんて分かってなかったよね？」テレビで公開されたのは今日になってからだ。

「そうなんですよ。で、俺もずっと青柳さんとは会ってなかったし、とにかく俺のところには来ないと思うって伝えたんですけど、そうしたら向こうは、念のため携帯電話のって。丁寧語だったら、何言ってても許されると思ってるんですよ」

「チェックさせてもらうかもしれません、じゃないよ。盗聴する気満々なんだから」樋口晴子は顔をしかめ、強く言う。「わたしも鶴田さんもされてるし、異常だよ」

「でも、俺はその時、別に構わないかなと思ったのも事実なんですよ。青柳さんから電話が来るとは思わなかったし」カズは自分の不明を恥じるかのように、顔を歪《ゆが》ませる。痛々しい顔がさらに痛ましさを増す。「そんなたいそうなことじゃないかな、って。でも、その警察との電話の間に、ちょうど青柳さんが、俺の携帯に電話かけてたんですよ。留守電にメッセージが残ってて、『青柳だけど』ってそれだけだったんですけど」

「青柳君って何だか、いつも間が悪い気がするね」

「まったくっすよ」カズが頰を綻《ほころ》ばせた。「その後、少しして俺、電話かけたんですけど、警察が聴いてるかもしれないし、どう喋ったらいいか分からなくて。対応も分からないし、警察に通報しようかどうしようか悩んじゃって。なんとか、ちょっと怪しい、ってことを教えたかったんですけど、それも無理で。青柳さん、俺のところに来ちゃうし。警察も電話かけてくるし。もうよく分かんないから、ファミレスで待つように頼んで」カズの話は途中から、状況説明と言うよりも、ぶつ切りの懺悔《ざんげ》のようになりはじめ、支離滅裂な気配も出てきた。

「小野君が気にすることないよ」樋口晴子はそう言った。「だいたい、青柳君がさ、ピンチになった時、小野君に助けを求めてきた、っていうのは、やっぱり信用されてたってことじゃない？」

「樋口さんにはさすがに、頼れなかったんですかね」

「警察も、わたしには電話してこなかったし」

「きっと、別れた恋人は赤の他人だ、って警察も思い込んでたんですよ」

「まあ、赤の他人ではあるよね」樋口晴子は軽快に言ってみせる。もしくは、警察は電話をかけてきたのだろうか、と想像もした。ただその時、樋口晴子は、平野晶と会い、外に出ていたため、連絡がつかなかったのかもしれない。

「青柳さんの信用に、応《こた》えられなかったなあ」カズはぼんやりと残念そうに、呟《つぶや》いた。

樋口晴子

「そういえば、寝てる間に夢見たんですよ」カズの腕がぴくんと動いた。指でも鳴らしたかったのかもしれないが、包帯で巻かれた腕が痛むのか彼の顔が引き攣《つ》るのと同時に、動きが止まる。
「どんな夢？」樋口晴子は聞く。

「ほら、学生の頃、みんなで合宿行ったじゃないですか。山形の温泉」

「あったねえ」三年の頃に、サークルのいつもの面子《メンツ》と、他にも親しい友人を何人か連れて、旅行に行ったのだった。合宿とはいうものの、目標や目的もなく、そもそもファストフード店で雑談するサークルに、強化する内容などなかったから、ただ、温泉に浸《つ》かり、結局は雑談をする、というだけのものだった。「風情《ふぜい》のある温泉宿が良かったのに、結構、ちゃんとしたホテルで、みんながっかりしちゃったよね」

「ちゃんとしたというか、ボロホテルでしたけどね。ボロいし、風情はないし、あれ、森田さんが手配して、失敗したんですよ」懐《なつ》かしそうにカズが言う。森田の名前を出した時、カズは明らかに表情を変えた。それを見て樋口晴子は、森田森吾の身に何があったのか、カズも鶴田亜美から聞いているのだな、と察した。そのことには触れたくない、と思った。「あの時の夢なんですけど」

「夢というより実話だね、それは」

「三泊したじゃないですか。で、みんなで大浴場に何度も行って」

「あそこ、温泉かどうかも怪しかったよねえ」すっかり忘れていたことが、カズの言葉で溢《あふ》れてくる。鍵《かぎ》を挿せば、扉が開き、中のものが次々とこぼれてくる。

「で、あの三日目の夜、風呂《ふろ》に入った時なんですけど、あちこちでみんなが、悲鳴上げ出したんですよ」

「悲鳴？」

「うわっ、とか、あっ、とか。シャンプーとリンス間違えて、悲鳴を」

「どういうこと？」鶴田亜美が聞き返した。大怪我《おおけが》を負い、意識不明から戻った男が、シャンプーやリンスの話をすることに、ぽかんとしているようだった。

「シャンプーとリンスとボディソープの容器が三つ並んでいたんですけど、面白いもので、だいたいみんな、何回も使ってるとその並び順を覚えちゃうんですよね。だから、だんだん、あまり確認しないで使うじゃないですか」

「わたしは確認するよ」樋口晴子はわざと言った。

「三日目の夕方に、全部、その容器の並びを変えたんですよ。シャンプーとリンスを逆に」

「誰が？」

「森田さんと青柳さんが」カズが笑う。彼の腫《は》れぼったい瞼《まぶた》が震える。

「何のために」

「みんなをびっくりさせるために。並び順で覚えてるから、間違えちゃうんですよ。しかも、森田さん、自分で引っ掛かってましたけどね。いきなり、リンス使っちゃって」

「下らないなあ」と樋口晴子はその言葉を、室内の天井に吹きかける煙のようにして、吐き出した。

「本当に下らないですよねえ」カズは言った。「あの時って、何であんな下らないことでわいわいやってたんですかねえ」

小野君、泣いてんの？　鶴田辰巳がからかうように近づいてきて、カズの目尻《めじり》に溜《た》まる湿り気を触った。カズは唇の両端を持ち上げたものの、それには答えず、英語で歌を口ずさむ。

「ビートルズ？」と樋口晴子が訊《たず》ねる。聞いたことがあるメロディだった。

「ゴールデン・スランバー」カズは歌をやめると、言った。「Once there was a way to get back homeward」というフレーズを繰り返した。「なんか、そんな気がするんですよね。今はもうあの頃には戻れないし。昔は、帰る道があったのに。いつの間にかみんな、年取って」

その通りだなあ、と樋口晴子は思った。学生時代ののんびりとした、無為で無益な生活からあっという間に社会人となり、背広を着たり、制服を着たりし、お互いに連絡も取らなくなったが、それでもそれぞれが自分の生活をし、生きている。成長したわけでもないが、少しずつ何かが変化している。「青柳君の人生なんて、予想外すぎる」

「ああいう大人にだけはなりたくないですね」

カズが言うのが可笑《おか》しくて、樋口晴子は噴き出す。「だねえ」

ノックもなく後方のドアが開いた。と思うとそこには、背広姿の近藤守が立っていた。

「小野さん、いろいろお聞きしたいのですが」と能面のような顔で言う。

「俺の証言なんて、無視するくせに」カズは天井を見やったまま、ぼそっと言った。確かに、カズに暴行を加えたのは警察なのだから、彼らが証言を聞き出そう、というのはようするに、何らかの口止めをしたいだけなのかもしれなかった。

「怪我人なんだから、聞きたいことがあるなら後にしてください」鶴田亜美が立ち上がり、興奮した言い方をした。

「いいよいいよ」カズがすぐに言う。「聞きたいことあるなら聞いて」

近藤守はもう一人の、見たこともない刑事と一緒に病室内に踏み込んでくると、樋口晴子を見下ろし、「外に出ていてもらえますか」と刺すような声を発した。

「小野君」樋口晴子は立ち上がり、わざと近藤守たちにも聞こえる声で言った。「警察の人とは仲良くしたほうがいいよ。確かに、荒っぽいことをされたけど、これからのことを考えたら、余計なことは言わないって約束するんだよ。じゃないと、この人たち本当に怖いような気がする」

嫌味や皮肉ではなく、本音だった。青柳雅春を捕まえるために、警察がカズに対して行ったことは違法もいいところだった。本来であれば、その怒りを真正面からぶつけるべきかもしれないが、下手をすればカズの身はさらに危なくなる。神経質に過ぎるきらいもあるが、今回の事件については、異常なことが多すぎるため、何があってもおかしくはないように思えた。

そもそも警察は、カズの口を永遠に封じるつもりで強く痛めつけたのかもしれず、予想外にカズが回復したため、別の手で口止めをしてくる可能性はあった。

今、カズが考えるべきは、正義や義憤ではなく、鶴田亜美や辰巳たちと生きていくだろう、これからのことだった。身の安全を第一に考えなければいけない。そのことは目を覚ましたばかりとはいえ、カズにも分かっていたに違いない。神妙な顔つきで、「ええ、そうします」とうなずいた。

樋口晴子をじっと見つめていた近藤守は無言で、冷たい視線をすっと逸《そ》らした。

青柳雅春

自分が車で逃走を続けていることを、警察がどの程度、知っているのかは不明だ。ただ、車を調達する余裕が青柳雅春にはないと思っている可能性は高かった。そういう意味では、ある程度は裏をかけているのかもしれない。微々たる抵抗、ささやかな優越に過ぎないが、今はそういった小さなことに縋《すが》る思いが強かった。助手席に置いた携帯ゲーム機の電源を入れたままにし、ニュースの確認をしているが、「それはいったい、どこの誰の話なのだ?」という情報が相変わらず、流れている。高速道路の端を青柳雅春が、歩いていた。幼稚園児と手を繋《つな》ぎ、レストランから出てきた。大型トラックを運転していた。様々な情報はいずれも、青柳雅春の現状を言い当てるものではなかった。セダンに乗り逃走中、との目撃談も出ていたが、その車種は明らかに今、青柳雅春が乗っているものとは別で、色も異なっていた。

どこへ行くべきか。三浦もいなくなり、自分の偽者《にせもの》の居場所も不明のままで、逃げるべき経路をすべて失った。

深く考えもせず、交差点に差し掛かるたびに適当にハンドルを切り、目的もなく進み、そのうち検問にぶつかったら、そこでもうおしまい、ということでもいいのではないか、と投げ遣《や》りな気分になったが、そのたび、「逃げろ」という誰のものとも思えぬ叱咤《しった》が聞こえ、集中力を取り戻す。案はない。いつ発見されてもおかしくはない。けれど、諦《あきら》めようと思い切ることもできなかった。

稲井氏のマンションは？　と思いついたのは病院を出てからずいぶん経《た》った頃だった。名案と感じたわけではなかったが、「一度探した場所は、盲点となる」とは思った。旅行中の稲井氏のマンションには昨日、侵入した。すぐに警察に見つかり、ベランダからどうにか逃げたが、丸一日以上過ぎた今はすでに監視の目がなくなっているのではないか？　一度見つかったマンションに、のこのこ戻ってくるほど青柳雅春は馬鹿《ばか》ではない。警察がそう高をくっているのではないだろうか。「実は青柳雅春は馬鹿なんだ」とぼそりと自分で言ってみる。

車を走らせ、稲井氏のマンションへと辿《たど》り着く。広々とした駐車場に入ると、正面のエントランス脇《わき》の空きスペースに停車した。宅配便の配達の際、よくそこにトラックを止めたものだった。

エンジンを切り、ドアから出る。マンションを見上げると、カーテンの閉じた部屋のいくつかから室内の明かりがこぼれていた。逃げ惑う自分とはかけ離れた、平穏な日常があそこにはあるのだと思うと、むなしさと羨《うらや》ましさに咆哮《ほうこう》したくなる。顔を隠すように俯《うつむ》きつつ、中に入った。管理人室の前を、腰をかがめ、通り抜ける。エレベーターに乗り、部屋に向かうと、ドアには依然として、「しばらく留守。配達荷物は管理人にでかくなって戻ってくる」の貼《は》り紙があった。

ドアノブに手をやると鍵がかかっていない。ゆっくりと回し、ドアを引くとすぐに中に入る。三和土《たたき》に靴はなかった。後ろ手に鍵を閉める。リュックサックを肩から落とし、左手に持つと靴を脱ぎ、廊下に上がる。

「稲井さん、またお邪魔します」とぼそっと青柳雅春は挨拶《あいさつ》し、足を踏み出した。

廊下の突き当たりの部屋、開いたドアの空間に、男の顔が見えたのはその時だった。白髪頭の、丸い輪郭をした男で、「声が聞こえたが空耳かしら」とでも言いたげな、念のため確認しようとしただけの顔つきだった。真正面に立つ青柳雅春に気づき、「え？」

と目をしばたたいている。

驚いたのは青柳雅春も同様だったが、警戒心と緊張の量は勝っていたのかもしれない。迷う暇もない。足を蹴《け》り、廊下を突き進んだ。男はまだ、状況が把握できていない。一方の青柳雅春はどうにか、状況が分かっていた。リュックを廊下の脇、洗面所の場所に放り投げると目の前の男につかみかかった。左足を、相手の右足横に踏み出す。警官の制服を着た男の襟首をつかんだ。左手を引き、右足を大きく振った。決まれ、と頭の中で叫んでいる。

大外刈りが決まる。稲井氏の部屋は段ボール箱が散乱している。青柳雅春はその上に、男を押し倒した。白髪の制服警官は口を開き、喘《あえ》いだ。青柳雅春の手がちょうど彼の喉《のど》元《もと》を押さえつけていた。

そこからは必死だった。警官が右腕をばたつかせ、腰に手を移動させる。拳銃《けんじゅう》を取ろうとしているのは明らかだ。青柳雅春も身体《からだ》中の力を振り絞り、相手を押さえつける。足で男の腕をつぶすようにし、空いた手でベルトを探る。手錠らしきものに触れるとすぐに引っ張り出して、相手の手にかけた。夢中だった。息が上がり、涎《よだれ》が飛んだ。ここで相手に体勢を整えられたらおしまいだということくらいは、分かった。ごめんなさい、おじさん、と何度も頭では念じていたが、自分の口から実際にそれが漏れていることにもなかなか気づかない。

男の両手に手錠をかけ、足首をガムテープで結んだ。さらには口にガムテープを貼る。

「苦しくないですか？」青柳雅春は、男を壁にもたれさせた後で、訊ねた。眼を充血させ、鼻息を荒くした男は肩で息をしている。組み伏せられてしまったことに対する屈辱と、任務に失敗した焦《あせ》りが、彼を興奮させているのだろう。

弛《ゆる》んだ頬や、額や目尻に刻まれた皺《しわ》は穏やかな性格を思わせた。先ほどぶつかった際にも、筋肉というよりは贅肉《ぜいにく》の感触があった。勤勉で、平穏に暮らしてきた定年間近の公務員としか見えない。けれど、今は憎悪《ぞうお》すら浮かべ、青柳雅春を睨《にら》んでいる。

「ごめんなさい。危害を加えるつもりはないんです。ただ、俺も捕まるわけにはいかないんで」

男の制服から取り出した手帳を開き、顔写真と氏名を確認する。児島安雄《こじまやすお》とあった。

「児島さん」と名前を呼ぶと、彼は不本意そうに眉《まゆ》をしかめた。

「児島さん、俺のことは知っていますよね」

児島安雄は憎しみを浮かべた目を見開き、何か言った。「知ってるぞ、首相殺し」となじってきたのかもしれないが、ガムテープがその言葉をこもらせた。

「俺は犯人じゃないんです。濡《ぬ》れ衣《ぎぬ》なんです」青柳雅春はまっすぐに、彼の眼を見つめながら言った。真剣に、真摯《しんし》に向き合えば伝わるのではないか、と期待した。児島安雄は身体を揺すった。手錠をはずし、足首のテープを引きちぎり、今すぐに青柳雅春を逮捕しなければならないと、警官としての使命感が爆発したような動きだった。

「本当なんです。俺は、あんな事件は起こしていない。ただ、どういうわけか犯人にされていて、それで必死に逃げているんですよ」

児島安雄の顔がゆがんだ。軽蔑《けいべつ》と嘲笑《ちょうしょう》がいりまじった表情だ。

「お腹《なか》が減ったら言ってください。大したものはないですが、俺のやつをあげられますから」リュックサックから取り出した携帯食品を見せる。「というより、もともと、この部屋にあったやつをもらったんですけど」と鼻の頭を掻《か》く。「それと、トイレも。行きたくなったら言ってください。しばらくはここから出てもらうわけにはいかないんです。俺がここにいる間は」

いったい、いつまでこの部屋にいるつもりなのだろう、と自分に問いかける。この部屋にいつまでいられるのか？　質問としてはそちらのほうが適切に思えた。

二十分もすると児島安雄は観念したのか、疲弊したのか、壁にもたれたまま、瞼《まぶた》を閉じていた。もしかすると、もはや自分の命はないものだ、と覚悟を決めているのかもしれない。そう思うと青柳雅春は罪悪感が増し、「本当に物騒なことはしませんから」と彼の耳元で訴えてみたが、眠っているかのように応答がない。青柳雅春も隣に並び、脚を抱え、その膝《ひざ》の部分に頭をうずめた。

「疲れたなあ」と無意識に言っている。一瞬だけ、児島安雄がこちらを見たように感じたが、青柳雅春は顔を上げなかった。

児島安雄がもぞもぞと動いていることに気づき、青柳雅春は目を覚ました。「トイレですか？」と訊ねると、彼がうなずいた。「すみません。今」と急いで立つと、児島安雄の足のテープを手でちぎる。「手錠は外さないですけど、便座に座れば、それでも大丈夫ですよね」と念を押し、彼を起き上がらせると廊下を通り、トイレまで連れて行った。ドアを閉め、すぐ脇に青柳雅春は待機する。他人が用を足すのを間近で待つのは気が引けたが、やむをえない。両手は前で繋いであったし、手錠の鎖の長さにも余裕はあったから、彼はベルトを外し、どうにかズボンを下ろすこともできたようで、少し経つと水を流す音が聞こえ、ドアが叩《たた》かれる。

出てきたとたんに児島安雄が飛び掛ってくるのではないか、と身構えていた。けれど、そうはならなかった。彼はむすっとしてはいたものの、反抗する素振りは見せなかった。部屋に戻ってきた児島安雄を座らせ、再び、脚をテープで巻く。粘着が弱くなってはいたが、そのまま使用する。

「不便ですみません。でも、朝になったらまた、出て行きます」青柳雅春は言った。言ってから、そうするつもりなのか？　と自分でも驚いた。行き先も方策も見つからないのに、出発するつもりなのか？

どこへ行くんだと訊ねるような目で、児島安雄が見つめてきた。「児島さんをこのままにしておくわけにもいかないですし」と答え、手元のリモコンを何とはなしにつかむと、ボタンを押した。壁に押し付けられたテレビが低い音を立てる。画面が明るくなった。時計を見ると、十九時半を回っている。ずいぶん、眠っていたことになる。

「どこもかしこも、相変わらず、俺のことばっかりだ」チャンネルをどこに変えても、首相暗殺事件の特集が続いている。一局だけ、「よそと同じことをやっていても仕方がない」と方針を変えたのか、若い芸人たちがコントをやる番組もあり、しばらくはそこを眺めてみた。面白くもなかった。横に目を向けると児島安雄もつまらなさそうで、リモコンを操作する。青柳雅春の写真が現われる。仙台市の地図も映し出され、目撃情報が表示されていた。

番組のスタジオでは相変わらず、何人かのコメンテーターが喋《しゃべ》っている。「今、まだ、仙台市内に青柳が潜伏しているのだとしたら、おそらくは仲間がいるに違いありません。古い住宅街のアパートや彼の学生時代の住居近くをローラー作戦で調べるべきです」と元警察官が言えば、「犯人はかなり疲弊しているはずです。睡眠不足の可能性も考えられます。早く、見つけ出さなくては、最悪の事態も考えられます」と心理学者が言った。

「最悪の事態」と青柳雅春は発音してみる。最悪の事態とは、青柳雅春がどこかで死を選択することを指すのか、それとも、自暴自棄に人質を取り、大暴れすることでも指すのか。「みんな勝手なことばかりを言う」

児島安雄が視線を寄越した。

「みんな勝手だ」と青柳雅春は言った。「児島さん、今は信じられないかもしれないけどさ」と続ける。「マスコミって意外に、嘘《うそ》を平気で流すんだ」とテレビを指差す。

児島安雄は不愉快な表情で、こちらを睨みつけているのだろうな、と思った。けれど、首を捻《ひね》ると意外にも、彼の目はさほど怒っているようでもなかった。諦めたのか、疲れたのか、もしくはこちらを安心させ、反撃の機会を窺《うかが》っているのか。

「児島さん、悪いですね、巻き込んじゃって」

ガムテープを貼られた児島安雄はうなずきもしなかったし、かぶりをふることもなかった。

リュックサックの中に振動音がある。三浦のシャツから抜き取ってきた携帯電話が着信している。取り出し、液晶画面を眺める。つい先ほど見たばかりの数字だ。青柳雅春は、児島安雄に向き合い、「電話に出ます。申し訳ないです」と断った。

「青柳さんですか」電話の向こう側で、美容整形医が言う。「新しい情報が入ったんですが」

「俺の偽者の?」病院で動かなくなった、小柄な三浦のことを少しだけ、考えた。

「同業者の小さな個人病院で匿《かくま》われていたようです」

「仙台病院センターに匿われていたのは嘘だったよ」青柳雅春は噴き出しそうになる。そんなに似たような情報ばかりで、踊らされてはたまらない。

「先ほど、警察がその偽者をどこかに連れていったそうです。十八時過ぎというので、二時間くらい前でしょうか。知り合いの医師が今、私に電話をくれました」

「どうして、今になってそんな情報が、その医者からそっちに入るんだろう」不自然この上ないではないか。

「どうやら、あなたの偽者《にせもの》を警察は強引に連れていったらしいんですよ。その医者の診療所から。説明もなければ、お礼の言葉もなくて、匿っていた医師は頭に来たようです。さらには、乱暴に裏口から連れ出そうとしたものだから出口の壁に飾ってあった、日本画の額に傷もつけたようなんですね。それなのに、詫《わ》びの一つもない」

「日本画の恨みは大きいということ?」

「とにかく、腹が立ったその医師は、わたしに情報を流したんです。わたしが、あなたの偽者を探していることを知っていたようです。狭い業界です。とにかく、あてつけに情報をくれたんです」

「あてつけで？　そんな重要なことを？」

「キューバ危機を起こしたカストロにしても、ソ連と組んだのは、訪米した時の、相手の対応が悪かったからですよ。アメリカに行く前には、カストロもそれほど、アメリカが嫌いじゃなかった、そう言ってるんです。それなのに、帰ってきた時には、ソ連と組んでもいい気持ちになっていた。人の気持ちなんてそういうものです。相手の態度が悪ければ、意地悪したくなるんですよ」と言う医師は、人の気持ちよりも人の皮膚や肉にしか興味がなさそうだった。

「俺の偽者はどこに運ばれるんだろう」

「分かりません。ただ、あなたがこれ以上、どこかに隠れたまま出てこないのなら、その偽者をどこかで処分するのかもしれません」

平然と彼がそんな物騒なことを言い出すので、青柳雅春はすぐには反応できない。

「あなたが捕まらないのなら、偽者を本物に見せかけて、青柳雅春は無事に死亡したと報道するかもしれません。ありえないことではないですよ。そう思いませんか？」

自分と同じ顔をした、自分とは別の人間がどこか荒れ果てた野原で仰向《あおむ》けに倒れている。そんな光景が頭に浮かぶ。心臓が撃ち抜かれているのかもしれないし、手首が切られているのかもしれない。ニュースは、「青柳雅春を死体で発見」と情報を流す。

「俺が死んだことにして、それで、事件は一件落着？」

「死人に口なしですね」

「でも、俺は生きている。俺が表に出て行ったら、どうするつもりなんだ。死んだのは偽者のほうだとばれる」

「あなたはもう出てこない、と踏んでいるのかもしれない」

「もしくは、出て行ったら出て行ったで、始末すればいいと思っているのか」青柳雅春はそのあまりの生々しさに顔をしかめた。「でも、どうして、そんなことをわざわざ教えてくれるんだ」

「情報が入ってきたら、伝えるべきだと思ったんです。嘘の情報で、迷惑をかけましたし」

「あれくらいの迷惑は、俺が昨日から受けている迷惑に比べれば、大したことないけど」

「それとももう一つ、関係あるのかないのか分かりませんが、別の情報がありました」

「関係ないほうがいいな」そんな気がした。

「その知り合いの医師は、別の整形手術も依頼されていたようなんです。あなたとはまったく違う人間の整形を」

「仕事なんだから仕方がないんじゃないのかな」

「いえ、それも警察やそれに準ずるところから依頼されたそうです。ただ、そちらの手術された男は昨日の段階で連れていかれたそうです」

「それが？」

「これは、わたしの憶測です。聞き流してくれて結構です」

「聞き流すよ」

「もしかすると、犯人の濡れ衣を着せられたのは、あなただけじゃなかったのかもしれません。というよりも、もともとは、あなたじゃなかったのかもしれません」

「どういうこと」

「別の人間が、犯人にされる予定だった。そのために、偽者が準備されてもいた。ただ、何らかの事情で、その人間を犯人にすることができなくなったのではないでしょうか」

「その人にバイトが入っちゃったとか？」話の内容に混乱しつつ、青柳雅春は平気なふりをした。「とにかく、俺はその代役として、選ばれたってこと？」

「代役というか、第二候補だった可能性はあります」

自分を陥《おとしい》れようとしている者たちの巨大さを考えれば、それくらいのことはあってもおかしくないとは思えた。だから、青柳雅春は、「あってもおかしくないと思う」とそのまま口にし、それから、「でも、だとしても何も変わらない。第一候補にしても、第二候補にしても、レギュラーでも補欠でも、今の状況は最低だ」と話した。

「ただ、もしそうだとしたら」医師は冷静に続ける。「あなたを追う側にも隙《すき》はあるかもしれません。もちろん、念入りな準備はしていたでしょうが、第一候補に比べれば、急場しのぎのきらいは否定できません。後手に回っている部分もあるはずです」

「ようするに、『諦《あきら》めないで、頑張れ』って励ましてくれてるわけだ?」

「そうかもしれません」

礼を言わず青柳雅春は電話を切った。うつむいたまま、溜息《ためいき》をつく。児島安雄がこちらを見つめているのが気配で伝わってきた。

「児島さん、やっぱり、これも信じてもらえないと思うんですけど、聞いてください」

青柳雅春はテレビ画面に映る見知らぬ政治評論家の顔を眺めながら、声に出す。「俺は犯人じゃありません。だから、あいつらは」と言ったところで、「あいつら」が誰を指すのか自分でも分からないことにぞっとする。俺は、何者と名指しもできない相手によって、人生をつぶされているのか、と寒気がした。「あいつらは、俺の偽者を用意したんです。整形で。それがテレビに映っている、俺です」

児島安雄には警戒の色が依然としてあったが、それ以上に困惑しているのが見えた。定年を待つだけの自分に面倒な荷物を寄越さないでくれ、と迷惑がっているのに違いない。

「しかも、もしかすると俺の偽者にされた彼は、近いうちに殺されるかもしれません。俺の身代わりです。俺が捕まらないかわりに、俺の顔をした別人を捕まえたことにするんです」そこまで落ち着いて話したが、憤《いきどお》りが胸から頭へと昇り、怒りが口から迸《ほとばし》りそうになる。それを飲み込む。感情的に喚《わめ》くのは誰のためにもならない、と分かっていた。

「いったい、どうなってんだよ」と噴出しそうになった思いを細く尖《とが》らせるように、小声で言う。

　隣の児島安雄の口に貼《は》ったガムテープに皺《しわ》ができた。彼が喋ろうとしたのが分かる。

「何ですか」と訊《たず》ねようとしたところで、テレビ画面に懐《なつ》かしい顔が映った。

青柳雅春

　お父さん、お父さん、お父さん、とマイクを向けるリポーターの声が聞こえる。「お父さん」が画面の中で連呼される。

「うるせえな。おまえらは俺の娘でもなけりゃ、息子でもねえだろうが。何がお父さんだよ、ふざけんじゃねえぞ。馴《な》れ馴《な》れしい」

　馴染《なじ》みのある家の前だ。カメラの奥に、玄関の扉があり、その手前に表札のかかった門柱と門扉《もんぴ》が見える。前に訪れたのは、去年の年末だった。カメラの正面に立ち、行儀の悪い不良少年さながらに喚いているのは、青柳雅春の父だ。手を大きく振り、「おまえら、何、人んちにずかずか土足で上がり込んでるんだ」と大声を出していた。

「上がり込んではいないですよ」ワイドショーで時折見かけたことのあるリポーターが、にやけた笑いを浮かべた。「家の外じゃないですか」

「おまえ、名前を言えよ」と青柳雅春の父が顎《あご》を出す。相変わらずの、ぶっきらぼうな言い方だ。

「どうして言わないといけないんですか」

「もう一度言うぞ。おまえらは、そして特におまえは、俺んちに土足で上がり込んできてる。俺んちってのは家の敷地だけじゃねえぞ。俺の気持ちもだ。俺と俺の家族のことを犯罪者呼ばわりして」

「息子さんは今、容疑者として手配されています。警察が犯人として認めているんですよ。視聴者や市民からも様々な情報が寄せられています。息子さんのやったことに、何か謝罪の言葉はないんですか」年齢のはっきりしない女性がマイクを突き出している。

「おまえも名乗らないんだろうが」青柳雅春の父の喋り方はゆっくりとなった。「おまえ、雅春のことをどれだけ知っているんだ？　言えよ。どれだけ詳しいんだよ」

リポーターたちが一瞬、黙った。困ったというよりは、ぶつけるべき言葉の矢を選別しているようでもあった。

「俺は、あいつが素っ裸で生まれて来た時から、知ってんだ。母ちゃんなんて、あいつのことに関してはもっと詳しい。腹にいた時から知ってんだからな。歩き始めた時も、言葉を喋りはじめた時も全部、俺は見てきた。長えんだよ、付き合いは。で、昨日今日、雅春のことを調べたようなおまえに、何が言い切れる」

「お父さん、息子さんを信じたい気持ちは分かりますが」女性リポーターは早口で言った。たくさんのマイクが、高らかに突き出される。

「分かるのか？」青柳雅春の父が短く言い放つ。目はじっと、女性リポーターを見ていた。「信じたい気持ちは分かる？　おまえに分かるのか？　いいか、俺は信じたいんじゃない。知ってんだよ。俺は知ってんだ。あいつは犯人じゃねえよ」

　青柳雅春はテレビの画面から目を離せなかった。鼓動が速くなる。血が血管の中を勢い良く走り、出口を探し、手や足の先を突く。そんな感覚がある。身体《からだ》が揺れているのも、激しくなるその鼓動のせいだった。捕まえた痴漢に馬乗りになり、ひたすらに殴り続けていた時の父親が画面と重なった。興奮すると手がつけられない、変わらないなあ、という思いと、少し老《ふ》けたなあ、という思いがない交ぜになった。

「あいつが中学の時にも、似たことがあってな、CDを万引きしたって疑われたんだよ。店の奴《やつ》にな。そん時も俺は知ってた。あいつはやってねえ、って知ってたんだ。いいか、何度言ってもいいけどな、雅春はあんな事件やってねえよ」

　でもお父さん、の声があちこちで続いた。

うるせえうるせえ、と青柳雅春の父が右手を、蠅《はえ》を追い払うように、振る。「よし、おまえたち、賭《か》けるか？　俺の息子が本当に犯人かどうか賭けねえか？」と自分を取り囲むリポーターを一人ずつ指差した。「名乗らない、正義の味方のおまえたち、本当に雅春が犯人だと信じているのなら、賭けてみろ。金じゃねえぞ、何か自分の人生にとって大事なものを賭けろ。おまえたちは今、それだけのことをやっているんだ。俺たちの人生を、勢いだけで潰《つぶ》す気だ。いいか、これがおまえたちの仕事だということは認める。仕事というのはそういうものだ。ただな、自分の仕事が他人の人生を台無しにするかもしれねえんだったら、覚悟はいるんだよ。バスの運転手も、ビルの設計士も、料理人もな、みんな最善の注意を払ってやってんだよ。なぜなら、他人の人生を背負ってるからだ。覚悟を持てよ」

するると、リポーターたちは不満を口々に発した。青柳雅春の父の言動を不謹慎だとなじり、爆発事件の被害者の人数を強調し、非常識にもほどがあると怒っていた。実際には、怒っているというよりは怒っているふりをしていた。彼らのうちの誰かが、「わたしも人生を賭けます」と言い出すことはなかった。

「無茶苦茶だなあ」青柳雅春の口元は自然と綻《ほころ》んでいた。テレビの向こう側が、現実味のない喜劇舞台に感じられる。

しばらくして、青柳雅春の父親が右方向を指差し、「そこのカメラ」と明瞭《めいりょう》な声を出した。「そっちに向かって、喋ればいいか？」と訊ねた後で、「おい、雅春。おまえがなかなか出てこねえから、面倒なことになってるぞ」と言う。「いいか、大変、面倒なことになっております」となぜか、丁寧に言い直した。「面倒なことになっておりますかあ」青柳雅春はテレビのこちら側で、苦笑する。「まあ、でもな」青柳雅春の父が表情を緩める。「こっちはどうにかするから。母さんもそれなりに元気だ。おまえもどうにか頑張れや」

犯人の逃亡を擁護するような発言に、油が注がれた焚《た》き火よろしく、リポーターたちが大騒ぎをはじめ、マイクがまた振り回された。

それでも青柳雅春の父は動じることもなく、「まあ」と続ける。「雅春、ちゃっちゃと逃げろ」

青柳雅春は胸のあたりから喉元《のどもと》に、重い空気のかたまりがこみ上げてくるのを感じた。そのまま気を抜くと、何が起きるのかは想像できた。喉にせり上がった思いが、目を震わせ、そして、涙が出る。出た涙はすぐには止まらず、自分は嗚咽《おえつ》まじりに、泣きじゃくるに決まっていた。青柳雅春は奥歯を嚙《か》む。泣いた瞬間に、怒りや闘う意志が、減ることも分かっていた。泣いたら、おしまいだ。泣けば、今、自分を動かしている、それを大きな意味での燃料と呼ぶのであれば、その燃料が確実に少なくなる。

隣で空気が震えていた。紙をくしゃくしゃに丸めるような、目には見えない空気のゆがみがあった。見れば、児島安雄が顔を小刻みに揺らしていた。目から止めどなく涙をこぼし、鼻水も垂らしている。口に貼られたガムテープのふちが濡《ぬ》れている。

青柳雅春は少し驚き、その後で、胸に軽やかな温かみを感じる。「何で、児島さんが泣いてるんですか」

児島安雄はガムテープを外してもしばらく、泣いていた。何度もしゃくり上げ、手錠でつながれた両手で自分の目を不自由そうに拭《ぬぐ》った。泣くのをなかなか止《や》めず、「青柳雅春はここにいる」と喚いたり、「誰か助けてくれ」と叫んだりすることもなかった。

テレビを消したが、静まり返った部屋も居心地が悪く、今度はミニコンポの電源を入れる。昨日聴いた、「アビイ・ロード」のCDがまだ入っている。再生させると、曲送りをし、後半のメドレーを流した。鳥が囀《さえず》りつつ、嘴《くちばし》を振るような、優しくも軽快なメロディが流れてくる。

「ビートルズは最後の最後まで、傑作を作って、解散したんですよ」学生時代のファストフード店で、カズが熱弁をふるっていた。

「仲が悪かったくせにな」と森田森吾が言った。

「曲を必死に繋《つな》いで、メドレーに仕上げたポールは何を考えていたんだろ」こう言ったのは誰だったか、思い出せない。「きっと、ばらばらだったみんなを、もう一度繋ぎ合わせたかったんだ」

青柳雅春は背を壁につけ、膝《ひざ》を折ったまま、目を閉じた。聴き入りたかったのではなく、身体に吸収しているという気分だった。

仲間がいなくなり、たった一人で必死にメドレーを作るポール・マッカートニーの寂しさが、自分の背中に被《かぶ》さってくるようだった。「ゴールデン・スランバー」、と迫力のある声が謳《うた》い上げる。長く、胃に響く、声だ。カーテンの閉まった窓の向こうがどれほど暗くなっているのか、分からない。この部屋の外には、この声は届いていない。そのことが不思議にも思えた。

最後の曲、「ジ・エンド」が流れる。ポールとジョージ、ジョンのギターソロが順に流れるところで、「いやあ、三人とも個性が出てますよね」とカズが知った口を利《き》き、「本当におまえに、区別がついてるのかよ」とからかわれていた時のことが過《よ》ぎる。

ＣＤが回転を止めると青柳雅春はすぐにミニコンポをいじり、また、再生させた。今度は一曲目「カム・トゥゲザー」が流れる。

「あんた、本当にやっていないのか」と児島安雄が洩《も》らした。青柳雅春は左に顔を向ける。児島安雄は目を閉じていた。さすがにもう泣いてはいなかったが、涙の筋が目から頬に残っている。

「俺は、あんなことができるような大人物じゃないですよ」

「すぐにはあんたを信じられない。あんたが犯人としか思っていなかった」

「しょうがないよ」青柳雅春はそう言った。「俺は犯人じゃない。濡れ衣だ。でも、児島さんには児島さんの立場と仕事がある。しょうがないですよ」

「俺も警察の中で、それほど戦力だと期待されているわけでもないけどな。定年も近い。このマンションのこの部屋も、あんたが戻ってくる可能性なんてほとんどないと思われてたから、俺が留守番やらされてたようなもんだ」

「意外に当たりを引いちゃったんだなあ、児島さん」

ビートルズの演奏が続く。電源の切れたテレビ画面に、自分と児島安雄が並ぶ姿が映っていた。

「あんたのお父さん、泣けるな」児島安雄が言った。

「泣けないよ。児島さん、息子がいる？」

「あんたよりもう少し大きいけどな」

「だから、泣けるんだ」

「結局、最後の最後まで味方でいるのは、親なんだろうなあ。俺もよっぽどのことがない限り、息子のことは信じてやろうと思ってんだよ」児島安雄は目を閉じたままだった。

「首相殺しって、よっぽどのことだと思いますよ」と言うと、その時だけ児島安雄が笑った。歯の一部分が銀色に光った。「それに、さっき親父《おやじ》が言っていたＣＤの万引き、あれは本当なんですよ」

「え」

「友達と一緒でさ、魔が差したんだ。あれは濡れ衣じゃなかった。父親の勘も、まあ、それなりですよ」と笑うと、児島安雄もふっと息を洩らした。

その後で、青柳雅春は目を瞑《つむ》る。

「Once there was a way to get back homeward」と「ゴールデン・スランバー」の歌詞を頭の中で反芻《はんすう》する。今はなくなった、懐《なつ》かしい場所のことを思い出す。

「Golden slumbers fill your eyes」「Smiles awake you when you rise」

黄金のまどろみ、と頭の中に言葉が浮かぶ。あたたかく、自分を包み込むような日差しを探したくなる。そのまま、その黄金にまとわり、眠ってしまいたかった。どうなってんだよこれは、と怒りたくなる思いを少しずつ鎮《しず》める。どうして俺がこんな目に、と声を張り上げたくなるのを我慢する。拳《こぶし》を強く握る。父親が、テレビ局のリポーターに突っかかる、あの滑稽《こっけい》な映像を必死に思い出す。あの父親のほうがよっぽど犯人っぽいじゃないか。先ほどの、父親の映像が頭に浮かび、それが太陽の心地良い陽だまりさながらに自分を満たしはじめる。

「勢いで行動するんじゃなくてさ、もっと、冷静に手順を踏むのが、人間だよ」

昔、自分が発した言葉がまた、甦《よみがえ》った。「手順を踏んで、考える」

手持ちの武器はいったい何があるのだろう。静かに、ゆっくりと気持ちを落ち着かせた。一曲一曲を繋ぎ合わせ、メドレーにする気持ちで、自分の持っている情報を繋いでみた。目の端、稲井氏の積んだ段ボールの横に、小さなコードが見えた。ピンマイクのようだった。携帯電話に接続するものに違いない。それをぼんやり眺め、頭を働かせる。

君は目醒《めざ》める。

ちょうど、ポール・マッカートニーが「ゴールデン・スランバー」のその部分を歌う時、青柳雅春は目を開けた。立ち上がり、携帯電話を出した。児島安雄が何事かと見てくる。

自分の左手をくねくねと回転させ、目を近づける。「あった」

「何が?」児島安雄が見上げた。

青柳雅春は自分の手首を人差し指でつついた。朝、ペンで書いた十一桁《けた》の数字が残っている。「消えていなかったのは、良い兆候かな」とその番号を携帯電話で押した。

涙の跡を残した児島安雄がぽかんと口を開け、眺めてきた。青柳雅春は呼び出し音の回数を数えている。何回、空振りしたら諦《あきら》めようか、と考えていると、「はい、やじやじゃじゃじ矢島です」と言う声が聞こえた。勢い良く、リズミカルに喋《しゃべ》る口調は軽薄で、青柳雅春は腹が立つよりも愉快さすら感じた。

「テレビ局の人間は全員、そんなに明るいのかと勘違いされますよ」青柳雅春は半分笑いつつ、残りの半分を本気で忠告するつもりで、言った。

「どちらさま？」

「青柳雅春です」

「あ！」矢島が急に大声を出す。音がして、声が聞こえなくなる。慌《あわ》ただしい物音の後で、「すみません、電話落としちゃいました。矢島です」と急に真面目《まじめ》な会社員じみた喋り方が出る。

「やじやじやじやじ矢島さん？」

「あれは」矢島は恥ずかしがっているというよりは、心底反省している様子だった。

「儀式というか、事務的に必要なんです」

「矢島さんがたくさんいるから？」青柳雅春は笑いを堪《こら》える。こんな状況にあっても、笑おうと思えば笑える。人間の最大の武器は、習慣と信頼だ、と森田森吾が言っていたのを思い出す。

おい森田、むしろ、人間の最大の武器は、笑えることではないか？　そう言いたかった。どんなに困難で、悲惨な状況でも、もし万が一、笑うことができれば、おそらくは笑うことなどできないのだろうが、笑えれば何かが充電できる。それも真実だ。

「矢島が同じ局内に三人いるんです」矢島はまだ弁解を続けた。「区別をつけるために」

そんなことはいいんです、と青柳雅春は言った。「午前に一度、番組に電話しました」

「覚えてる。君は警察には連絡しないでくれ、と言っていた」

「俺が、青柳雅春本人だと信じてくれましたか」

「君にとって幸いなのかどうか、僕には分からないけれど、僕はどちらかといえば、信じている」最初に感じたよりも、矢島は年齢が若いのかもしれない。声に、若々しい勇ましさが感じられた。

「実はお願いがあって、電話をしました」

「だろうね」

「朝、言ったように、俺の話を放送してほしいんです。俺の身に起きていることを説明させてほしくて。濡れ衣だということ、そのために様々な人間が大変なことに巻き込まれていること、あとは」

「真犯人の名前?」

青柳雅春は言葉に詰まりそうになる。「真犯人は分かりません」と正直に言う。「矢島さん、これはそういう事件じゃないんです」と少し語調を強くしてしまう。興奮してはいけない、とすぐに自らを諫《いさ》める。「犯人は個人じゃない」

「秘密結社、とか言わないよね」

「秘密じゃない結社ですよ、きっと」青柳雅春は言い返す。視線を動かすと、心配そうに児島安雄が見上げているのが分かった。ことのなりゆきを窺《うかが》っている。「とにかく、チャンスがほしいんです」

「でも、どうやって。もちろん、こっちは君のことを放送できるのは願ってもないけど」

「俺なんかで、視聴率取れますかね」青柳雅春は自嘲《じちょう》気味に言う。

「ただ、君がスタジオに来るのなら警察には連絡しないとならない。知らないふりをすることはできるが、最近は、局の上の連中がびびってる。特に今回、警察はずいぶん強引なんだ」

矢島が打ち明けるのを遮り、青柳雅春は、「明日、俺が出て行きますから」と言った。

「街中のどこかに出て行きます。そこをカメラで映してくれませんか？　投降すると警察にも事前に、伝えておきますから、みんなが注目するはずです」

矢島はしばらく無言だった。青柳雅春の要望を頭で整理しているのだろう。「出てくる？　どこに？」

「場所は後で考えます。市内のどこか広々としたところがいいような気がします。たぶん、警察はテレビカメラを現場に近づけないようにすると思います。だから、見通しの良い場所で」

「そこに姿を見せるのかい？」

「警察が包囲すると思います」

「捕まるところを、映せと？」

「その包囲されている時に、俺が、携帯電話で矢島さんに話をします。それを生中継で流してくれませんか？」

「電話で？」矢島の声がどんどん、甲高くなる。

こんなに喋っていて大丈夫だろうか、と青柳雅春は不安になった。この携帯電話の番号はまだ、警察側にも把握されていないはずだが、チェックされている可能性はゼロではない。何があってもおかしくはない。

「警察に囲まれた俺が喋る内容なら、たぶん、誰も偽者《にせもの》だとは疑わない。そう思いませんか？　リアルタイムで、テレビに映っている人間から届いた言葉は、それなりに説得力を持つんじゃないですか？」

自分の話を、他の誰かに邪魔されず、大勢の人間に届かせるにはどうしたら良いか。考えた結果、青柳雅春が思いついたのがそれだった。テレビ局の建物に入る危険性や、自分の言葉を編集される恐れを考慮すると、屋外から訴えるしかない。

「そこに出て行く前に、矢島さんに電話をかけます。生中継で、ピンマイクを接続します。通話中の状態で、警察の前に出て行っても、俺の話はそっちに届くはずです」

「僕の携帯電話に聞こえる声を、そのまま、放送に流せというのか」

「技術的に可能ですか？」

「できるはずだ」と答える矢島には、どんなことがあろうと可能にしてみせる、という興奮があった。「君はその後、どうするんだい」

「捕まるしかないですよ。ただ、俺の言葉が放送されて、少しでも疑問に思ってくれる人がいるなら、この事件を疑う人がいるなら、捕まった後に変化があるかもしれません。首相殺しと断定されて、即座に死刑なんてことはないはずです。そのためにも、できるだけ大勢の人間に届いてほしい。だから、注目される状況を自分で作ります」

「僕は、君に協力したい！」矢島の威勢の良い言葉が、耳を刺すようで、青柳雅春は苦笑しながら携帯電話を一時的に遠ざけた。少しして、また口を寄せ、「もし、テレビカメラが俺を映してくれているなら、警察もやたらには撃ってこないはずです」ともう一つの目的も口にする。

もし、自分の役割がオズワルドであれば、姿を見せた途端に抹殺される可能性は充分にあった。この事件を画策した人間には、青柳雅春の話を聞くつもりもなければ、真相を明らかにするつもりもないはずだ。ジャック・ルービーに、オズワルドを射殺させたのと同様に、どこかで殺せばそれでいい。「だから、そのためにも見通しがいい場所で、多くの人に目撃してもらう必要があります」

矢島はまた、喋らなくなった。この提案を引き受けるべきかどうか悩んでいるのだろうが、青柳雅春は、彼が乗ってくるだろうとは確信していた。矢島をはじめ、テレビ局側にとってリスクはほとんどないはずで、もっと言えば、他局に持っていかれることを考えれば、ここで引き受けないことが何よりも失態であるはずだ。

やがて、「青柳君」と矢島が言う。「その話に乗るよ」

「ありがとうございます」

「で、明日の何時頃、どこにカメラをやればいいんだい」

「早朝。まだ暗いうちかもしれません」

え、と矢島が飛び跳ねるような素振りがある。確かに、早朝となればあと半日もない。

「今日中にはまた連絡します」

ああ分かった、と応《こた》える矢島は、「君には悪いんだけど」と最後に、おずおずと切り出した。「僕たちにはあまりリスクがないね、これは」

正直な人だな、と青柳雅春は思った。

電話を切ると、児島安雄がじっと見つめてきていた。「何をするつもりなんだ」

「今、聞いた通りですよ。俺は明日の朝、警察の前に出ていこうと思う。ただ、撃たれたりしたらたまらないから」

「警察は無闇《むやみ》に撃ったりしない」児島安雄があまりに反射的に答えるので、「撃つって」と青柳雅春は自分でも予想以上の大きな声で、ぴしゃりと言ってしまい、「撃つよ」と今度は抑えた声を重ねた。「児島さんの勤めている警察のことをいろいろ言いたくはないけど、でも、今回のことは異常なんだ。この事件のことはたぶん、俺のほうが詳しい。だから、自信を持って言える。俺を逮捕するくらいなら、撃って、口を封じたい。そう考えている奴《やつ》らばっかりだ」

「どうして」

「俺は犯人じゃないんだ。捕まって、勝手なことを言われたら大変だ。犯人のまま、死んでもらったほうがよっぽどいい」

「早朝なのか？」もうすぐじゃないか、と驚いている様子もある。

「準備をしたら、なるべく早く行動したほうがいい。いろいろ、ボロが出るから」青柳雅春は早朝までにやることを考えながら、言う。

児島安雄は眉根《まゆね》を寄せ、気味の悪いものでも見るように、青柳雅春を見た。先ほどまで、青柳雅春の父親に感情移入をし、ナイーブな青年が感傷的な映画を前に流すような涙をこぼしていた彼はいつの間にか、警察官としての使命感を取り戻していた。「あんたは何なんだ」と彼の口から思わず、と言った調子で言葉が漏れる。

「児島さん、だから、もう少し我慢してください。明日には俺も出て行くから」

こくりと顎《あご》を引く児島安雄だったが、少しすると、「あ」と言った。宿題を忘れた、と気づいた子供のようで、演技の素振りはなかった。

「そろそろ、連絡をしないと」と自分の腰のあたりに目を向けた。

「連絡？」

「定年間近で戦力外の俺も、一応は捜査要員だからな。ここで留守番してるとはいえ、夜には一度連絡をしないとまずい。向こうから電話が来るかもしれないが、怪しまれないためには、俺からかけたほうがいい。たぶん、捜査本部は、しっちゃかめっちゃかな状態だろうから、もしかすると俺のいるこのマンションなんて忘れてるかもしれねえけど」

「念には念を入れたほうがいいですね」

「そうだ。本当は深夜になったら交代する話になってたんだ。こっちからかけて、異常なしってことと、一晩ここで俺が番をするって伝えよう。人員のやりくりに向こうは苦心してるだろうから、喜ばれる」

青柳雅春は迷うことなく、その案に同意した。「無線を使いますよね？」と彼のベルトに目をやった。「ただ、手錠を外してあげるわけにはいかないけれど」

「無線を取って、床に置いてくれればいい」児島安雄は真面目な顔で言う。手錠のかかった両手を前に出した。「手は少し動くから、どうにか操作して、で、寝そべって喋ってみるさ。それにしても、あんた、俺が仲間に連絡して、『今、青柳がここにいる』って叫んだらどうするつもりなんだ？　気にしてねえ感じだが」

「気にはしてるけど、あれだよ、児島さん、人間の最大の武器は、信頼なんだ」

児島安雄はきょとんとし、こんな馬鹿《ばか》を見たことがない、というような、もしくは、こんな好人物に出会ったことがない、というような呆《あき》れを見せた。ほどなくして、「それなら」と言った。「信用するなら、いっそのこと手錠も取ってくれないか」

ああ、と青柳雅春は残念そうに、息を吐き出す。「そう言われたら嫌だな、って思ってたところですよ」

「だろうな」と彼も笑う。

「その間、俺ももう一件、電話をしてこようと思います」と玄関に続く、廊下を指差した。

「俺が何を喋るのか興味はないのか?」

「信じてるから」青柳雅春は冗談めかし、部屋を後にした。廊下に出て、振り返ると、児島安雄が床にひっくり返り、転がる段ボールを蹴飛《けと》ばしながらも、必死に無線機に顔を当てようとしていた。傍目から見る分には滑稽《こっけい》な姿勢だったが、本人にとってはかなり窮屈なはずで、申し訳なくなる。

廊下に出て、洗面所に入る。鏡に映る自分の顔は、あまり見たことのない暗さを伴っていた。ぎょっとする。すさんでいるというほどではないが、深刻さが目の周りや口、眉間《みけん》、あちらこちらに影を作っていた。にっと無理に笑ってみる。鏡に映る自分の表情がゆがむ。

何だその笑顔は。笑えねえよ。

リュックサックに手を入れ、押し込んでいた紙切れをポケットから取り出した。たこ焼きを包んでいた紙だ。裏に電話番号がある。右手の指を素早く動かし、押す。

呼び出し音が続く。なかなか相手が出ないため、部屋の児島安雄の様子を確かめようか、と廊下に戻ろうとしたが、そこで声が聞こえた。

「はいはい、待たせたな。俺だ」

「保土ケ谷さん？ 青柳ですが」狭い洗面所で発する声は、わずかではあるが、反響した。

「おお、こりゃあ、びっくりだ」

「下水管の話を聞きたいんです」

樋口晴子

「青柳さんってどういう人だったんですか」
病室前の通路を通ると、エレベーター脇《わき》に小さな飲食スペースがあった。そこで樋口晴子の向かい側に座った鶴田亜美が訊《たず》ねてくる。窓の外は黒一色で幕でも張られている

かのようだった。

「普通の人だったよね」樋口晴子はやはり、笑ってしまう。「こんな大事件に巻き込まれるような大人物になるとは、誰も思っていなかったよ」

「ですよね」

樋口晴子は学食のテーブルで、森田森吾と青柳雅春が向かい合っている光景を思い出す。他の友人たちと一緒に食事をしながら、離れた場所からその二人を見ていると、下らない雑談を愉快そうに交わす彼らのもとに少しずつ、知り合いが集まり、いつの間にか大所帯の食卓に育ち、大きな笑い声が沸きはじめる。そういうことがよくあった。

「小野君、青柳さんや森田さんの話をする時、いつも生き生きしてて、自分がサークルを引き継いで、うまく続けられなかったのを嘆いてました」

病院内の飲食スペースは、四人がけのテーブルが六つ並ぶほどの、小さめの食堂とも言えた。奥の壁に、ジュースの自動販売機が一台あり、窓際《まどぎわ》には、電気ポットとティーバッグが置かれている。「携帯電話のご使用はここで」という紙も貼《は》られてあった。鶴田辰巳と七美は二人で、自動販売機の前に立ち、背伸びをしてボタンに触れ、遊んでいる。えい、えい、と最初は大人しくボタンを押していたのがだんだん興が乗ってきたのか、手のひらで激しく叩《たた》くようになり、その自分の叩いたことがさらに自分を興奮させたのだろう、甲高い悲鳴に近い声を上げはじめる。

「静かにしないと駄目でしょ」

「だって、他に誰もいないし」むくれたように七美が応えるが、するとタイミングを図ったかのように、男が入ってきた。背はさほど高くなく、小柄で白髪頭の男だった。色あせた水色のパジャマ姿だ。驚いたのは、彼の両脚がギプスで巻かれていたことと、それにもかかわらず、松葉杖《まつばづえ》も使わずにのしのしと歩いてやってきたことだった。携帯電話を耳に当てた彼は、鶴田亜美を見ると少し嬉《うれ》しそうに右手を上げ、その後で、自動販売機にもたれている鶴田辰巳にも手を向けた。

「あ、おじさん」鶴田辰巳が小さな手のひらを振った。

「お知り合い？」樋口晴子は小声で訊《き》く。

「今日、会ったばっかりなんです。ここに入院している人みたいで、面白い人なんですよ。両脚骨折って言ってたけど、何か歩いちゃってるし、変ですよね」と鶴田亜美も答える。

彼女が言うには、カズが意識を取り戻し、病院に駆けつけた際、病室に入れるようになるまで時間があり、その時に通路でたまたま会ったのだという。たこ焼きを食べていたその男性が、鶴田辰巳に一つくれ、お礼に鶴田辰巳が拾ったばかりのボールペンのキャップをあげたらしい。

電話を耳に当てた男はどこから取り出したのかボールペンキャップを、鶴田辰巳に見えるように振っていた。まだ、持ってくれていたんだね、と心底嬉しそうに、鶴田辰巳が目を輝かせる。

彼は窓際に行き、ぼそぼそと携帯電話に喋《しゃべ》りかけているようだった。声をひそめているのは確かだったから、あまり聞き耳を立ててはまずい、と樋口晴子は思った。かと言って、こちらの話し声を大きくするのも気が引けた。鶴田亜美も同様の思いだったのか、顔を見合わせ、「そろそろ」と立ち上がる素振りを見せる。「ほら、辰巳、行くよお」と声をかけた。

樋口晴子は席を立ち、飲食スペースを出る。鶴田亜美と辰巳も一緒に出てきて、廊下をカズの病室方向へと歩きはじめたが、少し進んだところで七美がついてきていないことに気づき、立ち止まる。あれ、と振り返り、テーブルの並ぶ場所へと戻った。

「あ、お母さん」七美がテーブルの隅に立ったまま、口を尖《とが》らせた。「今ね、おじさんにね、お母さんの話をしてたの」

樋口晴子が目を動かすと、七美の横には、畳んだ携帯電話を片手に立つ、両脚ギプスの男がいて、ぺこりと頭を下げてきた。にっと笑い、頭を掻《か》く。「俺は、保土ヶ谷と言うんだけど」と彼は言った。「あんた、あれ、あの犯人と知り合いなわけ?」

その時には後ろから、鶴田亜美と鶴田辰巳が戻ってきていた。樋口晴子は脇腹を唐突に突かれた気分で、身体《からだ》を震わせてしまう。

「今ね、おじさんがね、あ、おじいさんがね」七美が言い直すと、保土ヶ谷と名乗った男は、「おじさんでいいよ、おじさんで」と鼻のまわりの皺《しわ》を深くする。

「おじいさんがね、電話を切る時に、名前呼んでたの。ほら、青柳君ってお母さんの」七美が得意げに報告してくる。娘とはいえ、思ったことを片端から口にせずにはいられないその性質に、いつも苦笑することが多かったが、今回はさすがにぞっとした。「余計なこと喋ったら、迷惑かけちゃうでしょ」と叱《しか》るように言う。

「あ、そうだよ、これは内緒なんだよ」七美は反省の素振りもなく、横を向き、男に向かい、人差し指を立てた。「内緒だよ」

「いいからいいから、気にしないでいいから」彼は、樋口晴子に向かって微笑《ほほえ》んだ。安心させるような笑みというよりは、余計にこちらが不安になるような笑い方ではあった。

「あの、知り合いと言っても学生時代に同級生だっただけで」樋口晴子は言い訳がましいと思いつつ、説明せずにはいられない。

「大丈夫、大丈夫」彼は、よいしょと掛け声を発しつつ、ギプスで伸びきっているはずの脚を器用に斜めにし、椅子《いす》に座った。大丈夫、と安請け合いすることのベテランと見えた。

釣られるように、樋口晴子も向かいの座席に腰を下ろす。

「俺も、知り合いなんだ」保土ヶ谷康志が誇らしげに、鼻の穴を膨らませた。「あんたが昔の友達っていうなら、俺は最新の友達だな。今、喋ったばっかりだ」と携帯電話を見せびらかすようにした。

「青柳君が？」まさか電話の中に青柳雅春が隠れていると思うほど、正気を失っていたわけではないが、樋口晴子は、彼が掲げる携帯電話を覗《のぞ》き込もうと首を伸ばしてしまう。いつの間にか、鶴田亜美が隣に座りはじめていた。「どういうことです？」

「あの兄ちゃん、いちかばちかの勝負に出るんだと」

樋口晴子

そんなことを軽々しくわたしたちに話していいんですか。保土ヶ谷康志が目を輝かせ、鼻息を荒くし、声を抑えに抑えて話すのを聞き終えた後で、樋口晴子は憤《いきどお》るように指摘した。

「もし、わたしが、青柳君の敵だったらどうするんですか。そんなこと喋っちゃったら、青柳君、窮地に陥っちゃいますよ」

保土ヶ谷康志は微塵《みじん》も反省した様子はなく、「え、あんた、あいつの敵だったのか」と目をしばたたくくらいだった。「それはまずいな、ちょっと今のことは忘れてくれよ」

「敵じゃないってば」七美が背伸びをし、脇から顔を出す。「ねえ、お母さん」

「まあ、敵ってわけじゃないですけど」樋口晴子は鼻からゆっくりと息を吐き出す。

「あんまり、口が軽いから怖くなって」

「大丈夫大丈夫」と保土ヶ谷康志は親指を立てて、嬉しそうにした。この人は今までこうやって根拠のない、「大丈夫」を繰り返して生きてきたのだろう、と樋口晴子は呆れる。

「どうして、青柳君はこんな人に頼っちゃったんだろう」

「お母さん、思ったこと言ってるよ」七美に指摘され、あ、と慌《あわ》てて口をつぐむ。向かいの保土ヶ谷康志は不愉快にも感じていない様子で、「だよなあ」と言った。「こんな俺に助けを求めて、相談してくるなんて、まあ、あの兄ちゃんもよっぽど困ってるってことだ。詰んでるからな、ありゃ」

「でも、それって本当に可能なんですか?」隣の鶴田亜美が声を落とす。「下水管なんて」

「雨水管な、正確には。可能だよ。まあ、俺がこれから一肌脱いで、あちこち動き回ってやる必要があるけどさ」と言いつつ、すぽんとギプスを簡単に外し、また付けたりしていた。その呆《あっ》気《け》ない偽装に、笑うこともできない。

生き生きと事情を話す保土ヶ谷康志によれば、青柳雅春は明日、市街地近く、市役所前の中央公園に姿を見せるつもりらしかった。警察に予告し、テレビ局に監視させ、そこに登場するつもりなのだ。「このまま、不安を抱えて、逃げ続けるよりは、自分の無実を訴えてから捕まるほうがいい」と青柳雅春は考えたのだという。

「諦《あきら》めたってことですよね」樋口晴子は知らず、自分の言葉の語尾が厳しくなっていることに気づく。「負けを認めるってことじゃないですか。無実だっていうなら正々堂々と」

「正々堂々と？」その先を言ってみな、と保土ヶ谷康志が言う。急に彼が、大人びた人生の先輩としての貫禄《かんろく》を浮かべたので、樋口晴子はたじろぐ。「正々堂々と何ができるっていうんだ。できることなんてねえよ、今の状態じゃあ。だから、あの兄ちゃんは、正々堂々と捕まることにしたんだろうな」

「捕まったらおしまいでは」鶴田亜美はテーブルの上で組んだ手を見つめている。

「テレビ局に自分の言いたいことを中継させるって言っていたぜ。今までテレビ局にいいように翻弄《ほんろう》されていたからな、最後くらいは逆に利用してやる気なんだと」

「テレビで演説したところで、どれだけ信用されるかなんて分からないですよ」

逮捕された人間のほとんどが、「俺はやっていない」と主張する。真犯人であるからこそ、そう訴えるのだと誰もが思っている。痴漢と告発された人間がいくら冤罪《えんざい》を訴えようと、有罪が覆《くつがえ》らないのもそのせいかもしれない。容疑者の言い訳は、面白半分に持て囃《はや》されることはあっても、テレビ画面を眺める人間の先入観を覆すとは思いにくかった。

「これが青柳君じゃなかったら、わたしもたぶん、『犯人が派手に騒いじゃって、往生際が悪いね』としか思わない」樋口晴子が言うと、保土ヶ谷康志もうなずいた。「でもまあ、それしかやれないんだろ」

青柳雅春は方針を決めた。だが、衆人環視の場に出て行く前に、警察に捕まるのは避けたい、と考えたらしい。どこそこに向かう、と予告すれば、警察はそこに至る経路の監視を強化し、どうにか目立たぬうちに逮捕しようと考えるはずだ。

「だから、下水管を使って、公園の近くまでばれずに移動したい」というのが青柳雅春の依頼だったという。

「でも、マンホールってそんなに簡単に、開くんですか?」鶴田亜美もすでに、計画の穴を点検する一員となったかのように、疑問点を挙げる。「もたもたしてたら、まずいですよね。重くないですか」

「重いよ。で、俺の出番だ」保土ヶ谷康志の顔が明るくなる。マンホールの蓋《ふた》の模造品があるのだ、と説明する。「前に俺たちが使おうと思ったやつがあるんだよ。だからな、それを事前に用意して、今晩中に交換してやるんだ」

「どこのマンホールを? 市街地にマンホールなんてたくさんあるんでしょ?」樋口晴

子は昔、勤めていた会社の会議に参加している気分だった。失敗の許されないイベントを前に、気になることは全部、会議卓の上に並べる、そういう感覚だ。「青柳君、どこから入って、どこに出るつもりなんですか。位置を把握しているんですか？」

大丈夫大丈夫、と保土ヶ谷康志がまた親指を出す。「雨水管にもいろんな太さがあってな、走ってる深さも違う。ちょうどな、駅近くの大きい駐輪場の脇から、中央公園まで雨水管が通ってんだよ。直径一八〇センチくらいだから、どうにか移動できる。下流に向かって、まっすぐ進めば公園には出られる」

「普通の人が入って、歩けるものなんですか？」

「真っ暗だけどな」

「駄目じゃないですか」

「それもまあ、優しい保土ヶ谷さんが用意してやるよ」と保土ヶ谷康志が胸を張る。「懐中電灯をマンホールの下、梯子《はしご》を降りたあたりに、置いておいてやるつもりだよ。だいたいの経路は紙に書いて、それも置いてやる。手取り足取り、親切すぎるくらいだ」

飲食スペースがそこで静まり返った。樋口晴子は窓に目を向ける。真っ暗になった外のかわりに、こちらの景色を鏡のように反射させている。鶴田辰巳と七美が自動販売機をまた、叩きはじめる。

「聞きたいことがいっぱいあります、って顔だなあ、二人とも」保土ヶ谷康志には余裕があった。どんどん質問をぶつけてこい、と指を自分の方向へと揺する。

「そんなことをするくらいなら」樋口晴子は先ほどから気にかかっていた。

「そんな場所に顔を出さずに、下水管を使って遠くに逃げられるんじゃないか、って？」

樋口晴子は顎《あご》を引く。

「現実的な理由と感傷的な理由がある」と保土ヶ谷康志が言い出し、樋口晴子は何度かまばたきをした。無責任で軽々しく、浅薄さを感じずにはいられなかった彼の顔が急に引き締まり、芯《しん》の通った明瞭《めいりょう》な声を出したからだ。

現実的な理由とは、つまり、下水道の構造上の問題だった。水かさのない時の雨水管には人が入れるが、それも場所によってはとても狭くなる。這《は》っても通れない場所もある。つまり、いずれは行き止まりにぶつかるわけだ。仙台市内、市街地を行き来することはできても、その外へ抜けるには一度、外に出ないとならない。経路によっては、ポンプ場で、他のゴミもろとも、粉砕される可能性も否定できない。

「だから、兄ちゃんも市内の、マンホールからマンホールへちょろちょろ行き来するのはできるんだけどな、遠くまで逃げるのは難しい。中央公園への裏道としては使える」

なるほど、と樋口晴子は言う。「感傷的なほうは？」

「これは兄ちゃんが自分で言ってたんだけどな。もう、自分のせいで誰かが被害に遭うのはたくさんなんだと」

「誰かが被害？」

「自分が出て、無実を訴えて捕まれば、これ以上、誰かにとばっちりはいかないと考えてるんだろうな」

「人のことを心配している場合なんですか？」鶴田亜美は不審がるというよりは、笑ってしまうような雰囲気すらあった。

「誰かの命にも関係する、って言ってたな」

「誰の？」樋口晴子には、先ほど横たわっていたカズの姿が浮かぶ。そして、死亡したと伝えられる森田森吾のことも思った。本当に森田君は死んだわけ？

「俺の偽者《にせもの》」保土ヶ谷康志が言う。「と兄ちゃんは言ってた」

「青柳君の偽者？」

「詳しくは言わなかったけどな、なんかそういう奴《やつ》がいるんじゃねえか。影武者？　何だ？　とにかくそういうんだろ」

偽者が何を指すのか、樋口晴子にも分からなかったが、青柳雅春を陥《おとしい》れるために偽者や偽情報が駆使されてもおかしくはないだろうな、と思った。

「とにかく、俺はこれから、自分ちに行って、ダミーの蓋を取ってくるんだ。それから、街に繰り出して、いやあ、忙しくなるなこりゃ」彼の顔から皺が減り、肌が潤《うるお》い、明らかにエネルギーが満ちはじめている。

「怪しまれないんですか？」すでに腰を上げ、準備運動のつもりなのか両腕を上げ、肘《ひじ》を折り曲げ、ストレッチ体操の真似《まね》をやる保土ヶ谷康志に、樋口晴子は訊《たず》ねた。

「夜中に、路上でマンホールを開けるなんて目立たねえよ。すぐだしな」

「そうじゃなくて、青柳君は公園に姿を見せる、って警察にもテレビにも予告するんでしょ。そうしたら、警察だって、馬鹿《ばか》じゃないんだから、事前に予告された場所の近くは警戒して、何か異常がないか調べるんじゃない？　そこにのこのこ、マンホールを替えにいったりしたら」

「あの兄ちゃんだって、馬鹿じゃないよ」保土ヶ谷康志がにっと唇を横に広げる。「警察に予告するのは、俺が蓋を交換し終えた後だ。事が起きる前に、準備は済ませる。まあ、基本だよな。しかも、兄ちゃんはたぶん、違う場所を指定するぜ」

「どういうことです？」

「直前になって、場所を変更するんだろうな。最初は、公園ってのは内緒にする。基本だよ。陽動作戦だ。あっちと見せかけて、こっち。警戒させておいた場所は、囮《おとり》ってわけだ。それに、マンホールの交換がばれないように、まだ暗い早朝のうちに決着をつけようとしている。暗けりゃ、見分けはつかねえからな。いろいろ考えてるんだよ」

樋口晴子は長く息を吐く。「そんな大事なこと、どうして軽々しく、教えてくれるんですか。もし、わたしたちが敵だったら」

「あ、敵なのかい？　内緒にしておいてくれよ」

「違うけど」樋口晴子は髪の毛をくしゃっと触る。食えない人だ。「あ、夜の街を移動するなら、怪しまれない人を知ってるんだけど」

「何だ？」

「マンホールの蓋を運ぶのに車もいるでしょ？　いい人がいる」

保土ケ谷康志の携帯電話はまだ、盗聴されていないだろうから、それを使って、菊池将門に連絡を取ることはできる、と樋口晴子は考えていた。

青柳雅春

時計を見るとすでに深夜の零時近くだった。壁に背をつけ、座り、天井を見上げる。先ほどまでずっと目を閉じていた。眠ってはいなかった。眠れるほど自分の肝が据わっていれば良かったのだが、と思う。零時を越え、さらに数時間経《た》てば、自分はこのマンションを出て行く。警察とマスコミの待つ場所へと、自ら出向く。下水管を通る、というアイディアがどこまで有効なのか自分でも判断がつかなかったが、やれることをやるほかなかった。

「あんた」隣の児島安雄が言ってきた。口を塞《ふさ》がれなくなった後も、彼は無口だった。トイレには二度行ったが、それ以外はじっと大人しく、手錠をされたまま座っている。

「本気なのか」

「本気？」いったい何を指すのか、分からなかった。

「本気で出て行くつもりなのかね」

「児島さんに悪いからねえ」青柳雅春は笑おうとしたが、うまくいかなかった。「それに、他に方法がある？　準備は必要だけど、あとは」

「あとは？」

「人事を尽くして天命を待つ」青柳雅春は思いついた言葉を発し、これはこれでいい言葉だな、と実感した。

保土ヶ谷康志からは数十分前に、マンホールの件はうまくできそうだ、と連絡があった。依然として警戒中の仙台市内で、マンホールをいじくる作業が無事にやれるのか、不安ではあったが、目的のマンホールが建物等の死角にあること、それから作業車を使うことで、怪しまれずに済むだろう、という話だった。

「作業車？」

「いろいろ助《すけ》っ人《と》がいるもんだ」と保土ヶ谷康志が言うので、いったいどこまでこの情報が漏れているのか、と青柳雅春は怖くなった。大袈裟《おおげさ》ではなく、背中を氷が走る思いだったが、保土ヶ谷康志は、「大丈夫大丈夫」を繰り返すのみで、それを信じるしかなかった。

もう少ししたなら、警察とテレビ局に連絡をするつもりだった。

「児島さん、寝ないの？」青柳雅春は言ってから、その体勢じゃあ眠れないか、と思う。

「いや、大丈夫だ」少し無理した口ぶりではあったが、児島安雄もさすが警察官だけあって体力があるのか、悲壮感や疲労が見えるほどでもない。

リモコンを触り、テレビの電源を入れた。明日になればもう二度と、観《み》ることはないかもしれない、という思いもあった。暗い部屋の中、徐々に明るさを滲《にじ》ませる画面は、妖《あや》しげな光線を発する不気味な洗脳装置にも感じられる。

児島安雄と二人で並び、まるでホームシアターで映画を楽しむような雰囲気に、青柳雅春は苦笑を浮かべそうになったが、テレビに真っ先に映るのが、自分の父親の喋《しゃべ》っている場面なので、噴き出した。数時間前に一度、観た映像だ。録画したものを繰り返し、放送しているのだろう。

親父《おやじ》、大スターだな。自宅前で、マイクを向けられた父親は、当然ながら前回観た生中継の時と同じ恰好《かっこう》、同じ仕草、同じ迫力、同じはしたなさで動き、同じ台詞《せりふ》を最後に言った。

「まあ、雅春、ちゃっちゃと逃げろ」

隣の児島安雄がどのような表情をしているのか、またも泣いているのか、それともさすがに呆《あき》れているのか、確認はしなかった。青柳雅春は両手を床につき、立つ。三浦の携帯電話を持って、ボタンを押した。番号は、一時間ほど前に、児島安雄から聞いた、捜査本部への直通電話だった。一一〇番にかけて、事情を説明しようかとも思ったが、直接繋《つな》がる番号があるのならばそちらのほうが説明も少なくて済む。

「電話を使うなら、三十秒以内にしたほうがいい」児島安雄はそうも言った。理由は分からなかったが、「独り言だけど」と意味ありげに付け加える彼の様子からすると、そうすべきなのだとは思った。

電話の呼び出し音の回数が増えるたび、緊張が強くなる。しばらくして、「はい」とぶっきらぼうな男の声がした。名乗る気配はなかったが、その愛想の悪さは、警察関係者に相応《ふさわ》しくも思えた。

「佐々木一太郎さんはいますか？」青柳雅春は言う。

「どちらさまですか」

「青柳雅春です」

相手の発する気の圧力のようなものが一瞬、下がった。戸惑い、考えている。「このまま、待っていてください」と返事があった。もしかするとこの時点で、電話の通話内容が向こう側のスピーカーに切り替わったのかもしれない。
「佐々木です。今どこに?」電話口に相手が出る。

樋口晴子

自分の顔に痺《しび》れがあり、樋口晴子は目を覚ました。ダイニングテーブルに突っ伏すように眠っていた。近くに置いてあった携帯電話が震えていたのだ。時刻を見る。朝の三時半を回ったところだ。
顔を上げ、背後に目をやると、和室には布団《ふとん》がなく、七美の姿もなく、どうしたことかと泡を食うが、冷静になってみれば、七美は昨晩、鶴田亜美の家で預かってもらうことにしたのだった。母親と離れて一泊することなど、幼稚園の行事で一度経験した程度であったから、七美は寂しがり、抵抗を示すだろうと思っていたが、鶴田辰巳と遊んでいるのが楽しいのか、「いいよ、お母さん、行ってきて。青柳君、助けてあげて」と簡単に承諾した。
結局、樋口晴子は、夜の十時過ぎから保土ヶ谷康志の作業に付き合った。別段、自分が手伝う必要もなかったのかもしれないが、菊池将門を巻き込むことになったのだから、「じゃあ、わたしはこれで。おやすみなさい」と済ますこともできず、そして何より、青柳雅春の置かれている状況を考えると、自分も作業に加わっていたかったというのが本音だった。

菊池将門とは病院近くの細い一方通行の道で合流した。セキュリティポッドの整備と監視のために街を巡回するのは夜の十一時過ぎかららしく、「まだ一時間くらいありますから」と言ってくれる彼の好意に甘え、保土ヶ谷康志と一緒に、まずはマンホールの蓋《ふた》の模造品を取りに行った。「俺の家に取りに行く。使わずじまいで、置きっぱなしだ」

保土ヶ谷康志の家は市内の上杉エリアの高級住宅地の一画にあった。立派な邸宅だったので、少し驚いた。入院していないで、ここに住めばいいのに、と言うが彼はそれについては何も答えなかった。

彼が抱えてきた、模造品の巧妙な作りに驚いている暇もなく、そのまま菊池将門の運転するワゴン車で、目的のマンホールの場所へ移動する。彼は準備が良く、「指紋が残ると面倒臭いからな」と樋口晴子たちにゴムの手袋を渡し、装着するように指示してきた。

さらに、保土ヶ谷康志はマンホールを持ち上げるための、バールのような、鉤《かぎ》のついた鉄の棒を用意していた。腰を落とし、マンホールの穴に鉤を引っ掛け、せえの、と引っ張ると地面を削るような音を立て、開いた。「本物のこれ、六十キロあるんだ。すぐにどけるのはさすがに無理だからな」と模造品に替える。確かにそちらは片手で、軽々と上がった。

「ここに、その青柳さんってのは来るんですか」菊池将門が、信じられないという様子で言う。

樋口晴子は足元の、マンホールの模造品を持ち上げてみた。下を覗《のぞ》き込んだ。暗い穴が続いているが、底は見えない。隣から、保土ヶ谷康志が懐中電灯を照らすとその明かりがうっすらと底を浮かび上がらせる。地面のすぐ下から、簡易梯子《はしご》が下に伸びている。それをつかみながら降りていくのだろう。六メートル下はかなり、深い。明日の朝、青柳雅春がまさにここに現われ、ここを下っていく姿を想像する。模造品の蓋は、下にチェーンのようなものがぶら下がっていて、先にはフックがあった。「自分が入った後で、このフックを中の取っ手に引っ掛ければ、外から開けにくくなる。簡単には追ってこれない工夫だよ」と保土ヶ谷康志は自慢げに言った。それから、「あ、忘れてた」とマンホールの穴の中に入った。どうしたのかと思えば、持ってきていた別の懐中電灯を置いたようだった。「雨水管の経路を書いた紙もプレゼントだ。至れり尽くせりだなあ」と満足げだった。

閉めた蓋を見ながら、樋口晴子は不思議な気分に駆られる。永遠に接点はないかもしれないが、どこかで青柳雅春も生きており、そして、このマンホールに潜りにやってくる。早朝の、まだ空も暗い中、一人でこの蓋を開け、この穴に身体《からだ》を沈めていく。大丈夫？ とその眼下にある穴に言いたくもなる。青柳君大丈夫？ と数時間後の彼に声をかける。

作業自体は三十分もかからずに終わり、「仕事の後は打ち上げだろう」と主張する保土ケ谷康志に従い、コンビニエンスストアの駐車場でジュースと缶ビールを飲んだ。菊池将門は、保土ケ谷康志の、張りぼてのような両脚のギプスに何度も感心した。「どうして、そんなでまかせの骨折で入院できているんですか。病院が何で許してるんですか」としつこく聞いた。

「俺はな、まあ、裏社会と繋がってるからな」と威張る保土ケ谷康志の発言はことごとく嘘《うそ》臭かったが、実際に、マンホールの蓋の巧妙な模造品と、それを交換する手際《てぎわ》の良さを目《ま》の当《あ》たりにしているだけに、絶対にでたらめ、と言い切れないところはあった。

「でもなあ、ここまで手伝っておいて言うのも何だけどよ、あの兄ちゃん、無事でいられるのかねえ」保土ケ谷康志はビールを飲みきると、そのアルコールに突かれるように、言った。すでに、贔屓《ひいき》のプロ野球チームの順位を想像するような気楽さだった。

「ここまで手伝って、そんな弱気なこと言わないでくださいよ」樋口晴子は笑った。

「それに、無事でいられるかどうか、ってどういう意味ですか。撃たれちゃうとか？」

「警察だとか偉い奴《やつ》らは、最初は臆病《おくびょう》なくせに、追い詰められると途端に、訳が分からなくなっちまうからな。面倒臭いから、撃っちまえって話にもなりかねない」

「テレビに映ってるのに、ですか?」菊池将門は首を捻《ひね》った。「さすがにそれは」

「別の一般人に撃たせるかもしれねえぞ。警察は手出ししなかったけど、どっかの面白半分の、不謹慎な奴が、犯人を殺しちまった、ってな。そんなシナリオだ」

「青柳君、身の危険を感じたら、逃げてくれればいいのに」樋口晴子はぼそっと洩《も》らした。

「え」と菊池将門が聞き返してきた。

「いや、とりあえずやってみて、やばそうだったら撤退、っていうのもありかなあって」

「自分から囲まれておいて、また逃げるってのも至難の業だぜ」保土ヶ谷康志が言う。

「まあ、またマンホールに逃げ込むってのはありだろうけど」

「公園の真ん中まで出て行って、やばいから、やっぱやめた、って言ってマンホールの場所まで走って逃げるんですか? さっき、交換したマンホールって、公園の敷地のずいぶん遠くだったじゃないですか」菊池将門は苦笑する。「逃げてる最中に、撃たれておしまいですよ」

「マンホールなんて近くにいくつかあるんだよ。そっちも逃げられるようにしてやればいい。で、あれだ、あんたが」と保土ヶ谷康志は、樋口晴子に指を向け、「やばそうだったら、大声出して、知らせてやれよ。『真犯人はわたしよ!』とか叫べば、警察もカメラもあんたを見るから、その間に兄ちゃんも逃げればいい」

「わたし、犯人じゃないですよ。何で、青柳君のためにそんな嘘を」

「薄情だねえ」と保土ヶ谷康志が心底、喜んでいる。別れた恋人なんてそんなものですよ、と樋口晴子は言ってやりたかったが、その時に別の案が閃《ひらめ》いた。


電話は、夫の樋口伸幸からだった。

「こんな時間にどうしたの」

「四時にテレビでやるんだろ？　晴子もそれを観るんじゃないかと思って」

彼の言わんとすることが最初は分からなかったが、遅れて気づく。「それ、発表されたの？」

「三十分くらい前かな、テレビは大騒ぎだよ。犯人が姿を現わすって。駅の東口のバスプールをみんなで囲んで、照明当てて、お祭りだ。ワールドカップの前夜祭を観てるみたいだ」

「というよりも、こんな朝早くにテレビを観てるなんて、どうしちゃったわけ」

「徹夜なんだよ」樋口伸幸が自嘲《じちょう》気味に言う。「今日の会議で使う資料が出来上がらなくて、今、作ってるんだ」

「それは」樋口晴子はもう一度、時計の時間を見てから、「大変すぎる」と言った。出張というものはもっと楽なものかと勝手に思い込んでいた。

「晴子の友達のほうがもっと大変だ」と樋口伸幸が言う。「ずっと出先の会議室で資料のチェックをやっていたんだけど、さっき、後輩がネットのニュースを見て、慌《あわ》てて、テレビをつけたんだ。仙台はえらいことになってますよ、って」

樋口晴子の寝惚《ねぼ》けていた頭が、だんだんに動きはじめる。当然、この電話は盗聴されているはずだ。すでに三十秒は越えた。樋口伸幸もそれを承知で喋っているのだろう。余計なことは言わないに違いない。リモコンに手を伸ばし、テレビをつける。

「七美は？」樋口伸幸が訊《たず》ねる。

「眠ってるよ」と応《こた》える。家にはいなかったが、鶴田亜美のところで眠っているはずだから、嘘ではない、と自分に言い聞かせた。「テレビが言うには、青柳君はどうするつもりなんだって？」

「警察に、東口バスプールに姿を現わすと連絡があったらしい。そこで、捕まるつもりだ、と。人質を連れているから、警察は接近するな、と主張もしているらしい。撃つな、ってことだ」

「人質を？」

「たぶん、俺が思うには、警察を近づけさせないためじゃないかな。出て行ったとたんに、手錠をがしゃん、銃でずどん、というのを避けたいんだ。だから人質を連れて行くことにした。もしくは、連れて行くと嘘をついた。そうするだけでも、警察は距離を取る」

「鋭いなあ」と思わず樋口晴子は言ってしまう。まさにそれが、青柳雅春の思惑に違いなかった。「警察のブレインになっちゃえば？」

「いや、警察だって、それくらいは読んでるみたいだ」

「え？」

「それに、正式には発表されていないんだけど、どこかのテレビ局が、青柳雅春の声を中継するって噂《うわさ》もあるらしい」

「そんなことが」樋口晴子は胸で、どん、と跳ねるものを感じた。青柳雅春としてはそのことを隠していたいはずではないか？

「ネットにそういう情報が書き込まれているらしい。あるテレビ局が、青柳雅春の投降時に、音声を中継するって」

「たぶん、そのテレビ局の誰かが書いたんじゃない？」

「かもしれないな」

「本当だったら、ゴールデンタイムにぶつけたかったんだろうね」樋口晴子も、自分がテレビ局の人間であればそう残念がったはずだ。青柳雅春の登場がなぜ早朝の四時なのだ、と歯噛《はが》みし、悔しがったはずだ。

「それから、警察は、最近、実用化されたばっかりの麻酔銃を使うらしいぞ」

「え？」樋口晴子は予想もしていなかった言葉に、頭が空になる。麻酔？

「さすがにテレビカメラが狙《ねら》っている中で、射殺はしづらいだろう。まあ、撃つこと自体がかなり刺激が強いから、躊躇《ちゅうちょ》はするだろうけど、でもまあ、麻酔銃っていう言い訳はできる。青柳雅春が出てきて、変な素振りを見せたら、麻酔銃で倒して、逮捕するんだろうな。警察も必死だ」

青柳雅春はその情報を知らないのではないか？　樋口晴子は途端に、心配になった。どこかでテレビの情報をチェックしていればいいが、すでに今は、花京院《かきょういん》駐輪場脇《わき》のマンホールを通り、下水管を進んでいるところかもしれなかった。麻酔銃で撃たれる可能性が念頭にあるのとないのとでは、彼の行動も違うはずだ。

「晴子はどうするんだ？」樋口伸幸が急に、質問してきた。

「青柳君の一世一代の勇姿を見守るよ」樋口晴子は平静を装《よそお》い、そう答える。一方で、テレビの放送に目をやる。空は暗いが、照明の当たる場所は昼間のようだった。駅から繋《つな》がる高架歩道と、その下のバスプールが交互に映し出される。近づくことはできないから、周辺のホテルやビルの屋上に、カメラは設置されているに違いない。まだ始発列車は動き出していないからか、隅に見える線路は灰色で、どこか眠りについたままのようだった。家電量販店の平らな屋根、その広い駐車場が見下ろせる。

あちらこちらにライトが向けられていた。

こっちと見せかけてあっち。保土ヶ谷康志が言っていた通りだな、と思った。誰もがこのカメラの前に、青柳雅春が現われると思い込んでいる。警察もこの周辺は警戒しているだろうが、正反対の西口、ずっと中央部寄りの公園のまわりには、誰もいないはずだ。

「あんたは家で、テレビ中継を観《み》ていたほうがいい」数時間前、保土ヶ谷康志が、樋口晴子にそう言った。「俺も病院に戻って、テレビで、あの兄ちゃんの活躍を楽しむことにするよ。公園の近くをうろうろしてるのを、病院の奴らだとか、俺の仲間だとかに見られたら面倒だしな。あんたも朝の四時に、子供を置いて、現場近くでうろちょろしてたりしたら、警察が気にする。だろ? 家にいたほうがいい」

「家でテレビを観ながら、電話をかけるわけ?」

「いや、できるだけ、現場に近いところから電話をかけたほうがいいだろうな」保土ヶ谷康志は言う。「もし、うまく作動しなかった時、対処しようがねえし。だから、やるのは、あんたじゃないほうがいい」

「じゃあ、誰が公園の近くで電話を?」と樋口晴子が確認すると、保土ヶ谷康志の視線は、それまで他人事《ひとごと》のように、携帯電話のメールを読みながらその場にいた、菊池将門の顔に移動する。「え、俺っすか?」

樋口伸幸からの電話を切り、視線を戻すとテレビ画面は騒然としはじめていた。東口バスプールを見下ろせる場所、おそらくはホテルの屋上だろう、そこにカメラが並んでいたのだが、その周囲で、スタッフが急に動き出している。右へ左へと行き来するのが、そのまま見えた。

画面がスタジオに切り替わる。

早朝だというのに眠気を微塵《みじん》も見せない、背広の男性アナウンサーが、「今、新しい情報が入りました。青柳雅春は、仙台駅東口ではなく、仙台中央公園に現われるという知らせが入りました。十分ほど前、こちらの局の電話に、青柳雅春を名乗る男からそのような電話があり、警察への確認を行ったところ、警察にもそのような電話があったと判明しました。今、中央公園へとクルーが移動しています。警察もただいま、中央公園周辺を封鎖しはじめました」と説明する。

テレビ局の人間たちはこのお祭り騒ぎに、昂《たか》ぶっているのかもしれない。スタジオの背後から、スタッフたちの慌ただしい声が飛び交うのが漏れ聞こえていた。高揚と殺気のいりまじった雰囲気に満ちている。真っ暗な画面になり、何事かと思うが、白いぼんやりとした明かりが左へと流れていく。車から映し出された、夜の街の映像だ。手作り映画の映像にも似ていた。がたがたと揺れるのも構わず、そのまま映している。

「ただいま、中央公園周辺に向かっています」と姿は見えないが、女性の声がする。公園へ移動する間も、映像を伝えようという気らしい。素晴らしい使命感、逞《たくま》しい商魂、どちらとも取れる。街路灯の光が後ろへ流れていく。朝であるから道は空《す》いているのだろうが、マスコミ関係者の車が前後にあるのか、ブレーキランプの赤さが画面にも時折、映る。少しして、車が止まった。映像が動かなくなる。

「どうかしましたか」とスタジオのアナウンサーが訊《き》く声がする。

「赤信号です」とつまらなさそうに、女性が応える。一刻も早く、中央公園に到着しなければならないのに、朝の四時前の赤信号で停車している場合ではない、と憤《いきどお》るようだった。中継していなかったら、間違いなく信号無視をしていたところだろう。中継車両は少しずつ、公園に近づく。ああ、もうすぐです、とリポーターが嬉《うれ》しそうに言い、「警察が封鎖しています」と憎らしげに洩らした。これから、車を止めて、場所を探します、と。

それが映ったのは一瞬だった。

交差点をカーブしたせいか、夜の街並みを映していたカメラがぐらっと揺れ、先ほどまでと同様に、街路灯が流れていく景色が見えたのだが、右折する際に、その対向車線に、ワゴン車と警察車両が路肩に止まっているのが映し出された。

最初は気にも留めなかったが、そのワゴン車に見覚えがあり、まず引っ掛かった。何かと思えば、つい数時間前まで自分が乗っていた、菊池将門の作業車両だったからだ。ほんの少しの間ではあったが、カメラの端に車から降ろされる菊池将門が映ったように見えた。助手席から、もう一人の男が飛び出していくのも、ぼんやりとだが把握できた。制服警官に囲まれている。

「あ、今、警察がいましたね」と中継車両の女性はコメントを発したが、中央公園に向かうのに必死だからか、それ以上興味を持つ様子はなかった。

樋口晴子は席から立ち、ソファに投げ出してあったジャケットをつかんだ。

青柳雅春

雨水管は直径二メートル弱、おそらくは一八〇センチメートルほどで、中央にまっすぐ立つ分にはぎりぎり頭がぶつからない、というくらいだった。歩くことはできるが、走り出すと、跳んだ拍子に頭をぶつけそうになるため、少し身体《からだ》を屈《かが》める恰好《かっこう》で、駆けた。水はほんの少し底に残っていて、走るたびに飛沫《しぶき》が上がる。

肩からストラップでかけた懐中電灯を右手で持ち、前を照らす。抱えてきたリュックサックはすでに、捨ててきた。若者にもらったダウンジャケットは稲井氏のマンションで脱ぎ、かわりに黒のニットのセーターを着ていた。そちらのほうが動きやすいと判断したからだ。寒さを感じる余裕もない。

「花京院から入ったら、あとはその太い管を西へ進め。あちこちから他の管が合流してくるけどな、下流に行く分には迷わねえよ。もし、水がうっすら残ってるんだったら、そいつが流れていくほうへ行けば広瀬川に出る。広瀬川に行く途中に、中央公園への通路がある」と保土ヶ谷康志は言っていた。「雨が降らないことと、酸素がちゃんとあることだけ祈ってろ」

雨は降らなかった。酸素はあった。それだけでも感謝すべきだったのかもしれない。青柳雅春は暗闇《くらやみ》の中をただ、走る。管がどこまで続いているのか分からない。靴が弾《はじ》く水の音が反響する。風がひんやりとしていた。

保土ヶ谷康志がマンホールの下に置いてくれた地図には、中央公園の市民広場に辿《たど》り着くまでの経路と、おおよその距離が書いてあった。自分の歩数を数えながら、ひたすら走り、たぶんこのあたりか、というところで立ち止まる。

顔を上げ、左右に懐中電灯を振る。梯子《はしご》が見つかった。

迷わずそちらに手を伸ばし、身体を持ち上げる。手と足を慎重に伸ばし、登っていく。マンホールの蓋《ふた》がある。探るように首と背中で押し上げると、ぐらっと浮いた。

保土ヶ谷康志は約束を守ってくれていた。恐る恐る、蓋を持ち上げつつ、地上に顔を出す。取り囲む警察官たちの姿が脳裏を過《よ》ぎった。警察官たちの靴が目に入り、頭上には無数と言っていいほどの銃口が向けられているのではないか、と鳥肌が立つ。保土ヶ谷康志が警察と通じているのだとすれば、そういうことになってもおかしくはない。マンホールの蓋を持ち上げ、外に顔を、首のあたりまで出した。息を吐き、空気を吸う。周囲の砂が口に飛び込み、むせた。

警官の姿はなかった。

いったん、マンホールの蓋を下ろし、梯子を下りる。ポケットに入れていた携帯電話を取り出し、取り付けた小さなピンマイクを自分の襟元につけた。

再び、地上へと向かう。

マンホールの蓋を開け、素早く身体を外に出すとすぐに蓋を閉じた。模造品の出来の良さに感心した。外から見る分には本物としか思えない。仙台中央公園は、東西を走る大通りの北側、パレード事故のあった東二番丁通りと交差するところにあった。噴水や段差もなく、周囲を囲む木々以外には、縦七十メートル、横四十メートルほどの市民広場があるだけだった。

そこであれば、周囲からも見晴らしが良く、テレビカメラもはっきりと自分を映すことができる。警察も簡単に、自分に発砲することはできないだろう、と青柳雅春は考えていた。

今、出てきたばかりのマンホールは、その市民広場の南側、幾何学模様のタイルで飾られた、大きな公衆トイレの建物と細長い商業ビルとに挟まれた、狭い空間にあった。公園を取り囲むヒマラヤ杉の太い幹が目に入る。二人の大人が向かい合って、ようやく抱えられるかどうか、という太さの樹《き》が、いくつも立っている。何本もの枝から垂れ下がる葉は、不気味な涎《よだれ》のようでもあった。

トイレの建物の壁に背中をつける。ヒマラヤ杉の脇、タブノキが並んでいるのが見える。物言わぬ警備員のように、彼らはただ立っている。葉の隙間《すきま》から、夜空が確認できた。葉の影よりも、夜空のほうが明るい。地下鉄に通じるエスカレーターやエレベーターの乗り口も見えた。おそらく、青柳雅春が急遽《きゅうきょ》、中央公園を指定したことで、警察も慌《あわ》てて、その地下鉄出入り口を監視しはじめているに違いなかった。

向かうべき舞台の方角は、一目瞭然《いちもくりょうぜん》だった。右手に目をやれば、夜であるのにそこだけがぽっかりと眩《まぶ》しい光で満ちている空間がある。照明がふんだんに当てられている。いないはずの森田森吾が自分の脇に立ち、「出番ですよ、ステージへどうぞ」と茶化してくるような気がした。「青柳雅春さま、晴れ舞台へどうぞ」と。

携帯電話をポケットから取り出し、呼び出した番号へかける。トイレの裏にひっそりと立つ自分を、どこかの抜け目ないテレビカメラは見つけ出しているだろうか。こうなれば、もうすべてを映せばいいさ、と開き直ってもいた。

何回か呼び出し音が続いた後で、「はい、矢島です」と声がした。

「やじやじやじやじ矢島さん？」そんなことを言う余裕がまだ自分にあることが、少し嬉しかったのは事実だ。

「青柳さん、今どこですか」

「矢島さんのところのカメラはちゃんと、準備できてますか？」

「中央公園をばっちり映してます。県庁の屋上が開放されてるんですよ。急な予定変更でしたね」

県庁から市民広場までは、それなりに距離があるようにも思えたが、カメラの能力からすれば、かなりアップで映すことができるのだろう。

「予定通りです。じゃあ、行きます。俺のこの言葉、そのまま流せますよね」青柳雅春はマイクをいじくる。「この後は、電話は耳に当てられないから、そっちの声は聞こえなくなるけど」

「あとはこっちで、うまくやります。頑張ってください」矢島の声は、部活動の先輩の活躍を願うかのような真剣さを伴っていた。

青柳雅春は携帯電話を耳から離そうとしたが、そこで、ぷつりと通話が切れるのが分かった。え、とすぐに今かけたばかりの電話番号にかけ直すが、呼び出し音すらしない。

いったい何が起きたのか、すぐには分からなかった。頭の中が一瞬、白くなる。一度、切った後で、もう一度電話をかけるが同じだった。電源を切り、さらに電源を入れてみる。矢島の携帯電話には繋がらない。

ばれたのか？

杉の葉たちが、不安を煽《あお》るように揺れる。この携帯電話の番号は、警察側には知られていないはずだった。が、この公園近くで使われている携帯電話の通話をすべてチェックすることなら、警察もできる。テレビ局にかけたこの番号がマークされた可能性はある。通話内容から、青柳雅春が何をやろうとしたのか見当がついたため、電話を使えないようにと対処したのだろうか。

ためしにそこで、時報を聞くための番号を携帯電話でかけてみる。耳に当てる。呼び出し音がない。

この電話からの発信を無効にしたのだ。そんなことが瞬時にできるのか？　できる、と考えたほうが正しい気がした。

青柳雅春は襟につけたマイクを取り外し、放り投げた。携帯電話を畳み、ポケットに入れる。溜息《ためいき》を吐《つ》く。自分の浅知恵ではどうにもならないほどの強敵なのだ。怯《おび》えより、呆《あき》れのほうが強かった。巨人の王様を敵に回して、勝ち目はない。唯一《ゆいいつ》できることは、と言った三浦の言葉を思い出す。昔、森田森吾が言った言葉でもあった。

「逃げることだ」

青柳雅春は手を広げ、深呼吸をやる。さあ、と思った。脚の震えが止まる。震えていたのだ、とそこで気づいたくらいだった。昨晩のテレビに映っていた父の声が耳元で蘇《よみがえ》る。

親父《おやじ》、ちゃっちゃと逃げてくるよ。

樋口晴子

マンションの駐輪場から、夫の樋口伸幸が通勤に使っている自転車を引っ張り出した。鍵《かぎ》のはずし方が分からず、手間取り、動揺した。早く行かないと、と思うほどうまくいかなかった。

鍵がはずれると、スタンドを上げ、飛び乗る。ハンドル部分が横一文字になった、オフロード用にも使えるタイプで、樋口晴子が乗るのは、樋口伸幸が購入した直後に、「乗ってみる?」と誘ってきた時以来、二度目だった。

ハンドルをつかむと、思った以上に前傾姿勢になり、ペダルを漕《こ》ぐと前に、ぐん、と飛び出す。夜のせいもあり、速度が上がることが怖くて仕方がなかったが、躊躇《ちゅうちょ》しているわけにもいかない。ジャケットを羽織っていたものの、風は冷たかった。

眠気は飛んでいた。朝の四時だろうが何時だろうが、それどころではない。先ほど、映っていたテレビの画面を思い出す。警察車両と並び、停車していた菊池将門のワゴン車だ。嫌な予感しかなかった。

テレビ局の中継車両が窓からの光景をずっと映していたため、おおよその場所は見当がつく。西へ向かい、交差点の右側、と頭に地図を思い描き、太股《ふともも》を動かす。

朝の四時前であるから、道には車も人もいなかった。路面も空もまわりの建物も藍色《あいいろ》で包まれている。色の濃さの異なる藍色だ。

街路灯の明かりが遠ざかっていく。七美と一緒に行動していないことが不思議な感覚をもたらした。自由は感じなかった。心もとないと言ったほうが近い。息が切れ、足が重い。車の通行がないのをいいことに、片側二車線の広い車道を斜めに横切る。一回、ペダルを止める。漕がなくとも、自転車は滑走する。軽やかな音を立てる。反対側の路肩に辿り着き、前輪が段差に衝突し、少し跳ねた。

青柳雅春

衆人環視の中、歩み出て行く。数え切れないほどの目が、自分を見ているはずだ。
両手を挙げ足を踏み出すと、遠くにあるはずのテレビカメラがぎゅっと目を凝らし、

こちらに向かって首を伸ばしてくるような、そんな気配を感じた。周りを囲む、マスコミや警察関係者たちの姿は見えない。照明が自分に向かって、放射されているだけだ。一歩一歩、足を踏み出す。公園の敷地は広かった。

どこにカメラが、どこに照明が、ましてやどこに銃口があるのかも分からなかった。

自分はただ、照らされたこの広場を進み、立つしかなかった。

先ほど、「投降場所を中央公園に変更する」と電話をした時、人質がいるから公園とそれに接する道路には誰も来るな、と佐々木一太郎には念を押した。テレビ局への電話でも同じことを伝えた。人影が見えたら、人質の命はない。悲惨な光景がテレビに映るぞ、と乱暴で、品のない脅しを言った。それをどこまで真に受けてくれたのかは定かではないが、とにかく、広場に人影はない。おそらくはテレビ局のスタッフ同様、近くの建物の屋上と道路の外側にみっしりと待機しているに違いない。

「佐々木さんが一人で、市民広場に迎えにきてくれれば、大人しく捕まるよ」と条件を出し、あちらはそれを飲んだ。

「私は、君が現われるのを公園で待っていればいいのか」

「駄目だ」と青柳雅春は強く、言った。出て行った途端に、もみ合いになるような展開は避けたかった。テレビ中継で、自分の言葉を話すつもりだったからだ。「俺が、人質を抱え、広場を進む。真ん中あたりで、ハンカチを振る。そうしたら出てきてほしい。

人質を放すから、俺を捕まえればいい」

「どうしてそんな段取りを踏む必要がある」

「長くカメラに映りたいんだ」それは本心だった。中継する時間が必要だった。

「人質は誰だ。どうして連れてくる」

「そのまま出て行ったら、どうせ、俺のことを撃っておしまいにするんだろ」

今、警察側では、青柳雅春が人質を連れていないことに驚き、同時に、拍子抜けを感じているに違いない。何か裏があるのか、と深読みをし、「撃つのは待て」と指示が出ているのかもしれない。が、それも長い時間ではないはずだ。公衆の面前で、テレビ視聴者の前で、撃たれる可能性は低いと信じてはいたが、ゼロではない。

気づいた時には、晒《さら》している身体《からだ》に銃弾がめり込んでいるのではないか。絶えず、痛みを自分自身に確認する。まだ撃たれていない、まだ撃たれていない、と確かめながら進む。気が遠くなりそうになるのを、堪《こら》えた。

この照明の奥、カメラが映している向こう側では、大勢の人間が、首相殺しの犯人の面を一目見ようとテレビを見つめているはずだった。何割が、青柳雅春が犯人だと信じているのか見当がつかない。おそらくは、そんなことすら気にかけていない人間が大半ではないかと思えた。犯人かどうかは二の次で、とにかくこの、リアルタイムの大騒ぎを、サッカー観戦さながらに眺めているのだろう。

どこかでバイクの走る音がかすかに聞こえた。新聞配達のバイクだ。

そうか、と青柳雅春はあらためて、思う。今ここで俺が大変な事態に巻き込まれている時にも、新聞配達人は自分の仕事をこなしている。各家々には新聞が配られ、朝が来て、一日がはじまる。会社や学校に向かい、「あの中継、観《み》てたから、眠くてしょうがねえよ」と愚痴りながら、普段と変わらない日常の生活に戻っていく。ワールドカップの日本戦、翌日と変わらない。

青柳雅春は立ち止まると両手をさらに、ぴんと伸ばし、胸を張った。視線を上にやる。カメラはどこだろう。

これで少なくとも、この時まで俺はここに存在していた、という証明にはならないだろうか、と思った。偽者《にせもの》ではなく、本物の青柳雅春がここにいる。そして、俺は犯人ではない。そのことを、これを観ている誰かには分かってもらいたかった。

バイクの音はまだ、聞こえた。どこを走っているのだろう。お仕事大変ですね、と見知らぬ配達人に声をかけたくなる。親父とおふくろはどこだろう。濡《ぬ》れ衣《ぎぬ》の証明はできなかったが、手を振ることはできた。

樋口晴子

横断歩道の信号は赤だった。構わずに渡るつもりだったが、すぐ向かい側に警察車両が停車しているのが見え、ブレーキをかけた。甲高い音が短く、早朝の街中に反響した。静まり返ったビルの窓が途端に、自分を睨《にら》むようにも感じた。あたりは冷え冷えとした暗さで包まれている。空は暗い色で、うっすらと雲が散らばっている。警察車両の屋根で、音こそなかったが赤色灯が照っていた。

交差点の角に、背の高い銀行のビルがある。営業時間外であるから、シャッターが閉じている。その前に立っている男がいた。

菊池将門だ。両手をシャッターにつけている。制服警官がしゃがみ、彼の靴や脚の部分を触り、ボディチェックをしているのだ。

いても立ってもいられず、ペダルを踏んだ。信号は赤のままだ。勢いをつけ、横断歩道を渡る。歩道に到着したところで、前輪がまた、路肩にぶつかった。ブレーキをかける。歩道脇《わき》に乱暴に止めると、すぐに身体を反転させ、「将門君」と大きな声を出して、駆け寄る。

「樋口さん」菊池将門が両手をシャッターにつけたまま、首を捻《ひね》ってきた。まわりの警察官がいっせいに立ち、こちらを向く。目の前にあっという間に二人が立ち塞《ふさ》がった。

「止まれ」

樋口晴子はその二人の間をすり抜け、構わず前進しようとしたが、気づいた時には路上に倒されていた。どちらかの警察官が手を動かしたのだろう。いとも簡単に倒された。膝《ひざ》を立て、手を突き、立つ。「ちょっと、彼が何をしたって言うわけ」と警察官に問い質《ただ》す。声がかすれた。「わたし、知り合いなんですよ」

いきなり、背後に大きな影を感じ、はっと振り返ると、体格のいい男が立ちはだかっていた。あ、と思った瞬間、自分の肩がつかまれ、痛いと思う間もなく、また歩道に身体を横たえていた。穿《は》いているジーンズが削れるような音がした。スニーカーが脱げかかる。

顔を上げる。ヘッドフォンをした大男の顔があった。角刈りで、目が細い。コーヒーショップで、平野晶と菊池将門と会った時、近藤守と一緒にいた男だった。色黒の肌で、額が広い。鼻梁《びりょう》の高さが作り物めいてもいた。彼が左手に構えているものが、銃であることに気づくまで時間がかかる。何らかの工事機具か玩具《おもちゃ》だと思った。海外の映画で、ギャングが撃ち合う場面で見たことはある。この銃で殴られただけで重傷を負うような威圧感があった。武骨なバットに近い。

「この周辺をパトカーで巡回していたところ、停車するあのワゴンを発見した。ナンバーの問い合わせをした」制服警官が言いながら、樋口晴子が起きるのを手助けするように、右手を伸ばしてきた。

樋口晴子はその手には頼らず、自ら立ち上がる。左肩に痛みがあり、顔を歪《ゆが》める。

「あの車が、セキュリティポッドの整備担当のワゴンであること、運転手が菊池将門という整備担当者であることはすぐに判明した。特に問題はないかと思ったんだが、近づいたところ、助手席にいた男が走って、逃げた。逃げられればこちらも、怪しむのが当然だ。そうだろう?」別の警察官が言う。

誰も彼も似たような、無表情、無感情の幽霊のようだった。助手席から逃げたのが誰なのか、樋口晴子は知っていたが、説明するつもりはなかった。それを言っては元も子もないから、菊池将門も抵抗したのかもしれない。

「樋口さん、すみません。そこで車止めて、あそこのテレビ観てるつもりだったんですけど、急に警察に来られて、びっくりして」シャッターの前に立つ菊池将門はすでに、こちらを向いていた。彼が視線で指したのは、樋口晴子がまさに自転車でやってきた方向の、かなり高い位置だった。ビルの外部に大きめの、正方形のビジョンが設置されていた。照明の当たった公園が映し出されている。中央公園の中継がそのまま、映っているのだ。

樋口晴子は目を細め、見つめる。釣られたかのように、他の警察官たちも同じ方向を見上げた。

画面の中央、スポットライトを浴びた市民広場に、一人の男が現われるのが分かった。同時に、西の方角から、歓声のようなどよめきが、瞬間的な地鳴りさながらに湧《わ》いた。「ついに来た」とスターの登場に興奮するのと同じだ。

樋口晴子は緊張する。久々に見る青柳雅春は、輪郭もはっきりとし、アップになった顔つきは疲弊し、汚れているが、悲壮感はない。捨て鉢でもなく、どこか開き直った表情に思えた。

鼓動が強く、鳴る。

犯人の癖にふてぶてしい顔をしていますね、などとテレビでは放送しているのだろうか。

「みなさんも早く、現場に行ったほうがいいんじゃないですか?」菊池将門がそこで声を発した。

「静かにしろ」警察官は言い、その直後、「おまえ、何してるんだ」と叫んだ。

見れば、菊池将門はあっという間に地面に倒され、左腕を後ろに捻られ、取り押さえられていた。足元に携帯電話が落ちている。「どこに電話するつもりなんだ」と警察官が鋭く言う。

「どこって彼女に、ですよ」と菊池将門は嘘《うそ》をつき、痛いですよ痛いですよ、と大袈裟《おおげさ》に泣き声を出す。そこで大男の姿が動いた。まっすぐに菊池将門に歩み寄っていく。何をしようとしているのか分からないが、物騒な予感はあった。「ちょっと待って」と樋口晴子はその背中を追いかける。

ちょっと、ともう一度、声をかけようとした。

大男が足を止めた。そして、ためらいもなく拳《こぶし》を振った。厳密に言うと、振ったところは見えなかった。まず、目の前が白くなり、自分の姿勢が崩れ、一瞬宙に浮かんだと感じた直後には、歩道に顔をぶつけていた。何が起きたかすぐには分からない。持っていた、巨大なボールペンじみた銃で殴られたのだろうか。痛さよりも、こめかみのあたりが熱い。

混乱に襲われる。自分の身体が、膜で覆《おお》われ、そのせいで周囲の状況が把握できない感覚だった。どうやって自分が立ったかも分からない。顔の右側に痛みがある。手で触れると、肌が少し切れ、ささくれ立っていた。

「樋口さん」と警察官に起き上がらされた菊池将門が言う。目を上へ、くいくいと動かす。それに従い、樋口晴子は後方にある、大型ビジョンに顔を戻した。

青柳雅春が市民広場の真ん中にぽつんと立っている。

彼は無防備で、世界中の射撃の的になったかのように見えた。今にもその身体に、麻酔銃が撃ち込まれるのではないか、と樋口晴子は背中の毛が逆立つ。

青柳雅春が両手を大きく振りはじめた。降参するようにも、自分より高い場所にいる誰かに合図を送るようにも見える。

「ああ、もう間に合わない」菊池将門がいても立ってもいられないような声を発した。腕を揺すり、左右の警察官の手を振り払う。そして、落ちている自分の携帯電話を拾うと、小走りでシャッターの場所から遠ざかり、耳に当てる。

ヘッドフォンの大男が、自分の持っていたショットガンを地面に置き、横にいる警察官の腰に手を伸ばすのが見えた。

いったい何を、と思った時には銃声が鳴る。

樋口晴子の視線の先で、菊池将門がきょとんとしていた。

大男の手には、警察官から引き抜いた拳銃《けんじゅう》があった。

菊池将門が左の太股《ふともも》を抑えて、うずくまるのがゆっくりと見えた。

のしのしと大男がさらに、菊池将門に歩み寄っていく。ショットガンを使わなかったのは、大男なりの慈悲なのか、それとも単に、そこまでする必要を感じなかっただけなのか。

樋口晴子はまた、駆けた。先ほどよりも勢いをつけ、ぶつかるつもりだったが、それを察知したのか大男は素早く振り返り、こちらを向いた。撃たれる！　頭から水を浴びたような恐ろしさを感じるが、止まることもできない。

ほんの数メートルの間だったが、頭に、映像が飛び込んでくる。悪戯《いたずら》で、クリームの塗られたパイを顔面に叩《たた》きつけられたような唐突さだった。

学食だった。学食の光景だ。

森田森吾や青柳雅春がいて、カズの身体をつかみ、ああでもないこうでもない、とフォークダンスの稽古《けいこ》のようなことをやっている。

「何してるの」と樋口晴子が近づいていくと、「練習だよ練習」と森田森吾が答える。

「大外刈りの練習」

てっきりカズを全員で苛《いじ》めているのかと思った、と笑うと、カズが、「まあ、苛めではなく、実験台ですよ」と嘆いた。

「どう、樋口もやってみれば？」と青柳雅春が言う。

あの時の動作を思い出す。

樋口もやってみれば？

自然と身体が動いていた。自分の左足を、相手の右足の横に踏み出す。娘を抱えて歩く母親の力をなめるなよ、とも思った。右足を振り上げる。大男の右膝に自分の脚をひっかけ、相手のお腹《なか》のあたりをつかんで、思い切り、引く。

やってみろよ、樋口。今度は、森田森吾の声が聞こえる。

えい、と足を動かす。が、投げられたのはまたしても、自分だった。いつ、どう投げられたのかは分からなかったが、身体が地面に転がり、どこが痛いかも分からないくらいに身体中に痛みを感じた。肌が擦れ、腕や足を打った。膝に痛みが走る。手には血がついていたが、どこから出たものか分からない。

大男は岩のようだった。厚い胸板が堂々としている。そして、転んだ樋口晴子に向け、拳銃を構え直す。

今度こそまずい、と樋口晴子は目を瞑《つむ》ろうとしたがその時に、大男の身体が少しだけ揺れた。後ろから菊池将門がぶつかってきたのだ。脚を引き摺《ず》りつつも彼は、つかみかかり、大男が身体を振る。「言いなりになる癖がついちゃってるんだよ、あれはランプの精だね」と平野晶にからかわれていたが、菊池将門のその形相は、逞《たくま》しい気迫が漲《みなぎ》り、将門の名に負けているようには思えなかった。

菊池将門の悲鳴が聞こえ、彼も地面に投げ出される。身体を動かした反動で大男のヘッドフォンが外れ、落下していた。大男は無表情に、今度は、菊池将門に銃を向ける。

その時、樋口晴子の足元に、携帯電話が滑ってきた。倒れている菊池将門が歩道を転がすようにして、投げてきたのだ。

樋口晴子はそれを拾う。

大男がその動きを目で追い、訝《いぶか》るように首を振った。

「樋口さん、それ、リダイヤルでかかります」菊池将門が声を張り上げた。

樋口晴子は電話をつかみ、膝を立て、どうにか立ち上がる。後ろを見やる。

画面に映る青柳雅春が手を振っている。まだ、撃たれていない。

咄嗟《とっさ》に、何年も前、まだ学生だった頃に、映画を観にいく約束をすっかり失念し、上映時間に間に合わなかったことを思い出した。あの時、青柳雅春は呆《あき》れ、半分は怒っていたものの、「まあ、いいや」と言い、最後には、「次の時は、間に合ってよ」と苦笑した。

ずいぶん経《た》ったけど、と樋口晴子は思う。

今度は間に合う。

携帯電話のリダイヤルを発信する。大男と警察官が自分を見ているのが分かった。

樋口晴子は立ち上がり、携帯電話を頭上に掲げると、「さあ、みなさん、ご一緒に」と小さな声で言う。大男がすぐ目の前まで、駆け寄ってくる。樋口晴子は携帯電話に耳を当て、その向こう側で回線が繋《つな》がる音が聞こえたところで、「行け、青柳屋」と口にした。

街の複数箇所で、ぱしゅっと軽やかな発射音がする。ぱしゅっ、ぱしゅっ、ぱしゅっと少しずつずれつつも、ほぼ同時だ。甲高い笛のように、長い音がし、そして暗い空に、

光が高々と一五〇メートルほど昇り、迫力のある大きな爆発音を発散させたかと思うと、
空一面に、玉に詰められた火薬の星たちが巨大な花となり、飛び散る。

直径一五〇メートルの同心円状に、光が炸裂《さくれつ》する。

ビルの背景に菊の形に光が広がる。こんな市街地で、花火が上がることはないから、建物自体が光線を発しているような奇妙な光景に見える。夜がさっと青褪《あおざ》めたかのように薄くなり、街中が急に明るくなった。花火の雫《しずく》が長い長い余韻となって、地上に落ちてくる。炭酸がはじけるような、あられが降るような、心地良い響きが尾を引く。

警察官と大男がそれをぼんやりと見上げている。樋口晴子は駆け寄り、上空を見上げたままの大男の股間《こかん》を思い切り、蹴《け》り上げる。

青柳雅春

自分の走る音が響き、その音がさらに反響し、管の中で叫喚するかのようだ。雨水管を再び、駆けていた。懐中電灯で照らすが、それほど遠くは見えず、管というよりは輪をくぐっている気分だった。自分の身体《からだ》を包む暗い輪を、次々と越えていく。どこまで進めるか分からないが、とにかく走る。突然、壁が現われて、衝突する恐怖が絶えずあった。

遠隔操作だったのだろうか？　打ち上げられた花火は一箇所ではなく、市街地のいくつかの地点から発射されたはずだ。それぞれに、点火要員がいるとも思えない。どこかで、遠隔でいっせいに点火されたものに違いない。「そのうち、あれだ、携帯電話で電話番号を、ぴぽぱぽ呼び出したら、どーん、と打ち上げられるようになるぜ」と昔、轟社長が言っていたのを思い出した。「それでも、花火の良さは変わらねえよ」と自らの仕事に対するプライドを覗《のぞ》かせた。

昨晩、「マンホールの蓋《ふた》を模造品に交換できたぞ」と報告の電話をかけてきた保土ヶ谷康志は、「ついでの提案があるんだけどな」と嬉《うれ》しそうに言った。

青柳雅春は、手錠をかけた児島安雄に話が聞こえないように、と稲井氏マンションの洗面所へと移動し、会話を続けた。

「提案？」

「あんたはテレビ局を通じて、無罪を訴える。その計画にケチをつけるつもりはねえし、それがうまくいけばいいな、と思ってる。ただな、もしうまくいかなかったら、逃げることも考えておいたほうがいい。そうじゃねえか？」

「その時はおしまいだ」青柳雅春はそれ以上のことを考えるつもりはなかった。

「いいか、市民広場の真ん中にもマンホールがある」保土ヶ谷康志は構わず、言ってくる。「もし、そこに出て行って、やばそうだったら、そのマンホールから逃げるってのはどうだ。ってか、もう、そっちも偽物《にせもの》に替えておいたけどな。俺たちのアイディアだ」

「俺たち?」他に誰がいるのか、やはり不安になる。

「アイディア豊富な仲間がいるんだよ」

「市民広場の周辺には、警察が銃を構えて囲んでいるんだ。その中で、あの見通しの良い広場で、マンホールに潜れっていうのか」いくら蓋が軽いとはいえ、「あ、マンホールの中に入るんですね、ご苦労様です」などと警察があたたかく見守ってくれるわけがない。「さすがに、その場で潜ろうとしたら、警察も発砲するはずだ」

「注意を惹《ひ》きつけてやるよ」保土ヶ谷康志がふっふっと息を洩《も》らす。「あのな、あんたが逃げたくなったら、手を大きく振れよ。こっちでそれを見て、どーんとやってやるから」

「どーん?」聞き返したところで青柳雅春の頭には、轟社長の顔が浮かんでいた。「花火?」

「兄ちゃんが昔、バイトしてたっていう花火屋があるだろ。あそこに電話したんだよ。ちょっと話したら、手伝ってくれるって言うんでな」

「ちょっと待ってくれ。あそこも警察にはマークされてるはずだ」轟煙火工場の電話も盗聴されている可能性が高い。青柳雅春のために花火の準備ができるか、などと相談したら、すぐに発覚する。

「あの社長の息子が、マスコミに嫌気が差して、閉店ぎりぎりまでパチンコやってるっていうからな、直接、店まで見つけにいったんだ。で、話したら、息子が張り切ってな。俺もびびるくらいに、大乗り気でよ」

「轟社長の息子が？」自分たちがバイトをしていた頃、青森の企業に勤めていた息子の話はよく聞いた。「継いだんだ？」

「あの息子、二つ返事で手伝ってくれることになってな、これから、花火を設置して回る予定だ。あとは明日、兄ちゃんが手を振ったら、点火してやるよ。突然、打ち上がった花火には誰だって、驚くさ。その隙《すき》に、マンホールに逃げろ」

いったいどこから打ち上がるんだ、と訊《たず》ねると、「まあ、そこはお楽しみに」と保土ケ谷康志は笑い、「もしそこから、逃げるなら」と付け足した。「中央公園から、西へ向かえ。西公園の下を通過して、その雨水管は広瀬川に出てる。向こう側の崖《がけ》にひょっこり出るわけだ」

「川に？」

「管の最後にはフラップゲートって板がある。まあ、普段は、水圧で向こう側に開くわけだ。一応、擬岩って言って、カモフラージュされてるんだ。景観を損ねないためにな。そいつを押して、出ろ。川も浅瀬だから、歩いて向こう岸まで行けば、自動車学校のほうに出られる」

「そこからは」

「自分でどうにかしろよ」

青柳雅春は後ろを見る余裕もなく、ひたすらに走った。音が鳴る。気を抜くと、真っ暗な管に包まれ、押し潰《つぶ》される気がした。

警察はおそらくすでに、マンホールから青柳雅春が逃げたことに気づいているだろう。いくら、突然の打ち上げ花火に気を逸《そ》らされたとはいえ、テレビカメラの映像は、マンホールに潜る青柳雅春の姿を映していたはずだ。ただ、下水管を封鎖するとしてもすぐには無理であるだろうし、出口のマンホールを特定するのに必死かもしれない。飛び込んだマンホールの蓋は、ぶら下がっているチェーンを内側の梯子《はしご》に引っ掛けたため、すぐに開きはしないだろう。

警察に見つけられる前に、辿《たど》り着かないといけない。そのことに必死で、頭は空っぽに近かったが、ただ、ぼんやりと、「俺の人生は終わりなのだな」とは思った。靴が鳴らす音が響く。懐中電灯の照らす先はうっすらと明るいが、その先も、そして自分の背後もすべてが真っ暗で、それは今の自分の状況そのままに思えた。過去も未来も暗闇《くらやみ》の中で、足元だけがかろうじて、見える。

「俺の偽者を作れるくらいなら、俺を別人にすることもできるはずだ」

昨晩、保土ヶ谷康志から花火の提案を受けた後、青柳雅春は、美容整形医に電話をかけた。深夜にもかかわらず、医師は落ち着き払い、「あなたの顔を変えるんですか」と聞き返した。

「もしもの場合、もう、どうにもならなかったら、そうしようと思うんだ。自分の顔を捨てて、俺は俺じゃない人間になって、それで逃げる。そっちの診療所で、少しの間だけ入院させてほしい」

「顔を変えて、別の人生をですか」

「できればそうはしたくない。でも、選択肢としてはある」青柳雅春は本心を打ち明ける。できるならば、自分の今の人生を全うし、そして、自らの濡《ぬ》れ衣《ぎぬ》を晴らしたかった。

「でも、そうするんですね」医師は気遣いもなく、ずけずけと言う。

「もしそれしか方法がないのなら、それも一つの戦い方かもしれない」青柳雅春は電話に向かって言った後で、自ら、「そうだ、これも一つの選択だ」と実感する。巨大なものを敵とする場合、なりふり構わず、自分の正体すら捨てても、逃げるべきだ。洪水に巻き込まれたら、荷物や服を捨ててでも生き残ればいい。失うものは大きいが、人生を完全に失うわけではない。

「どうやって、ここに来ますか。私の家は分かりますか?」医師が言い、青柳雅春は、住所を言ってほしい、と頼む。「たぶん、そこへ行くのは万が一の時だけだろうけど」

「意外に分かりづらいんですよ。だから、迎えに行かせましょうか」

「誰に?」

「わたしの知り合いなのですが、あなたのことが心配で、何か情報を知らないかと連絡を取ってきた人間がいます。あなたを、ここまで案内させますよ」

青柳雅春は、その案内人が誰であるかを聞き、「なるほど」と納得し、そして、「明日の早朝四時、もし花火が鳴るようなことがあったら」と話をした。仙台の西郊、自動車学校の敷地から広瀬川河川敷に出たところで待っていてほしい、と頼んだ。

「そうならないことを祈っていますよ」と医師は言った。

「たぶん、そうはならないはずなんだ」青柳雅春も、テレビ局へ自分の発言を流し、その上で警察に捕まり、無実を証明していくシナリオで行くつもりだった。

まさか、本当に。

まさか、本当に、自分を捨てなくてはならなくなるとは、と思う。でも、生きてやる。

「逃げろよ。無様な姿を晒《さら》してもいいから、とにかく逃げて、生きろ。人間、生きててなんぼだ」

森田森吾の言葉が、暗い雨水管の中で響くようだ。

「森田」と青柳雅春は息を切らしつつ、言う。「それは森の声か」

いや、俺の声だよ。そんな返事が聞こえる。

前方に少しばかり変化があった。行き止まりが見えた。保土ヶ谷康志の言葉を思い出し、近づくと、腰を屈《かが》め、右の肩で押してみる。ゆっくりとその板が向こう側へ開くのが分かる。同時に、音が聞こえる。川の流れる音だ。野生動物が横たわり、鼾《いびき》でもかくようだ。

勢いをつけ、足を踏ん張り、板を押していく。足が滑った。前のめりに転び、気づいた時には上半身を川の中に突っ込んでいた。水に潜り、慌《あわ》てて、顔を上げる。立ち上がると、水面は腰よりも低い位置だった。手で、顔の水を拭《ぬぐ》うと植物の臭《にお》いがする。警察車両の赤色灯もテレビカメラの照明もなかった。身体を左右に振り、手でもがくようにしながら向こう岸を目指す。

どうにか川から出たところで、横から寄って来た人影があった。野球帽を目深《まぶか》に被《かぶ》った小柄な女性で、青柳雅春は息を深々と吸う。

「本当に来たね」と彼女は言う。

「久しぶりです」青柳雅春は頭を下げる。

「びしょびしょじゃない」

「いろいろ、あったんで」

「さっそく行こう。わたし、車止めてるから」彼女は言って、青柳雅春の右手を、引っ張った。

「今も仙台に？」彼女がアイドルの仕事をやめ、仙台の実家に戻っていたことは、一度もらった手紙で知っていた。

「まあね。ニュース観《み》て、びっくりしたよ」と言いながら彼女は細い道を進んでいく。

「これで恩返しになるかな」

「やってない大事件の犯人にされた上に、顔を変えて、こそこそと生きなくちゃいけないなんて」青柳雅春は思わず、嘆いた。

「映画の主人公がそんなことになったら、ハッピーエンドとは言えないだろうね」彼女があっけらかんと笑う。

「一つ聞いていいかな」青柳雅春は、彼女のあとを必死についていきながら、訊ねた。

「どうぞ」

「君はやっぱり、整形しているんじゃないの？」

彼女は答えず、はしゃいだ笑い声を上げ、「あの先生のところ、ゲームあるから、手術が終わったら、一緒にやろう」と答えただけだった。

青柳雅春は脚を、最後の力を振り絞り、前に出す。靴に入った水が溢《あふ》れ、地面を濡らした。

第五部　事件から三ヶ月後

◇

「だから、俺たちは脅されただけだって言ってんだろ。あんたもしつこいねえ」轟社長は、テーブルの前に座る刑事、近藤守に言い返す。近藤守の隣には、年配の別の刑事が鼻をほじくりながら、パイプ椅子《いす》に腰を下ろしていた。

窓の外には二日前に降った雪がまだ、残っている。年が明けてから晴天続きで、今年は雪が足りないな、などと工場のスタッフと喋《しゃべ》っていた矢先の降雪だった。仙台では、時期や回数はどうあれ、毎年、帳尻《ちょうじり》を合わせるように、同じ量の雪が降るんだ、と誰かが言っていたのを思い出す。

青柳雅春が早朝の逃走を図った際、突然打ち上げられた花火が、轟煙火工場のものであることは明白で、この三ヶ月、刑事たちは何度も工場を訪れてきた。そのたび、轟社長は同じ返事をする。つまり、あの日の前日、青柳雅春がパチンコ屋に現われ、轟社長の息子、轟一郎に銃を突きつけた。そして、「殺されたくなければ、打ち上げ花火を準備しろ」と脅してきたのだ、という説明だ。

「ですが、そのパチンコ屋の防犯ビデオを何度見てもね、青柳雅春の姿は映っていないんですよ。というよりも、一郎さん自身も映っていないんです」

「そりゃそうだよ。俺、カメラに映らない陰で打ってたんだもん」入り口脇《わき》の机の前で脚を組み、ふんぞり返った轟一郎が耳を掻《か》きながら、言う。「カメラに映ってなくても、俺が脅されたのは本当だって。殺されるかと思ったんだから。カメラに映ってなければ、警察は守ってくれないの？」

自分の息子ながら本当に、強気な奴《やつ》だ、と轟社長は呆《あき》れる。「仕方がねえから、俺のところにあった、打ち上げ花火、打ち上げ筒、導火線に遠隔用の仕掛けも全部用意して、で、一郎は連れて行かれた。手伝いたくもないのに手伝ったわけだ」と嘘《うそ》を言う。

「確かに、この工場のまわりを囲んでいたマスコミも、あの夜遅くに、ここからワゴン車が出て行くのを目撃しています」近藤守は何度も聞いた小噺《こばなし》を聞くかのように、うんざり気味だった。実際、彼はその報告を何度も聞いているはずだった。

「だろ？　あいつら、頭ん中が青柳雅春のことばっかりだから、ワゴンの中に青柳雅春がいないと分かったら、途端に興味がなくなって、はいどうぞ、って通してくれたんだよ」轟一郎が笑う。あれこそ問題じゃねえか、と。

「その時にどうして、自分が脅されていることや、積み荷の打ち上げ花火が青柳雅春の要望のものだと、マスコミに打ち明けなかったの？」年配の刑事が面倒くさそうに言う。

「聞かれなかったんだもん」轟一郎は、ふん、と鼻を鳴らした。

「とにかく、あくまでも脅されて、花火のセッティングまでやったと言い張るわけですね」近藤守は言葉ほどに苛立《いらだ》っている様子はなかった。言わざるを得ない台詞《せりふ》を淡々と述べているだけだ。

「あのワゴンを運転してた、セキュリティポッドの整備の兄ちゃんも同じだよ。俺と一緒に脅されて、夜中に花火を仕掛けて回ったんだよ」

「菊池さんもそう証言しています。一緒にいた、樋口晴子さんもです。あなたたちは、ポッドのちょうど死角になる場所に、花火を設置した。なぜなら」

「脅されたんだもん」轟一郎が耳掻きで、近藤守を指す。「命が惜しかったんだよ、俺たちは」

近藤守が大きく溜息《ためいき》をつく。「樋口さんにいたっては、子供の命がないと青柳雅春に脅されたと言っています。だから、どんなことがあっても協力しなくてはならず、警官に抵抗した、と」

「そりゃそうだよ。脅されなきゃやらないよ。善良な市民だぜ、俺」

「で、あなたたちは、近くの交差点でワゴンを止め、青柳雅春からの連絡を待っていたわけです。ただ、それを巡回中のパトカーが見つけ、職務質問をしたところ、助手席のあなたは逃げましたよね。脅されていたなら、そのまま警察に保護を求めるべきだったんじゃないですか？」

「本当の警察かどうかなんて分からないだろ。とにかく、逃げたかったんだよ。怖かったんだもん」飄々《ひょうひょう》と轟一郎は言う。筋が通っているとは思えない言い訳だったが、彼は事件の後からずっとそう言いつづけていたから、それに関しては、おそらく本当に怖くなって逃げただけなのだろう、と轟社長は思っていた。

さらに続く近藤守と轟一郎のやり取りを聞きながら、轟社長は、こんなことを調べたところで何も変わらないだろうに、と溜息をつく。青柳雅春が逃げたのは打ち上げ花火がきっかけではあったが、その花火を誰がどう用意したかなど大きな問題とは思えなかった。警察はただ、責任の所在をどこか外部に求めたがっているだけだ、とは容易に想像がつく。耳掻きをいじくる轟一郎と鼻の穴を指の爪《つめ》で掻く年配刑事、表情も変えず冷たい顔つきで質問を繰り返す近藤守、三人を順番に眺める。

「轟社長、本当のことを喋っていただかないと」近藤守がしばらくして言う。「このま、工場の仕事を続けていただくわけにはいかなくなるかもしれませんよ」

「分かりやすい脅しだな」轟社長は噴き出しそうになる。「いいよ、うちがいなけりゃ仙台の花火もずいぶん寂しくなるぜ。いいのかよ。まあ、あんたがぜひ、工場を閉鎖しろって言うんだったら聞かないでもないけどな」

年配の刑事が苛立ったのか、大きく欠伸《あくび》をした。

「あんたたちの仕事が大変なのは分かるんだけどな」轟社長はさらに言った。近藤守に対し、身を乗り出す。「ぶっちゃけたところを聞かせてくれよ」

「何でしょう」

「あんた、あの事件の犯人が、青柳雅春だと思ってるのか?」

近藤守は黙ったまま、静かに瞼《まぶた》を閉じた。「それは、もちろん」と答える。そして、言葉を探している。

「もちろん? もちろん、どっちなんだ?」

◇

鎌田昌太《かまたしょうた》は車をアパートの駐車場に入れると、助手席で眠っていた息子の顔を触り、「おい」と起こす。来年からは小学生だと思うと、ずいぶん大きくなったなあと感じるが、寝顔はやはり幼い。疲れているのかなかなか目を覚まさない。抱きかかえてアパートに連れて行くのは面倒だな、と思った。

一年半ぶりに、アパートに帰ってきた。果たして、部屋の中はどんなことになっているのか、と気になる。いくら、大金を積まれたからとはいえ、見知らぬ男に部屋を又貸しすべきではなかったか、と今頃になり不安になった。

「あんたは後先考えずに、勢いで行動するから、ついていけないのよ」と別れた妻が言っていたのを思い出す。結婚前は、それをそっくりそのまま俺の長所だと言ってくれていた女が、手のひら返しだ、と鎌田昌太は苦笑するほかなかった。

息子が起きるまで少し待つか、とシートベルトを外し、後部座席に放り投げてあった、スポーツ新聞を読むことにした。アパートは冷え切っているだろうから、車の中のほうが良かった。

仙台で三ヶ月前に起きた、首相暗殺事件の記事が目に入る。

記事の一つは、犯人の青柳雅春が花火とともに姿を消した数日後、仙台港で発見された死体のことを書いている。警察はその死体が、水死した青柳雅春のものであると発表したのだが、その信憑性《しんぴょうせい》がない、と主張する記事だった。どこかの作家が、遺伝子レベルでの照合は行われていないことを根拠に、あの死体は警察が、事件の決着をつけたいがためにでっち上げた偽者《にせもの》ではないか、と疑問を投げかけているのだ。警察は取り合っていない様子で、新聞もどこか、面白半分で掲載しているだけという節がある。

「でっかい事件ともなると、何が何だか分からねえな、これは」と鎌田昌太は呟《つぶや》き、掲載されている青柳雅春の写真を見る。色男だからこんな目に遭うんだ、とやっかみまじりに思った。

そこで、運転席の窓がノックされた。見れば、腰をかがめた男がこちらを覗《のぞ》き込んでいる。頰が少したるみ、一重瞼の眠そうな顔の男だった。年齢不詳で、不審者だ、と思った。鎌田昌太はたっぷりと警戒心を漲《みなぎ》らせながら、窓を下げた。冷たい風が吹き込んでくる。

「何だよ。何か用か？」

「あ、突然すみません」男が言う。歯並びが良くない。「この赤のオープンカーが気になって」

「車違いだろ。俺たちは今日、久々にこっちに戻ってきたんだよ」

「もしかして、日本中を旅行してたんですか？」と相手が言う。

「何で知ってるんだよ」

「アパートの部屋を貸すかわりに、お金をもらって？」男が見透かすように、次々と喋ってくるのが不気味だった。

「おまえ、何で知ってんだよ」鎌田昌太はドアロックを解除し、ドアを開けると外に出た。

向き合った男は、顔から想像していたよりは痩身《そうしん》で、若い体つきではあったが、いかんせん顔つきが暗かった。不細工とまではいかないが、垢抜《あかぬ》けていない。

「おまえ、何が言いたいんだよ」

「いや、てっきり、この世にいないものだと思っていたんで、嬉《うれ》しかったんです。このアパートに住んでるんですよね？」男はすぐ隣のアパートを指差した。「前に一度、おする息子を眺めた後で、再び前を向くが、不気味な男はすでに姿を消していた。

「良かった。無事だったんですね」と男が言うのが横で聞こえる。寝惚《ねぼ》けつつも伸びをった車内に目をやる。

「怖いこと言うんじゃねえよ」鎌田昌太は声を張り上げる。息子の様子が気になり、いったん車内に目をやる。

邪魔したんです」

◇

岩崎英二郎はアパートの玄関の鍵《かぎ》を開け、中に入った時からどことなく、空気が重いことに気づいていた。娘の靴はないから、どこかに遊びに出かけたのだろう。雪がまだ残っている近所の公園で、友達と遊んでいるのかもしれない。

時計を見ると夕方の四時過ぎだった。宅配の仕事が非番であったから、街中をふらつき、帰ってきたところだ。

「いやあ、寒いよなあ」と大袈裟《おおげさ》に声を出し、部屋の中に入っていく。

妻が台所で包丁を使っている音が聞こえた。が、返事はない。

長年の経験から、これは明らかにご立腹だな、と分かった。岩崎英二郎は眉《まゆ》をひそめる。視線の端で、妻の姿を確認する。台所作業に集中しているだけにも見えるが、俺には分かる、あれは怒っている。

原因は何だ？

岩崎英二郎は必死に考える。非番の日に、一人で街を遊び歩くのは、今にはじまったことではない。今日、何をした？ 自分を問い質《ただ》す。トイレの使い方が悪かったのか、服を脱ぎ放しにしていたので機嫌を損ねたのか、憶測を巡らせるが、いずれもぴんと来ない。わざとらしく意味のない言葉を発しながら、畳に座り、テレビをつけた。

妻がしばらくして、台所からやってきた。炬燵《こたつ》の上の雑誌類を片付けはじめる。なかなか目を合わせない彼女に、ああ、これは完全に怒ってるぞ、と岩崎英二郎は胃の痛みを覚える。

「あのさ」と彼女が声を発した。棘《とげ》があるのを隠そうともしていない。「さっきね、変な男の人が来たんだけど」

「変な？」

「玄関のチェーンはかけたままで、応対したんだけどね、その人が急に言ったの」

「何を」

「岩崎英二郎さん、前にキャバクラ嬢と浮気したらしいですよ、って」妻がその時に、怒りと疑惑のすべてを凝縮させたかのような視線を向けてきた。

「は？」岩崎英二郎は何のことか分からず、頭が混乱した。

「怪しいから、すぐにドアを閉めたんだけど、最後にその人、岩崎さんにお礼を言っておいてくださいって、やけに礼儀正しく言って、立ち去っちゃったんだよね」

あ、と岩崎英二郎は声を上げる。肌が粟立《あわだ》った。「青柳」とその名前を口走る。

「違うって。青柳さんなら、わたし、顔知ってるじゃない。青柳さんとは違って、さっき来たのは、垂れ目で暗い男でさ」そこではたと気づいたように、「というよりも、青柳さん死んじゃったんじゃん。あの事件の後」と言った。

岩崎英二郎にはすでに、妻の言葉は耳に入っておらず、息を大きく吸うと両手を後ろにつき、天井を見上げ、「そうかあ」と言った。

「何が、そうかあ、なわけ」

そうかあ、と岩崎英二郎は小声で何度も繰り返す。そうか、逃げたんだ。

「ちょっと聞いてる？　キャバクラ嬢って何のことなわけ？」

岩崎英二郎は腰を上げる。これはビールでも飲まないといけないな、と思った。

「何、とぼけてんの！　あなた、浮気したんでしょ」と妻が肩を思い切り、叩《たた》いてきた。

あまりの肩の痛さに呻《うめ》きつつ、「青柳、おまえはロックだよ」と岩崎英二郎は小声で言わずにはいられない。

◇

青柳平一《へいいち》は炬燵に入ったまま、蜜柑《みかん》を食べていた。皮を剝《む》き、テレビ番組を眺めていた。正面の窓ガラスの向こう側、庭には雪がまだ残っていた。

「犬でも飼うかな」と一時間ほど前、妻の昭代《あきよ》に言ったところ、「え」と彼女は戸惑っていた。

「何だか、庭がもったいねえような気がしてきてな」

「まあ、そうですね」

息子の青柳雅春がテレビを賑《にぎ》わせてから三ヶ月が経《た》った。死体が仙台港で発見されたと発表された時にも、「あれは雅春じゃない」と断言していた自分が最近になり、犬を飼うと言い出したのは、息子の死を認めたからだと思っているのだろうか、目の前の妻の表情はずいぶんと寂しげだった。

マスコミからの電話もほとんどなくなったが、いまだに、ぽつりぽつりと連絡してくる記者はいる。一方、警察は今も、家のまわりを監視していた。警察が、この家を調べ続けている間は、雅春の死は確定していないのではないか、と感じ、だから捜査員の姿を見かけると、煩《わずら》わしいと思う以上にほっとした。

半月ほど前、向かいのアパートに張り込んでいると思《おぼ》しき捜査員の姿が見えたので、買ったばかりの缶コーヒーを差し出し、「大変だな、あんたも」と声をかけた。すると無精ひげを生やした男は、無表情ではあったが、はっきりとした声で、「いえ、お父さんのほうが大変ですよ」と言い、「私も仕事なので、申し訳ないです」と頭を下げた。

「俺は、あんたの父親じゃねえよ」と言いつつ、青柳平一はその場を後にした。

齧《かじ》った蜜柑から汁が飛び、炬燵の上を濡《ぬ》らした。手の側面で拭《ふ》く。「おい、蜜柑、もっとないか？」と台所に向かって、声を上げる。すぐに返事がなく、不安が過《よ》ぎる。精神的な疲れが溜《た》まったのか、青柳昭代は一ヶ月前に原因不明の腹痛で倒れていた。その時も、呼んだにもかかわらず返事がなく、おかしいと思ったらうずくまっていたのだった。

「おい」ともう一度声を出す。大丈夫か？　と布団《ふとん》から身体《からだ》を引き抜き、立ち上がったが、そこでちょうど玄関に通じるドアから、妻が姿を現わした。「ああ、いたのか」

「郵便取ってきただけですよ」

「びっくりさせんなよ」と青柳平一は苦笑し、台所に足を運ぶと蜜柑を両手につかんで、また炬燵へと戻る。

正座する恰好《かっこう》で、青柳昭代が郵便物を眺め、「これ、差出人が書いてないですけど」と白い封筒をひらひらと揺すった。

「また嫌がらせの手紙だろ。腹立つよな。そんなに俺たちに首吊《つ》ってもらいてえのかよ」青柳平一は言った後で、おかげでこっちもずいぶん図太くなったよな、と笑うが、妻は、「あなたは前からです」と即座に答えた。

「おまえも意外に、神経が太えよな」青柳平一は素直な感想を口にした。彼女は物静かで、トラブルや物騒な出来事には真っ先に音を上げるタイプだと思っていたが、息子の事件に関しては、動揺を浮かべながらもどこか肝が据わっている様子だった。

「腹を括《くく》ったんですよ」青柳昭代は言いつつ、その封筒を開けはじめた。「こういう封書が来ても、剃刀《かみそり》が入ってないかしら、とチェックするくらいには賢くなりましたし」と言い、鋏《はさみ》で切っている。

蜜柑の尻《しり》の部分に親指をめり込ませて、皮を剝く。やっぱり冬は蜜柑だよな、と青柳平一は言おうとしたがそこで、妻が突然立てた笑い声に驚いた。「どうしたんだよ、おまえ」

「なかなか洒落《しゃれ》が利《き》いてるお便りが」と彼女は広げていた紙を差し出してきた。満面の笑みを浮かべつつも、今すぐにでも泣き崩れそうな顔の妻にたじろぎつつ、青柳平一はそれを受け取った。

どうも感触が妙だと思えば、薄い和紙で、広げてみると筆で、書初めさながらに字が書かれている。大きく、「痴漢は死ね」とあった。

それをじっと見つめたまま、青柳平一はぽかんと口を開けていた。ああ、と呻いたものの、言葉が続かない。

ちょうどそこで、玄関の呼び鈴が鳴った。泣きじゃくる妻のかわりに青柳平一が外に出ると、見慣れた刑事が立っていた。「先ほど、届いた郵便物を見せてもらってもいいですか」と言う。彼らはほぼ毎日、家を訪れては、そう頼んでくる。事件の調査のためには必要なのだろう。

青柳平一はいつも通り、郵便物を手渡す。刑事もやはりいつも通り、申し訳なさそうな顔でその一つ一つに目を通した。毛筆で書かれた、「痴漢は死ね」の文字を眺めた時には、同情をたっぷりと浮かべ、「まだ、こういう非難の手紙が来るものですね」と言った。

「本当に困るよな」青柳平一は精一杯、平静を装《よそお》い、頭を掻《か》いた。刑事に悟られぬように気を配りながら、目尻を拭く。

◇

仙台にやってくるのは二ヶ月半ぶりだった。顔の手術を行った後、医師の自宅兼診療所で二週間ほど休み、その後はすぐに夜行バスで新潟に出て、日払いの仕事を探しながら、安いホテルやネットカフェを転々とし、過ごした。仕事はなかなかなく、あっても肉体的に厳しい、割に合わないものばかりだったが、贅沢《ぜいたく》は言えなかった。むしろ、こそこそと隠れることなく身体を動かせることが幸せにも思えた。

戻ってきたのは、森田森吾の墓参りをしたかったからだった。あの、爆発が起きた後、森田森吾がどうなったのか、新潟に行ってから知った。それまではできる限り、インターネットの情報にも週刊誌の記事にも触れないようにしていたのだが、たまたま、「青柳雅春の親友の裏側！」なる見出しが、コンビニの雑誌置き場にあり、立ち読みをした。森田森吾は、あの車が爆発したことで、死亡していた。彼の抱えていた借金や家族のことが面白おかしく、記事には書いてあった。

俺は生き残ったが、森田森吾は死んだ。おそらく、被害を被《こうむ》った人間は大勢いるに違いなかった。助けたい、と思っていた、偽者《にせもの》の死体も仙台港で発見された。誰も救えず、自分だけが生き残った。あのケネディの暗殺事件も関係者が口封じのため、幾人も死ぬ羽目になった。オズワルドは死に、ほかの人間も死んだ。それと同じなのだろう。俺が生き延びればそれで幸せ、という状況ではない。自分の無力さに罪悪感すら覚えた。

記事に載っていた、森田森吾の墓を訪れることを決めるのに、時間はかからなかった。仙台市内から歩いて一時間ほどの小高い山に位置する霊園は、とても見晴らしが良かった。中腹のあたりに、森田森吾はいた。冷たい直方体の黒い石に、「森田家之墓《の》」とあった。「森の声が聞こえるか？」と訊《たず》ねたくなったが、ちょうどその時、気のせいではあるだろうが、風がひゅうひゅうと吹き、青柳雅春の髪を撫《な》でた。周囲に人がいないことを確かめた後で、「森田」と名前を大声で叫んだ。青春だねえ、と友人が茶化してこないことがとてもつらかった。

仙台駅に戻ると、隣接する十階建ての商業ビルに入った。一ヶ月前にできたばかりらしいが、さほど混んでもおらず、最上階で一人きりで昼食を取った。雪があちらこちらに残る市街地を見下ろしながら、あの爆発事件の起きた地点を探した。あれはいったいなんだったのか。逃げ回り、不安に潰《つぶ》されそうになりながら、結局は自分の顔を変えることにまでなった。

首相が死に、自分は顔を変え、別の人間となり、偽者と思しき男も死んで発見されたが、世の中は何も変わっていない。

店を出ると、ちょうどやってきたエレベーターに乗った。誰もいなかったが、壁の一部が鏡になっており、映った自分の姿に一瞬、どきっとする。新しい自分の顔にはまだ、違和感がある。

「なるべく地味に」と医師には頼んだ。「地味で、目立たず生きていくのに相応《ふさわ》しい顔にしてください」

医師は何の感慨も見せず、「分かりました」とだけ言い、それから、「指紋はとりあえず、そのままにしますから、外出する時はこれを塗ったほうがいいですよ」とマニキュアにも似たものを売りつけた。商売上手なのか、親切なのか判然としなかった。

五階で一度、エレベーターは止まった。扉が開き、人が入ってくる。乗ってきたのは、小さな女の子とその両親の、三人だった。扉の開放ボタンを押していた青柳雅春は、その母親と思われる女性の顔を見て、危うく、声を上げそうになった。堪《こら》え、目を逸《そ》らす。目の前の、階数ボタンをまっすぐに見た。

エレベーターの奥に立つ、その家族は外の景色を眺めていた。「ねえ、お母さん、これからどこ行く？」と少女が訊ねた。ちらっと窺《うかが》うと彼女は、玩具《おもちゃ》の印鑑のようなものを持ち、振っていた。

「ほら、それ、こういう場所で使っちゃ駄目だって」と樋口晴子が、少女の手からその玩具を取り上げようとする。

「やだよー、お父さん、取られちゃう」と少女が喚《わめ》き、男性が笑った。

彼らは当然ながら、扉の脇《わき》に立つ自分が、青柳雅春だとは気づいていない。いくら樋口晴子といえども、この顔を見たところで、そうだとは分からないだろう。

あの時、と青柳雅春はこっそりと思う。あの時、さまざまな人間の手を借りて、自分は警察から逃げることができたが、その中に樋口晴子がいたのは間違いなかった。「助かったよ。ありがとう」とその言葉を内心にだけ囁《ささや》いたが、ちょうどその時に、エレベーターが一階に到着した。身体を脇に避《よ》け、扉のボタンを押したままにする。顔を隠すようにしつつも、先にどうぞ、と仕草で促した。

少女とその父親、樋口晴子が並んで、エレベーターを降りていく。青柳雅春はその時に、自分がボタンを右手の親指で押していることに気づき、はっとした。慌《あわ》てて、人差し指で押し直す。樋口晴子がこちらを見たかどうか、横目では分からなかった。青柳雅春とは別の人間として生きていくのだとすれば、自分の癖も捨てなくてはならないのは確かだ。

三人がそのまま、右方向へ進んでいくのを確認し、青柳雅春もエレベーターを降りた。樋口晴子の姿はすでになく、自分は通路を左へと歩きはじめる。

「おじさん」と後ろから声をかけられたのは、少し歩いた後だった。振り返れば、先ほどの少女が立っていた。慌てて、まわりを見るが、樋口晴子や男性の姿はない。

「え?」と視線を下にやる。

「お母さんが、これ、押してあげなさいって」と彼女は言うと、ぼうっと突っ立っている青柳雅春の左手、甲の部分に持っていた印鑑を押した。スタンプのようだった。なすがままになった青柳雅春は状況が分からず、まともな台詞《せりふ》が吐けず、そうこうしているうちに少女が、「じゃあね！」と言って、逆方向へと駆けていく。

左手を見下ろすと判子が押されていた。可愛《かわい》らしい花のマークで、真ん中に、「たいへんよくできました」と文字がある。

周囲を様々な人たちが次々と通り過ぎていく。川の流れに取り残されるかのように、青柳雅春はその場に立ち尽くし、少女が消えていった方角をもう一度見た後で、その左手を口に近づけ、早く乾くようにと、ふうふう息をかけた。

謝辞

この本を書くにあたり、以下の本を参考・引用などに使わせていただいています。

『携帯電話はなぜつながるのか 知っておきたいモバイル音声&データ通信の基礎知識』中嶋《なかじま》信生《のぶお》、有田武美《たけみ》著 日経BP社
『街場の中国論』内田樹《たつる》著 ミシマ社
『米中代理戦争の時代 すでに戦いは始まっている!』藤井厳喜《げんき》著 PHP研究所
『ケネディを殺した副大統領 その血と金と権力』バー・マクレラン著 赤根洋子訳 文藝春秋
『30秒の説得戦略 アメリカ大統領選のテレビコマーシャル 1952→NOW』岡部朗一著 南雲堂
『首相公選を考える その可能性と問題点』大石眞《まこと》、久保《くぼ》文明《ふみあき》、佐々木毅《たけし》、山口二郎編著 中公新書
『JFK暗殺─40年目の衝撃の証言』ウィリアム・レモン、ビリー・ソル・エステス著、廣田《ひろた》明子訳 原書房

『中傷と陰謀 アメリカ大統領選狂騒史』有馬哲夫《ありまてつお》著 新潮新書
『NHKスペシャル 十月の悪夢―1962年キューバ危機・戦慄《せんりつ》の記録』阿南東也《あなみはるや》、NHK取材班著 日本放送出版協会
『決定版 二〇三九年の真実』落合信彦《のぶひこ》著 集英社文庫
『RCヘリコプターバイブル 完璧《かんぺき》フライヤーへの道』RCFan編集部編 洋泉社

この本における暗殺事件は、言うまでもなく、ジョン・F・ケネディの暗殺事件を重ね合わせています。第三部で描かれる事件の内容、背景については、参考文献を下敷きに作り上げたもので、首相公選制が存在する、現実の日本とは異なる日本を描いています。

事前に原稿を読んだ上で、評論家の吉野仁《よしのじん》さんには、テレビドキュメンタリー「国家があなたを監視する」の存在を教えていただきました。ありがとうございます。

今回も、多くの方のおかげで本ができあがりましたが、具体的な取材に応《こた》えていただいた方のみ書かせていただきます。

花火に関して、芳賀《はが》火工さんに取材させていただきました。興味深い話を聞くことができ、感謝しております。

また、下水道について、仙台市役所の加藤公優さん、東海香さんにお話を伺わせていただきました。稲村哲明さん、鎌田清孝さん、小松孝輝さんには下水道見学でお世話になりました。お忙しい中、どうもありがとうございました。

自動車に関して、東北マツダ南吉成《みなみよしなり》店の鈴木忍さんをはじめ、スタッフの方、Honda Cars 東京中央　井荻《いおぎ》店の茅野尚義さんにお聞きしました。丁寧なご説明に感謝しております。

当然ながら、この物語はあくまでも作り話ですので、参考にした本や取材した内容に、僕がたくさんの嘘《うそ》を混ぜ合わせて、取り込んでいます。物語の都合上、現実とはかけ離れた部分も多いので、読んだ方が真に受けないで下さればいいな、と思っています。

【文庫版追記】

作中で、楽曲「Golden Slumbers」を引用しておりますが、詞について、単行本時には、「CDの日本版ライナーノーツに従う」と決めておりました。そのためサビの部分の表記は、「Golden slumber áll ～」としていたのですが（ライナーノーツはそうなっているのです）、発売後、多くの方から、「Golden slumbers áll ～」ではないのか（「s」が欠けているのではないか）と指摘を受けました。そのたびに、「日本版ライナーノーツに則っているのです」と説明をしてきたのですが、今回の文庫化では、読者のみなさんの混乱を少しでも減らすため、「s」をつけた形で統一しています。ご指摘していただいた方に感謝を申し上げると共に、方針変更により、単行本時とは異なっていることをご了解いただければと思います。

「偉さ」からの逃走

木村俊介

伊坂幸太郎さんにこれまで二回の取材で聞かせてもらった言葉の中で、私にとって印象的なものが二つある。

「物語の風呂敷《ふろしき》は、畳む過程がいちばんつまらない」

「いちいち描写をしなければ、言葉がなくなってしまう」

それぞれ、『ゴールデンスランバー』にも関わることなので、私はここでは職業的なインタビュアーとして伊坂さんの肉声を紹介しながら、本書を読む上での参考資料のようなものを提供しておきたい。ここからいくつか登場するカギカッコ内の伊坂さんの発言は、二〇〇八年の九月と二〇一〇年の八月に私が行ったインタビューから引いている。

一言目の「物語の風呂敷は、畳む過程がいちばんつまらない」は、物語内で伏線を設定してそれを回収する、という技術を高めてきた伊坂さんだからこそ痛感したことのようだった。

「僕の初期の作品は伏線を綺麗《きれい》に回収して、話をこんなふうにも畳めるんだな、と新鮮に驚いてもらうタイプのものでもあったんです。そういう部分が好きで読んでくれている読者も多いようでした。でも、僕自身はいろいろな小説を読んだり映画を観《み》たりしても、むしろ、この畳まなさ具合に味があるんだよな、みたいに感じるほうなんです。

話を綺麗に畳んでおけば、確かに読者からの突っ込みは来ないから書いていて安心もできる。でも、書けば書くほど、話を畳む過程につまらなさを感じて葛藤《かっとう》があった。そこで、物語の風呂敷は広げるけれど、いかに畳まないまま楽しんでもらえるのか、それから、いかにそれでも読者に納得してもらえるのか、にはじめて挑戦したのが『ゴールデンスランバー』という作品でした。それ以降の僕の小説の多くは、話を畳んでないんじゃないのと言われたらその通りですとしか言いようがない。それでも、畳んでいるようには見せかける。そこには、それなりの技術は注いでいます。

よくある展開を裏切りたいというのは、デビューの頃からずっと考えてはいました。初期からしばらくの間、僕の小説のファーストリーダーは妻でしたが、二人でよく相談したのもそこですから。よくある設定や筋書きはすべて外そうと言い合って、できた小説に手を入れていった。そこで奇をてらわないで驚きのある展開を、となると、どうしても話を途中で脱臼《だっきゅう》させるみたいなものにはなりましたけれど。

そうやってずっと工夫を続けていたのですが、『ゴールデンスランバー』を書く前あたりに、このまま同じ方向で書いていては縮小再生産になってしまいかねないな、と何となく思ったんです。その時期に妻と話していたら、たぶん、今のあなたの読者の数は、あなたが本来向き合い切れる数よりも多いんじゃないのかな、と言ってくれた。

それなら、これからは多少は読者の数が減っても仕方がないかもしれない。だから、これまで喜んでくれていた読者の反応ばかりを過度に意識しないでそのつど好きなものを書けばいいんじゃないか。そんな話にもなって、趣向を変えてみたんです。それまでは敬遠していたハリウッド映画的な、物語の定型に沿ったものを敢《あ》えてやってみようかな、と。そうして書いてみた『ゴールデンスランバー』は、できあがった時には僕らしくない作品なのかなとも思ったんですけど、発表すると意外にも伊坂幸太郎の集大成だと言われることも多くて、しかも、むしろ読者の数はこれまでよりも増えるという結果になりました」

自分らしいとは思わなかった作品でむしろ個性が認められた。そのあたりから私の参加した取材の現場では「個性とは何か」という質問も出るようになり、伊坂さんの描写についての話を聞くことにもなった。そこから、私の印象に残った二言目の「いちいち描写をしなければ、言葉がなくなってしまう」という台詞《せりふ》にも繋《つな》がったのである。

「僕が自分の小説で気に入っているのは、例えば小さくニヤッとできる場面なのですが、そういうストーリーの展開上は結構どうでもいいような細部って、書評や取材ではあまり取り上げられませんね。ただ、そういう、もしも同じあらすじで小説を書くとしたら、普通はもっと別の挿話にするんじゃないのかな、というようなディテールこそが、僕の個性とも言えば言える気がするんです。もともと僕は、一言で伝えられるテーマへの結論やメッセージなどではなくて、もっとモヤモヤしたお話そのものを作りたいんですから。

この何年間かの僕にとって、自分の小説の中でいちばん面白がってほしいのは語り方の工夫なんです。小説を書いている最中なら、まずほとんどそれにしか興味がないと言えるほど語り方に入り込んでいますし、書いていて興奮できるのも、あ、こんなふうに語ることもできたのだ、と新鮮に感じられた時なんです。それに比べたらプロットの工夫ってもっと現実的な操作や処理に留まるし、思いつく時には思いつく、そうでなければ出てこないという類《たぐ》いの即物的なものだから、個人的には語り方の工夫ほどの思い入れは持ちようがないな、と思っています。

具体的な語りの工夫としては、いちいち描写をすることがその一つですね。もっとシンプルに書いても物語としては成立しているという箇所も、いちいち詳しく書いておきたい。僕の小説はたぶん、描写の少ない作風だと思われているような気がするんですが、やっぱり、文章で場面をデッサンすることはかなり意識しています。新しい描写に挑戦しなければ、文章って、どうしてもそれまでと同じ癖で書いたり、すでに広く流通している他の人の描写をどこかで真似《まね》することになったり、に終始しかねませんし。

長文の描写が読者には退屈に見えうる、とは自覚しています。描写って話を停滞させる要素にもなりがちですし。それに、読者の反応を受けての自分なりの感触で言えば、おそらく描写をほとんどカットして、まるで会話だけで話を進めるかのようにして書いたほうが楽しい小説だとは言われやすいだろうとも思うんです。でも、だからと言って、描写をやめるわけにはいかない。

なぜか？

描写をしなければ、言葉がなくなってしまうからです。『ゴールデンスランバー』の中には、樽《たる》からワインが流れ出るように記憶が溢《あふ》れ出すという描写があります。この場面では要するに学生時代を思い出しているのだし『思い出す』という言葉を使ってもいますが、もしもワイン云々《うんぬん》という描写がなければ、その付近のエピソードって『思い出す』という単語だらけになって画一化しちゃうんですよね。ただ、何でも工夫していちいち描写したいと思ってはいても、それで読者がついてこられなくなったら嫌じゃないですか。そのあたりでうまくバランスを取る作業は、非現実的なことと現実的なことを描写する割合のアレンジにまで及んでいますよ。『ゴールデンスランバー』で言うなら、国家的な事件に巻き込まれる主人公ほど、宅配業者という多くの人にとって現実味を感じられる職業に就いてもらう、みたいなことですね。僕が小説の中でさえ断定的に物を言えないのも、そうしたバランスを取ってのことかもしれません。そもそも僕は支配されることが嫌だし、支配することもできないし、偉そうな言い方への反感が文章から滲《にじ》み出ているみたいなところがあります。これは特定の人物や団体を批判しているとかではなくて、自分でも何かの弾みで上から目線の物言いをしてしまいそうになると、うわ、何様なんだろうと思って言葉を引っ込めてしまうみたいなものですね。それで、『ような気がする』みたいな文章も多くなるのですが、本当に『ような気がする』としか言えないことばかりなんですよ。たかだか三十九年間ぐらいの人生経験しかない僕の勘で書く文章ですから、そうならざるをえないんです」

これらの一連の伊坂さんの発言である「物語の風呂敷は、畳む過程がいちばんつまらない」と「いちいち描写をしなければ、言葉がなくなってしまう」に共通して感じられることは、それから『ゴールデンスランバー』という小説そのものの持っているスタンスにも繋がると思えることは、「偉さ」から逃げて別の可能性を探したいという意志だ。

話の風呂敷を広げて畳むというだけの一貫性からは逃げる。細部をいちいち描写することで一元的な表現方法、価値観からも逃げる。そうしなければ言えることは限られてしまうから、という思いは、小説家とは違う仕事をしている取材者の私にも、職業的な経験から理解できることである。話の広がらなかった不自由なインタビューというのは、語り手か聞き手が「俺は偉い」「自分は正しい」と思いすぎていることにうまくいかなかった原因があることがしばしばだからだ。

取材現場において、「俺は偉い」という前提で話がはじまると、過去の体験のほとんどが、現在のその人の偉さを裏づける「だから俺は正しかったんだ」というオチに回収されがちだ。過去ばかりでなく、現在進行形のニュースなどに対する感想までもが「普通はみんな、こう思うだろうけれども自分の分析によれば」などと「偉い俺」のアイデアを発表するプレゼンテーションになりかねない。

どこに出かけても、何を見ても、誰と話しても、そこから「だから俺は偉いんだ」という同一の結論しか見つけられないのならば、どこに行ってもどこにも行けていない、というような事態も起こりうる。何しろ、「偉い俺」は、間違えることさえできないのだ。そのような語りは不可避の一本道、「偉さ」への一本道を直線的に辿《たど》るものにもなってしまう。そのことで話が真剣なものになるのはいいことかもしれないけれど、語り口の呼吸もリズムも割と息苦しくはなり、笑える要素は減りがちになる。

私見によれば、伊坂さんは無意識にでもそうした「偉さ」の不自由さから逃げたくて、「話の風呂敷を広げて畳む」だけの一本道を避けて物語のあらすじを脱臼させ、「いちいち描写をする」ことで直線的ではない寄り道、回り道を楽しみ、よくある話で語られるのとは違う言葉を探そうとしているように思える。

さらに推測を付け足すのならば、伊坂さんがいつも小説の最後に「これは嘘《うそ》を混ぜてあるので事実とは違いますよ」みたいに但《ただ》し書きを入れているのは、もしかしたらある種のもっともらしさから逃げて「間違えることもできる」という可能性をより高めるための仕掛けにもなっているようにも感じられるのだけど、それは、どうだろうか?

（平成二十二年十月、インタビュアー）

この作品は書き下ろしとして平成十九年十一月新潮社より刊行された。

伊坂幸太郎著　オーデュボンの祈り

卓越したイメージ喚起力、洒脱な会話、気の利いた警句、抑えようのない才気がほとばしる！　伝説のデビュー作、待望の文庫化！

伊坂幸太郎著　ラッシュライフ

未来を決めるのは、神の恩寵か、偶然の連鎖か。リンクして並走する4つの人生にバラバラ死体が乱入。巧緻な騙し絵のごとき物語。

伊坂幸太郎著　重力ピエロ

ルールは越えられるか、世界は変えられるか。未知の感動をたたえて、発表時より読書界を圧倒した記念碑的名作、待望の文庫化！

伊坂幸太郎著　フィッシュストーリー

売れないロックバンドの叫びが、時空を超えて奇蹟を呼ぶ。緻密な仕掛け、爽快なエンディング。伊坂マジック冴え渡る中篇4連打。

伊坂幸太郎著　砂漠

未熟さに悩み、過剰さを持て余し、それでも何かを求め、手探りで進もうとする青春時代。二度とない季節の光と闇を描く長編小説。

伊坂幸太郎著　オー！ファーザー

一人息子に四人の父親!?　軽快な会話、悪魔的な箴言、鮮やかな伏線。伊坂ワールド第一期を締め括る、面白さ四〇〇％の長篇小説。

伊坂幸太郎著　**あるキング**　—完全版—

本当の「天才」が現れたとき、人は〝それ〟をどう受け取るのか——。一人の超人的野球選手を通じて描かれる、運命の寓話。

伊坂幸太郎著　**３６５２**　—伊坂幸太郎エッセイ集—

愛する小説。苦手なスピーチ。憧れのヒーロー。15年間の「小説以外」を収録した初のエッセイ集。裏話満載のインタビュー脚注つき。

伊坂幸太郎著　**ジャイロスコープ**

「助言あり〼《ます》」の看板を掲げる謎の相談屋。バスジャック事件の〝もし、あの時……〟。書下ろし短編収録の文庫オリジナル作品集！

伊坂幸太郎著　**首折り男のための協奏曲**

被害者は一瞬で首を捻られ、殺された。殺し屋の名は、首折り男。彼を巡り、合コン、いじめ、濡れ衣……様々な物語が絡み合う！

伊坂幸太郎著　**ホワイトラビット**

銃を持つ男。怯える母子。突入する警察。前代未聞の白兎事件とは。軽やかに、鮮やかに。読み手を魅了する伊坂マジックの最先端！

伊坂幸太郎著　**クジラアタマの王様**

どう考えても絶体絶命だ。製菓会社に勤める岸が遭遇する不祥事、猛獣、そして——。現実の正体を看破するスリリングな長編小説！

上橋菜穂子著

狐笛のかなた

野間児童文芸賞受賞

不思議な力を持つ少女・小夜と、霊狐・野火。森陰屋敷に閉じ込められた少年・小春丸をめぐり、孤独で健気な二人の愛が燃え上がる。

上橋菜穂子著

精霊の守り人

野間児童文芸新人賞受賞
産経児童出版文化賞受賞

精霊に卵を産み付けられた皇子チャグム。女用心棒バルサは、体を張って皇子を守る。数多くの受賞歴を誇る、痛快で新しい冒険物語。

上橋菜穂子著

闇の守り人

日本児童文学者協会賞・
路傍の石文学賞受賞

25年ぶりに生まれ故郷に戻った女用心棒バルサを、闇の底で迎えたものとは。壮大なスケールで語られる魂の物語。シリーズ第2弾。

上橋菜穂子著

夢の守り人

路傍の石文学賞・
巌谷小波文芸賞受賞

女用心棒バルサは、人鬼と化したタンダの魂を取り戻そうと命を懸ける。そして今明かされる、大呪術師トロガイの秘められた過去。

上橋菜穂子著

虚空の旅人

新王即位の儀に招かれ、隣国を訪れたチャグムたちを待つ陰謀。漂海民や国政を操る女たちが織り成す壮大なドラマ。シリーズ第4弾。

上橋菜穂子著

神の守り人

上 来訪編・下 帰還編
小学館児童出版文化賞受賞

バルサが市場で救った美少女は、〈畏ろしき神〉を招く力を持っていた。彼女は〈神の子〉か？ それとも〈災いの子〉なのか？

上橋菜穂子著

蒼路の旅人

チャグム皇太子は、祖父を救うため、罠と知りつつ大海原へ飛びだしていく。大河物語の結末へと動き始めるシリーズ第6弾。

小野不由美著

魔性の子
—十二国記—

孤立する少年の周りで相次ぐ事故は、何かの前ぶれなのか。更なる惨劇の果てに明かされるものとは——「十二国記」への戦慄の序章。

小野不由美著

東京異聞

人魂売りに首遣い、さらには闇御前に火炎魔人、魑魅魍魎が跋扈する帝都・東京。夜闇で起こる奇怪な事件を妖しく描く伝奇ミステリ。

小野不由美著

屍鬼
（一～五）

「村は死によって包囲されている」。一人、また一人、相次ぐ葬送。殺人か、疫病か、それとも……。超弩級の恐怖が音もなく忍び寄る。

小野不由美著

黒祠の島

私は失踪した女性作家を探すため、禁断の島を訪れた。奇怪な神をあがめる人々。凄惨な殺人事件……。絶賛を浴びた長篇ミステリ。

小野不由美著

月の影 影の海
（上・下）
—十二国記—

平凡な女子高生の日々は、見知らぬ異界へと連れ去られ一変した。苦難の旅を経て「生」への信念が迸る、シリーズ本編の幕開け。

米澤穂信著 **ボトルネック**

自分が「生まれなかった世界」にスリップした僕。そこには死んだはずの「彼女」が生きていた。青春ミステリの新旗手が放つ衝撃作。

米澤穂信著 **儚い羊たちの祝宴**

優雅な読書サークル「バベルの会」にリンクして起こる、邪悪な5つの事件。恐るべき真相はラストの1行に。衝撃の暗黒ミステリ。

道尾秀介著 **向日葵の咲かない夏**

終業式の日に自殺したはずのS君の声が聞こえる。「僕は殺されたんだ」。夏の冒険の結末は。最注目の新鋭作家が描く、新たな神話。

道尾秀介著 **片眼の猿**
—One-eyed monkeys—

盗聴専門の私立探偵。俺の職業だ。今回の仕事は産業スパイを突き止めること、だったはずだが……。道尾マジックから目が離せない！

湊かなえ著 **豆の上で眠る**

幼い頃に失踪した姉が「別人」になって帰ってきた——妹だけが追い続ける違和感の正体とは。足元から頽《くずお》れる衝撃の姉妹ミステリー！

益田ミリ著 **マリコ、うまくいくよ**

社会人二年目、十二年目、二十年目。同じ職場で働く「マリコ」の名を持つ三人の女性達の葛藤と希望。人気お仕事漫画待望の文庫化。

ゴールデンスランバー

新潮文庫　い-69-6

平成二十二年十二月一日発行
令和七年四月二十五日二十六刷

著者　伊《い》坂《さか》幸《こう》太《た》郎《ろう》

発行者　佐藤隆信

発行所　株式会社 新潮社
郵便番号　一六二―八七一一
東京都新宿区矢来町七一
電話　編集部(〇三)三二六六―五四四〇
　　　読者係(〇三)三二六六―五一一一
https://www.shinchosha.co.jp

価格はカバーに表示してあります。

印刷・錦明印刷株式会社　製本・錦明印刷株式会社

ISBN978-4-10-125026-7　C0193